...oo Elizabeth Corley
...12 Nederlandse vertaling
...everij Luitingh ~ Sijthoff B.V., Amsterdam
...rechten voorbehouden
...pronkelijke titel: *Fatal Legacy*
...aling: Gerda Wolfswinkel
...lagontwerp: DPS/Davy van der Elsken

978 90 245 3948 2
e-book 978 90 245 4808 8
332

...boekenwereld.com
...uitgeverijluitingh.nl
...watleesjij.nu

ELIZABETH CO

BESCHER
GEH

Ui
mi

© 2
© 2
Uit
Alle
Oor
Ver
Om

ISBI
ISBI
NUF

www
www
www

UITGE

Voor Mike, veel liefs

Want Ik, de Here, uw God, ben een na-ijverig God, die de
ongerechtigheid der vaderen bezoek aan de kinderen, aan het derde
en aan het vierde geslacht van hen die Mij haten.

Exodus 20:5

PROLOOG

Ik heb een afspraak met de Dood.
Alan Seeger

Het was die nacht bitterkoud, te koud voor sneeuwval. De oostenwind deed pijn aan zijn keel en zijn ogen traanden. De takken waren overdekt met ijs, en de knoppen aan de bomen verschrompelden door het veel te koude weer voor de tijd van het jaar. De sterren aan de verre hemel leken te krimpen en gaven slechts aarzelend licht. Het oneffen modderspoor was keihard en de sneeuwplassen van de vorige week waren bevroren tot een dikke laag zwart ijs. Maar niet dik genoeg om het gewicht van een gezette man te dragen.

De logge gestalte strompelde over het door sterren beschenen pad, verloor zijn evenwicht en belandde met een smak op zijn achterste in een grote plas. Het ijs brak, waardoor hij weinig elegant in het koude water belandde. Zelfs zijn dure trenchcoat kon niet verhinderen dat het modderige water hem tot op de huid doorweekte.

'Hè, verdomme!' Zijn stem klonk als een geweerschot in de nacht. 'Wat een achterlijke plek om af te spreken.'

Hij hees zich moeizaam overeind met de verslapte ledematen en de gebrekkige coördinatie van een man van middelbare leeftijd, die altijd achter zijn bureau zit en veel te gemakzuchtig is.

Met vastberaden stappen liep hij verder. Ondanks zijn zware jas en degelijke jagersoutfit had hij het nu erg koud gekregen. De wind joeg de wolken uiteen, zodat het maanlicht hem de weg kon wijzen toen hij steeds dieper Foxtail Wood in liep. Het was bijna twee uur en er was geen teken van leven te bespeuren in die stormachtige nacht.

Voor zich uit zag de man het geflikker van een zaklantaren en hij haastte zich verder, opgelucht dat hij eindelijk zijn bestemming had bereikt. Een vriendelijke stem riep hem.

'Hierheen, Alan. Pas op voor die boomstronk – o jee. Gaat het wel?'

Nog heftiger vloekend wreef Alan over zijn scheenbenen. Eindelijk bereikte hij de open plek waar de zaklantaren hem wenkte.

'Precies op tijd, zoals altijd,' zei de stem sussend, maar hij had een rothumeur en hij was dan ook niet van plan zich zo snel tot bedaren te laten brengen.

'Wat een idioot tijdstip, als ik het zeggen mag.'

'Ja, maar dat heeft een reden. Ik zei je door de telefoon al dat we erg voorzichtig moeten zijn.'

'Maar waarom dan? Wat is er gebeurd? De vorige keer dat we elkaar spraken zei je nog dat alles in orde was.'

'Rustig maar. Hier, drink wat, daar word je warm van.'

Alan pakte de thermosfles aan en schonk zichzelf een grote mok in. Er kwam een heerlijk geurende damp vanaf – pittig gekruide bisschopswijn. Dat kon hij wel gebruiken in een nacht als deze. Hij nam een flinke teug en slikte die in één keer door. Ze hadden er wel een verdomd goede bordeaux voor gebruikt; jammer, om die hieraan te verspillen, maar hij klaagde niet. Naast de volle, fruitige smaak proefde hij brandewijn, kruidnagel, kaneel, citroen, en nog iets... Wat was dat? Toen hij de mok leeggedronken had bleef er een bittere nasmaak op zijn tong achter. Hij rilde ervan.

'Heb je het nog steeds koud? Hier, neem nog wat.'

Hij pakte de mok aan en begon er zonder erbij na te denken van te drinken. De wijn had beslist een verwarmende uitwerking en hij ontspande zich een beetje. Toen hij zijn tweede beker ophad, sprak hij de ander aan.

'Wat is er nou zo belangrijk en dringend dat we elkaar op zo'n onchristelijke tijd op deze rotplek moeten treffen? Waarom al... al... dat achterbakse gedoe?' Hij struikelde over zijn woorden. De wijn steeg hem naar het hoofd. Hij moest een beetje oppassen.

'Ik leg het je allemaal wel uit. Kom, deze kant op.'

Alan volgde de ander over de maanverlichte open plek, er was geen wolk meer te bekennen. De grond was verraderlijk glad. Hij gleed uit op een donker stuk ijs en kwam zwaar op zijn heup terecht.

'Hier, ik zal je helpen.' Een verbazend sterke hand trok hem bij de elleboog overeind en hij waggelde nog een paar meter verder. Hij stond nu wel erg wankel op zijn benen en de bomen begonnen op een krankzinnige manier te zwaaien toen hij ernaar keek in een poging zich te oriënteren. Alles leek te kronkelen en te draaien in de wind. Hij kon bijna niet meer rechtop blijven staan.

'Ik... ik voel me niet zo goed. Ik moet even gaan zitten.'

'Nee, wacht even tot je bij de auto bent, dan kun je zitten.'

'Auto? Je zei toch dat ik niet met mijn auto moest komen?'

'Dat weet ik, maar ik heb hem voor je meegebracht. Maak je maar geen zorgen.'

Voor zich uit zag hij de wazige omtrek van zijn zilvergrijze Rolls.

'Hoe... Ik snap het niet.'

'Nee, dat snap je ook niet. Dat zal wel door die pillen komen – ze moesten wel snel gaan werken met al die alcohol.'

Nu voelde Alan een eerste zweem van angst opkomen en hij keek op in het vertrouwde gezicht naast zich. Hij dacht aan de bittere nasmaak van de bisschopswijn.

'Heb je me vergiftigd?'

'Nee hoor, dat niet. Maar het is genoeg om je zover te krijgen dat je meewerkt. Relax, we zijn er bijna.' Voordat hij het kon tegenhouden werden zijn handschoenen van zijn ijskoude, verstijfde vingers getrokken. Hij kon zijn blik inmiddels nauwelijks meer scherp stellen, maar hij kende de vormen van zijn geliefde auto zo goed, dat hij zelfs in deze gedrogeerde toestand kon zien dat er iets niet klopte. Er was een slangachtige staart aan vastgegroeid, die in de wind omhoog leek te kronkelen. Toen hij bij de auto aankwam, stak hij zijn hand uit om houvast te zoeken en raakte daarbij de staart aan. Hij voelde geribbeld en rubberachtig onder zijn blote vingers.

'Brave jongen, vooruit maar, voel maar, hier... en hier... Heel goed. Kom maar.'

Hij werd meegetroond naar de chauffeurskant. Het portier stond open en de motor draaide stationair.

'Tjonge, wat ben je toch zwaar. Kom, geef me een hand, je bent alleen maar dood gewicht.'

Alan klemde zich vast en zocht vertwijfeld naar mededogen in het gezicht dat hij zo goed kende. Hij werd beloond met een zuinige glimlach, terwijl hij gehoorzaam achter het stuur ging zitten. Hij hield zich voor dat het een vriend was. Hij hoefde alleen maar uit te leggen dat hij zich ontzettend ziek voelde, dan kwam het allemaal wel goed.

De hand greep hem bij de arm en duwde hem verder naar binnen.

'Oei! Niet zo hard, er mogen geen blauwe plekken te zien zijn. Rustig maar, trek je benen op. Heel goed.'

Daar zat Alan, zwaar beneveld, niet in staat zich te verroeren en hij probeerde wanhopig te bevatten wat er met hem gebeurde. Hij voelde dat hem een plastic potje in zijn handen werd gedrukt en zag dat het daarna op de zitplaats naast hem werd gegooid. Toen werd er iets wat op een wijnfles leek rechtop tussen zijn benen geplaatst. Zijn vingers streken er losjes overheen.

Er hing een weeë, chemische lucht in de auto die hij wel kende, maar niet kon benoemen. De angst kwam weer opzetten, een heel reële, verstikkende angst, die hem misselijk maakte en waardoor hij over zijn hele lichaam begon te beven. Hij was zo moe, hij wilde gaan slapen, maar wat veel noodzakelijker was, hij moest het begrijpen. Hij deed zijn uiterste best om woorden te formuleren.

'Wat gebeurt er toch? Vertel het me, alsjeblieft!'

Het overbekende gezicht keek hem recht in de ogen.

'Het is heel simpel. Je gaat dood, Alan, hier en nu. Je gaat dood, omdat je oud en nutteloos bent, een blok aan het been. Je bent ver voorbij je houdbaarheidsdatum. Slaap zacht.'

Het portier werd dichtgeslagen en van buitenaf op slot gedaan. Alan probeerde met het dode gewicht van zijn hand bij de deurhendel te komen, maar die was te ver weg. Zijn vingers streken over de dure leren bekleding van de armsteun, terwijl hij ze steeds een beetje verder omhoog probeerde te krijgen, maar de alcohol en de drugs maakten zijn hoofd en ledematen dodelijk zwaar. Met een zucht legde hij zijn hoofd achterover tegen de hoofdsteun, terwijl de walgelijk weeë lucht van uitlaatgassen in de auto steeds dikker werd.

Uit nieuwsgierigheid nam de politievrouw met een penseel monsters van de patroonhulzen en stopte die in hoesjes voor bewijsstukken, die ze snel van etiketten voorzag. Ze hadden onder de rottende bladeren verscholen gelegen en het was best mogelijk dat er nog vingerafdrukken op zaten. Het was interessant om te kijken of die van hem erbij zaten.

Het lichaam was ontdekt door de plaatselijke jachtopziener, die zijn voederbakken in het bos was gaan controleren. Hij had de auto onmiddellijk herkend. Op deze open plek kwam hij maar zelden, want hij was alleen geschikt om voor de voet te jagen. Ergens was het wel ironisch dat de dode man een fervent jager was geweest. Als hij hier was gaan jagen kon dat verklaren hoe hij van het verborgen spoor naar deze open plek had geweten.

De jonge vrouwelijke rechercheur had eerst geaarzeld of ze de technische recherche en fotograaf er wel bij moest halen, maar toen ze de brigadier van dienst had gesproken, had ze het toch maar gedaan. Zij zouden er nu wel gauw zijn, ze hoefde alleen maar te wachten tot ze arriveerden en het lijk weghaalden, dan kon ze weg. Dit was het naarste onderdeel van haar werk, wachten, urenlang soms, met als grootste vijand de verveling.

Ze liep voorzichtig om de auto heen en bleef er ver genoeg bij uit de buurt om de ergste stank te mijden, maar het gezoem van de vliegen bleef te horen. Er leidde een wirwar van diep uitgesleten bandensporen naar de open plek en het was voor haar onmogelijk te zeggen welke daarvan van de Rolls waren.

Ze ging opnieuw naar de auto toe, met haar hand stevig tegen haar mond en neus gedrukt, en staarde naar de enige inzittende en zijn zoemende entourage. Het was grotesk wat ontbinding allemaal kon doen en toch vond ze het fascinerend. In de tien dagen dat hij vermist was, had een plotselinge periode van zonneschijn het lichaam dat in de auto opgesloten zat, snel tot verval doen overgaan. De rotting was voortgeschreden en ze benijdde de patholoog-anatoom niet. Op de onbedekte plekken van het lijk waren groene vlekken te zien en de marmerachtige aderen op rug van zijn handen.

Ze vroeg zich af waar die vliegen in de winter vandaan kwamen. Een ogenblik lang stelde ze zich vol afschuw voor dat ieder mens vliegeneitjes in zich meedroeg – de zaadjes van je eigen ontbinding. Die wachtten alleen maar tot je doodging. Ze rilde ervan.

Er was een stuk slang aan de uitlaat bevestigd en dat stak aan de bovenkant van een raampje naar binnen. Er was bruin plastic plakband gebruikt om de opening van tweeënhalve centimeter af te dichten. De rest van het plakband was opgemaakt bij de andere raamstijlen, de lege kartonnen rol lag op de grond voor de linkerstoel. Ze merkte op dat het afplakken aan de binnenkant was gebeurd.

Agent-rechercheur Nightingale had geen adem meer over en liep bij de auto weg om haar longen te laten volstromen met frisse lucht. Ze keek nog één keer om naar het ontbindende lijk dat in zijn dure kleren achter het stuur zat, en keerde het toen gedecideerd de rug toe. Dergelijke taferelen konden je een leven lang bijblijven.

DEEL EEN

Mijn ambitie is te regeren, maar in de hel:
Beter te regeren in de hel, dan te dienen in de hemel.
John Milton

1

Het was weldra algemeen bekend dat Alan Wainwright op een barre winternacht zelfmoord had gepleegd, een daad die zijn familie en kennissenkring in gelijke mate verblijdde en ontstelde. Afgezien van zijn lichte hartkwaal had men de drieënzestigjarige weduwnaar beschouwd als iemand die te benijden was. Zijn echtgenote was na een moeizaam huwelijk al jaren eerder overleden en had zodoende haar man respijt gegeven om, weliswaar laat, maar met hernieuwde energie, een aangenaam vrijgezellenbestaan te kunnen leiden. En iedereen wist natuurlijk dat hij multimiljonair was.

Hij had meer dan dertig jaar aan het hoofd gestaan van Wainwright Enterprises, een enorm conglomeraat van bedrijven, een van de meest succesvolle in de regio. Hij verdeelde zijn vrije tijd tussen zijn landgoederen in Schotland en op de Caribische Eilanden. Het familielandgoed, Wainwright Hall, strekte zich uit over honderden hectaren met buitengewoon productieve land- en bosbouwgronden in Sussex. Zijn plotselinge dood was een onverwachte klap voor het bedrijf en creëerde voor de verwachtingsvolle familie de kans op een erfenis, die wel eens flink zou kunnen uitvallen. Zij maakten zich niet zo druk als ze misschien wel hadden moeten doen over de vraag wat toch de reden kon zijn geweest dat Alan Wainwright zich zonder waarschuwing of verklaring van het leven had beroofd.

Twee weken na de ontdekking van het lijk zat Alexander Wainwright-Smith, neef van de overledene, met zijn kersverse vrouw Sally in het kantoor van de notaris te wachten tot het testament van oom Alan zou worden voorgelezen. Zij hadden bescheiden twee rechte stoelen in de verste hoek uitgekozen en de comfortabele stoelen met de lederen bekleding overgelaten aan de achterwerken van de meer vooraanstaande familieleden. Op de eerste rij, tegenover het grote bureau van walnoothout, zaten Julia, de zuster van Alexanders moeder, en Colin, haar man. Julia hulde zich in een waardig stilzwijgen. Ondanks haar middelbare leeftijd was ze nog steeds mooi, en ze ging geheel volgens de laatste mode gekleed.

Achter hen zaten, of hingen, hun zes volwassen dochters in een lange rij. Zij zaten zich stierlijk te vervelen en wachtten vol ongeduld om te horen wat hun rijke oom hun had nagelaten. Van zijn zes nichten was Lucy, de jongste, de enige die hij een beetje mocht. Hij had zijn jeugd in het huis van zijn oom doorgebracht en was daar constant vernederd, en geen van hen had ooit zijn vriendschap gezocht.

Het werd benauwd in de kamer, terwijl ze wachtten tot Jeremy Kemp, die al vele jaren de financieel en juridisch adviseur van de familie Wainwright was, binnenkwam; hij zou het niet in zijn hoofd halen te beginnen voordat Graham, Alan Wainwrights enige zoon, was gearriveerd. Graham hing de eeuwige bohemien uit en kwam altijd te laat, hoewel hij toch al de veertig was gepasseerd. Hij was het zwarte schaap van de familie. Zijn dominante moeder had hem schromelijk verwend en zijn vader was zo jaloers geweest op al die aandacht, dat hij een hekel had gekregen aan de aanwezigheid van zijn zoon. Geen wonder dat Graham zodra hij oud genoeg was het huis uit was gegaan.

Om kwart over drie, exact een kwartier te laat, kwam Graham het kantoor binnenwaaien. Hij was niet alleen.

Colin werd knalrood. 'Lieve god, Graham, wat heb je nu weer meegenomen?'

Graham glimlachte. Het deed hem zichtbaar genoegen dat zijn stunt niet onopgemerkt bleef.

'Het is geen wat, oom, het is een wie. Dit is Jenny, een vriendin van me.'

Jenny ging gekleed in, nou ja, vrij weinig. Ondanks de koude voorjaarsdag droeg ze een korte rok met een split tot boven op haar dijbeen en een witte haltertop. De stof van beide liet er voor iedereen die belangstelling had geen twijfel over bestaan dat ze had besloten vandaag maar eens geen ondergoed aan te trekken. Alexander vroeg zich af of ze het niet koud had. Colin deed een vergeefse poging om niet te staren.

Jeremy Kemp was achter Graham aan het kantoor binnengekomen. Hij nam snel en discreet de kamer en de aanwezigen in ogenschouw, keek heel even Sally, Alexanders vrouw, aan, glimlachte stijfjes en bestelde toen verse thee, terwijl hij elk van zijn bezoekers met zijn of haar naam begroette. Hij kende hen allemaal; de belangenbehartiging van de Wainwrights, zowel die van de familie als de zakelijke, maakte grotendeels de omzet van zijn notariskantoor uit. Toen de thee was gebracht, ging hij rustig achter zijn bureau zitten en riep de kwekkende mensen voor hem tot de orde.

'Goedemiddag, allemaal. Zoals jullie weten, zijn we hier om de laatste wil te vernemen van Alan Winston Wainwright.' Met zijn slanke, gemanicuurde handen spreidde hij de documenten op manillapapier voor zich uit. Die handen zagen eruit alsof ze een fluit of een penseel behoorden vast te houden, niet de papieren met de woorden van een dode man. De spanning in de kamer was voelbaar. Alan Wainwright was een rijk man, maar hij was ook een eigenheimer geweest, en niemand wist hoeveel hij nu eigenlijk waard was. Zelfs de familieleden die in zijn bedrijven werkten, kenden de precieze omvang van zijn totale fortuin niet en hadden jarenlang met tegenzin en voor een mager inkomen moeten ploeteren in afwachting van dit moment. Julia zag er net zo verlangend naar uit als de anderen. Zes kinderen krijgen bleek moeilijk samen te gaan met het hebben van onvervulde maatschappelijke ambities.

Jeremy Kemp keek naar de verwachtingsvolle gezichten voor hem. Grote rijkdom en macht waren corrumperende factoren – hij had gezien wat ze met Alan Wainwright hadden gedaan. Hij vroeg zich af wat ze zouden doen met zijn erfgenamen en hij onderdrukte een huivering.

'Dit is het testament van Alan Winston Wainwright, opgemaakt op 3 januari van dit jaar.'

Ergens in de kamer hield iemand hoorbaar zijn adem in. Hij had nog geen twee maanden vóór zijn dood zijn testament gewijzigd. Waarom?

'Ik, Alan Winston Wainwright, in het volle bezit van mijn geestelijke vermogens...' De executeur-testamentair ging over op een geoefende verteltoon toen hij de inleidende woorden voorlas, en de hele familie luisterde aandachtig, wachtend tot de eerste naam werd genoemd die een erfenis ten deel zou vallen. '... aan Julia Wainwright-McAdam, mijn zuster, een jaarlijks inkomen van dertigduizend pond, als erkentelijkheid voor haar morele steun aan mijn bedrijven in de afgelopen dertig jaar.'

Julia had het concern links laten liggen; zij leefde van het inkomen uit de door haar moeder opgerichte trust en ze wijdde haar leven aan populaire goede doelen, tot ze Colin leerde kennen en met hem trouwde. Zij koesterde de verwachting dat ze nu serieus deel kon gaan uitmaken van de liefdadigheidskringen en ze keek dan ook furieus. Het was een schijntje in haar ogen, het dekte nauwelijks de kosten van haar garderobe en haar schoonheidsbehandelingen. Niemand durfde haar aan te kijken; ze waren of nerveus, of afwachtend, afhankelijk van hun geweten of van hun optimisme.

Alleen Alexander leek het niet te raken. Hij hoefde geen enkele realistische verwachting te koesteren wat betreft een erfenis, gezien de impopulariteit van zijn moeder, die er tweeëndertig jaar geleden met een handelsreiziger vandoor was gegaan. Ook al was ze indertijd de favoriete zus van zijn oom geweest, hij had het haar nooit vergeven. Zelfs nu ze dood was, telden oude herinneringen niet meer.

'Aan Colin Wainwright-McAdam, mijn zwager, een jaarlijks inkomen van tienduizend pond bij zijn leven, tezamen met de levenslange opbrengst van Manor Cottage, als erkenning van zijn grote liefde voor mijn landgoed in Sussex.'

Colin werd paars en Julia lijkbleek. Haar droom om de plaatselijke beschermvrouwe en voorzitter van comités te worden was nu helemaal verkeken. Ze hadden op zijn minst verwacht het landgoed in Sussex te krijgen, er waren door de jaren heen voldoende hints in die richting gegeven. Julia kon zich niet eens herinneren hoe Manor Cottage eruitzag. Colin wel, en hij beschouwde het als een belediging, wat ook zo was.

Alle ogen waren nu op Graham gericht, die op zijn gemak achteroverzat en over Jenny's dijbeen achter zich wreef. Jenny grijnsde naar Alexander, die naast haar zat, maar verder leek dit alles haar volstrekt koud te laten.

'Aan mijn zoon Graham vermaak ik de helft van de rest van mijn nalatenschap, zoals omschreven in Bijlage 1, gedateerd 31 december, plus het buitenhuis in Schotland, en de helft van de vastgestelde waarde van de Wainwright Family Trust, en de door hem uit te kiezen kunstwerken van Wainwright Hall, tot een waarde van dertigduizend pond.'

Graham trok een frons. Hoeveel het ook was, hij had erop gerekend de hele bups te erven en hij wachtte met nauwelijks te bedwingen woede op de naam van de liefdadigheidinstelling die, naar hij aannam, de rest van zijn vaders erfenis zou krijgen.

'Hoeveel is de Wainwright Family Trust waard?' onderbrak hij Kemp. De notaris pakte een computeruitdraai uit een dossier naast zich.

'De taxatiewaarde van de helft van de trust bedroeg aan het eind van het vorige kwartaal 7.567.308 pond. Ik heb de totale waarde van jouw aandeel van de erfenis getaxeerd op iets meer dan vijftien miljoen.'

De sfeer in de kamer daalde tot onder het vriespunt, toen eindelijk de enormiteit van de belediging tot Alans zuster en zwager doordrong. Er viel een korte stilte, toen begonnen Colin, Julia en hun kinderen door elkaar heen te schreeuwen.

'Hoe kon hij zoiets doen?'

'Hij moet niet goed bij zijn hoofd zijn geweest.'

'Waar haalt zo'n man het lef vandaan!'

'Dit is krankjorum, verdomme nog aan toe!'

'Niet vloeken, Colin, alsjeblieft. Laten we het beschaafd houden, dat is wel het minste. Trouwens, we moeten overwegen dit testament aan te vechten.' Julia's koele, zorgvuldig geformuleerde klanken sneden door de stemverheffing heen en het werd even stil, terwijl acht ziedende mensen nadachten over eventuele wraak in een strijd via een rechtszaak.

Kemp verbrak de stilte. 'Er zijn ook nog erfenissen voor de kinderen Wainwright-McAdam.'

'Wil dat zeggen dat hij de andere helft van het bezit aan hen heeft gegeven?' Colin klonk ontzet, maar zijn dochters hielden meteen hun mond. 'Schiet eens op dan, het slechte nieuws eerst graag.'

'Je zwager heeft specifieke instructies gegeven aangaande de volgorde waarin het testament moet worden voorgelezen.' Kemp schraapte zijn keel en vervolgde: *'Voor mijn nichten, de dochters van mijn zuster Julia Wainwright-McAdam, elk dertigduizend pond en een keus uit de juwelen of meubelen van Wainwright Hall, tot een waarde van tweeduizend vijfhonderd pond ieder.'*

'Waar gaat die andere vijftien miljoen dan naartoe?' vroeg Julia verontwaardigd. 'O, god, hij heeft het toch niet allemaal aan goede doelen gegeven, hè? Als hij dat gedaan heeft was hij niet meer bij zijn volle verstand, zeg ik jullie! Hij heeft in zijn hele leven nog nooit iets voor een goed doel overgehad.'

Jeremy Kemp ging door alsof ze niets had gezegd. *'En ten slotte laat ik de rest van mijn nalatenschap, roerende en onroerende goederen, zoals omschreven in aangehechte Bijlage II, maar expliciet inbegrepen Wainwright Hall, de inboedel, behalve die goederen die aan anderen zijn nagelaten, mijn landgoed op de Cariben, zoals aangegeven in de bijgevoegde akten, en de andere helft van de waarde van de Wainwright Family Trust, na aan mijn neef, Alexander Wainwright-Smith en zijn vrouw Sally, als gezamenlijke begunstigden.'*

Het werd akelig stil. Alexander keek verbijsterd. Sally had de hele tijd stijf rechtop gezeten en nu staarde ze alleen maar met glazige ogen voor zich uit. Niemand zei iets. Een voor een draaiden de familieleden zich naar Alexander om en staarden hem aan met afschuw, walging, woede of gewoon pure afgunst. Ze konden absoluut niet geloven wat ze zojuist hadden gehoord. Alexander nota bene!

'Hoe heb je dat voor elkaar gekregen, gluiperd? Klootzak die je bent, met je weekendbezoekjes en je telefoontjes en je godvergeten rotklusjes die je voor de zaak deed. Hier heb je al die tijd naartoe gewerkt. Wie had ooit gedacht dat je daar de hersens voor had. Maar misschien was jij het ook niet.' Graham draaide zich om naar Sally. Het leek wel alsof hij een beroerte kreeg. 'Jij was het, hè? Doortrapt stuk...'

'Genoeg!' kapte Kemp hem af. 'Er is absoluut geen aanleiding voor dit soort persoonlijke scheldpartijen; daar heb je niets aan. Emoties zijn begrijpelijk op zulke momenten, maar dat is geen excuus voor lomp gedrag, en woede is een heel ongezonde basis voor het nemen van besluiten. Ik stel voor dat ik de bijeenkomst sluit, tenzij er praktische kwesties moeten worden afgehandeld, en dat degenen onder jullie die de zaak nader met mij willen bespreken een individuele afspraak maken voor morgen of voor vrijdag.'

Maar Graham was nog niet klaar.

'En hoe zit het met vaders belangen in het familiebedrijf? Wainwright Enterprises moet minstens vijftig miljoen waard zijn – het halve graafschap werkt er, godbetert.'

'Je vaders belangen in Wainwright Enterprises zijn jaren geleden al van de hand gedaan. Zijn kleine resterende holding maakt deel uit van het familiebezit dat je is nagelaten.'

Het was de ene schok na de andere. Ze waren er allemaal van uitgegaan dat Alan Wainwright het hele bedrijf, waar ze óf hun hele leven niet naar om hadden gekeken, óf hard in hadden geploeterd, in eigendom had.

Colin keek Kemp met zijn rood aangelopen gezicht zó woedend aan, dat het bijna haat leek.

'Jij wist dat hij zijn testament had gewijzigd, nietwaar, en toch heb je niets gezegd. Wedden dat jij er een vet honorarium aan overhoudt – en hoe moeilijker het wordt, hoe meer geld jij vangt.'

Het kostte Kemp geen moeite hem bedaard en recht in de ogen te kijken. Hij was gewend aan de woede-uitbarstingen van de man.

'Colin, het heeft geen zin om kwaad te worden op meneer Kemp. Je weet dat het Alan is die dit heeft gedaan.' Julia sprak de notaris aan. 'Ik vind het een verstandig voorstel van je, Jeremy. Wij gaan nu weg, maar bedenk wel dat we morgen inderdaad terugkomen.'

Een voor een gingen de familieleden weg, tot alleen Graham, Jenny, Alexander en Sally nog in het kantoor zaten. Sally had nog altijd niets gezegd. Ze keek van Alexander naar Graham en toen naar Kemp en ze had haar handen in een samengeknepen bal op haar schoot liggen. Haar nette, maar niet dure rok begon lelijk te kreukelen in de warmte van het kantoor. Kemp besloot de zaken voort te zetten. Hij keek Alexander aan.

'Je moet goed weten dat dit notariskantoor de enige executeur-testamentair is.'

Graham stond op en zei: 'Dan heeft die ouwe Colin dus gelijk: jij gaat hier flink van profiteren.' Hij probeerde zichzelf een imposanter voorkomen te geven door zijn afhangende schouders recht te trekken en zijn borst naar voren te duwen. 'Nou ja, op één deel van de zaak kun je in de toekomst niet meer rekenen, en dat is mijn deel. Kom, Jenny, we gaan.'

Alexander wilde nog iets tegen zijn neef zeggen, maar voordat hij de juiste woorden had gevonden was Graham al vertrokken, dus bleven hij en zijn vrouw alleen over in het kantoor van de notaris. Terwijl hij voor zich uit staarde, sprak Sally zachtjes met Kemp. Toen pakte ze haar man ferm bij de arm en bracht hem naar buiten.

'Ik denk dat we toe zijn aan een lekker kopje thee,' zei ze. Kemp glimlachte mild toen ze de deur uit liep.

2

Jeremy Kemp had zijn secretaresse de opdracht gegeven om een strikte tussenpoos van minimaal een halfuur in te lassen tussen de afspraken met de verschillende familieleden. Het laatste wat hij wilde was een spontaan treffen dat op een knokpartij uitdraaide.

Colin en Julia arriveerden als eersten, zonder hun kinderen. Het was een onaangename bespreking die uitliep. Daardoor kon Julia, in haar outfit van Jaeger en met haar parels om, bij het weggaan de confrontatie met Sally aangaan, die een marineblauw mantelpak en een roze blouse van Marks & Spencer droeg. Toen deze welwillend een stapje opzij deed, versperde de andere vrouw haar de weg.

'En waar ga jij naartoe, jongedame? Ik moet een hartig woordje met je spreken.'

Sally schudde haar hoofd, onaangedaan door Julia's boosheid. Sinds ze met Alex getrouwd was, had de oudere vrouw haar altijd erg vanuit de hoogte behandeld. Het besef van hun erfdeel was al straf genoeg.

'Alsjeblieft, Julia. Dit is niet de juiste tijd en plaats. Waarom bespreken we het niet een andere keer samen, bij een lekker kopje thee?'

'Kopje thee? Godallemachtig, wie denk je wel dat je bent, dat je míj uitnodigt op de thee alsof je Vrouwe Fortuna bent. Eerlijk gezegd ben jij wel de laatste met wie ik thee wil drinken. Ik heb nog wel een beetje niveau, weet je.'

Alexander kwam naar haar toe en legde zijn hand stevig op Julia's schouder. 'Tante Julia, windt u zich toch niet zo op. Het laatste wat oom Alan zou hebben gewild is dat dit verdeeldheid zaait in de familie.'

Julia wierp haar hoofd in haar nek en begon op hoge toon te schateren. 'Sukkel, dat is exáct wat hij wilde. Is dit iets voor gelukkige families? Wat ben je toch stom. Dat verbaast me overigens niet; je vader was een idioot. Wat kun je dan verwachten?'

'Zo is het mooi geweest.' In Alexanders toon had beleefdheid plaatsgemaakt voor een onmiskenbaar autoritaire klank. Ze keken hem allemaal aan en hielden verrast hun adem in. Julia herstelde zich als eerste, maar toen ze sprak klonk het verongelijkt en niet meer zo arrogant en zelfverzekerd.

'Denk maar niet dat ik niet weet hoe dit allemaal tot stand is gekomen. Wacht maar, tot ik jullie voor de rechtbank sleep. Dan komt alles uit, over jou en die hoer van je.'

'Julia, hou op!' Colin keek vol afgrijzen naar zijn vrouw. De nieuwe Alexander die daar stond leek hem heel goed in staat terug te slaan met rechtsvervolging wegens smaad. Hij keek zijdelings naar het jonge stel. Als die ongehoorde belediging van zijn vrouw bedoeld was om hen uit het veld te slaan, had ze haar doel compleet gemist. Zijn aangetrouwde nicht keek hem met een koele, afstandelijke minachting aan, zijn neef keek ongeduldig. Toen stapten ze heel rustig om zijn vrouw heen en begroetten Jeremy Kemp met een hartelijke handdruk. Hem restte slechts zijn ongewoon stil geworden echtgenote naar buiten te begeleiden.

Kemp nodigde Alexander en Sally uit om in de gemakkelijke leren stoelen te gaan zitten en bood hun sherry aan. Het was pas elf uur, maar hij had het idee dat ze er allemaal wel aan toe waren. Sally nam dankbaar een slokje, terwijl Alexander zijn glas alleen maar naar zijn lippen bracht en het verder liet staan. De bespreking liep uit tot na twaalven, het werd zelfs één uur. Kemp ging zo op in de details dat hij vergat dat hij om kwart over één een afspraak met Graham had, tot hij in de voorkamer van zijn kantoor stemverheffing hoorde. Hij keek zijn cliënten verontschuldigend aan.

'Graham zou om kwart over één komen. Hij is een keertje op tijd en zo te horen vindt hij het niet prettig om even te moeten wachten.'

De deur werd met een klap opengegooid, zo hard dat de ruiten ervan rammelden, en Graham beende naar binnen. Hij rook vagelijk naar whisky. Jenny stond met een spijtig gezicht achter hem. Ze had een buitengewoon strakke heupbroek met wijd uitlopende pijpen aan en een limoengroen topje, dat haar platte gebruinde buik en navelpiercing bloot liet.

'Typisch. Ik had het kunnen weten dat jullie twee het eerst aan de beurt zouden komen.'

'Wij wilden net weggaan. En wat we besproken hebben, daar was niets vertrouwelijks bij. We zijn graag bereid het met je te bespreken als je er tijd voor vrij wilt maken.' Sally glimlachte openlijk ontspannen. Alexander pakte haar arm en zei tegen Kemp: 'Dan laten we jou verder aan je werk, Jeremy. Kom, Sally.'

Hij deed zijn mond open om iets tegen Graham te zeggen, maar schudde zijn hoofd en sloot hem weer, alsof hij de juiste woorden niet kon vinden. Graham stond versteld van de verandering die over zijn neef was gekomen.

Alexander zou zich onverwacht gemakkelijk hebben aangepast aan zijn plotselinge rijkdom, ware het niet dat zijn wereld op het punt stond nog veel ingewikkelder te worden. Hij stapte om drie uur die middag met een eenvoudig vragenlijstje het kantoor van Doggett en Hawes, de accountants van Wainwright Enterprises, binnen en ging pas om zeven uur die avond de deur uit met een hele nieuwe reeks verantwoordelijkheden, die zelfs de meest ervaren zakenman zou afschrikken.

De kantoren van Doggett en Hawes leken aan de buitenkant een en al anonimiteit en discretie, maar als je eenmaal door de voordeur met beveiligingscode was en uit de lift stapte, die eveneens met een beveiligingskaart werd bediend, maakte deze façade plaats voor louter smaakvolle luxe. Toen Alexander de lift uit kwam en naar de antieke tafel liep die als receptiebalie dienstdeed, was hij er zeker van dat hij per ongeluk in een herenclub verzeild was geraakt.

Op de glanzend gewreven, donkere eikenhouten vloer lagen Perzische tapijten met vervagende kleuren; op een ronde, ingelegde rozen- en satijnhouten tafel stond een enorme schaal met een wilgenmotief, waarin lentebollen waren geplant en die de lucht parfumeerden met een vleugje alpenweide; een achttiende-eeuwse grootvaderklok gaf een bevredigend, gestaag tiktakgeluid, zoals hij dat al tweehonderdvijftig jaar deed. De receptionist was een kleine, kalende en gezette man in een smetteloos wit overhemd, formele stropdas en een donkerblauw driedelig kostuum met krijtstreepje.

Hij stond al overeind voordat Alexander drie stappen had gezet. 'Meneer Alexander Wainwright? Meneer Doggett verwacht u. Wilt u uw, eh, parka aan mij geven?'

De klok sloeg drie uur toen Alexander door de korte gang liep, langs mahoniehouten deuren met koperen scharnieren en knoppen die zacht glanzend gepoetst waren, en bij de laatste deur aan de linkerkant kwam. Op de derde slag opende de receptionist zonder kloppen de buitenste deur en klopte toen gedecideerd op de binnenste deur, die er direct achter zat.

'De heer Alexander Wainwright, meneer.' Hij liet Alexander binnen en deed beide deuren weer achter hem dicht.

Frederick Doggett zat achter een antiek bureau in een kantoor dat twee keer zo groot was als Alexanders eigen woonkamer. Het straalde ook meer luxe uit. Ondanks de airconditioning brandde er een vuur met hout en kolen achter een gietijzeren rooster, dat ingezet was in een marmeren haard naar de stijl van Robert Adam. Een van de wanden stond helemaal vol met boekenkasten van walnoothout en de drie andere waren versierd met een verzameling jachttaferelen. Ook hier gaf een antieke klok met een droge tik de tijd aan.

Alexander was zo van zijn stuk gebracht door de kamer, dat hij de kans had gemist om Doggett eerst eens goed op te nemen voordat deze bij hem stond, hem de hand schudde en hem meteen naar een oorfauteuil bij het vuur bracht.

'Alexander, wat fijn je te zien, maar in zulke tragische omstandigheden. Sta me toe jou en je familie te condoleren. Een groot verlies, en vast ook een groot verdriet.'

Die man was zo aalglad, dat het onmogelijk te onderscheiden was of er een dubbele bodem in die buitensporige uiting van medeleven zat. Hij zou toch moeten weten hoe weinig geliefd oom Alan was geweest. Het gevoel dat hij voor de gek werd gehouden, hoe handig ook, irriteerde Alexander, en hij nam zich alvast voor de accountant niet te mogen, wat die man verder nog zei of deed. Toen hij een gelinieerd A4'tje uit zijn zak haalde, keek Doggett met een scheef glimlachje en zwijgend toe. Dat glimlachje veranderde haast onmerkbaar in een bezorgd vragende uitdrukking, toen Alexander hem aankeek.

'Dit is een lijst met vragen die mijn vrouw en ik hebben in verband met Wainwright Enterprises. Ik geloof dat je er al een kopie van hebt.'

'Uiteraard, zeker. Wil je ze nu meteen bespreken, of nadat je je ooms instructies hebt gehoord aangaande de manier waarop de bedrijven in de toekomst geleid moeten worden?'

Alexander zat met zijn mond vol tanden en dat ergerde hem opnieuw. Toch zei hij redelijk welwillend: 'Goed punt. Eerst oom Alans instructies maar, vind ik.'

Terwijl hij stil zat te luisteren naar de woorden van zijn dode oom, besefte hij met toenemende tevredenheid dat zijn beroepsleven voorgoed was veranderd. Het kwam er simpelweg op neer dat zijn oom hem had voorgedragen als algemeen directeur van Wainwright Enterprises. Hij kreeg een zetel in de raad van bestuur en een leidende positie bij de dochterondernemingen.

'Ik weet dat het als een schok zal aankomen en het is ook een behoorlijk grote verantwoordelijkheid, maar je oom had grote waardering voor je capaciteiten. Hij was er sterk van overtuigd dat jij hem moest opvolgen. Je hebt een lange periode bij de vele bedrijven van de onderneming gewerkt en je oom vertelde me dat je het overal heel goed hebt gedaan. Hij had gewild dat jij die positie zou gaan bekleden, Alexander, dat weet ik. Het komt misschien een beetje eerder dan we allemaal hadden verwacht, maar het was desondanks zijn wens.'

Alexander leunde naar achteren in zijn stoel en sloot zijn ogen. Van de underdog van de familie op te klimmen tot directeur van het hele familiebedrijf was als een droom, maar Doggett kon merken dat er misschien toch wat overreding voor nodig was. Wat hadden ze hem allemaal verkeerd beoordeeld. Na een gepaste stilte knikte hij. 'Goed, ik stap erin. En ga me dan nu maar vertellen waar ik allemaal verantwoordelijk voor ben.'

Doggett legde elk aspect van de zaak aan hem uit – hij kon niet anders, met het onophoudelijke doorvragen van Alexander. Na meer dan drie uur stak Doggett vermoeid zijn hand op alsof hij er genoeg van had, maar Alexander had nog één laatste vraag.

'Als algemeen directeur breng ik verslag uit aan de aandeelhouders. Vertel me eens iets over hen.'

Doggetts onderzoekende en hulpvaardige uitdrukking veranderde niet, maar zijn hele lichaamshouding werd een beetje gespannen.

'Nou, het is een vrij ingewikkelde aandeelhoudersstructuur. Het bedrijf is in de afgelopen dertig jaar op een nogal... laat ik het zo zeggen, rommelige manier groot geworden. Wainwright Enterprises is voor tachtig procent in handen van Wainwright Holdings; tien procent had je oom persoonlijk in handen en dat is in gelijke mate aan jou en je neef Graham Wainwright nagelaten. De andere tien procent is eigendom van raadslid Ward.'

'George Ward? Ik heb nog op hem gestemd.'

'Die, ja.'

'En wie is eigenaar van Wainwright Holdings?'

Doggett schoof een beetje heen en weer in zijn stoel. 'Wil je nog wat thee? Of een biertje, of whisky misschien, gezien het tijdstip?'

'Nee, bedankt. Het ging over Wainwright Holdings.'

'Hier wordt het een stuk ingewikkelder. Om uiteenlopende redenen – hoofdzakelijk de belastingen, maar ik kan je verzekeren dat het allemaal legaal is – is Wainwright Holdings eigendom van een aantal trusts, ten behoeve van verscheidene plaatselijke zakenlieden.'

'En dat zijn?'

Drie van de namen herkende hij onmiddellijk: Frederick Doggett, de man die tegenover hem zat, Jeremy Kemp, hun raadsman en James FitzGerald, de financieel adviseur van zijn overleden oom.

De klok luidde kwart over. Doggett keek ernaar en stond op.

'Het klinkt een beetje vervelend, Alexander, maar ik heb een dinerafspraak – ik had daar al moeten zijn. Kunnen we op een ander tijdstip verder praten?'

'Natuurlijk. Morgenochtend vroeg maar meteen?'

'Ik heb een nogal volle agenda, vrees ik. Ik zal tegen mijn secretaresse zeggen dat ze die van jou moet bellen om een tijd af te spreken.'

Ondanks zijn dringende eetafspraak keek Doggett Alexander na vanuit zijn bovenraam, vanwaar hij een goed uitzicht had. Toen de nieuwe, eenvoudig geklede algemeen directeur het pand verliet, volgde hij hem met zijn ogen helemaal, tot hij een hoek omsloeg en uit het zicht verdween. Toen waren kennelijk alle gedachten aan het diner verdwenen, want hij ging achter zijn bureau zitten en pakte de telefoon. Het nummer dat hij belde werd onmiddellijk beantwoord en hij kwam zonder omwegen ter zake.

'James, hij is net weg. Het ging niet zo goed als we hadden verwacht. Hij is assertiever dan ons is voorgespiegeld... Intelligent? Ja, dat zou ik wel zeggen, verrassend genoeg, maar ik denk dat hij eerder een doorzetter is dan dat we ons zorgen moeten maken over zijn intelligentie. Er stroomt meer Wainwright-bloed door zijn aderen dan we allemaal dachten.'

Het bleef even stil en Doggett begon onbehaaglijk in zijn grote leren fauteuil heen en weer te schuiven, terwijl de pareltjes zweet op zijn voorhoofd stonden. Toen hij weer begon te praten wist hij slechts met moeite een gevoel van paniek te onderdrukken.

'Ja, natuurlijk, als jij wilt dat we bij elkaar komen. Dan bel ik Jeremy wel op en wacht hier op jullie.'

Toen Doggett de telefoon teruglegde trilde zijn hand en streek hij met zijn knobbelige vingers zenuwachtig over zijn hoofd, waardoor zijn onberispelijke haardracht in de war kwam. Hij bleef een hele tijd roerloos zitten, trok de knoop van zijn stropdas los en maakte het bovenste knoopje van zijn overhemd open. Hij stond op, liep naar het blad met drank en schonk drie vingers dik whisky voor zichzelf in. De scheut sodawater die hij erin spoot was zo kort dat het voornamelijk nevel was, maar dan kon hij zichzelf in ieder geval voorhouden dat hij geen pure sterkedrank dronk. Toen liet hij zich zwaar in een oorfauteuil zakken en begon wezenloos in de dovende sintels van zijn vuur te staren.

James FitzGerald liet zichzelf met zijn eigen sleutel binnen via de achteringang van het kantoorgebouw. Frederick Doggett en Jeremy Kemp zaten in dat belachelijk grote kantoor dat Fred per se had willen hebben, op hem te wachten. Hij zette een glimlach op waarvan hij wist dat zij er onzeker van werden, en dat maakte zijn grijns alleen maar breder.

'Goeienavond, mannen!' Hij had nooit moeite gedaan om van zijn arbeidersaccent uit Sussex af te komen, en hij genoot ervan hoe ze allebei een huivering onderdrukten bij de toon die hij aansloeg. 'Dat wat Jeremy ook drinkt, graag.'

Doggett overhandigde hem een gin-tonic met ijs en hij nam een flinke slok.

'Lekker. Laten we gaan zitten – rondhangen als een stelletje overgebleven schlemielen op een trouwerij is ook maar niks.' Hij pakte de stoel die het dichtst bij het laag brandende vuur stond en wachtte tot de anderen waren gaan zitten. Toen vroeg hij: 'En, Fred, wat is jouw weloverwogen opinie?'

'Over Alexander Wainwright-Smith? Hij is erg nieuwsgierig en bij lange na niet zo'n slapjanus als Alan ons liet geloven.'

'Het is een Wainwright, dan moet het wel een rare gozer zijn. Toen we het erover eens werden dat hij algemeen directeur zou worden wanneer Alan met pensioen ging, gingen we ervan uit dat de oude man George zou vervangen als voorzitter, en dat hij zijn neef wel in toom zou houden. Nu is hij dood en jullie zullen het zelf moeten doen. Ik haal jullie allebei in het bestuur.'

James keek naar hun reacties toen hij dit schot had afgevuurd. Die twee waren allebei niet uit hetzelfde hout gesneden als hun vaders en plotseling miste hij zijn oude generatiegenoten heel erg. Met Alans dood was hij de enige overlevende van het oorspronkelijke stel dat Wainwright had geherstructureerd om hun eigen doelen te dienen. Fred Doggetts vader was de nestor geweest, overleden op de leeftijd van negentig jaar, en hij had een labbekak van een zoon achtergelaten om het accountantskantoor te runnen en in zijn vrije tijd met jonge knullen te stoeien. Nog geen maand later overleed Jeremy's vader aan een hartaanval.

'Ik weet niet of het wel zo verstandig is als ik in het bestuur ga zitten, James. Ik ben jouw accountant; daar gaan de mensen vraagtekens bij zetten.'

'En terecht. En hoe zit het met jou, Jeremy?'

De notaris bloosde en nam een flinke slok uit zijn kristallen glas.

'Ik, eh, tja... Het is wel een erg nauwe connectie, en ik ben Wainwrights juridisch adviseur...'

'Ik snap het al. Geen vrijwilligers dus.' James had niet verwacht dat een van hen zo nauw betrokken wilde raken bij het bedrijf, maar hij had hen toch getest. Dat was het probleem met de tweede generatie: het waren armzalige kopieën van hun vaders en je kon er in tijden van crisis niet op vertrouwen. Niet dat het al een crisis was. Ze hielden hem in de gaten zoals een muis een slang in de gaten houdt, wachtend op de aanval die misschien nooit zou komen, maar die niet zou missen als hij wel kwam. Hij liet hen wachten en nam langzame slokjes van zijn drank, terwijl hij zijn opties overwoog. Na een lange stilte, waarin de spanning in de kamer om te snijden was en de babyface van Doggett paars aanliep, zette hij zijn lege glas op de wandtafel en stond hij op om te vertrekken.

'We doen voorlopig nog niets. Laten we maar kijken hoe hij zich settelt. Fred, zorg ervoor dat je bij hem in de buurt blijft, en Jeremy, jij blijft contact houden met zijn alleraardigste vrouwtje. Dat hoeft toch niet zo moeilijk te zijn, zelfs niet voor jou!'

Zonder op antwoord te wachten draaide hij zich om en liet hen alleen voor die avond. Die zou vanaf nu vervuld zijn van zowel de vrees voor de geesten uit het verleden, als die voor een onzekere toekomst die zijn schaduwen vooruit wierp.

3

Graham trok een vergulde, gestoffeerde stoel naar achteren en Julia vlijde zich gracieus naar achteren. Colin hielp Jenny in net zo'n stoel aan de overkant van de tafel en liet zich daarna in zijn eigen stoel ploffen. Toen hief hij zijn glas martini met veel gin en dronk het leeg. Het was druk in het restaurant, maar het drukke achtergrondgesnater dat hen verzekerde van privacy tijdens hun gesprek, compenseerde het lange wachten voordat ze bediend werden.

Graham bestelde champagne en wuifde met een glimlach de afkeuring van zijn tante weg.

'Op pa! Hij zou het goedgevonden hebben en we moeten toch iets voor die arme ouwe donder doen, na zo'n herdenkingsplechtigheid.'

'Het was heel...' Julia zocht naar het goede woord, 'mager. Ze hebben er nota bene een hele maand de tijd voor gehad. Dat hadden ze beter kunnen doen.'

'O, de dienst zelf was best goed. Ik vind dat Alexander er goed aan heeft gedaan om het een beetje rustig te houden. De begrafenis was per slot van rekening pas drie weken geleden. Maar dat afschuwelijke begrafenismaal achteraf stoorde me wel. Mousserende wijn, mijn hemel, en sandwiches met ham!'

'Dat zal Sally wel geweest zijn, die zit ontzettend op de centen.' Julia's toon was veelzeggend.

'Je mag haar echt niet, hè, tante?'

'Ze is verschrikkelijk. Een laag-bij-de-grondse del, die ver boven haar stand leeft.'

'Nou, nou, lieverd, je hoeft toch niet zo bot te zijn.' Colin keek even naar Jenny en hoopte dat zij zich niet aangesproken voelde. Ze was in het zwart gekleed, uit respect voor Grahams vader, maar er was erg weinig zwart en ontzettend veel van Jenny zelf te zien. De opmerkingen van Julia leken haar niet te deren. Julia negeerde haar man en trok Graham dichter naar zich toe voor een onderonsje.

'Ik ben ervan overtuigd dat ze... Hoe zeg ik het netjes?' Julia wachtte even, kennelijk niet op haar gemak met wat ze te zeggen had. 'Nou ja, dan maar bot. Graham, ik denk dat ze je vader heeft verleid om zijn testament te wijzigen.'

'Boeiend. Vandaag waren er ook al een paar van zijn vrienden die volhouden dat het geen zelfmoord kan zijn geweest.'

'Maar een ongeluk kun je het ook niet noemen!'

'Precies.'

In Alan Wainwrights kennissenkring heerste een algemeen onbehagen over de conclusies van het gerechtelijk vooronderzoek, maar dat vond aanvankelijk geen weerklank bij de familie. Zij waren allemaal veel te gebrand geweest op de erfenis om ruimte voor twijfel bij zichzelf toe te laten. Maar na het voorlezen van het testament en de teleurstelling die ze hadden moeten incasseren, waren ze meteen bereid de bezorgdheid over Alans onverklaarbare zelfmoord te delen.

Julia keek Graham taxerend aan, boog zich nog dichter naar hem toe en fluisterde in zijn oor: 'Als het geen zelfmoord is geweest, wat is er dan...?' Toen hield ze gauw haar mond, Graham was immers een van de grootste begunstigden na zijn vaders dood. Hij voelde dat ze er verlegen mee was en ging op een ander thema over.

'Wat weet jij van Sally, tante?'

'Wat weten wij überhaupt? Heel weinig. Ze dook zes maanden geleden hier in Harlden op en ze is in januari met Alexander getrouwd. Er waren van haar kant geen familieleden en vrienden op de bruiloft en ze moest en zou voor de burgerlijke stand trouwen. En een maand later komt je vader te overlijden. Wil je suggereren...?'

'Ik suggereer niets. Ik vind alleen wel dat het heel erg goed uitkomt.' Graham zweeg even en vervolgde toen met een berekenende trek op zijn gezicht: 'Na het voorlezen van het testament heb ik een privédetective in de arm genomen om in haar achtergrond te graven. Niet iemand van hier, ik heb hem in Londen gevonden. Tot nog toe is het geldverspilling, maar ik houd hem nog een week of zo aan. Wat hij wel zeker weet is dat ze op een gegeven moment haar naam of haar geboortedatum heeft veranderd. Haar meisjesnaam op haar huwelijksakte is Price, maar er staat nergens een Sally Price geregistreerd op de datum die zij als geboortedatum heeft opgegeven.'

Julia glimlachte vals. 'Laat me maar weten wat je ontdekt. Ik ben erg geïnteresseerd. Niet te geloven dat je vader zijn halve bezit aan Alexander heeft vermaakt; hij kon hem af en toe niet uitstaan.'

Graham en Jenny hadden een kamer genomen in het beste hotel in de stad. Het had maar drie sterren en Graham had enige aanpassingsproblemen omdat hij geen vijfsterrenbediening kreeg. Hij zat rechtop in bed toen Jenny uit de douche kwam.

'Wat doe je?' vroeg ze.

Graham pakte gauw een stapeltje papieren en foto's op, stopte ze in een envelop en gaf haar een stuk of wat uitgeknipte krantenartikelen.

'Die heb ik van Julia gekregen. Hier is er een over het muziekfestival waar Alexander en Sally elkaar hebben leren kennen – kijk, daar staat ze op de foto. Er staat onder dat ze uit de omgeving komt, maar niemand met wie ik gesproken heb kent haar. Vind je dat niet gek?'

'Nee, hoor. Het is een grote stad.' Ze liet zich onder de dekens glijden en sloeg haar armen om zijn slanke middel. Zijn huid rook naar citroenen, whisky en sigaren. Het was typisch zijn geur en ze vond het heerlijk. 'Het is al na twaalven,' mompelde ze.

'H-hm.' Hij haalde de bruine envelop van het bed.

'Wat zit daarin?'

'Observatiefoto's. Ze zijn daarnet afgeleverd door mijn privédetective. Ik heb hem gevraagd Sally een paar dagen te volgen en dit is vanavond gekomen. Maar er zit nog niets interessants bij.'

'Je hebt meer dan vijftien miljoen pond geërfd. Waarom laat je het niet met rust? Dat extra geld heb je niet nodig.'

'Het gaat niet om het geld. Het gaat om veel meer. Ik heb vandaag naar mijn vrienden geluisterd en ik geloof niet meer dat mijn vader zelfmoord heeft gepleegd. Iemand heeft hem vermoord, Jenny, en ik denk dat Sally daar iets mee te maken kan hebben. Ik denk echt dat ze mijn vader een of ander kunstje heeft geflikt, en dat wil ik bewijzen.'

Alexander maakte een fles Bulgaarse cabernet sauvignon open en gaf Sally een glas. Ze zat in elkaar gedoken bij een kleine elektrische haard in hun zitkamer. Het dreigde weer te gaan sneeuwen, en toch stond ze erop dat de thermostaat van de centrale verwarming op een temperatuur bleef staan die net voorkwam dat de leidingen bevroren. Hij was pas twee maanden met haar getrouwd na een stormachtige verkering, en er waren nog heel veel dingen waar hij van opkeek.

'Ik vind dat het heel goed is gegaan met de herdenkingsdienst, jij ook, Sal?'

'Het ging prima. Maar ik ben wel blij dat het eindelijk voorbij is. Een heleboel mensen gingen pas even voor zevenen weg. God weet wat voor extra's dat hotel ons in rekening brengt.'

'Niet veel. Ze pakken alles aan wat ze kunnen krijgen op dit moment. Ik heb alleen de kamer en het personeel gehuurd, en mevrouw Willett deed de rest. Ze vond wel dat je wat aan de krappe kant zat met het budget dat je haar had gegeven.'

'O, is dat zo! Nou, je moet goed bedenken dat het nu jóúw eten en jóúw wijn is, Alexander – en zíj moet eraan denken dat ze *onze* huishoudster is! Ik weet niet of mevrouw Willett me erg bevalt.'

Alexander zag dat er twee roze vlekken op Sally's wangen gloeiden. Die had hij leren herkennen als waarschuwingsteken en hij was er al aan gewend geraakt. Ze had woorden gekregen na de dienst; eerst met één familielid, daarna met iemand anders die haar opzettelijk bruuskeerde, en hij kon zien dat ze op ruzie uit was. Het was beter om een ander onderwerp aan te snijden.

'Ik zag dat je na afloop met George Ward stond te praten. Ik probeerde bij jullie te komen staan, maar op de een of andere manier leek het alsof ik voortdurend door andere gasten omringd was. Hij is onze voorzitter – wat vind jij van hem?'

'O, in orde, tamelijk saai.'

'Hij kwam niet saai op mij over; ik dacht juist dat hij zich ergens over opwond. Waar ging dat over?'

'Hij dramde maar door over de dood van je oom. Een tragedie, veel te vroeg, al die gebruikelijke dingen. Ik vond hem nogal nerveus, helemaal niet het type van een voorzitter.'

Sally pakte hun lege dessertschaaltjes en bracht ze naar de ijskoude keuken. De mierzoete cake was Alexander te zwaar geweest, maar hij wist wel beter dan iets te laten staan, want dat duldde Sally niet. Iets weggooien was in haar ogen een ontzettende verkwisting. Wat zuinigheid betreft zou hij nooit iets op haar aan te merken kunnen hebben. Hij was nu al vergeten hoe bijzonder hij haar had gevonden, hun huishouding was inmiddels een eenvoudige, maar nauwgezette routine geworden. Opeens drong het tot hem door wat een gigantische verandering zich in hun persoonlijke leven zou voltrekken als ze naar Wainwright Hall verhuisden. Bezorgd dat ze het niet aan zou kunnen, pakte hij haar hand vast toen ze weer aan tafel kwam zitten.

'Sal, ik wil niet dat je je zorgen maakt over onze verhuizing naar de Hall. Heb je er hulp bij nodig?'

Sally keek hem met een vreemde blik aan en even meende hij verontrust dat ze hem zou uitlachen, maar toen glimlachte ze en klopte hem op zijn hand die nog in de hare lag.

'Dat is heel lief van je, schat, maar ik denk dat ik het wel red.'

4

Hoofdinspecteur Fenwick ging achteroverzitten in zijn redelijk comfortabele stoel en richtte zijn volle aandacht op het podium. Korpsleider Harper-Brown was op het idee gekomen hem naar dit seminar te sturen. Het was zo bedroevend slecht gesteld met het ontwikkelings- en opleidingsniveau binnen de divisie, dat er op iedere goedkope mogelijkheid om de statistieken te verhogen werd ingesprongen.

Het onderwerp was populair, getuige het feit dat de ruimte bijna gevuld was, zelfs in deze afmattende tijden met strak aangetrokken budgetten. Twee sprekers betraden het podium en de lichten werden gedempt. Op het scherm verscheen een dia: *Forensische boekhouding en administratie* stond er, met daaronder in kleinere letters: *Initiatieven tot samenwerking*. Het Instituut van Registeraccountants in Engeland en Wales en vertegenwoordigers van het bankwezen en de verzekeringsmaatschappijen hadden de handen ineengeslagen om een serie lezingen te geven voor de politiekorpsen in het hele land. Naast hun rol als collectief weldenkende burgers en in de hoop op deze manier te voorkomen dat de toch al strakke reguleringen niet verder werden aangetrokken, beoogden ze hiermee de mogelijkheden van samenwerking met de politie te vergroten, om fraude en het witwassen van crimineel geld via legale ondernemingen terug te dringen.

Op een droge, maar gezaghebbende toon legde de eerste spreker beknopt uit wat witwassen van geld was: hoe criminelen een reeks ingewikkelde bedrijfsstructuren opzetten, om via die kanalen de opbrengsten van crimineel verkregen geld door te sluizen. Simpel gezegd: het 'vuile geld' ging er aan de ene kant in – zeg maar zoals het omwisselen van valuta bij een grenswisselkantoor – en kwam er aan de andere kant 'schoon' weer uit als niet te achterhalen contanten of als balans op wettige bankrekeningen. Het meeste vuile geld was afkomstig van drugs of smokkel, maar het systeem was niet kieskeurig en de opbrengsten uit elke vorm van criminele activiteit konden op die manier worden verwerkt.

Regeringen, wetgevers en wetshandhavers over de hele wereld hadden in de jaren tachtig al ingezien dat de criminaliteit zelf zou dalen, als je kon voorkomen dat criminelen voordelen haalden uit hun misdrijf. Je kon het risico van het uitgeven van het geld onaantrekkelijk hoog maken, of de financiering van grotere, lonendere criminele activiteiten onmogelijk maken. Er waren vérstrekkende wetten en reguleringen ingevoerd, waarvan sommige de verantwoordelijkheid bij de banken en andere financiële instellingen legden om erop toe te zien dat het geld dat ze accepteerden legaal verkregen was. De straffen voor nalatigheid op dat punt waren niet mals, voor de instellingen niet en zelfs voor een individuele medewerker niet, die persoonlijk vervolgd kon worden voor vergissingen of onoplettendheid. De spreker verklaarde dat een bankmedewerker zelf uiteindelijk een boete opgelegd kon krijgen, zelfs de gevangenis in kon gaan, als hij verdacht geld accepteerde of op de een of andere manier meehielp aan het verwerken ervan. Maar hoe beter de controles werden uitgevoerd, hoe slimmer de criminelen werden, en hoe moeilijker het bleek te zijn om hun complotten te ontmaskeren. Fenwick maakte gedetailleerde aantekeningen en luisterde met belangstelling naar de hem onbekende technische, wettelijke en administratieve terminologie.

De tweede spreker beschreef de nieuwe Europese wetgeving, die hij en anderen ingevoerd probeerden te krijgen, maar zijn uitleg was zó ingewikkeld dat verschillende toehoorders begonnen te knikkebollen. In het kwartiertje pauze voor het begin van de volgende sessie, schonk Fenwick een extra grote kop koffie voor zichzelf in en at hij een zandkoekje, in een poging om zijn bloedsuikergehalte omhoog te brengen en zichzelf niet in verlegenheid te brengen door in slaap te sukkelen zodra de lichten weer uitgingen.

'Hé, Andrew! Hoe is het met jou?' bulderde een zware stem met een Welsh accent achter hem.

'Davey! Goed, dank je wel. Hartstikke leuk je te zien! Mijn god, dat moet intussen wel, zeg eens, drie jaar geleden zijn.'

'Plus nog wat. Bij die verdomde opfriscursus van meer dan een maand, ergens in de rimboe. Dat is langer geleden dan me lief is.'

Davey Morgan was een sterke kerel, die rugby speelde. Hij was samen met Fenwick in de rangen geklommen en tot hoofdinspecteur benoemd. Ze hadden tot hun verbazing gemerkt dat ze van nature goed met elkaar overweg konden en allebei een droog soort humor hadden. Morgan was een van de weinige mensen bij wie Fenwick zich meteen ontspannen voelde. Het was de bedoeling geweest contact te houden, maar dat was nog voordat Monique ziek werd en Davey uit het zuiden vertrok.

'Waar zit je nu?' vroeg Fenwick.

'Nog steeds in Liverpool. Een moeilijk district, maar mijn vrouw en de kinderen wonen buiten op de Wirral en daar hebben ze het prima naar hun zin. En jij?'

'In Harlden, West Sussex.' Hij kon zichzelf er niet toe brengen over zijn gezin te praten, en Davey voelde zijn terughoudendheid aan.

'West Sussex. Er gaat een belletje rinkelen...' Dorstig nam hij een slok koffie; het porseleinen kopje zag er breekbaar uit in zijn reusachtige knuisten. 'Ik weet het weer! Is Harper-Brown daar uiteindelijk geen korpsleider geworden?'

'Ja. Ken je hem?'

'Ken je hem? Hou maar op! Die ouwe pennenlikker is drie jaar lang mijn commissaris geweest, godbetert. Man, man, ik benijd je niet.'

Fenwick lachte. 'Het ligt dus niet alleen aan mij. Ik dacht dat die kerel speciaal mij moest hebben.'

'O god, nee. Hij is een verschrikking, maar ik snap heel goed dat jij zijn type niet bent,' lachte Davey mee. 'Wedden dat je administratie verdubbeld is?'

Fenwick schudde somber het hoofd. 'Ja, dat hád zo moeten zijn, maar het lijkt alsof ik nooit klaar ben.'

Dat was maar één van de vele problemen in zijn verhouding met Harper-Brown. Het leek wel alsof hun definities van de fundamentele vereisten voor het beroep van politiefunctionaris lijnrecht tegenover elkaar stonden. Hun enige punt van overeenkomst was het belang van het oplossen van misdrijven: Fenwick, omdat hij gedreven op zoek was naar gerechtigheid in een onrechtvaardige wereld, de korpsleider, op grond van in statistieken af te lezen tevredenheid over een goed afgeronde zaak, wat weerspiegeld werd in een hogere positie op de ranglijst van behaalde prestaties. Dat ene punt van overeenkomst in hun doelstellingen was de broze basis waarop ze streefden naar een geloofwaardige werkverhouding, die in elk geval toereikend was om hen binnen het politiekorps van West Sussex naast elkaar te laten bestaan.

Gedurende de tweede helft van de cursus leerde Fenwick iets over de bestaande wettelijke bescherming die voorkwam dat mensen die van fraude en witwaspraktijken werden verdacht, zichzelf beschuldigden. Hij maakte maar weinig aantekeningen en hoorde het met groeiende walging aan. Pas de laatste lezing over de samenwerking tussen de korpsen onderling en internationale samenwerking herstelde zijn vertrouwen in het systeem weer wat. De spreker, commissaris Miles Cator, was door de Met, de hoofdstedelijke politie, afgevaardigd als hoofd van een belangrijke taakeenheid die zowel de HMRC (de fiscale opsporingsdienst en de douane), als de inlichtingendiensten, als de politie binnen het Verenigd Koninkrijk coördineerde, in samenwerking met overeenkomstige eenheden in vijf andere landen. Hij beschreef hoe ze drie jaar lang hadden gewerkt aan het ontmaskeren van een witwasoperatie waarmee vele miljoenen dollars gemoeid waren en die tien landen in drie continenten omvatte. Het was een onderzoek geweest waaraan meer dan honderd mensen hadden meegewerkt en het had geleid tot de aanhouding van vijftien personen, verspreid over de Verenigde Staten, Engeland en Monaco. Zij zaten nog steeds in de gevangenis in afwachting van hun proces.

Fenwick luisterde geboeid en bijna zonder met zijn ogen te knipperen naar de slotwoorden van Cator:

'... Dus als er één boodschap is die ik heel graag aan jullie wil overbrengen, de les die uit deze zaak te leren valt – en er gaat nog minstens een jaar overheen tot aan het proces, pas daarna kan ik openlijker over onze methoden spreken – is dat jullie nooit de omvang en de complexiteit van de regelingen en trucs die deze bendes hanteren, moeten onderschatten. Misdaad, of het nu drugssmokkel, illegale immigratie, prostitutie of gewoon ouderwetse diefstal is, is big business – en dan bedoel ik écht *big*. Het is feitelijk een van 's werelds belangrijkste en meest universele manieren om aan geld te komen.

Grote bedrijven kunnen de beste juridische adviezen, computersystemen en accountants betalen die ze nodig hebben om het ze voor de wind te laten gaan. We hebben tegenwoordig te maken met een wereld ín een wereld. De tentakels van de georganiseerde misdaad en de regelingen die er bestaan om geld wit te wassen – die nodig zijn om haar in stand te houden – hebben zich overal verspreid in de industrie, in onze hoogste beroepstakken, mogelijk zelfs tot in sommige regeringen.

De mensen die hierachter zitten zijn rijk, georganiseerd, inventief en intelligent, ze zijn meedogenloos en ze kennen geen scrupules. En alleen door al ons talent te bundelen zullen we in staat zijn het tegen hen op te nemen en te winnen. Dames en heren, ik dank u voor uw aandacht.'

Cator kreeg de langste ovatie en Fenwick werd verrast door de scepsis van Davey toen ze er bij een pul bier tijdens de lunch over praatten.

'Dus jij vindt het niet veel bijzonders wat Cator zei.'

Morgan schudde zijn hoofd. 'Allemaal complottheorieën als je het mij vraagt. Natuurlijk is misdaad big business. Dat weet iedereen. Maar het is voor het grootste deel slecht opgezet en opportunistisch. Ik ben nog nooit zo'n "meester-crimineel" tegengekomen, jij wel?'

'Misschien omdat dat degenen zijn die we nooit te pakken krijgen. Jij weet net zo goed als ik, dat als je al het geld waarvan we weten dat het in de drugshandel omgaat bij elkaar optelt, wij maar een fractie daarvan onderscheppen. Waar gaat dan de rest naartoe?'

'Weet ik niet. Maar hoe hoog is het oplossingspercentage in jullie divisie?'

Fenwick wist het uit zijn hoofd: 'Tweeëntwintig komma drie procent per jaar.'

'Niet slecht! Maar wat ik wil zeggen is, dat het niet opgespoorde geld bij die zeventig tot tachtig procent van de niet opgeloste misdaad is inbegrepen. Als goed nieuws kan ik zeggen dat het percentage moorden is gestegen, maar dat het voornamelijk de rotzakken zijn die elkaar elimineren! Ik wil wedden dat er meer uit angst of gewond zelf uit die wereld zijn gestapt, dan er ooit door de grootscheepse aanpak van dat verrekte Interpol zijn gepakt.'

Fenwick kon er niets aan doen dat hij moest lachen om Morgans politiek volstrekt incorrecte kijk op het leven. Geen wonder dat hij en Harper-Brown elkaar niet hadden kunnen luchten – maar dat wilde nog niet zeggen dat hij het met hem eens was.

'Dat is maar één kant van de zaak, Davey. Ik denk dat Cator voor het grootste deel gelijk heeft. En er zit nog een aspect aan deze kwestie: Het is gewoon zo dat die lui die erbij betrokken zijn zó doortrapt zijn, dat we ze niet tegenkomen.'

Zijn opmerking werd met bulderend gelach beantwoord. 'Dat

komt doordat jij een beetje te veel intellect in je bovenkamer hebt, maat. Wat zou jij graag zo'n topcrimineel te grazen nemen. Zo'n vette kluif, daar heb je wel trek in. Ik ben meer het realistische type. Kom, neem er nog eentje van me.'

'Nee, jammer. Ik moet nog terug, helaas.'

'Ga je vandaag nog aan het werk? Vergeet wat ik zei, maar het is idioot, echt hoor, dat je dat doet.'

'Ik moet wel. H-B heeft een vergadering belegd om over de politiesterkte te praten. Toewijzingen bij zaken, detacheringen, dat soort dingen, door de hele divisie heen. Als ik daar niet bij ben, merk ik morgenochtend dat de helft van mijn team ergens anders aan het werk is.'

'Nou, hij is dus niets veranderd. Ga maar en strijd de goede strijd. Veel geluk ermee.'

De vergadering sleepte zich voort. Men verwachtte een moeilijk paasweekend en de korpsleider zocht nog meer mensen van zijn korps, die langs de zuidkust ingezet konden worden om problemen te voorkomen. Het was bekend dat protestgroepen zich organiseerden om rellen te schoppen en hij wilde geen brandhaarden in juist zijn regio.

Tegen zeven uur die avond was Harlden tien extra agenten kwijt aan uitzendingen naar de kust, mankracht die noch de geüniformeerde dienst noch de misdaadrecherche konden missen omdat ze er al vier te weinig hadden. Inwendig kreunend dacht Fenwick aan al het extra werk, de stand-by's en de lange werktijden met Pasen, net op het moment dat de schoolvakanties begonnen.

Harper-Brown sloot de vergadering met een scherpe opmerking dat het noodzakelijk was efficiënt te blijven werken. 'Sommige korpsen halen oplossingspercentages van tegen de dertig procent en dat op regelmatige basis, en een percentage van tweeëntwintig komma drie is, als ik zo vrij mag zijn, uit de ouwe tijd.'

Na afloop van de vergadering zat Fenwick te popelen om te kunnen ontsnappen. Het laatste wat hij die avond nog van Harper-

Brown wilde horen waren de beruchte woorden 'eh, nog één ding...'
Hij haalde nog net de bovenste tree van de trap toen hij hoorde zeggen:

'Ha, hoofdinspecteur! Nog één ding. Ja, jij, Fenwick. Mijn kantoor, alsjeblieft.'

'Ja, chef.' Fenwick slaakte een zucht van ergernis die hij verborg achter een hoestbui, draaide zich met tegenzin om en volgde de korpsleider. Commissaris Quinlan, zijn baas in Harlden, stond in de buurt.

'Problemen?' vroeg Fenwick zachtjes toen hij langs hem kwam.

Quinlan haalde zijn schouders op en schudde zijn hoofd. 'Niet dat ik weet.'

Toen ze in het kantoor van de korpsleider waren liet hij de deur openstaan, dan kon het dus geen onvoorziene ramp zijn.

'Hoe was de conferentie vandaag?'

'Conferentie? O, vanochtend. Interessant, heel interessant. Eén spreker, commissaris Miles Cator, was buitengewoon sterk.'

Harper-Browns gebruikelijke pokerface betrok bij deze onverwachte lof. Toen zette hij een beleefd vragend gezicht op. 'O, dus Cator was er. Wat vind je van hem?'

'Indrukwekkend, chef, voor zover ik dat kon opmaken. Jong, natuurlijk, maar intelligent, en hij lijkt me een goede politieman.'

Harper-Brown was druk in de weer met de papieren op zijn bureau zonder Fenwick aan te kijken.

'Dus je vond hem niet, hoe zal ik het zeggen, een beetje een showman? Je weet wel, veel franje en tierelantijnen?'

'Helemaal niet, chef. Datgene wat hij van zijn methoden kon onthullen, klonk erg overtuigend en zijn resultaten spreken voor zich. O, ik denk wel dat hij ietwat diplomatiek is, als u dat bedoelt, in de omgang met al die andere autoriteiten. En ja, hij is erg jong voor die rang.'

De korpsleider zweeg een ogenblik en Fenwick kreeg duidelijk de indruk dat hij hem op de een of andere manier had geïrriteerd.

'Goed dan,' zei Harper-Brown eindelijk, 'ik wil dat je een samenvatting maakt van alle lezingen en die binnen het korps laat circuleren. Het is niet verkeerd als we de dingen die we leren met elkaar uitwisselen en witwaspraktijken zijn erg actueel. En zorg ervoor dat het een evenwichtig stuk is – alle lezingen, graag.'

Fenwick had nog zes zaken openstaan waar hij aan werkte en hij had al een dag verloren door dat seminar. En nu moest hij nog meer uren achter zijn bureau gaan zitten om die samenvatting te maken.

'O, en nog iets, Fenwick. Ik heb morgenmiddag een bespreking met de korpschef en de Raad van Toezicht en ze hebben me om een rapport over onze klachtenprocedure gevraagd. Nu brigadier Warner er niet is omdat hij gedetacheerd is, ben jij geloof ik de man die daar in Harlden over gaat. Ik heb de rapporten van de andere divisies allemaal al binnen, behalve dat van jou en ik heb het morgenochtend vroeg nodig.'

Fenwick keek hem vol ongeloof aan.

'Ik denk dat de commissaris en ik er niet van op de hoogte waren dat u een rapport moet hebben, chef, anders had u het al gekregen, lijkt me.' Maar terwijl hij het zei voelde Fenwick al dat hij er niet tegenin moest gaan.

Het dunne mondje van de korpsleider verdween bijna helemaal.

'Je hebt een memo gehad, hoofdinspecteur: hier, kijk maar.' Hij schoof Fenwick een papier toe en hij had geen andere keus dan ernaar te kijken. De datum die erop stond was van de vorige dag. Het lag op dit moment waarschijnlijk in zijn ochtendpost met een sticker van Anne, zijn secretaresse, erop, zodat het onmiddellijk onder zijn aandacht zou komen.

'Ik begrijp het, chef. Hoe laat moet u het morgenochtend hebben?'

'Meteen. De vergadering is om halfdrie en ik ga om één uur weg. Voor die tijd moet ik mijn rapport nog laten binden. Halftien op zijn laatst.'

5

De rit van het hoofdbureau naar Harlden nam normaal iets minder dan een uur in beslag, maar er was een ongeluk gebeurd op de ringweg en Fenwick stond nog eens drie kwartier in de file. Tegen de tijd dat hij de verkeerschaos voorbij was, was hij zo moe, dat hij op de automatische piloot rechtstreeks naar huis reed.

Later pas, toen hij op weg naar een hete douche het inwonende kindermeisje snel gedag had gemompeld, dacht hij weer aan het klachtenrapport voor de korpsleider. Met een gesmoorde verwensing pakte hij de telefoon die naast zijn bed stond en belde het bureau. De brigadier van dienst was een oude vriend en bondgenoot van hem.

'George, met Fenwick. Ik heb een probleem.' Hij legde zijn situatie uit en vertelde hem waar hij het klachtendossier in zijn kantoor kon vinden. Zijn secretaresse was griezelig efficiënt als hij dat toeliet en het was een dossier dat hij nooit had hoeven openen.

'Kun je iemand hiernaartoe sturen om het te brengen? Ik weet dat jullie mensen tekortkomen, maar... wat denk je?' Als er iemand was voor wie brigadier George Wicklow alles overhad, dan was het hoofdinspecteur Fenwick.

Fenwick nam snel een douche en trok een spijkerbroek en een sweatshirt aan. Het was een koude avond. Hij was nog een beetje bruin van de vakantie die hij met de kinderen had gehad, en het licht grijzende in zijn zwarte haar had voldoende stijl om eruit te zien alsof het opzet was. Allemaal niet relevant voor de man die het gezicht dat vanuit de badkamerspiegel terugkeek terloops opnam. Toen draaide hij zich om en ging met twee treden tegelijk de trap af, op zoek naar zijn avondeten.

Hij was bijna bij de onderste tree toen hij zachtjes vanaf de overloop hoorde roepen.

'Andrew! Wacht even.'

Een lenige twintigjarige sprong de trap af en landde zachtjes naast hem. 'Hoi. Ik kreeg de tijd niet om het je te zeggen toen je binnenkwam. Er is een probleempje.'

De moed zakte Fenwick in de schoenen. Hij dacht onmiddellijk weer aan de problemen die ze een jaar geleden met zijn zoontje Chris hadden gehad, en hij klemde zijn kaken op elkaar in afwachting van het vreselijke nieuws.

'Kom even mee.'

Het kindermeisje liep de keuken in. Op de tafel stond een houten kistje dat uit elkaar was gevallen, met een hoopje glimmende stenen ernaast.

'Chris is de hele week bezig geweest om die stenen te verzamelen. Alle kinderen hadden zo'n kistje gekregen om het te vullen en morgen mee naar school te nemen. Maar hij had er zoveel dat het kistje uit elkaar viel toen hij ze erin stopte. En hij was er nog wel zo lang mee bezig geweest ze te zoeken, te wassen en op te poetsen.'

'Ik heb vast wel ergens een geschikte schoenendoos staan, Wendy!'

Dat was een fout antwoord, hij zag het aan haar gezicht.

'Hij weet zeker dat hij morgen het oorspronkelijke kistje mee moet nemen, maar het moet gelijmd worden. Ik zei dat papa het wel kon maken. Het was de enige manier om hem te laten ophouden met huilen!'

Fenwick keek naar de stukjes ruw hout. Zijn zoontje van zes ging er vol vertrouwen van uit dat hij het kistje voor zijn kostbare stenen zou repareren.

'Dit is meer werk dan alleen maar lijmen. Luister, ik ga eerst eten en dan neem ik die handel wel mee naar de schuur. Ben jij hier de rest van de avond nog?' Het was al halftien.

'Ja, Tony komt hiernaartoe.' Plotseling bloosde ze en Fenwick hield zijn hart vast. Wendy was zo'n geweldig kindermeisje en hij vreesde het nieuwtje waar ze zo blij om was.

'Ja? Zeg het maar, wat is er?'

'Hij heeft me een aanzoek gedaan,' fluisterde ze verlegen.

'En wat heb jij gezegd?'

'Ja!' zei ze met een gilletje van opwinding.

Fenwick sloeg zijn arm om haar heen en gaf haar een zoen op de wang. 'Fantastisch. Gefeliciteerd. Dat vind ik heel fijn voor je. Het is een prima kerel.'

Hij maakte snel wat eten voor zichzelf klaar, pasta met basilicum en tomatensaus en groene salade. Hij nam toch maar geen glas wijn; hij had te veel werk te doen en het was intussen al tien uur. Het klachtendossier was er nog niet toen hij klaar was met eten, dus besloot hij eerst het kistje van Christopher te gaan repareren. Voordat hij naar de schuur liep, sloop hij naar boven om bij de kinderen te gaan kijken. Zij sliepen nog steeds op één kamer, hoewel ze er best een voor zichzelf konden krijgen. Maar nu hun moeder er niet meer was leek het alsof ze zich nog meer aan elkaar vastklampten. Dat was nu al twee jaar geleden, maar elke dag zonder haar deed nog altijd heel veel pijn. Hij hoopte maar dat zij haar niet zo erg misten als hij dat deed. Toen zette hij die gedachte van zich af en deed de deur open.

Het was altijd hetzelfde, altijd: even heel aandachtig luisteren of hij hen hoorde ademhalen, wachten op Bess' lichte snurkje of een heel klein beetje geritsel van Christopher. Het maanlicht filterde langs de randen van de gordijnen voor het schuifraam en wierp een blauwe gloed over hun twee bedden. Een zacht gekreun van Bess, een zucht van Christopher en zijn hart kwam tot bedaren. Ze waren eraan gewend geraakt dat ze hem door de week heel weinig zagen, maar voor Fenwick was het een dagelijks terugkerend offer waarvoor hij duur betaalde. Hij boog zich over Bess heen en kuste haar op haar gladde voorhoofd. Hij kon zich er niet van weerhouden haar krullen uit haar gezicht te strijken, ondanks het gevaar dat hij haar wakker zou maken.

Ze glimlachte flauwtjes in haar slaap en zijn hart draaide zich om in zijn lijf. Als ze haar ogen dicht had leek ze in ieder geval niet zoveel op haar moeder. Chris lag als een balletje opgerold en met zijn hoofd diep begraven in een plooi van het dekbed. Fenwick trok zachtjes de quilt van zijn gezicht weg en kuste hem op zijn wang. Zijn zoon verroerde zich niet. Fenwick kwam weer overeind en liep voorzichtig naar de deur. Een luid gepiep verstoorde de stilte en inwendig vloekend bukte hij zich en haalde een van hun nieuwste speeltjes onder zijn voet vandaan.

Wendy bracht agent Nightingale naar de verrassend nette zitkamer. Ze probeerde niet te staren toen de slanke blondine met een piercingknopje in haar neus het haardscherm weghaalde.

'Het was zo koud dat ik eerder op de avond het vuur had aangemaakt,' verklaarde ze onnodig. Het maakte Nightingale nog nieuwsgieriger naar haar plaats in Fenwicks huishouden. 'Ik zal hem zeggen dat u er bent.'

Nightingale keek rond in de kamer, maar het enige wat op een gezin duidde waren de ingelijste foto's op de boekenplanken. Ze had haar bril niet op, dus kon ze de gezichten niet goed zien zonder ernaartoe te lopen en te turen. Ze was zich bewust van de openstaande deur achter haar en waagde het snel even te kijken, maar ze zag alleen maar een opvallend knappe brunette met een baby in haar armen.

De klok op de schoorsteen sloeg het halve uur en geruisloos viel er wat as op de sintels. Ze aarzelde even, bukte zich toen en wierp een blokje hout op het vuur, dat meteen knetterend vlam vatte. De minuten tikten voorbij. Er stond een cd-speler in de hoek en ze liep erheen om te kijken. Het was een modern, duur apparaat – dat wist ze, omdat ze er zelf net zo één had – en ze tuurde naar de cd die er nog in zat. Het glazen klepje ging automatisch open: Schubert. Ze weerstond de verleiding om op 'afspelen' te drukken en schoot met gloeiende wangen overeind, toen ze een licht gekraak achter zich hoorde.

Er stond een klein meisje van een jaar of zeven in de deuropening. Ze keek haar nieuwsgierig aan en wiebelde met de tenen van haar blote voetjes onder de zoom van een lang katoenen nachthemd.

'Hallo,' zei ze me een zelfverzekerd stemmetje, bijna als van een gastvrouw die een onverwachte gast begroet.

'Hallo.'

'Wie ben jij?' Donkerbruine, bijna zwarte ogen keken naar haar op van onder een warrige bos krullend zwart haar.

'Ik ben Nightingale. Wie ben jij?'

'Ik ben Bess.' Weer een taxerende blik. 'Politie?'

Nightingale onderdrukte een glimlach. 'Ja.'

'Bij mijn papa?'

'H-hm, soms.'

'Je hebt geen uniform aan, dan ben je dus een rechercheur,' stelde Bess vast en ze ging op een bank zitten die aan de ene kant van het vuur stond en ze wees naar een andere bank. 'Ga zitten.'

'Dank je wel.'

'Hij komt laat thuis, neem ik aan.'

'Nee, ik kom alleen maar wat papieren brengen, maar ik hoorde dat ik ze niet gewoon kon afgeven. Ik moet ze persoonlijk aan hem geven.'

'Hmm.' Haar benen bungelden centimeters boven de grond. 'Dan zal hij wel in de schuur zijn om het werkstuk van Chris te repareren. Zal ik hem gaan halen?'

'Nee hoor, hij weet dat ik er ben. Je... die mevrouw is het hem gaan vertellen.'

'Wendy. Goed.' Ze keek rusteloos rond in de kamer. 'Dat is papa's muziek,' zei ze en ze wees naar de cd-speler. 'Wil je het horen?'

Voordat Nightingale antwoord kon geven was Bess van de bank gekomen en stond ze op haar tenen om bij de knopjes van het apparaat te komen.

'Zou je... ik bedoel, vindt hij dat wel goed?'

Een hooghartige blik achterom. 'Ik mag dat, hoor.'

De fluisterende openingsklanken van een pianosonate van Schubert kwamen uit de hoeken van de kamer en gleden over Nightingale heen.

'Dat is een van mijn lievelingsstukken, Bess. Een goede keus.'

'Hij zat er al in. Papa vindt het ook mooi.'

Nightingale voelde zich om een onverklaarbare reden niet op haar gemak. Ze stond op en begon door de kamer te lopen.

'Kun je een verhaaltje vertellen?' vroeg Bess. Het was meer dan een hint.

'O, nee, eigenlijk niet.'

'Je kent er toch wel een páár!'

'Ja, een paar misschien, maar geen goede verhalen.'

'Vertel er eens een.'

'Pardon?' Nightingales toon, haar opgetrokken wenkbrauw en haar strenge blik waren van alle tijden en Bess reageerde alsof ze geprogrammeerd was.

'Vertel me een verhaaltje, alsjeblíéft?'

'Dat is beter. Nou, daar moet ik wel even over nadenken. Wat voor verhalen vind je leuk?'

'Avonturen, die vind ik het leukst.'

Bess klopte op de bank, sprong erop en Nightingale ging gehoorzaam naast haar zitten. Het kleine meisje nestelde zich meteen op haar schoot en staarde haar vol verwachting aan, terwijl ze met één hand een dikke, zwarte krul ronddraaide.

'Nou, goed dan...' Nightingale haalde diep adem en had net 'Er was eens...' kunnen zeggen, toen de deur van de zitkamer openging en Fenwick binnenkwam. Hij staarde verbaasd naar Nightingale en Bess; en de woorden van verontschuldiging omdat hij haar had laten wachten, stierven op zijn lippen.

'Bess! Wat doe jij uit bed? Het is bijna elf uur en je moet morgen naar school. Ga onmiddellijk weer naar boven.'

Het klonk streng en Nightingale zag het gezicht van Bess betrekken. Ze keek verbaasd en verdrietig en het was duidelijk dat haar vader meestal niet zo heftig reageerde. Met een flits van inzicht begreep Nightingale dat hij zo geïrriteerd was omdat ze een van zijn kinderen had ontmoet. Het was niet eerlijk tegenover Bess en het maakte ook niet uit dat ze deze kant van hem zag.

'Het komt door mij, hoofdinspecteur,' zei ze, terwijl ze opstond en Bess zachtjes op de grond zette. 'Bess wilde lief zijn en me gezelschap houden, maar ik had haar naar bed moeten sturen.'

'En ik wilde niet dat ze in haar eentje zat te wachten, papa.' Bess rende naar hem toe en sloeg haar armen om de benen van haar vader heen.

'Maar ik heb jullie toch al verteld dat je niet met vreemden mag praten.'

'Ook niet met aardige vreemden?'

'Nee, ook niet met aardige vreemden. En nu naar bed.'

'Breng je me?'

'O, dat is goed, kom maar. Nightingale, je mag wel gaan; je had helemaal niet hoeven wachten. Goedenavond.'

Nightingale zag hoe de hoofdinspecteur zich automatisch bukte en zijn dochter met één geoefend gebaar optilde, zodat ze haar armen om zijn nek kon slaan. Er kwam onverwachts een brok in haar keel, die ze onopvallend probeerde weg te slikken. Bess hoorde het wel en grijnsde over haar vaders schouder.

'Welterusten, Nightingale,' fluisterde ze.

'Welterusten, Bess. Slaap lekker.' Nightingale liet zichzelf uit en ging de kou weer in. Ze trok de deur stevig achter zich dicht.

Veel later die avond zat Fenwick helemaal verstijfd achter zijn pc en legde de laatste hand aan zijn rapport over de klachtenprocedure in Harlden. Hij was van plan geweest een vluchtige samenvatting van één pagina te schrijven, maar iets – zijn gewoonlijke beroepseer of zijn vastbeslotenheid om de korpsleider geen reden tot klagen te geven – had hem ertoe aangezet een grondige klus af te leveren. Harper-Brown zou het niet eens lezen, maar commissaris Quinlan wel, en die zou er tevreden over zijn. Ze moesten de procedures strakker aantrekken om aan de nieuwe normen van het hoofdbureau te voldoen en brigadier Warner had die uitdaging nooit aangenomen.

Het was bijna halfeen, maar hij was nog steeds klaarwakker. Dit huis was een buitengewone en onverwachte erfenis van zijn oudoom geweest, die hem vorig jaar ten deel was gevallen, maar het inkomen uit het kapitaal dat hij ook had ontvangen dekte maar net het onderhoud en het loon van Wendy. Zij was een uitstekend kindermeisje, ondanks haar geverfde haar, haar neuspiercing en haar neiging om altijd te laat te komen. Ze had niet veel loonsverhoging geëist als compensatie voor het ongemak dat ze niet meer in de stad woonde, want het betekende ook dat ze op maar een paar kilometer afstand van haar vriend Tony zat. Als zij besloot weg te gaan, zou Fenwick zich nooit meer een vervangster met dezelfde grote kwaliteiten kunnen veroorloven.

Hij spande zich bijzonder in om te compenseren dat hij een alleenstaande ouder was. Vanaf het moment dat de kinderen hun moeder verloren na een zelfmoordpoging die ertoe had geleid dat ze in een coma raakte waaruit ze nooit meer zou ontwaken, had hij alles gedaan wat hij kon om hen het verschrikkelijke trauma te laten vergeten. Alles, behalve zijn baan opgeven, omdat hij zich dat niet kon permitteren. Als hij ooit zou moeten kiezen tussen het welzijn van zijn kinderen en zijn carrière, zou hij voor hen kiezen, wel duizend keer. Hij hoopte alleen wel dat hij nooit voor die keus gesteld zou worden. Hij sloot het dossier, zette de computer af en ging een kop thee voor zichzelf zetten voordat hij naar bed ging.

6

Op de dag nadat hij zijn rapport over de klachtenprocedure in Harlden bij Harper-Brown had afgeleverd, kreeg Fenwick tot zijn verrassing een telefoontje van de korpsleider in verband met de dood van Alan Wainwright. Er was erg veel publieke belangstelling voor het onderzoek geweest, te veel voor de gemoedsrust van de korpsleider. Hij was erop gebrand dat die hele zaak zo snel mogelijk werd afgesloten. Een collega van Fenwick in Harlden, inspecteur Blite, had het onderzoek afgehandeld, een man die hij niet mocht en ook niet vertrouwde. Het was maar een kort onderzoek geweest en toen de conclusies uit het gerechtelijk vooronderzoek terugkwamen, bevestigden die dat zelfmoord de doodsoorzaak was geweest. Dat de korpsleider hem nu, twee maanden later, opbelde, maakte dat er een frons van onbehagen op het gezicht van Fenwick kwam. Hij betwijfelde of het een prettig gesprek zou worden, en zijn vermoeden kwam uit.

'Fenwick, ik ben opgebeld door Graham Wainwright, de zoon van de overledene. Het schijnt dat hij zijn twijfels heeft over de dood van zijn vader en de uitspraak in het gerechtelijk vooronderzoek.'

'Heeft hij die tijdens het onderzoek zelf ook al geuit, en zo niet, waarom dan niet, chef?'

'Nee, dat heeft hij niet gedaan. Hij zegt dat hij de uitspraak aanvankelijk vertrouwde, maar nu schijnt hij geruchten te hebben gehoord. Hij wil dat wij er in alle stilte nog een keer naar kijken, dat is alles. Wainwright is al genoeg in het nieuws geweest toen zijn vader doodging.'

'Ik snap het.' Je hoefde niet geniaal te zijn om te bedenken waarom de korpsleider hém belde. Harper-Brown was te leep om zijn intense antipathie jegens Fenwick duidelijk te laten merken, maar hij aarzelde nooit om hem eruit te pikken voor een zaak die moeilijk en eventueel beschadigend kon zijn. Hij legde een onmogelijke taak bij hem neer: stel een invloedrijke en bezorgde man, die pas zijn vader heeft verloren, gerust dat zijn zelfmoord niet verdacht is, maar denk erom, waag het niet rottigheid naar boven te halen nu we de zaak succesvol hebben afgesloten. Plotseling was hem ook duidelijk waarom de korpsleider Blite niet had gebeld, die toch de logische keus zou zijn geweest. Het zou een mirakel zijn als deze zaak afgehandeld werd zonder de familie van streek te maken of de publieke belangstelling weer aan te wakkeren.

'Graham Wainwright is een belangrijk iemand en we moeten zijn bezorgdheid serieus nemen, maar het laatste wat we kunnen gebruiken is dat de pers de indruk krijgt dat we ongelukkig zijn met de uitspraak in het vooronderzoek, *want dat zijn we niet*. Ik heb hem gezegd dat jij hem vandaag zou opbellen en dat je bekendstaat om je discretie.'

De korpsleider gaf hem het nummer van Wainwright en hing op. Fenwick bestudeerde even diep in gedachten de vingertoppen van zijn linkerhand en belde toen zijn secretaresse.

'Anne, bel het archief. Laat het dossier over de dood van Alan Wainwright naar boven sturen; het zal wel op een datum ergens in januari van dit jaar staan. Zoek daarna brigadier Cooper en zeg hem dat hij bij mij moet komen.' Met Cooper kon hij er zeker van zijn dat hij absoluut discreet en betrouwbaar was, en vooral dat hij zich nooit ergens over opwond. Precies de juiste man voor deze klus.

Het rapport kwam al snel. Het was kort en Fenwick werd moedeloos tijdens het lezen van die paar pagina's terwijl hij wachtte tot Cooper kwam. Blites mensen hadden de familie, de vrienden en de zakenrelaties van de dode man gehoord. Niemand had op dat moment een reden kunnen bedenken waarom Wainwright zichzelf van het leven zou beroven; één kennis slechts had zijn bezorgdheid uitgesproken dat zijn dood misschien geen zelfmoord was geweest. Volgens de papieren die voor hem lagen was er nergens commentaar geleverd op die bezorgdheid, en ook was er geen onderzoek ingesteld. In het rapport van de patholoog-anatoom was de aandacht gevestigd op niet-verklaarde schaafwonden op Wainwrights armen, knieën en nek en op bloeduitstortingen op zijn linkerzij. Dat klopte allemaal met het aantal zware valpartijen vlak voor zijn dood.

Er zaten sporen van modder op zijn kleren en gruis aan zijn schoenen, wat suggereerde dat hij door het bos had gelopen voordat hij de hand aan zichzelf sloeg, en een van zijn handschoenen was zwaar onder de modder teruggevonden op de open plek. De andere was nergens te bekennen. Maar door de afwezigheid van enige verdenking van de kant van de politie had de lijkschouwer al snel de conclusie getrokken dat Alan Wainwright zichzelf van het leven had beroofd, aangezien hij tijdelijk geestelijk onevenwichtig was geweest.

Toen hij het dossier wilde dichtslaan, merkte Fenwick een bruine envelop op, die achterin was gestopt. Hij maakte hem open en las de twee pagina's met dicht op elkaar getypte tekst die erin zaten zorgvuldig door. Terwijl hij de velletjes opvouwde en weer in de envelop terugstopte kwam zijn secretaresse ongevraagd binnen met een kop koffie. 'Anne, laat agent Nightingale direct bovenkomen. Als ze niet in het gebouw is, ga haar dan zoeken.'

Met Nightingale, een jonge politievrouw in opleiding, had hij in het afgelopen jaar samengewerkt aan een zaak. Ze had toen indruk op hem gemaakt, maar daarna had hij haar niet veel meer gezien. Plotseling kwamen er herinneringen aan die zaak boven en werden zijn directe zorgen even verdreven. Tegen de tijd dat er aarzelend op zijn half openstaande deur werd geklopt had hij een frons op zijn gezicht.

'Pardon, hoofdinspecteur.' Nightingales hart begon sneller te kloppen.

'Ja?'

Hoofdinspecteur Fenwick keek op, niet hartelijk, maar ook niet afwijzend. Toen ze zijn serieuze, maar volkomen neutrale uitdrukking zag, werd ze nog zenuwachtiger.

'Wilde u mij spreken, hoofdinspecteur?'

'Kom binnen. Het gaat over de zaak Wainwright. Zat jij in dat team?'

'Ja, hoofdinspecteur. Ik was het eerste ter plaatse. Later heb ik een paar van de gesprekken gevoerd.' Zij had de minder belangrijke gedaan: de huishoudster, de tuinman en de dienstmeisjes op het landgoed Wainwright.

'En wat was jouw conclusie?'

Nightingale werd knalrood en probeerde te bedenken wat ze moest zeggen. Háár conclusie? Dat was een heel ongebruikelijke vraag, vooral omdat ze het zo sterk oneens was geweest met de leider van het onderzoek. Ze was zelfs zo ver gegaan dat ze haar mening had opgeschreven en bij het dossier had gevoegd. Maar ze had een absoluut vertrouwen in Fenwick, dus zei ze zonder omwegen: 'Het was geen zelfmoord. Laat ik zeggen dat ik er niet van overtuigd was dat het zelfmoord was.'

'Heb je die mening ook uitgesproken tegen de toenmalige leider van het onderzoek?'

'Ja, hoofdinspecteur, maar...' Hoe kon ze beleefd zeggen dat Blite en zijn team de zeldzame kans graag hadden aangegrepen om haar uit te lachen? Haar professionalisme en competentie maakten haar meestal teleurstellend ongrijpbaar als mikpunt van spot – goedmoedige én kwaadwillige – dus had ze zich met haar continue vragen en twijfels in deze zaak blootgesteld aan meer plagerij dan ze ooit had meegemaakt. Toch had ze doorgezet, wat kenmerkend voor haar was als ze gelijk meende te hebben.

'Nou ja, als ik eerlijk ben, hij en de anderen vonden dat ik me opwond over niets.'

Fenwick onderdrukte een grijns. Hij was vergeten hoe volstrekt eerlijk ze was.

'En toch vond je jouw opinie sterk genoeg om het misnoegen van inspecteur Blite te riskeren en je eigen aantekeningen bij het dossier te voegen?' Fenwick bestudeerde haar aandachtig terwijl hij op antwoord wachtte. Aan haar schouders en haar mond kon hij zien dat ze gespannen was. Hij dacht terug aan de schrikbarende intensiteit waarmee ze aan de vorige zaak had gewerkt. Hij kon zien dat ze zich voorbereidde op een reprimande, en om haar gerust te stellen zei hij snel: 'Het is in orde, hoor. Je hebt niets verkeerds gedaan. Vertel me eens waarom je die twijfels had.'

'Tijdens het onderzoek kwamen er details boven water die me aan het denken zetten, zoals die ontbrekende handschoen en de voetafdrukken om de hele auto heen. Die zagen eruit alsof ze waren gemaakt nadat de auto daar was neergezet.'

'Dat zou het gevolg kunnen zijn van de morbide nieuwsgierigheid van een voorbijganger, die niet snugger genoeg was of onvoldoende burgerzin had om iemands dood te melden. Dat komt voor.'

'Maar er waren ook nog die bloeduitstortingen – en al die modder aan één kant van zijn jas.'

'Wat stond er ook alweer in het rapport van de patholoog-anatoom over die bloeduitstortingen?' Dat wist hij, want hij had het net gelezen, maar hij was nieuwsgierig te horen hoe zij haar verdenkingen ondersteunde.

'Dat die erop duidden dat hij een paar keer zwaar ten val was gekomen, vlak voordat hij stierf. Maar als hij naar die open plek was gereden, wat voor kans had hij dan gehad om te vallen? Het was een bitterkoude nacht, dus hij zal niet in de verleiding zijn geweest een wandeling in het bos te gaan maken.'

'Hij kan gevallen zijn toen hij die slang aanbracht.'

'Daar heb ik ook aan gedacht, maar hij zou de auto hebben gebruikt als steun om overeind te blijven.'

'Hmm.' Een paar bloeduitstortingen en een ontbrekende handschoen bewezen niets. 'Het is zwak, Nightingale. Was dit alles?'

'Er waren ook nog de barbituraten, hoofdinspecteur. Zijn dokter hield absoluut vol dat hij ze niet had voorgeschreven, en we zijn er helemaal niet in geslaagd de apotheek te vinden die ze heeft afgegeven, ondanks al onze oproepen. Er zat geen etiket op het flesje in de auto en ik heb zijn vuilnis drie keer doorzocht om het recept te zoeken.'

Fenwick kon het niet helpen dat hij moest lachen. Alleen Nightingale was zo vasthoudend dat ze meerdere keren in het afval van een zelfmoordgeval ging wroeten.

'En dan de kwestie van de autosleutels. Zijn huishoudster was bereid desnoods voor de rechtbank te zweren dat de sleutels die ik in het contact had gevonden de reservesleutels waren die hij nooit gebruikte. Zijn hoofdsleutels lagen boven op de ladekast in zijn slaapkamer; daar legde hij ze 's nachts altijd neer.'

Fenwick knikte, als om aan te geven dat ze een punt had. Toen stuurde hij haar na een kort bedankje weer weg.

'Hoofdinspecteur, mag ik vragen waarom u belang hecht aan mijn opinie?' Nightingale wist wel dat ze gewoon weg moest gaan, maar haar nieuwsgierigheid won het van de terughoudendheid.

'Nee, dat mag je niet.' Fenwick keek de agente met een opzettelijk nietszeggend gezicht na, maar zodra ze de deur achter zich dichtgetrokken had, keerde de frons terug en belde hij Anne weer.

'Heb je Cooper al gevonden? Ik heb hem dringend nodig.'

'Hij is onderweg naar boven, hoofdinspecteur.'

Even later kwam Cooper buiten adem en met een rood gezicht binnen. Hij was net met een ondervraging begonnen toen hij de boodschap van de hoofdinspecteur kreeg. Hij had gehoopt het gesprek snel te kunnen afwikkelen in plaats van een andere afspraak te maken, maar het had zich voortgesleept en nu was hij laat, en daar had Fenwick een grote hekel aan.

De briefing die hij kreeg was dan ook beknopt en ter zake. Ze hadden een lastige klus voor zich liggen en niet veel tijd om hem af te ronden. Fenwick gaf hem het dossier en een lijst van mensen die die middag moesten worden gehoord.

'Het probleem is, Cooper, dat Graham Wainwright ervan overtuigd is dat zijn vader geen zelfmoord heeft gepleegd, wat de bewijzen ook zeggen.'

'Maar waarom is hij daar dan niet eerder mee gekomen?'

'Goeie vraag. Die gaan we hem ook stellen als we hem morgenochtend spreken – ik heb hem gebeld en hij verwacht ons. Voor die tijd wil ik dat jij met alle rechercheurs die aan de zaak hebben gewerkt gaat praten, behalve met agent Nightingale. Haar heb ik al gesproken.' Hij zag Coopers verbazing. 'Dat zul je wel zien als je haar opmerkingen bij het dossier leest. Zij was niet gelukkig met de uitspraak van destijds.

Het wordt geen makkie. We zullen ons werk los van al het andere moeten doen om het buiten de kranten te houden, en tegelijkertijd de zoon moeten overtuigen dat de dood van zijn vader niet verdacht was. Ik heb altijd al een hekel gehad aan zulke gevallen met rouwende nabestaanden en rancuneuze familieleden, maar als ze ook nog invloedrijk zijn...' Hij hoefde zijn zin niet af te maken, Cooper knikte al met een pijnlijke grimas.

'Dan moet ik morgenochtend zeker rapport aan u uitbrengen, hoofdinspecteur?' Cooper hees zijn forse, in tweed gehulde gestalte uit een van Fenwicks bezoekersstoelen die berucht waren om hun hardheid, en probeerde er niet vertwijfeld bij te kijken.

7

Twee gepocheerde eieren met toast, een dubbelgeslagen plak bacon zonder zwoerd en gegrilde tomaten, weggespoeld met anderhalve mok sterke, zoete thee. Brigadier Cooper van de recherche ging ervan uit dat het een moeilijke dag ging worden en dat vroeg om een stevig ontbijt. Zijn vrouw, die zijn ernstige, vastbesloten stemming wel aanvoelde, zei niet veel toen ze zijn lunch voor hem inpakte. Zij wist dat hij nauwelijks tijd zou kunnen maken voor een behoorlijke maaltijd als hij weer met de hoofdinspecteur aan het werk moest.

'Kijk eens, schat.'

Hij gaf haar een snelle kus om haar te bedanken, waardoor er kruimeltjes toast in haar dunne haren bleven zitten, en hij wilde net naar buiten gaan toen zijn zoon stommelend van de trap kwam, op weg naar de ontbijttafel.

'Jij gaat al vroeg de deur uit, pap. Op pad met Fenwick zeker?'

'Ja, da's weer eens wat anders.'

Cooper woonde op loopafstand van de divisie in Harlden, maar vandaag nam hij de auto. Hij moest een paar keer starten voor de motor aansloeg en hij prentte in zijn geheugen dat hij zijn zoon moest vragen er even naar te kijken. Die kon toveren met zijn handen, hoewel het vak van automonteur bij een garage eigenlijk niet was wat zijn vader aanvankelijk voor hem in gedachten had gehad.

Het nieuws van halfacht was net afgelopen toen Cooper parkeerde. Het verbaasde hem niet heel erg te zien dat Fenwick er al was. Vooruit maar, dacht hij, het is weer zo'n dag, ik wist het toch.

De hoofdinspecteur zat in zijn kantoor. Hij zag er fris en monter uit, zijn ogen stonden opgewekt en hij zat met een flauwe glimlach zachtjes te fluiten; hij had er blijkbaar zin in. Cooper smoorde zijn verbazing met gehoest, waardoor Fenwick geschrokken opkeek.

'Brigadier! Uitstekend. Ik heb zo'n gevoel dat het een goede dag gaat worden.'

Cooper schudde zijn hoofd en vergat zijn hopeloos expressieve gezicht af te wenden. De korpsleider had hun deze zaak aangesmeerd, alle verloven voor de paasdagen ingetrokken en zat nu achterovergeleund te kijken hoe de hoofdinspecteur aan wie hij zo'n hekel had de mist inging. Maar Fenwick zat er zo te zien vrolijk en onbezorgd bij.

'Ik weet het, brigadier. Ik weet het. Het is zeker geen fijne toestand, maar het is ook niet hopeloos. Ik ben op een idee gekomen en ik ga vandaag met je mee op onderzoek!'

Cooper onderdrukte een kreun en klopte onwillekeurig op zijn lunchdoosje onder zijn arm.

'We gaan met Graham Wainwright praten, met de andere familieleden, met de huishoudster en met de leiding van het familiebedrijf. Allemaal heel discreet. Ik geef ons een dag om te kijken of er gegronde redenen zijn voor verder onderzoek. Ga agent Nightingale halen. Zij kan ons helpen met de gesprekken.'

Cooper ging Nightingale zoeken. Hij was er vrijwel zeker van dat zij ook al vroeg binnen zou zijn. En dat klopte.

'Wat ga jij vandaag doen?'

'Pakken, brigadier. Ik word voor drie weken naar de kust uitgezonden. In verband met Pasen.'

'Wanneer vertrek je?'

'Morgen.'

'Heb je het druk vandaag?'

Nightingales hart klopte opgewonden. 'Nee, brigadier. Voor ik vertrek moet ik een of twee rapporten afhebben, maar die zijn al bijna klaar; dat kan ik gemakkelijk vanavond doen.'

'Ik vergeet aldoor hoe gretig afgestudeerde agenten zoals jij zijn.'

Nightingale zat in het versnelde promotietraject, en sinds Cooper aan dat idee en aan Nightingale zelf gewend was geraakt, misgunde hij haar de voorrechten die ze op grond van die moderne aanpak kreeg niet meer. Bovendien, afgezien van Fenwick had hij nog nooit iemand zo hard zien werken.

'Nou, kom op dan, de hoofdinspecteur heeft geen dagen de tijd!'

Nightingale probeerde niet als een idioot te grijnzen toen ze achter Coopers brede rug aan door de gang liep.

Graham Wainwright was met Jenny tijdelijk in een landgoedhotel getrokken, een dikke zeven kilometer verderop in het glooiende land van de Sussex Downs. De drie rechercheurs kwamen vast te zitten in de ochtendspits en waren er pas tegen halfnegen. Er liepen pasgeboren lammetjes in de wei, die grensde aan de slingerende oprijlaan naar het hotel, en Fenwick, Nightingale en Cooper genoten ieder voor zich van het eerste bewijs dat de lente in aantocht was, ondanks het aanhoudende winterse weer. Graham en Jenny lagen nog te slapen toen ze binnenkwamen, dus wachtten ze en dronken ze koffie in een verlaten gastenkamer waar het naar sigaren stonk.

'Nightingale, jij praat met Jenny Reynolds afzonderlijk. Hoor wat zij vindt van de zorgen van Graham en probeer er zo onopvallend mogelijk achter te komen met wie we nog meer moeten gaan praten. Cooper en ik nemen Graham onder handen.'

De kamer moest voor een tweede keer gebeld worden en op het laatst werd Nightingale naar hun suite gestuurd om Graham aan te sporen naar beneden te komen. Hij ging mopperend en ongeschoren de trap af, terwijl Jenny de geschrokken Nightingale binnenliet in alleen een badhanddoek.

'Ik ben agent Nightingale van de recherche in Harlden. Heeft u een paar minuutjes?' Jenny keek nauwelijks naar haar legitimatie. 'Ik wil graag met u praten over meneer Wainwrights bezorgdheid in verband met de dood van zijn vader. Heeft hij daar met u over gesproken?'

'O ja. Graham vertelt me alles. Al hangt zijn leven ervan af, dan kan hij nog geen geheim bewaren. O jee, wat zeg ik nou! Vergeet maar dat ik het gezegd heb. Kom binnen. Ik heb koffie en sap besteld. Let maar niet op mij, ik ga me aankleden.'

Nightingale probeerde het te negeren, maar Jenny ging als een model zo achteloos om met haar naaktheid, terwijl Nightingale op een school had gezeten waar de meisjes niet eens gezamenlijk onder de douche gingen. Tegen de tijd dat de verfrissingen werden gebracht had Jenny eindelijk besloten dat ze oude zwarte jeans en een buitengewoon kort, fuchsiaroze sweatshirt aan zou trekken. Daarvóór had ze schijnbaar alles uit haar garderobe geprobeerd, inclusief de cocktailjurkjes. Tijdens het aankleden babbelde ze met Nightingale alsof ze oude vriendinnen waren. Jenny was maar een paar jaar jonger dan de rechercheur en ze zou eigenlijk in het voorlaatste jaar van haar vierjarige studie psychologie moeten zitten. Maar sinds ze Graham in een club in Londen had ontmoet, had ze geen enkel college meer bezocht. In de laatste drie maanden had ze haar oorspronkelijke toekomstplannen laten varen, omdat ze steeds verliefder op hem werd. Ze verklaarde dat hij de charme van een schooljongen had onder die playboyachtige façade, wat haar fascineerde, en dat hij een warm hart en een edelmoedige aard had, die hij maar met veel moeite kon verbergen.

Ze vertelde Nightingale dat Graham zich oprecht zorgen maakte, maar ze had geen idee waarom. In haar opinie was er niets duisters geweest aan de dood van zijn vader: er waren geen bedreigingen of ongewone omstandigheden aan voorafgegaan. Maar andere mensen hadden Graham ongerust gemaakt door uiting te geven aan hun bezorgdheid of zijn dood wel zelfmoord was geweest. Tijdens de recente herdenkingsplechtigheid voor zijn vader werd het zo op de spits gedreven, dat hij het gevoel kreeg dat hij geen andere keus had dan naar de politie te stappen.

Jenny huldigde de theorie dat Graham zich oprecht schuldig voelde en spijt had. Niet dat zijn vader hem ooit enige genegenheid had getoond, verre van dat. Hij had hem bij de eerste de beste gelegenheid naar een kostschool gestuurd en een hechte band was er tussen hen nooit ontstaan. Als gevolg daarvan had Graham zijn vader tijdens zijn leven zo goed als genegeerd, en Jenny redeneerde dat hij zich, nu het te laat was voor een verzoening, schuldig voelde.

Dat vond Nightingale allemaal plausibel klinken. Ze luisterde, maakte aantekeningen en schreef de namen op van de andere familieleden. Terwijl Jenny doorpraatte werd ze nieuwsgierig naar haar relatie met de zoon van Alan Wainwright.

'Hoe lang ken je Graham al?'

'Sinds januari, bijna drie maanden. Ik geloof dat het een record voor hem is!'

'Is hij dan erg in trek?

'O, altijd. Hij is een van de meest begeerde Engelse vrijgezellen, maar ik wil niet dat hij daardoor overkomt als een vervelend iemand. Hij komt over als een uit zijn krachten gegroeide, verwende schooljongen, maar als je daar doorheen kijkt, is hij een lieve schat. Een heel aardige man.' Voor de eerste keer aarzelde ze en Nightingale kreeg het gevoel dat ze iets verzweeg.

'Maar er is iets waar je je zorgen over maakt. Wat is dat?'

Jenny ging op de rand van het verfomfaaide bed zitten en streek met haar vingers door haar lange blonde haar.

'Hij is geobsedeerd geraakt door Sally, de vrouw van Alex. Hij laat haar schaduwen door een privédetective en die spreekt hij bijna elke dag. Hij wil me niet zeggen waar het over gaat.'

'Ik dacht dat je zei dat hij open tegen je was, dat hij geen geheimen kon bewaren.'

'Met alle andere dingen is dat ook zo. Het is alleen dat met Sally. Hij blijft maar over haar piekeren en hij gelooft dat ze op de een of andere manier betrokken is bij de dood van zijn vader.'

'Neem me niet kwalijk dat ik het vraag, maar is Sally erg knap?'

Jenny werd rood en ze keek Nightingale kwaad aan, maar ze zei met een beheerste stem: 'Ja, mooi als een volmaakte Engelse roos – een mooie kleur huid, natuurlijk lichtblond haar, erg knap, en ze heeft prachtige benen – maar ik geloof niet dat hij op haar valt, integendeel zelfs. Ik denk dat hij een hekel aan haar heeft. Haar verleden is eerlijk gezegd nogal vaag, en in die paar keer dat ik haar zag merkte ik dat ze de mannen om haar vinger windt. Maar dat zijn toch geen redenen om haar te verdenken van moord op zijn vader!'

'Is dat dan wat hij denkt?'

'Hij heeft het nooit zo direct gezegd, maar hij kan er maar niet overheen komen dat het wel erg goed uitkwam dat zijn vader doodging, vlak nadat hij zijn testament had veranderd, een paar maanden nadat hij Sally had leren kennen.'

'Ik snap het. Dat zijn toch allemaal veronderstellingen?'

'Natuurlijk zijn het dat! Maar jij begrijpt Graham niet. Hij heeft geen baan, hij springt van de ene hobby naar de andere, hij probeert wanhopig iets zinvols te vinden en hij wordt opgevreten door schuldgevoel jegens zijn vader. Hij is geen playboy, hij is gewoon een zorgzame, zeer gevoelige man, die geen vervulling heeft in zijn leven.'

'Je bent erg gek op hem, hè?'

'Ja, heel erg.'

Nightingale ging weg en voegde zich weer bij Fenwick en Cooper die in de walm van de kettingrokende Graham zaten. Hoewel hij ongeschoren en slordig gekleed was, straalde hij een zekere charme uit die meer omvatte dan geld alleen. Nadat hij weg was gegaan keek Fenwick haar vragend aan.

'En?'

'Niet veel, hoofdinspecteur. Jenny denkt dat het schuldgevoelens zijn en ze schijnt Graham vrij goed te kennen. Maar ze maakt zich veel zorgen om hem. Sinds de dood van zijn vader is hij geobsedeerd geraakt en hij geeft Sally, de vrouw van zijn neef, op de een of andere manier de schuld. Hij heeft zelfs een privédetective in de arm genomen.'

'Dat weet ik, hij heeft het ons verteld, maar die man heeft tot dusverre alleen maar ontdekt dat Sally Wainwright-Smith jaren geleden haar meisjesnaam heeft veranderd, en dat er geruchten gaan dat ze Alan Wainwright op de een of andere manier zou hebben gemanipuleerd om zijn bezittingen in tweeën te delen, zodat zij en haar nieuwe echtgenoot zouden erven.'

'Vijftien miljoen pond is wel een sterk motief.' Cooper bestudeerde aandachtig zijn notitieboekje. 'We hebben moorden gezien waarbij het om heel wat minder ging.'

'Dat is waar, maar het probleem hier is dat we alleen maar speculaties hebben. Niemand kan begrijpen waarom Alan zelfmoord heeft gepleegd en ze zijn ongelukkig met het testament, dus zoeken ze een verdachte. Sally is nieuw en ze is onverwachts erfgename, dus

valt de verdenking op haar. Het zou anders zijn als er niet al een uitspraak was geweest in het gerechtelijk vooronderzoek, en inspecteur
Blite had wel wat dieper kunnen graven, maar hij stond op dat moment onder een enorme druk om de zaak af te sluiten.

Om de zaak te heropenen moeten we veel meer hebben dan dit
en zelfs Graham geeft toe dat zijn privédetective niets heeft gevonden. Ik zal met Julia, de zuster van de overledene, gaan praten. Cooper, jij belt Alexander Wainwright-Smith om te horen wat hij te zeggen heeft, daarna ga je met Alans vrienden uit zijn clubs praten;
Nightingale, hier heb je het nummer van de privédetective die Graham heeft ingehuurd. Bel hem op en check het politiedatasysteem,
of daar iemand wordt vermeld die met deze zaak verband kan houden. Laat raadslid Ward maar aan mij over. Dat is een geslepen rotzak en geen grote fan van de politie.

Nightingale, dit wordt een lesje in discretie. Je moet je aan het
script houden. We ruimen losse eindjes op, dat is alles; dus niet op
eigen houtje iets gaan doen of je laten meeslepen. Ik zie jullie allebei
om drie uur weer op het bureau en zorg ervoor dat jullie tegen die
tijd voldoende informatie hebben, zodat ik de korpsleider kan bellen.'

Aan het eind van de middag kwamen ze ontmoedigd en met zere
voeten weer bij hem op kantoor. Cooper had nog steeds zijn intussen
lege broodtrommeltje onder zijn arm.

Fenwick zag er nog even opgewekt en fris uit als zeven uur geleden.

'Enige progressie?' vroeg hij.

'Geen enkele, hoofdinspecteur.' Cooper schudde het moede
hoofd. Hij had vijf uur lang wrok en kletspraat over zich heen gekregen, zonder ook maar iets te horen waar hij echt iets mee kon.
'Zodra het tot de mensen die we spraken doordrong dat de politie
hun verdenkingen serieus nam, sloegen ze dicht en wilden ze niet
met de vinger wijzen. En bij u?'

'Geen aanwijzingen van iets ongewoons, hoewel er veel rancune is in verband met het testament. Ik heb wel tien mensen gesproken en er is er maar één, Julia Wainwright-McAdam, de zuster van de oude man, die verdenkingen heeft. Ze haat Sally Wainwright-Smith en beschuldigt haar ervan dat ze een affaire had met haar broer, maar dat is niet bewezen, en zelfs zij geeft toe dat het allemaal geruchten zijn. Gemeenteraadslid Ward was ontzettend op zijn hoede met wat hij zei. Hij is opeens heel terughoudend wat betreft een heropening van het onderzoek. Nightingale, heb jij de privédetective gevonden?'

'Ja, hoofdinspecteur. Afgezien van die naamsverandering heeft hij niets vreemds ontdekt. Hij probeert nog steeds haar oorspronkelijke meisjesnaam te achterhalen, maar hij stuit in zijn beroep constant op naamsveranderingen, zegt hij, en hij wil niet speculeren over de reden waarom ze haar naam heeft gewijzigd. De check met het computerdatasysteem heeft niets opgeleverd.'

'Dus, wat komt er in mijn rapport aan de korpsleider te staan?'

'Verdenkingen grondig onderzocht, maar geen nieuwe feiten op grond waarvan verder onderzoek moet worden ingesteld.'

'Daar ben ik ook bang voor. Kijk niet zo teleurgesteld, Nightingale. Soms moeten we de bewijzen nemen voor wat ze zijn en ermee leven.'

De telefoon ging en Cooper en Nightingale verlieten Fenwicks kantoor om hem met de korpsleider te laten overleggen. Zouden ze wel in de kamer zijn geweest, dan zouden ze vreemd hebben opgekeken van de dingen die hij tegen Harper-Brown zei.

'Ja, meneer, we hebben de zaak afgerond en officieel is er onvoldoende basis om het dossier te heropenen; er is gewoonweg niet voldoende hard bewijs om ermee door te gaan. Maar Graham Wainwright is geen fantast, en ik geloof dan ook niet dat hij het uit zijn duim heeft gezogen. We kunnen niets bewijzen, maar als er ooit ook maar één hint is dat het niet pluis is bij Wainwright Enterprises, moeten we het ernstig nemen. Ik besef dat dit niet helemaal is wat u graag wilde horen, maar het komt wel zo in mijn rapport. Nog een fijne middag gewenst, meneer.'

8

De verhuizing van Alexander en Sally naar Wainwright Hall verliep op rolletjes. De architectuur was laatvictoriaans: gotisch, met fraaie schoorstenen, een waanzinnige toren, gargouilles en luchtbogen. Binnen was alles victoriaans log en onpraktisch en zo goed als ongewijzigd gebleven sinds Alexanders betovergrootvader – de oorspronkelijke Alexander Wainwright naar wie hij was vernoemd – het had ingericht. Er hing een portret van hem boven aan de hoofdtrap, geschilderd toen hij achter in de veertig was, ter gelegenheid van zijn derde huwelijk met de vrouw die Alexanders betovergrootmoeder zou worden.

Van haar was er ook een portret, weggestopt in een van de logeerkamers, waarop ze zijn grootvader als baby in haar armen hield. Ze deed hem zo sterk aan zijn moeder denken dat Alexander erop stond dat het schilderij naar de zitkamer werd verplaatst. De rest liet hij aan Sally over, die helemaal in haar element was.

Mevrouw Willett, de huishoudster, werd resoluut haar plaats 'beneden' gewezen, om de voorjaarsschoonmaak in de keuken, de voorraadkamers, de bijkeukens en de andere werkruimten te doen. Meneer Willett bleef buitenshuis en was er tevreden mee de voorjaarstuin te onderhouden, zoals hij dat al dertig jaar deed. Zijn vrouw kwam elke avond thuis in hun krappe huisje met de dreigende woorden dat 'hare majesteit' ook plannen had met de tuin, en dat hij dus maar niet zo verwaand moest doen, zijn tijd kwam ook nog wel. Willett floot alleen tussen zijn tanden en ging verder met verspenen.

Alexander bleef hun uit de weg. Hij had al zijn aandacht nodig om het bedrijf bij elkaar te houden in de nasleep van Alan Wainwrights dood. Het was een schok geweest voor het hele bedrijf, maar tot dusverre sleepte hij iedereen er met een onverwacht doorzettingsvermogen doorheen. Terwijl hij zo door de gangen beende en het management en het personeel opschrikte door plotseling binnen te komen, begonnen de mensen een bijna griezelige gelijkenis met zijn oom te herkennen.

Een paar dagen na hun verhuizing naar de Hall, verraste Alexander Sally door te zeggen dat hij zijn neef Graham voor een diner had uitgenodigd. Hij vond dat het tijd werd om te proberen de kloof te dichten die was ontstaan door zijn ooms testament. Jenny was nog altijd bij hem, dus zij zou ook komen. Hij stelde voor dat ze in een restaurant zouden eten om Graham de verlegenheid te besparen verwelkomd te worden in het huis dat hij vast en zeker had verwacht te zullen erven. Tot zijn opluchting was Sally het hiermee eens.

Het diner begon in een redelijke sfeer, Graham kon het echter niet laten Sally borende vragen te stellen over haar achtergrond en liet zich niet van de wijs brengen door haar ontwijkende antwoorden. Alexander had behoefte aan een beetje ontspanning na weken van intensief werken. Toen ze het hoofdgerecht hadden gehad nam hij Jenny's merkbare verveling en verlangen naar een sigaret dan ook te baat om voor te stellen even samen naar buiten te gaan om de benen te strekken in de koele avondlucht. Daar ging ze dankbaar op in en ze slenterden in een gezamenlijk stilzwijgen wat over het dorpsplein. Plotseling verbrak Jenny de stilte.

'Ik ben geen goudzoeker, weet je.'

'Waarom zeg je dat? Dat denkt toch niemand.'

'O nee? Je vrouw wel, onder anderen.'

'Sally? O, dat is echt niet zo.'

Jenny keek hem vreemd aan, deed haar mond open om hem tegen te spreken, maar haalde toen haar schouders op. 'Ach, het maakt ook niet uit. Zolang jij het maar niet denkt.'

'Natuurlijk niet. Ik kan zien dat je heel erg gek bent op Graham, en hij heeft een fatsoenlijk iemand nodig om hem op het rechte pad te houden.'

Jenny lachte en kneep in zijn arm. 'Ik weet wat je bedoelt. Hij is zo ontzettend verwend; ik denk dat vóór mij geen enkele vrouw in zijn leven ooit nee tegen hem heeft gezegd.'

'Dat zal dan ook wel de reden zijn waarom jullie relatie al zo lang standhoudt. Je bent goed voor hem, dat is te merken.'

'Ik houd van hem,' zei ze eenvoudig en ze liet haar hand uit zijn arm glijden.

'Ik hoop dat het tussen jullie goed blijft gaan en dat jullie net zo gelukkig worden als Sally en ik.'

Jenny keek hem lang van opzij aan, maar dat ontging hem volkomen en toen schudde ze haar hoofd. Ze vervielen weer in zwijgen tot ze hun rondje over het plein hadden voltooid. Toen ze terugkwamen in het restaurant was de sfeer tussen Sally en Graham verslechterd en ze spraken kennelijk niet meer met elkaar. Toen Alexander naar binnen liep stond Sally meteen op en legde een hand op haar voorhoofd.

'Ik heb ontzettende hoofdpijn, Alex. Ik moet naar huis.'

Alexander keek van zijn vrouw naar Graham en weer terug. Zijn neef keek woedend.

'Natuurlijk. Ik ga wel even afrekenen en zal de auto voor de deur zetten.'

Terwijl hij bij de balie stond te wachten tot ze zijn creditcardgegevens hadden gecontroleerd, kwam Graham bij hem staan.

'Jouw vrouw... Hoe goed ken je haar?'

'Wat wil je daarmee zeggen, Graham?' Alexanders toon werd harder en hij keek met een frons neer op zijn neef, die veel korter was dan hij. Deze reageerde verrassend diplomatiek.

'Alsjeblieft, Alexander, we zijn familie. Begrijp me niet verkeerd. Ik moet er alleen achter komen of...'

'Wat gebeurt hier, Alex? Waar is de auto?' sneed Sally's overheersende stemgeluid dwars door Grahams woorden heen, die onmiddellijk zijn mond hield. De maître d'hôtel vulde de pijnlijke stilte op.

'Uw rekening, meneer. Wilt u hier even tekenen, alstublieft?'

Alexander boog zich voorover om zijn handtekening te zetten en was zich acuut bewust van de benauwende aanwezigheid van Sally vlak naast zich, en van Graham die bij de deur bleef hangen. Jenny pakte Graham met een bezorgd gezicht zachtjes bij de arm, maar Graham glimlachte geruststellend, er zou geen scène komen.

'Ik moet gaan, Alexander, maar wil je me bellen, alsjeblieft? We moeten echt met elkaar praten.' Sally negerend draaide Graham zich om en ging met Jenny weg.

Alexander wachtte met iets te zeggen tot ze in de auto zaten, in de hoop dat Sally wat gekalmeerd zou zijn.

'Wat was dat nou allemaal?'

'Jouw neef is een onverdraaglijke klootzak, Alex.'

'Sally!'

'Dat is echt zo. En hij is gevaarlijk ook. Hij zal geruchten gaan rondstrooien die we niet kunnen gebruiken, en als we die proberen te ontkennen maakt hij alleen maar meer heisa. Hij zal het bedrijf erdoor ruïneren.'

'Ik denk niet dat Graham met opzet het bedrijf zal willen schaden. Hij heeft nog altijd vijf procent van de aandelen in zijn bezit. En wat zou er, afgezien van het testament, moeten zijn waarover hij geruchten kan rondstrooien?'

'Je kent hem niet, Alex! Hij is typisch zo'n vervelende klier, die we kunnen missen als kiespijn. We moeten er heel goed over nadenken hoe we hem in de hand kunnen houden.'

Alexander zei niets – het had geen zin om tegen zijn vrouw in te gaan als ze zich eenmaal iets in het hoofd had gehaald – maar hijzelf vond dat ze overdreef en dat baarde hem zorgen. Ook al waren ze intussen naar de Hall verhuisd, ze vertoonde tekenen van overspannenheid, hoewel ze volhield dat alles in orde was en er niet met hem over wilde praten. Hij had ook gemerkt dat het peil in de fles gin schrikbarend snel daalde en hij had nog niet eerder meegemaakt dat ze sterkedrank dronk.

'Ik heb erover nagedacht, Sally. Waarom ga je niet even op vakantie naar de zon in de tijd dat de werklui en de schilders in het huis bezig zijn?'

'Doe niet zo stom, Alex! Wie let er dan op hen, wie zorgt er dan voor dat ze er geen zootje van maken? Jij zeker niet, jij bent altijd aan het werk.'

'Het was maar een idee.'

De rest van de rit terug naar de Hall zwegen ze.

9

Het jaarverslag en de boekhouding van Wainwright Enterprises waren beknopt, om het zachtjes uit te drukken, niet meer dan het minimum dat vereist was om ingeschreven te staan in het handelsregister. Desondanks las Alexander ze elke dag als hij terugkwam van kantoor met veel belangstelling. Terugwerkend nam hij alle verslagen van de afgelopen tien jaar door. In de weken nadat hij tot algemeen directeur was benoemd, had hij zijn nieuwe verantwoordelijkheden zeer serieus genomen, evenals zijn vrouw. Hij wist haar te overtuigen van het belang van een gedetailleerd inzicht in de boekhouding en gezamenlijk ontwikkelden ze een obsessie voor de financiële aspecten van het bedrijf. Nu ze inmiddels persoonlijk rijk waren, fixeerde Sally zich niet meer op het nog altijd schrale huishouden, maar op de miljoenen die door de zaak stroomden.

In rap tempo verslonden ze de openbaar gemaakte jaarcijfers en ze beheersten de inhoud ervan al snel, maar wat ze aantroffen intrigeerde hen en wakkerde hun verlangen naar meer informatie aan.

'Zeg, wat vind jij van die laatste cijfers, Alex?' vroeg Sally op een avond. Hij had net de meest recente jaarrekening opnieuw doorgenomen.

'Het zegt me niet veel. Je zou eigenlijk denken dat ze opzettelijk summier zijn gehouden – niet meer dan het minimaal vereiste. Het bedrijf is buitengewoon winstgevend en betaalt altijd een flink dividend aan de aandeelhouders.'

'Precies! Veel te winstgevend. Er zit gewoon te veel cash in.'

'Dat ben ik met je eens. Ik heb onze resultaten vergeleken met die van andere bedrijven in dezelfde branche, en Wainwright heeft jaarlijks tien keer zoveel winst gemaakt als zij.'

'Nou ja, je hebt zelf aldoor gezegd dat de firma goed wordt geleid, Alex.'

'Niet in deze mate. Er is iets vreemds mee aan de hand, vind ik. En daar komt nog bij dat ik geen rechtstreekse antwoorden krijg van zowel Neil Yarrell als Arthur Fish. Neil blijft erbij dat hij het cijferwerk aan Arthur overlaat, en dat hij zich concentreert op de relaties met de aandeelhouders en met de acquisities. En Arthur geeft me nooit een eenvoudig antwoord op een directe vraag. Als ik morgen de informatie niet krijg waar ik hem een week geleden al om vroeg, word ik kwaad!'

'Is hij niet capabel of is hij oneerlijk, wat denk jij?'

'Misschien allebei. Kom, we hebben voor vanavond alles gedaan wat we konden. Laten we naar bed gaan.'

Op de boekhoudafdeling van Wainwright was het stil en donker, op één gele streep licht na, die onder de gesloten deur van het kantoor van procuratiehouder Arthur Fish door scheen. Het was al erg laat. Normaal gesproken zou hij drie uur geleden al naar huis zijn gegaan, maar hij had de buurvrouw opgebeld om haar te vragen bij zijn vrouw te gaan zitten, zodat hij op kantoor kon blijven om orde op zaken te stellen. Nu zat hij naar die berg papier voor zich te staren en hij werd er beroerd van. Hij probeerde met trillende handen de gebundelde dossiers op volgorde te leggen en toen hij wilde voorkomen dat een enorme lawine van computeruitdraaien op de grond viel, stootte hij een doos met paperclips om. De hele bende kwam naar beneden zetten, maar hij bleef met zijn hoofd in zijn handen zitten en deed zijn best om niet te gaan hyperventileren.

Het was afschuwelijk – alles liep uit de hand. Ze hadden hem gezegd dat hij de volgende dag alle informatie klaar moest hebben liggen voor de nieuwe algemeen directeur of anders naar een andere baan kon gaan uitkijken. Arthur zou ontmaskerd en geruïneerd worden. De oude meneer Wainwright was nooit zo geweest. Hij en Neil Yarrell hadden hem duidelijk te verstaan gegeven hoe zij wilden dat de boekhoudafdeling werd gerund en hij had hun instructies naar de letter opgevolgd. Het probleem was, dat de nieuwe algemeen directeur en zijn vrouw het spel volgens andere regels speelden, en Neil Yarrell had zoveel afstand gecreëerd tussen zichzelf en de puinhoop waarvan hij *wist* dat ze die zouden aantreffen, dat Arthur zich totaal alleen voelde staan. Hij staarde treurig naar het oranje krat midden in de kamer en vervloekte die gevaarlijke nieuwsgierigheid van Wainwright-Smith. Er waren nog nooit moeilijkheden geweest. Hij had samen met de externe accountants altijd keurig netjes de jaarlijkse controle afgehandeld; geen moeilijke vragen en net voldoende toetsing om ervoor te zorgen dat de boeken er correct uitzagen voor het geval ze werden gecontroleerd door iemand anders dan hun inschikkelijke controlerende accountants. Maar dat gebeurde nooit. En nu eiste meneer Wainwright-Smith volledige inzage in de boeken en Arthur wist wat hij zou vinden – liever gezegd, wat hij niet zou vinden, als hij een beetje snugger was. Hij zou geen verslagen en grootboeken vinden die in orde waren, simpelweg omdat ze niet klopten. Meneer Alan Wainwright had daarvan afgeweten, maar hij had er nooit lastige vragen over gesteld. Arthur kon dit onmogelijk allemaal vóór morgenochtend in orde krijgen. Neil Yarrell maakte zich geen zorgen, die dacht dat Alexander – voor zijn eigen bestwil – wel over te halen zou zijn er wat minder diep in te duiken. Maar dat geloofde Arthur niet. Hij had gemerkt dat de jonge meneer Alexander koppig was en een onverzettelijkheid bezat, die Neil volgens hem onderschatte. En dan die vrouw van hem! Hij had haar nog niet ontmoet, maar volgens alle verhalen was zij nog erger dan haar man.

Hij keek zenuwachtig op de klok op zijn bureau: over nog geen twaalf uur zou óf die verdomde meneer óf mevrouw Wainwright-Smith hier staan, in de verwachting dat krat vol te zien liggen met keurig bijgehouden boekhoudcijfers. Arthur pakte de print-outs op die over de vloer verspreid lagen en maakte er stapeltjes van, ruwweg op jaar gesorteerd. Om elf uur ging zijn telefoon en de buurvrouw sommeerde hem woedend naar huis te komen. Hij deed de deur achter die papierberg dicht en probeerde niet aan de volgende morgen te denken.

'Sally, lieverd, wat een leuke verrassing. Fijn je weer te zien. Je herinnert je vast wel dat we elkaar in de Hall hebben ontmoet, vlak voor je bruiloft?'

'Jazeker. Jij bent Neil Yarrell, de financieel directeur. Ik zag er al naar uit je weer te ontmoeten. Alex heeft het druk, dus hij heeft me gevraagd alles van de boekhouding op te halen en mee naar huis te nemen, zodat hij het vanavond kan bestuderen.'

'Dit is onze procuratiehouder, Arthur Fish.' Sally en Arthur gaven elkaar een hand en keken elkaar aan. Wie oplettend toekeek, zou hebben gezien dat Arthur zijn ogen even opensperde met een schok van herkenning. Maar dat ontging Sally, omdat haar rusteloze blik afdwaalde naar het krat vol papieren achter hem.

'Zijn dat de boekhoudingen?'

'Ja, allemaal. Je had niet zelf hoeven komen, weet je. We hadden ze ook gewoon naar de Hall kunnen sturen zoals voorheen.'

'Nee, ik wilde zelf komen, al is het maar om met jullie allemaal kennis te maken. Ik kom hier trouwens toch werken, deze maand nog, als Alex' rechterhand. Ik heb er zin in, maar hij heeft me ge-vraagd hem intussen te helpen met het uitpluizen van de cijfers.'

Ze glimlachte opgewekt en het had iets weg van de grijns van een roofdier. Yarrell en Fish keken elkaar aan en konden hun ongerust-heid nauwelijks verbergen.

'Wainwright is een vrij ingewikkeld bedrijf. Je wilt je misschien niet...'

'Ja, ja, daar weet ik alles van. Maar maak je geen zorgen, Alexander en ik hebben nog geen enkel probleem in de boeken aangetroffen waar we niet uitgekomen zijn.'

Met die woorden wenkte ze de portier die achter haar stond. Hij tilde het krat op en volgde haar naar buiten.

Arthur liep snel terug naar zijn kantoor en sloot de deur weer voor de neus van zijn verbijsterde secretaresse. In de privacy tussen die vier muren wreef hij vol blijdschap in zijn handen. Hij had haar te pakken, die geheimzinnige mevrouw Wainwright-Smith. Ze kon pretenties hebben wat ze wilde, maar hij had haar onmiddellijk her-kend. Nu hoefde hij zich alleen maar haar werkelijke naam te her-inneren om haar in zijn greep te krijgen, wat inhield dat hij nooit meer iets van die kleine miss Sally te vrezen had.

Die avond keerde Arthur terug van zijn werk bij Wainwright Enterprises en stak de sleutel in het slot van zijn brede voordeur. Toen hij er zachtjes met zijn schouder tegen duwde ging hij geruisloos open in zijn goed geoliede scharnieren. Hij hoorde een gedempt gesprek en vatte moed, maar begreep toen dat het de radio was en zijn stemming zakte meteen.

Mevrouw Brown, de verpleegkundige, had hem horen binnenkomen en kwam de hal in. Hij keek haar vragend aan, maar zij schudde haar hoofd en hij raakte nog meer in mineur. In de keuken zette hij een wit met groene winkeltas van Marks & Spencer op het kookeiland. Links van hem, voorbij de ingebouwde oven, koelkast en keukenkastjes, was de deur naar de bijkeuken, en recht voor hem uit zat een extra brede achterdeur met een schuine helling die naar de zorgvuldig onderhouden tuin leidde. Rechts was een gang en daarachter lag de speciale aanbouw van het huis, waar zijn vrouw haar laatste dagen doorbracht.

In de hal achter hem stond mevrouw Brown haar dunne jas aan te trekken. Ze zei: 'Dan zie ik u morgenochtend tegen acht uur weer, meneer Fish. Ik heb een briefje gemaakt met dingen die op het aanrecht klaar moeten staan, en als u er tijdens de lunch even tussenuit kunt – er ligt een nieuw recept bij de dokter klaar.'

Hij bedankte haar en wenste haar goedenavond. Toen ze weg was viel er een stilte in het huis, alleen onderbroken door de zachte mechanische geluiden in de keuken. De motor van de koelkast ging aan en begon te brommen, de kraan druppelde en in de verte, rechts van hem, hoorde hij zwakjes de radio.

Hij liep de gang door naar de gezellige zitkamer annex slaapkamer daarachter. Zijn vrouw lag half rechtop in bed met de radio naast zich. Meteen toen ze hem zag rolde ze een beetje met haar ogen en knipperde ze met haar linkerooglid. Ze begroette hem.

'Hallo, schat. Hoe was het vandaag?'

Met veel inspanning sloot ze en opende ze haar linkeroog twee keer. Eén keer was goed, drie keer was slecht.

'O.' Arthur wist niet goed wat hij zeggen moest; dat wist hij nooit.

Hij zette alle problemen van de werkdag van zich af en concentreer-de zich op het komende uur dat hij met zijn vrouw zou doorbren-gen.

'Ik heb iets lekkers voor vanavond meegebracht. Een biefstuk met niertjespastei van Marks & Spencer die je zo lekker vindt, en vruch-tencake met slagroom als toetje.' Hij zei het om zichzelf te troosten, dat wist hij ook wel; zij at als een vogeltje, kleine hapjes gepureerd voedsel dat hij haar telkens een paar minuutjes voerde, waarna ze wegdommelde. Hoe kon een mens zó ziek zijn en toch doorleven. Het was hem een raadsel, en toch was zij nog steeds het enige nor-male in zijn afschuwelijke leven waarover hij nog controle had.

Hij liep terug naar de keuken en zette de oven aan om voor te ver-warmen, terwijl hij zich ging omkleden. Zijn slaapkamer was keurig opgeruimd en het tweepersoonsbed zorgvuldig opgemaakt, met on-berispelijk omgeslagen lakens aan de hoeken. In een vrijetijdshemd, fris van de stomerij, een vest, een geruite broek, schone sokken en pantoffels liep hij terug naar de keuken en zette de pastei in de oven. Hij had voorgekookte snijbonen gekocht en was snel klaar met het schillen van de aardappelen. Om precies zeven uur was Arthur klaar met zijn avondkarweitjes en ging hij naar zijn vrouw om naar *The Archers* te kijken. Hij hield zichzelf voor dat ze uitkeek naar die serie, maar eigenlijk was er geen enkele manier meer om erachter te ko-men of dat echt zo was. Toch knipperde ze altijd één keer als hij haar vroeg of ze het leuk had gevonden.

Arthur keek naar haar, ze had haar ogen gesloten. Sliep ze of was ze wakker? Wat ging er om achter dat verlamde, vertrokken gezicht? Hij deed erg zijn best om zich haar te herinneren zoals ze was ge-weest: een rustige vrouw met een tevreden glimlach, die nooit iets kwaads zei over wie dan ook. Ze had geen grote gaven, behalve haar capaciteiten als uitstekende, bedaarde echtgenote en moeder. Hun drie volwassen kinderen waren het bewijs van die capaciteiten; Ar-thur had geen bijdrage geleverd aan hun opvoeding. En dan moest je nu zien. Al die goedheid, gevangen in een ziek, opgeblazen li-chaam, dat vierentwintig uur per dag verzorging nodig had. Hij werd er heel kwaad van. Geen wonder dat hij zo ontzettend in de fout was gegaan.

De zoemer van de oven ging af, wat hem eraan herinnerde dat hij de bonen nog moest opzetten. Hij kwam overeind en liep terug naar de keuken, waar hij zichzelf dwong de gepureerde brij voor zijn vrouw klaar te maken en het volgende halfuur tegen haar te praten, totdat de nachtverpleegkundige kwam en hij kon ontsnappen in urenlang wezenloos tv-kijken onder het voorwendsel dat hij ging slapen. Toen hij de vork oppakte, gingen zijn gedachten terug naar de ontmoeting met Sally Wainwright-Smith, en hij begon zo verwoed te prakken dat de onschuldige aardappel in stukken uiteenspatte en over de rand van het bord op de vloer schoot.

Hij verbaasde zich over de heftigheid van zijn gevoelens jegens Sally. Moest je haar zien, zo keurig en deugdzaam, borend in de financiën van het bedrijf en dus ook in zijn verleden, alsof het allemaal van haar was. Zoals ze keek, alsof ze de onschuld zelf was, vervulde hem met minachting. Wie dacht ze wel dat ze was, dat ze rond paradeerde als de dame des huizes? O ja, hij wist wel beter. Arthur had haar meteen herkend; dat gezicht vergat je niet, die ogen zeker niet. Hij had ze zien glimmen van kwaadaardig plezier, smal zien worden van woede en dicht zien gaan in extase, maar zij had geen idee wat hij wist.

Het machtsgevoel dat deze kennis hem gaf deed hem duizelen en hij moest even met zijn handen steun zoeken op het aanrechtblad om zich in evenwicht te houden, voordat hij de pastei uit de oven haalde. Dergelijke sterke emoties had hij zelden gehad en de adrenaline pompte door zijn aderen, toen hij besefte dat hij misschien toch nog in staat zou zijn enige controle over zijn leven terug te winnen. Ze mocht naar hartenlust graven en de baas spelen, er kwam een punt waarop hij kon zeggen: 'Ho, en niet verder,' en als het moment daar was zou hij haar dat ook zeggen. Bij die gedachte likte hij zijn lippen af van genot en hij glimlachte letterlijk toen hij de kom met eten van zijn vrouw naast zijn eigen bord op het dienblad zette.

'Het eten is klaar, schat!' riep hij, toen hij de korte gang doorliep en ondertussen het bekende deuntje van de serie floot.

10

De hele volgende vrijdagavond en het weekend daarna spitten Alexander en Sally ijverig dozenvol boekhoudingen van de firma Wainwright door. Al binnen een uur was Sally het spoor bijster; niet veel later gaf ook Alexander aan dat het hem verwarde, maar ze spraken met elkaar af hoe ze het gingen oplossen: ze zouden zich op één jaar en op één onderdeel van het bedrijf concentreren om het helemaal te begrijpen. Ze zouden eerst afzonderlijk werken en daarna hun aantekeningen vergelijken. Om elf uur op zaterdagochtend waren ze zover dat ze voor het eerst hun uitkomsten konden bespreken.

Sally nam het woord: 'Dit deel van het bedrijf ontving vijfenveertig miljoen pond aan inkomsten, maakte kosten van slechts elf miljoen, en maakte twintig miljoen over naar een andere dochteronderneming.'

'Klopt. Laten we dan nu eens naar die onderneming kijken die de twintig miljoen heeft ontvangen.'

Ze werkten door tot één uur, aten snel een salade en hadden hun analyse tegen drie uur 's middags klaar. Nu was het Alex die begon te praten.

'Het totaal aan inkomsten van deze dochteronderneming van het bedrijf was drieëntachtig miljoen, inclusief negentien en een half miljoen die ze heeft ontvangen als transfersom tussen de bedrijven onderling. Met andere woorden, er ontbreekt een half miljoen pond over dat jaar. Er is ook veertig miljoen pond overgeboekt naar twee andere bedrijfsonderdelen.'

'Die uitkomst heb ik ook. Nu ga jij eens kijken naar de ene divisie die een deel van die veertig miljoen hebben ontvangen, dan kijk ik naar de andere.'

De hele rest van die middag en de avond volgden ze een keten van overboekingen tussen de dochterondernemingen van Wainwright Enterprises. Ze stopten om een paar uurtjes te slapen en gingen vóór dag en dauw weer verder. Aan het eind van die zondagmiddag hadden ze nog maar drie kwart van de cijfers tot achter de komma doorgespit en berekend dat er tot dan toe vijfenhalf miljoen pond was verdwenen in het web van onderlinge geldtransacties.

Sally ontdooide een restje goulash voor het avondeten en dekte de tafel in de keuken voor twee. Ze schonk twee glazen supermarktwijn in en diende de twee kommen met stoofpot op met aardappelen en stukken brood van zaterdag erbij, die ze in de oven had opgepiept.

'Vijfenhalf miljoen, waar is dat gebleven, Alex?'

'Geen idee. We moeten de rest van de boekhouding van dat jaar afmaken, en als we het daar niet vinden, moeten we ervan uitgaan dat het weggesluisd is.'

'Door wie – je oom, Neil Yarrell, Arthur Fish?'

'Misschien wel door alle drie. Het heeft geen zin om te speculeren. Laten we dooreten en weer aan het werk gaan.' Ze aten snel en praktisch stilzwijgend door, met hun gedachten bij de geheimzinnige verdwijning van zoveel geld uit het bedrijf Wainwright.

Het was al middernacht toen ze het laatste dossier sloten en de laatste computeruitdraaien terugvouwden. Het ontbrekende geldbedrag was aangegroeid tot zeven miljoen pond op een totaal van honderdelf miljoen, dat zonder duidelijke redenen tussen de bedrijven onderling heen en weer was geboekt.

De volgende ochtend gingen ze samen naar Neil Yarrell om hem ermee te confronteren. Eerst vroegen ze hem naar de geldtransacties. Daarvoor had hij een gedetailleerde en plausibele verklaring in verband met vennootschapsbelasting en btw. Hij maakte een ontspannen en zelfverzekerde indruk, tot Alex de kwestie van de ontbrekende zeven miljoen aansneed. De financieel directeur keek hem aan alsof hij een klap in zijn gezicht had gekregen, maar hij zei niets.

'Jij tekent die boekhoudingen af, Neil. Zo'n grote discrepantie moet jou of de accountants toch opgevallen zijn.'

'Er was geen discrepantie, dat kan ik je verzekeren. Het moet een verkeerde berekening van jullie kant zijn.'

'Wij denken van niet.' Sally's stem was hard en ontoegeeflijk. 'Het ziet ernaar uit dat er gefraudeerd is, en als jij er niets van afweet, stel ik voor dat je Arthur Fish ernaar vraagt. Hij moet meer dan eens van het bedrijf hebben gestolen.'

'Moet je eens even horen...' Ze begonnen zo luid te praten dat niemand van hen het aarzelende klopje op de half openstaande deur van het kantoor hoorde en Neil Yarrell stopte midden in zijn zin toen zijn procuratiehouder binnenkwam. Het was aan Arthur Fish' gezicht te zien dat hij hen had gehoord en het leek alsof hij elk moment flauw kon vallen.

Er viel een stilte, die ten slotte door Sally werd verbroken.

'Het is niet erg dat je dat gehoord hebt, Fish. Als jij en Neil geen schandaal willen, hebben jullie vierentwintig uur de tijd om met een geloofwaardige verklaring te komen.'

Arthur keek Alexander aan, maar de algemeen directeur schudde alleen maar zijn hoofd en bleef ondoorgrondelijk kijken. Toen pakte hij zijn vrouw bij de arm en liep het kantoor uit, zijn verantwoordelijke accountants achterlatend om te overleggen.

Meteen toen ze weg waren stuurde Neil Yarrell Fish de deur uit en belde James FitzGerald op. Hij legde het probleem kort en bondig uit.

'Godallemachtig!' riep FitzGerald uit. 'Daar hebben ze niet lang over gedaan. En je verklaring over de belastingen werkte niet?'

'Die verklaart de ontbrekende zeven miljoen niet. Als ik de tijd ervoor kreeg zou ik samen met Arthur cijfers kunnen produceren die de ontbrekende zeven miljoen dekken, maar ze zitten als bloedhonden op het spoor. Nu ze er lucht van hebben gekregen dat er geld is verdwenen, zullen ze elk jaar gaan doorspitten, wed ik.'

'Dan zal ik een bezoekje bij hen moeten gaan afleggen. Dat is eerder dan ik had gewild, maar er is niets aan te doen. Jij doet gewoon wat je moet doen met de bedragen en laat de rest maar aan mij over.'

'Alexander is de rest van de dag op kantoor, maar waar Sally naartoe is gegaan nadat ze weggingen – naar de Hall waarschijnlijk.'

'Ik ga het vandaag nog met hen afhandelen, Neil, afzonderlijk. Ze zijn een lastig tweetal en als we een wig tussen hen in kunnen drijven wordt het wat makkelijker om hen in de hand te houden. Het wordt tijd dat we wat afstand gaan creëren tussen die twee tortelduifjes.'

'Denk jij dan dat het een huwelijk uit liefde is?' zei Yarrell verbaasd. 'Heb je niet gehoord wat iedereen over haar zegt?'

'O, nog meer dan dat, vriend, maak je geen zorgen. Ik denk dat ik precies weet wat Sally voor iemand is. Houd jij je nou maar gedeisd, ja? En zeg tegen je maatje Fish dat hij een keer ophoudt met janken. Dat begint me op mijn zenuwen te werken.'

James FitzGerald kwam halverwege de middag bij Wainwright aan en blies een kushandje naar de receptioniste terwijl hij meteen doorliep naar de lift. Terwijl deze langzaam omhoogklom keek hij op zijn horloge. Het was bijna drie uur, ruim voldoende tijd om eerst Wainwright-Smith onder handen te nemen en daarna bij zijn vrouw langs te gaan in de Hall. Op de bovenste verdieping klopte hij zachtjes op Wainwright-Smiths deur, liep meteen naar binnen en deed de deur achter zich dicht.

'Ja. Wat wilt u?'

FitzGerald negeerde de boze klank in de stem van de nieuwe algemeen directeur en liet zich in een van de leunstoelen ploffen. Hij boog opzij en schonk zichzelf op zijn gemak een klein glas whisky in. Toen zwaaide hij met een bezittersair de karaf in Alexanders richting.

'Wie denkt u in godsnaam dat u bent?'

'Alexander, je weet vermoedelijk niet meer wie ik ben. Ik ben James FitzGerald, een oude vriend van je oom.' Hij glimlachte en het glazuur van zijn tanden blikkerde wolfachtig. 'Ik moet met je praten, nu meteen.' Het scherpe accent van de man schuurde over Alexanders zenuwen en hij liet zijn ergernis over de onderbreking duidelijk blijken.

'Ik heb het erg druk, meneer FitzGerald. Maakt u maar een afspraak met mijn secretaresse. Als het dringend is heb ik morgenochtend nog wel ergens een gaatje, geloof ik. En als u me nu wilt excuseren...'

'Dat zal niet gaan, ben ik bang, Alexander. Je schijnt te vergeten dat ik grootaandeelhouder van Wainwright Enterprises ben met een aanzienlijk belang in het bedrijf. Hoewel ik er alle vertrouwen in heb dat Alan wist wat hij deed toen hij jou voordroeg als algemeen directeur, weet ik niet of jij je wel bewust bent van de volle omvang van je verantwoordelijkheden.'

De toon die de man aansloeg weerhield Alexander ervan een bot antwoord te geven en hij liet FitzGerald verdergaan.

'Dat is beter. Wij moeten onder vier ogen met elkaar praten, alleen jij en ik. Geen woord tegen iemand anders, begrijp je, vooral niet tegen dat mooie, vastberaden vrouwtje van je.'

'Waar heeft u het over?' Wainwright-Smith stond op vanachter zijn bureau en liep naar de zitgroep waar FitzGerald had plaatsgenomen.

'Het gaat over geld, Alexander, over dood, geld en familieverplichtingen – inmiddels jouw verplichtingen – tegenover mij en anderen.'

Wainwright-Smith ging met een bestudeerd nietszeggend gezicht zitten.

'Toe maar, FitzGerald. Ik ben een en al oor.'

'Ik heb van Neil begrepen dat je vragen hebt gesteld over de financiën van het bedrijf die, heel eerlijk gezegd, maar beter niet gesteld of beantwoord kunnen worden. Hij heeft geprobeerd je ervan af te houden, maar je hebt zijn raad naast je neergelegd. Ik ben hier niet om met je in debat te gaan, ik ben hier om je te zeggen: laat het met rust.'

FitzGerald kon de verontwaardiging en woede over Alexanders

gezicht zien flitsen, om plaats te maken voor een koppigheid die hem zo sterk aan zijn oom deed denken dat hij er moedeloos van werd. Alan Wainwright was ook zo'n trotse man geweest, en alleen doordat hij in de jaren zeventig van de vorige eeuw in ernstige geldproblemen was gekomen, waren FitzGerald en enkele van zijn vrienden in staat geweest de nodige invloed binnen Wainwright Enterprises naar zich toe te trekken. Hij was niet te bepraten geweest, tot hij door noodzaak gedwongen werd hun aanbod aan te nemen. FitzGerald kon zien dat de neef ook niet te overreden was. Dan had hij geen andere keus dan het hem te vertellen en te hopen dat hebzucht of angst – misschien wel beide – de rest zouden doen.

'Alexander, ik ga je een geheim vertellen dat maar aan heel weinig mensen bekend is, en als je het aan iemand vertelt, je vrouw inbegrepen, dan kom ik persoonlijk je tong uitsnijden en hem door je strot duwen, dat beloof ik je.'

Dit dreigement werd zo kil uitgesproken, dat Alexander met een huivering van schrik de haartjes op zijn armen en in zijn nek omhoog voelde komen. Hij twijfelde er niet aan dat de man die voor hem zat in staat was om exact te doen wat hij zojuist had beschreven.

'Oké,' zei hij, en tot zijn eigen verbazing maakte de woede dat zijn stem niet haperde. 'Laat maar horen dan.'

'Ik meen het. Jouw familie heeft een lijk in de kast, dat ik al meer dan dertig jaar lang heb helpen verbergen. Zie het maar als een onderdeel van je erfenis, dan zijn we allemaal gelukkig.' Hij glimlachte opnieuw met zijn flitsend witte tanden en boog zich vertrouwelijk naar voren om Alexander zijn geheim te vertellen.

Toen Sally even voor vijven terugkwam van boodschappen doen ging de telefoon. Voordat ze erbij kon komen had mevrouw Willett al opgenomen.

'Ja? Ze is er.' De telefoon werd met zoveel gebrek aan eerbied voor haar eigendommen op de mahoniehouten wandtafel gekwakt, dat Sally kookte van woede. 'Voor u, mevrouw.' De huishoudster trok zich terug in de gang die de entreehal en de grote hal met elkaar verbond.

'Sally Wainwright-Smith.'

'Met James FitzGerald, Sally. Wij kennen elkaar nauwelijks, maar we hebben even met elkaar gepraat op de begrafenis van Alan.' Zijn stem kraakte toen het signaal van zijn mobiele telefoon zwakker werd.

'O ja.' Ze herinnerde zich vaag dat ze hem had gesproken, een ordinaire, kleine man met slechte manieren en een nog slechtere adem.

'Ik moet u spreken, het is zeer dringend.'

'Vandaag niet, ik heb het erg druk. Kunnen we...'

'Ik ben al onderweg, mevrouw Wainwright-Smith, en geloof me, u wilt graag met mij praten.'

Ze had net haar jasje opgehangen toen ze buiten het geknars van banden op het grind hoorde. Er stopte een zilvergrijze Mercedes voor de hoofdingang en met atletisch gemak stapte er een dunne man in een licht pak uit. Hij had een grote bruine envelop bij zich. Even overwoog ze hem de toegang te ontzeggen, maar toen won de nieuwsgierigheid het van de kwaadheid en deed ze de deur open.

'Sally!' klonk het minzaam familiair.

'Wat wilt u?'

Hij deed alsof hij gekwetst was door haar lompheid, maar glimlachte toen. Het was een onaangename, veelzeggende glimlach en plotseling begreep Sally wat er ging komen. Haar ogen dwaalden naar de bruine envelop.

'Inderdaad, ja. Zullen we dan maar...' Hij wees met een vanzelfsprekende vrijpostigheid naar de studeerkamer aan één kant van de entreehal.

'U schijnt hier de weg te kennen.'

'O ja, in Alans tijd kwam ik geregeld langs. Na jou, alsjeblieft.'

Achter hen, in de schaduw van de gang, zette mevrouw Willett geluidloos haar stofwisser en boenwas op de vloer en wachtte tot de deur van de studeerkamer dichtging. Toen liep ze ernaartoe.

Het was donker in de kamer en het rook er naar boenwas met citroengeur. FitzGerald gaf Sally de bruine envelop en wachtte terwijl zij de glanzende zwart-witfoto's had bekeken. Er waren er een paar waarom ze moest glimlachen.

'Sommige hiervan had u wel kunnen publiceren. Ze zijn echt heel goed.'

FitzGerald nam haar met bewondering op; zo'n reactie had hij bepaald niet verwacht.

Toen viel haar oog op een andere foto en ze barstte in lachen uit; het klonk heel onschuldig en blij.

'Ach, die arme Alan! Moet je zijn gezicht zien.' Ze lachten allebei, tot Sally's gezicht plotseling hard werd.

'Dus dit is de manier waarop u aan uw geld komt, meneer Fitz-Gerald. Bent u zo'n smerige chanteur, die zijn centen verdient met wazige foto's, gemaakt door de ramen van andere mensen? Bent u gewoon een gluurder?'

James FitzGerald pakte haar arm in een verrassend sterke greep voor zo'n tengere man en kneep, maar Sally glimlachte alleen maar om de pijn. Toen hij dat zag, sloot hij zijn vingers helemaal, tot de vingertoppen elkaar raakten en ze snakte hoorbaar naar adem, maar toch klonk het als een zucht van genot.

'Ze zijn mijn verzekeringspolis voor als Alan zich ooit slecht zou gedragen, dat is alles. Ik had nooit gedacht dat ze na zijn dood nog zo van pas zouden komen. 'Zeg eens, geloof je in de kracht van het getal drie, mevrouw Wainwright-Smith?'

'Ja, hoor! Vervul drie wensen, mijn grote favoriet, hoewel ik zelden een man ben tegengekomen die er meer dan twee kon vervullen.'

Haar zelfverzekerdheid maakte hem razend en hij verdraaide zijn hand, zodat de blote huid van haar arm ervan brandde, maar ze bleef hem recht aankijken en ze knipperde ook de opkomende tranen van pijn niet weg.

'Ging jíj als kind naar de kerk, James? Ik wel, en ik kan me nog steeds mijn favoriete gezang herinneren. Vergeet de Vader, de Zoon en de Heilige Geest en vergeet vader, moeder en kind; de drie in één is waar het om gaat. Ja, ik geloof in de kracht van het getal drie, maar ik geloof nog meer in de kracht van één.'

Ze dreunde de woorden staccato op, terwijl haar gezicht in het donker een etherisch witte glans kreeg en haar ogen schitterden van de kracht waarmee ze de pijn beheerste, en hij vond haar zeer aantrekkelijk. Maar James FitzGerald was Alan Wainwright niet.

'Luister eens, Sally, wij waren altijd met ons drieën om het bedrijf in evenwicht te houden. Toen Alan doodging kwam ik iemand tekort, ik bedoel daarmee dat ik niet meer kan terugvallen op degene die ik nodig heb, dus moet ik me er persoonlijk meer mee gaan bemoeien dan me lief is, om de boel onder controle te houden. Wainwright is een bijzonder bedrijf, waar ik nauw bij betrokken ben en grote, persoonlijke belangen in heb.

Stop met je onderzoek, houd op met vragen stellen en moedig je man niet meer aan nieuwsgieriger te zijn dan nodig is. Je wilt toch niet dat deze foto's openbaar worden gemaakt?'

Sally scheen dit even te overwegen.

'Dus ik had wel gelijk wat het bedrijf betreft, er ís dus iets aan de hand. Wat is het?'

'Dat gaat je niet aan.' Hij streek even zachtjes over haar wang met een vinger van zijn vrije hand, zonder zijn greep op haar pols los te laten. Die tegenstelling bezorgde haar een rillinkje en het genot stond in haar ogen te lezen.

'Je doet me aan iemand denken, Sally, maar ik kan me niet herinneren wie. Waar kom je vandaan? Is je verleden net zo interessant als het heden?'

Alsof ze eindelijk zwichtte voor de pijn, pakte ze met haar andere hand de zijne vast en trok met een zacht 'alsjeblieft' zijn vingers weg. Ze dacht heel snel na. Als James FitzGerald echt op de een of andere manier betrokken was bij datgene wat er bij Wainwright Enterprises gaande was – de enorme geldstromen, de heimelijkheid, het tolereren van een omvangrijke fraude – wilde dat zeggen dat hij criminele banden onderhield. Dan was het gevaarlijk om zo'n man de voet dwars te zetten.

'We zullen het onderzoek laten vallen, James, precies zoals je vraagt, maar dan moet je ook een beetje opruimwerk verrichten. Arthur Fish is een zenuwpees.' Ze zag zijn gezicht betrekken en vervolgde snel, 'en hij is incapabel. Je moet je van hem ontdoen, en snel.'

FitzGerald zei niets toen hij de foto's oppakte en ze weer in de envelop liet glijden. Hij liet zichzelf uit.

Alexander was eerder thuis dan normaal, erop gebrand zijn vrouw te laten ophouden met werken aan de boekhouding. Terwijl hij zijn stropdas afdeed, liep hij meteen vanuit de entreehal naar links, de zitkamer binnen. Sally zat achterover in de stoel bij het raam en staarde naar de tuin. Ze zag er niet goed uit en had zich dik ingepakt in een trui met lange mouwen.

'Voel je je niet goed? Je ziet eruit alsof je afgepeigerd bent.'

'Ja, ik ben een beetje moe, eerlijk gezegd; er komt ook maar geen einde aan die winter.'

'Kom, ik zal met Millie over het eten praten. Blijf maar lekker zitten. Wil je wat drinken?'

'Ik heb al.' Ze schudde met een hoog glas naar hem en nam toen een grote slok. Het ijs tinkelde tegen haar tanden toen ze het glas leegdronk.

'Wil je er nog een? Wat was het? Perrier?'

'Gin-tonic, en schenk nog maar een keer in, ja, als je wilt.'

Alexander pakte het glas van haar aan en liep naar het drankentafeltje in de hoek. Haar stem dreef achter hem aan.

'Ik heb nagedacht over wat Neil Yarrell vandaag zei. Weet je, ik denk dat ik hem geloof – zolang hij maar een goede verklaring heeft voor die ontbrekende zeven miljoen, denk ik dat we gewoon relaxed kunnen zijn, hoewel ik nog altijd vind dat Fish onbekwaam is.'

'Daar kijk ik van op, Sally. Je was er zo zeker van dat er iets mis was. Maar ik ben het met je eens, ik denk dat we ons opwinden over niets. Er is vast wel een logische verklaring voor de gaten in de boekhouding.'

Ze keken elkaar verbaasd aan en deden allebei hun best om niet te laten merken hoe geschokt ze waren. Geen van beiden had gedacht dat de ander zo gemakkelijk zou capituleren. De plotselinge ommezwaai van Alexander verwarde Sally, die zich toch al kwetsbaar voelde door haar confrontatie met FitzGerald, en ze barstte in tranen uit. Alexander was onmiddellijk bij haar en sloeg zijn armen stevig om haar heen.

'Ach, ach, het is goed, hoor. Stil maar, het is oké. Je bent moe. Je hebt veel te hard gewerkt. Waarom ga je niet even liggen? Je kunt best even gaan rusten terwijl ik met Millie over het eten praat. Kom maar.'

Hij lokte zijn vrouw naar de trap en merkte bezorgd op dat ze haar pas ingeschonken glas gin-tonic meenam. Millie Willett hing in de gang rond.

'Meneer Wainwright-Smith, kan ik u even spreken?'

'Nu niet, Millie. Zie je niet dat mijn vrouw zich niet goed voelt? We praten straks wel. Ik kom zo beneden.'

'Dat is goed, meneer. Ik wacht op u in de keuken.'

Sally keek haar huishoudster plotseling nieuwsgierig aan. Ze hield abrupt op met huilen en rechtte haar schouders.

'Het gaat wel, Alex. Ik voel me alweer een stuk beter. Ga jij maar douchen. Millie, als je iets te zeggen hebt kun je het in de keuken ook tegen mij zeggen. Vooruit, Alex, ga maar naar boven!'

De volgende morgen zat Alex haastig te ontbijten om op tijd te zijn voor zijn wekelijkse vergadering met de directeur van de productie om kwart over acht, toen Sally langs haar neus weg opmerkte dat ze mevrouw Willett ontslag had aangezegd.

'Wat?' Hij morste zijn koffie over de grenenhouten tafel in de kamer waar ze 's ochtends altijd ontbeten. 'Zij en Joe hebben jarenlang voor oom Alan gewerkt. Je kunt ze niet zomaar op straat zetten.'

'Het is geldverspilling; we hebben echt geen fulltimehuishoudster en -tuinman nodig.'

'Maar de Hall is enorm groot – er zijn meer dan vijftien slaapkamers – en het terrein vereist ontzettend veel onderhoud. Trouwens, je hebt Sue met pensioen gestuurd, zodat jij mijn secretaresse kunt worden. Dat kun je nooit allemaal alleen af!'

'Sue was erg traag, lieverd. Ik doe het veel sneller. Joe heeft in geen jaren zijn werk behoorlijk gedaan en wat Millie Willett betreft, ik kan het schoonmaakwerk door mensen uit de buurt laten doen tegen een fractie van wat zij kost. Ik heb al twee meisjes gevonden die uitstekend voldoen.'

Hij had haast om op zijn werk te komen en dus geen tijd om ertegenin te gaan. Hij was van plan om het er die avond met Sally over te hebben, maar om de een of andere reden kwam dat gesprek er nooit. Hij was moe, zij was mooi en na zijn bad en zijn avondeten kon hij het niet meer opbrengen een thema aan te snijden dat onvermijdelijk weer op ruzie zou uitdraaien. En zo vertrokken de Willetts; ze kregen per direct hun geld uitbetaald en elk spoor van hen verdween uit de Hall.

Toen Sally een paar dagen later terloops meedeelde dat er tijdelijke huurders in Bluebell Cottage zouden trekken, besefte hij dat ze de Willetts ook uit hun arbeiderswoning had gezet. Toen kregen ze wel hooglopende ruzie, zeldzaam in zijn heftigheid. Maar het was te laat, ze waren al weg. Alexander was ontzet. Wat moesten de mensen wel van hem denken. De Willetts waren wel een beetje lastig geweest en hij moest Sally gelijk geven dat zij een van zijn ooms minst waardevolle erfstukken waren, maar hen zomaar zonder pardon uit hun huis te zetten stelde Sally en hem in een kwaad daglicht. Het was maar een kleine wereld en het gerucht zou weldra rondgaan dat de nieuwe meneer en mevrouw van de Hall echte rotzakken waren. Hij waakte zorgvuldig over zijn reputatie, en hij was dan ook intens kwaad op haar dat zij die al zo snel had beschadigd.

Na een paar weken was zijn relatie met Sally hersteld, maar hij ging in zijn ooms oude kamer slapen als hij laat thuiskwam van een zakendiner, wat hij nu meerdere keren per week deed. Als hij wel op tijd thuis was, praatten ze altijd over hoe het die dag op de zaak was geweest, en soms had zij een mening of een idee die hem een nieuw inzicht gaven in zijn problemen op het gebied van management. Maar de warmte in hun relatie was bekoeld en keerde niet terug.

11

Het kiezelstrand was bijna verlaten. De snijdende wind zweepte de zee op met witte schuimkoppen en hij blies rommel tegen de golfbrekers, waar het machteloos wapperend bleef liggen. Dit was een vreemde tijd van het jaar aan de zuidkust, vol van mogelijkheden, maar ook vol dreiging. Als het paasweekend helder en zonnig was kwamen de mensen er spontaan naartoe. Ze brachten voorspoed en op korte termijn wat verlichting voor de duizenden kleine zaakjes, die voor hun dagelijks brood afhankelijk waren van de dagjesmensen. Iedere avond luisterden de eigenaars van de ondernemingen naar de weersvoorspellingen op de lange termijn, tikten op de barometer of staarden naar de langgerekte hopen zeewier, hopend op voortekenen dat dit jaar fortuinlijk zou uitpakken. Tot nog toe waren de vooruitzichten niet best. Hoewel Pasen dit jaar erg laat viel, een van de laatste in de boeken, bleef het weer hardnekkig winters. Nog geen week te gaan en er was nog steeds vorst aan de grond, zelfs af en toe een natte sneeuwbui in de noordelijke Downs.

De vrouw die langs de strook zeewier liep die door de terugtrekkende golven was achtergelaten, ging schuil in een dikke wintermantel. Ze droeg een spijkerbroek en sportschoenen en ze had haar wollen muts over haar oren getrokken. Ze hield haar in wanten gestoken handen diep in haar zakken. Het was onmogelijk te zien hoe oud ze was – ze kon ergens tussen de zestien en de zestig zijn – maar zelfs vanuit de verte was te zien dat ze diep in gedachten was.

Arthur Fish sloeg haar vanaf een afstand op de promenade boven het strand gade, terwijl zij over dat kilometerslange, verlaten strand liep. Hij was haar die middag vanuit Harlden gevolgd. Het maakte deel uit van de obsessieve belangstelling voor alles wat zij en haar man zeiden of deden. Eerst was hij gealarmeerd toen ze een kaartje naar Brighton kocht, maar toen het tot hem doordrong dat haar verleden haar trok, een verleden dat hij maar al te goed kende, verwarmde het hem. De Wainwright-Smiths waren gestopt met hun belachelijke onderzoek naar de financiën van het bedrijf, maar Neil Yarrell had hem verteld dat Sally hem niet vertrouwde en wilde dat hij ontslagen werd. Dat was wel het laatste dat hij kon gebruiken. De gedachte gevangen te zitten in dat keurig nette huis bij zijn stervende vrouw, vervulde hem met afschuw. Dus begon hij in zijn vrije tijd zijn nemesis te volgen en probeerde ondertussen een besluit te nemen wat hem te doen stond. Nu hij haar vanmiddag zag, hier, op bekend terrein, en zo kwetsbaar en zorgelijk, besloot hij direct actie te ondernemen.

Ze was bij een buitengewoon hoge golfbreker aangekomen en liep de helling van het strand op naar de stenen trap die naar de promenade leidde. Hij versnelde zijn pas en liep haar tegemoet. Hij was een paar seconden eerder boven aan de trap dan zij.

'Hallo, Sally.'

Met een schok van verrassing keek ze naar hem op. Haar gezicht stond voor één keer kwetsbaar en haar mond stond kinderlijk open – zo kinderlijk eigenlijk, dat het opnieuw bevestigde dat hij gelijk had: hij kende haar inderdaad uit een andere tijd.

'Je herkent me niet meer, hè?'

'Natuurlijk wel, Fish. En laat me er nu langs.'

'Nee, kindje, dat doe je niet, niet echt. Kijk eens goed, want ik weet nog wel wie jij bent...' Hij wachtte even en de klank in zijn stem maakte dat ze haar adem inhield. 'Van héél lang geleden.'

'Nee,' fluisterde ze alleen maar; toch kon hij aan haar ogen zien dat het haar begon te dagen.

'O, jawel. Ik denk dat wij eens moeten praten, vind je ook niet? Heb je trek in een kopje thee, of heb je meer trek in een hamburger met patat – daar was je toch zo dol op, als ik het goed heb?'

Sally klampte zich aan de reling vast om staande te blijven en hij vond het heerlijk om te zien hoe die naar boven gevallen meid van haar pas geërfde voetstuk viel. Hij pakte haar bij de elleboog en stak de straat over naar een van de weinige cafés met zeezicht die dit weekend open waren. Binnen waren de ramen bewasemd van de adem van de baas en de hitte van de ijzeren radiatoren. Hij leidde haar naar een tafeltje in een hoek bij het raam en ging twee grote, dampende mokken thee halen.

Hij begon zachtjes tegen haar te praten, zodat het onhoorbaar was voor de andere gasten, die met een natuurlijke nieuwsgierigheid naar hen staarden. Zo'n knappe vrouw zag je niet vaak, zeker niet in gezelschap van zo'n tonnetje van een man die oud genoeg was om haar vader te kunnen zijn.

Sally negeerde de thee en staarde naar haar handen, terwijl Arthurs stem maar door gonsde. Het verhaal dat hij ophing was waar. Dit was zo'n tentakel uit haar verleden die op haar af kronkelde om haar onverwachts bij de enkels te pakken en haar te laten struikelen. Het was zo oneerlijk allemaal, terwijl ze er eindelijk zo dicht bij kwam om haar droom van financiële onafhankelijkheid en controle over haar leven te verwezenlijken. Hoe was dit mogelijk? Ze dacht terug aan de tijd waarin ze elkaar volgens Arthur hadden ontmoet. Niets van wat hij zei kon ze ontkennen, ook al had ze geen enkele herinnering aan hem. Voor het eerst zei ze iets terug.

'Hoe heb je me herkend? Ik zie er zo anders uit.'

Arthur grijnsde naar haar en klopte haar op de hand, op een manier waar ze misselijk van werd.

'Aan je ogen. Ik zal nooit vergeten hoe je ogen indertijd naar me keken, vol minachting en woede, net zoals je laatst in mijn kantoor naar me keek. Wat kunnen de tijden veranderen, hè? Wat weet dat baasje Alexander eigenlijk over de vrouw met wie hij getrouwd is?'

Met één snelle beweging trok Sally haar hand onder de zijne vandaan en goot haar thee over zijn vingers. Hij gaf een kreet toen het bijna kokendhete water zijn huid schroeide en hij moest naar de bar rennen voor een koude vaatdoek om zijn hand, waar al snel blaren op kwamen, te koelen. Twee vingers waren roze en opgezwollen, en de vrouw achter de bar maakte bezorgde geluidjes toen ze zijn hand in een glas koud water stak.

Sally keek hem aan toen hij naar hun tafeltje terugliep en ze glimlachte wreed. Toen hij weer zat zei ze zachtjes fluisterend, wat de mensen in de buurt waarschijnlijk uitlegden als bezorgdheid: 'Je hebt een fout gemaakt, Arthur. Bedreig mij niet, hoor je dat? Je denkt misschien dat je macht hebt over Alex en mij, maar dat is niet zo. Wie zal jou geloven, zo'n kleine, vette klootzak, die een kick krijgt van dingen waar de meeste fatsoenlijke mensen van over hun nek gaan? Je maakt jezelf belachelijk.'

'Ik sta niet alleen! Er zijn er meer die zich jou herinneren.'

'Dat denk ik niet. Mijn beroep was niet van dien aard dat mensen daar graag aan herinnerd worden.'

'Misschien. Maar ik ben niet de enige uit je verleden. Ik kan zeker één iemand bedenken die het heerlijk zou vinden als ze de kans kreeg je terug te pakken voor wat je haar hebt geflikt. Zij is dat valse krengetje van een Sally Price, die met de bewijzen kwam waardoor ze werd vastgezet, heus niet vergeten. Ik zie haar heel binnenkort weer. Je bent niet onaantastbaar, Sally, wat je jezelf ook voorhoudt.'

Sally bestudeerde hem met afstandelijke belangstelling en pakte toen haar muts en haar wanten. Ze stond op en fluisterde hem in zijn oor: 'Onthoud het goed, Arthur, dode mannen kunnen geen verhalen meer ophangen.' Na een speelse beet in zijn oor met haar scherpe snijtanden was ze weg en liet ze Arthur achter, die vol afschuw naar zijn pijnlijk kloppende vingers staarde.

DEEL TWEE

De dood vereffent alle schulden
Zeventiende-eeuws gezegde

12

Het was de derde donderdag van de maand en die dag had een speciale betekenis in de routine van Arthur Fish. Gewoonlijk bracht hij die dag tot op de minuut in kaart, maar vandaag was het anders. Sinds de zaterdag daarvoor, toen hij Sally Wainwright-Smith had ontmoet, had hij zich niet meer kunnen concentreren. Met zijn hand ging het alweer wat beter, maar de pijn die hij af en toe had van de ergste brandblaar herinnerde hem voortdurend aan haar afscheidswoorden, en dan kwam de angst in alle hevigheid opzetten.

Aanvankelijk had hij zich voorgenomen Alexander rechtstreeks te confronteren met zijn onthulling, maar bij de gedachte dat dan zijn eigen geheime verleden geopenbaard zou worden, deed hij het maar niet. Hij was ook bang voor de nieuwe algemeen directeur. Alexander Wainwright-Smith was veranderd. Er was geen spoor meer over van de jongen die Arthur had gekend en op sommige momenten deed hij hem aan Alan Wainwright denken, compleet met alle arrogantie van de oude man. Dus had hij het grootste deel van de tijd net gedaan alsof er niets was gebeurd. Zijn vermogen om zich terug te trekken in een fantasiewereld waar geen problemen waren en waar hij een keurige, gezagsgetrouwe burger was, was een van zijn grote krachten. Het was ook een fatale zwakheid.

Stil zat hij in de keuken, klaar om aan een nieuwe, zware dag te beginnen, nog even genietend van zijn tweede kop thee terwijl hij naar de klok op het fornuis keek. Het liep tegen kwart voor acht en dan kwam de verpleegkundige voor die dag. Zodra hij haar sleutel in het slot hoorde zou hij zijn jas pakken, een korte, chique camel, die zijn vrouw acht jaar geleden voor hem had gekocht als verjaardagscadeau. Het was het laatste cadeau dat ze voor hem had gekocht, zo bleek, maar dat konden ze toen nog niet weten. Sinds die tijd was hij regelmatig naar de stomerij geweest. Elke keer als hij terugkwam haalde hij het plastic eraf en controleerde hij de kraag en de manchetten op slijtage en hoopte hij dat ze nog goed waren, zodat hij nog een jaar meekon. Op zwaarmoedige momenten bedacht hij dat de jas zijn vrouw waarschijnlijk zou overleven, hoewel hij het angstaanjagend vond hoe haar geestkracht haar volhardend door de dagen heen sleepte.

De minuten verstreken en de klok op het fornuis stond op 7.48 uur, toen de verpleegkundige arriveerde. Ze was drie minuten te laat. Hij dronk de rest van zijn thee op en spoelde snel zijn kopje om. Hij overwoog even naar de aanbouw te lopen om zijn vrouw nog een keer gedag te zeggen, maar hij deed het toch maar niet. Hij had er een hekel aan te laat te komen op de vergadering van kwart over acht.

Mevrouw Brown stond in de hal en hing haar jas netjes op een hangertje.

'Goedemorgen, meneer Fish.'

'Dag mevrouw Brown.' Hij pakte zijn jas en haalde zijn pet, die hij de avond tevoren in zijn jaszak had gedaan, tevoorschijn.

'Zes uur dan, vanavond?'

'Ja, eh... nee! Ik ben vanavond laat thuis. Personeelsavond.' Arthur voelde dat hij rood werd toen hij zijn groene pet opzette.

'O ja, de personeelsavond, natuurlijk.' Mevrouw Brown grijnsde naar hem. Wist ze het? Hoe dan? Natuurlijk niet, het was gewoon zijn slechte geweten.

'Edith Wilmslow is hier om halfzes, zoals altijd. Zij blijft hier tot ik terug ben, want de verpleegkundige voor de nacht heeft haar vrije avond.'

Edith Wilmslow liep tegen de tachtig, maar ze was een goede buurvrouw, gezegend met een gezondheid en een kracht die zijn arme vrouw treurig genoeg miste. Mevrouw Brown knikte. Ze was een onverwoestbaar optimistisch mens en hij wist niet hoe zijn vrouw het de hele dag met haar uithield. Bij de gedachte aan zijn invalide vrouw voelde hij zich schuldig toen hij de voordeur met een bevredigende klik achter zich dichttrok. Hij had echt nog voor een tweede keer afscheid moeten nemen.

De dag bij Wainwright ging snel voorbij, maar Arthur merkte dat hij desondanks om het kwartier op zijn horloge zat te kijken. Toen hij in de volgende vergadering zat, dwaalden zijn gedachten af naar die avond en drukte hij verwachtingsvol als een kleine jongen zijn dijbenen tegen elkaar. Om kwart over vijf, een kwartier eerder dan anders, pakte hij zijn jas en zijn tweedpet en sloot hij zijn kantoor af voor de avond. Zijn secretaresse was al weg; haar ongeduldige baas had haar eerder naar huis gestuurd.

Op het station kocht hij een goedkoop retourtje naar de zuidkust en nu de avond zo dicht genaderd was, begonnen zijn handen te trillen. Hij onderdrukte het en ging in de hoek van een lege tweedeklascoupé zitten. Hij opende zijn *Daily Mail* om normaal over te komen, maar hij kon zich niet concentreren. In zijn verbeelding was hij al bij Amanda, die hem met haar strenge ogen een standje gaf zodra hij het waagde haar recht aan te kijken. Haar zwarte gewaad viel open en onthulde haar uitgesneden leren beha en de jarretels eronder. Er kwam een warm, strak gevoel in zijn broek opzetten. Hij greep de krant stevig vast en probeerde het koortsachtige gevoel dat door zijn hele lichaam trok onder controle te houden.

Zijn dromerij werd ruw verstoord toen de deur van de coupé werd opengeknald. Drie tienermeisjes en een onopvallende jonge knul stampten naar binnen, gevolgd door een keurige mevrouw met een wit hondje aan een riem. De meisjes gilden van het lachen om een onverstaanbare opmerking. Ze hadden een ordinair accent en toen hij hun afgebeten keelklanken eindelijk kon thuisbrengen, walgde hij van hun taalgebruik. Ongelooflijk, dacht hij, dat zulke jonge meisjes zo grof in de mond konden zijn, en hij hoopte vurig dat ze een eind verderop zouden gaan zitten. Maar alsof ze zijn ongemak aanvoelde, grijnsde de aanvoerster van het stel kwaadaardig en schreeuwde naar de anderen, 'Hierzo!' en ze liet zich op de bank tegenover hem vallen. Arthur nam automatisch zijn pet af, dacht aan zijn opgewonden toestand en liet hem in zijn schoot vallen. Alle gedachten aan die avond waren verdwenen. Uitdagend schudde hij de vouwen uit zijn krant en begon hem voor het eerst echt te lezen.

De twee andere onbehouwen meiden kwamen erbij zitten en persten hun schaars geklede, bleke lijven naast hun vriendin op de bank. De donkerharige jongen die achter hen aan de coupé was binnengekomen, koos na een zijdelingse blik op Arthur een zitplaats aan de andere kant van het gangpad. Arthur overwoog even om bij hem te gaan zitten, maar dacht toen, kom zeg, waarom zou ik verkassen? Hij probeerde zich te concentreren op het nieuws van die dag.

Alles wat hij deed – elk kuchje, elke beweging, of als hij zijn ene been over het andere sloeg – was een reden voor het giftige trio tegenover hem om in geschater uit te barsten, met daartussendoor krachttermen en openlijke toespelingen over zijn seksleven, en of hij in zijn neus peuterde en het opat, en of hij het was die net een scheet had gelaten. Ze herhaalden continu dezelfde smerige insinuaties – hun verbeelding was blijkbaar zwaar beperkt door gebrek aan onderwijs, een armzalige woordenschat en luie hersenen. Zijn enige verdediging bestond uit zwijgen en angstvallige concentratie; het moest ze toch een keer gaan vervelen. Maar nee hoor, gedurende die hele rit met al die haltes, terwijl de trein langzaam naar zijn bestemming kroop, bleven ze de spot drijven met Arthurs respectabele middelbare leeftijd, zoals alleen valse pubers dat kunnen, die niets anders omhanden hebben dan mensen pesten. Als het jongens waren geweest zou hij hun gezegd hebben hoe hij over hen dacht, zei hij bij zichzelf, maar doordat het vrouwen waren wist hij niet wat hij zeggen moest. Hij was zo opgevoed dat je geen meisjes mocht slaan, een nette jongen moest zijn, altijd je pet moest afnemen als je dames op straat tegenkwam en dat je je zitplaats in de bus moest afstaan, en beleefd ook nog, anders voelde hij de hand van zijn grootmoeder tintelen op de achterkant van zijn blote benen (en erger als hij thuiskwam). Daardoor kon hij niet omgaan met vrouwelijke agressie, althans, niet van dit grove soort.

Hun bleke blote benen, hun blote buiken met navelpiercings en hun magere borstjes zonder beha deden hem helemaal niets. Tegenwoordig hield hij van rijpe, vrouwelijke vormen, met romig rijk vlees, waar hij zijn handen aan vol had, en de hele tijd had hij in zijn achterhoofd dat Amanda hem vanavond zou toestaan haar aan te raken. Bij die plotselinge gedachte aan haar moest hij zijn benen weer over elkaar slaan en zijn pet verleggen. Het bracht een schel gekrijs teweeg bij de krengen tegenover hem, waarbij degene met de grootste bek een paar keer luidruchtig boerde. Chips met kaas en uiensmaak! Gadverdamme. Lach jij maar een eind weg, stomme... Zelfs in gedachten kon hij het woord er niet uit krijgen. Als je eens wist wat de avond voor mij in petto heeft, dan zou je niet zo lachen. Dan zou je respect voor me hebben.

Iets van die lef stond schijnbaar op zijn gezicht te lezen. De meisjes hielden prompt hun mond en toen de trein de lange, slingerende tunnel indook die de laatste afdaling naar de kust aankondigde, werd het griezelig stil in de coupé. Het elektrische licht flikkerde en ging uit en liet hen in een inktzwarte duisternis zitten. De noodverlichting ging aan en wierp een bovennatuurlijk blauw schijnsel over de zitplaatsen die leeg waren. Arthur knipperde met zijn ogen en keek om zich heen. De jongen in de andere hoek zat naar hem te staren en de noodverlichting weerkaatste in zijn felle blauwe ogen met een onwerkelijke, onmenselijke gloed. Hij leek Arthur recht aan te kijken en zijn geconcentreerde blik had iets verontrustends in het half schemerige licht. Toen keerde de normale stroomvoorziening terug en ging het gele licht flikkerend weer aan. Arthur dacht verder niet meer over hem na.

Toen de trein begon af te remmen en het station binnenreed, werden de meisjes wakker uit hun lethargie van verveling. Ze stortten zich gillend en schreeuwend naar buiten op het perron en begaven zich strompelend en struikelend naar de uitgang. Arthur dacht aan de avond die zij voor zich hadden en even had hij medelijden met hun volgende slachtoffers. Maar als deze van een andere generatie waren, zouden ze minder scrupules hebben in de omgang met die heksen, die alles verdienden wat hen die avond, in dit leven overkwam. Arthur schudde het van zich af.

Het was een koele, heldere avond. Hij stopte zijn *Daily Mail* in de dichtstbijzijnde afvalbak en haalde diep adem. Hij voelde zich bedrogen. Normaal gesproken zou hij in de trein zijn hart hebben opgehaald aan de herinneringen aan zijn vorige bezoeken en ze zorgvuldig hebben vermengd met aangename verwachtingen. Maar in plaats daarvan was hij met een leeg gevoel en een slecht humeur op zijn bestemming aangekomen, en de onderliggende angst na de confrontatie met Sally was nauwelijks onder controle te houden. Hij keek op zijn horloge: halfzeven. De trein was stipt op tijd geweest en hij zou zonder problemen op tijd, om zeven uur, bij Amanda zijn. Als ze klaar waren (eigenlijk hield hij er niet van om zo ver vooruit te denken) had hij iets bij zich dat zij veilig voor hem moest bewaren. Ze kenden elkaar al zo lang en het zou een opluchting voor hem zijn als hij wist dat het ergens goed opgeborgen was. Hij besloot het vanavond niet over Sally te hebben. Het zou de hele avond bederven en ondanks datgene wat hij in het café had gezegd, was hij er niet zeker van of Amanda er na zoveel jaar nog wel bij betrokken wilde worden. Hij besloot te gaan lopen, dan was zijn hoofd helder voor de avond die voor hem lag. Bij de muur van een parkeerplaats achter hem verdween een tengere gestalte onopgemerkt in de schaduw en volgde hem op een bescheiden afstand.

13

Rechercheur Nightingale stapte naar buiten op het roestige balkon om de pittige, zilte lucht op te snuiven, die naar rottend zeewier en ozon rook. Na twee keer diep ademhalen voelde ze haar hoofd opklaren. Achter haar liep een andere rechercheur zachtjes over het opzichtige, verschoten tapijt en ging zitten om de fletse, mollige arm te pakken. Ze waren binnen vijftien minuten na het telefoontje van de geüniformeerde dienst ter plaatse geweest. Haar korte uitzending naar de kust liep ten einde en de geweldsmisdrijven die ze had meegemaakt waren niet meer te tellen, maar dit was haar eerste moord.

Terwijl ze haar verkrampte schouderspieren uitrekte, besefte ze dat ze veel te gespannen was om het alleen op haar werk te kunnen schuiven. Het echte probleem lag dieper. In februari had ze eindelijk ingestemd met haar verloofde dat trouwen er dit jaar niet meer in zat – en wat dat aanging, geen enkel jaar eigenlijk. Nu die relatie een vervagende herinnering werd, drong het met een schok tot haar door dat ze de eenzaamheid had onderschat.

Ze keek naar het oranje neonschijnsel in de straat onder haar. Het licht van de lantarenpaal aan deze kant van de straat was afgeschermd, zodat het de bewoners van de flat niet hinderde. Maar hier lag er een die geen behoefte meer had aan die tegemoetkoming van de gemeente. Nightingale keek om, de kamer in. De vrouw lag bijna naakt onderuit op de versleten bank. Eén hand lag beschermend over haar afhangende borsten. Haar ogen waren gesloten. Een ervan was dichtgeslagen en blauw, haar neus had gebloed en haar lip was gebarsten. Onder haar openhangende peignoir waren nog meer bloeduitstortingen te zien, waarvan sommige nieuw en andere vuilgeel verkleurd waren. Er zat bloed in haar haar en er was ook wat bloed uit haar oor gesijpeld. De ambulancemedewerker was nog altijd bezig met een poging haar te reanimeren, maar dat leek een hopeloze zaak.

Nightingale kon de leeftijd van het slachtoffer niet schatten, vijftig, misschien wel ouder nog. Het was moeilijk te zeggen, omdat de zware make-up elk lijntje en foutje in het gezicht liet zien. Toch vielen er kennelijk genoeg klanten voor haar verleidingen wanneer ze de kaartjes in de telefooncellen bij de pier lazen waarmee ze reclame maakte voor haar diensten, en waarvan ze de huur van deze smerige flat had kunnen betalen.

Het was heel gemakkelijk geweest haar beroep te achterhalen, ook zonder de bereidwillige hulp van de buren, die het maar wat lekker vonden om hun observaties en verdenkingen met de politie te delen. Nightingale kon de attractie ervan niet inzien. Vol walging draaide ze zich weer om naar de straat beneden.

Het schemerde en het was koel, maar mooi weer. De dagen begonnen nu snel langer te worden en er hing bijna iets voorjaarsachtigs in de lucht. Het maakte de aanblik van het mannetje dat zich haastig via Chalk Avenue in noordelijke richting begaf, nog vreemder. Hij had zijn tweedpet strak over zijn oren getrokken en de kraag van zijn camel opgezet. Hij maakte een schuldige indruk en Nightingale vroeg zich even af of hij een afspraak had in de flat waar zij stond. Zo ja, dan was hij te laat en was zijn maaltje koud geworden. Maar nee, na een schichtige blik op het blauwe zwaailicht van de patrouillewagen, sloeg hij af in oostelijke richting, naar een appartementencomplex dat de optimistische naam Zeezicht droeg.

Nightingale keek hem na, twijfelde er niet aan wat hij ging doen, en ze verachtte hem. Ze dacht opeens terug aan een oom van haar, de broer van haar vader. Een vunzig mannetje, dat op tweede kerstdag en met Pasen altijd langskwam en dan naast zijn nichtje aan tafel werd gezet.

Ze was hem een keer tegengekomen, ergens achter een muur, met de zon heet op zijn gezicht, een slip van zijn overhemd op de plek waar de rits van zijn gulp hoorde te zitten en met een van haar tienertijdschriften in zijn zweterige hand. Mijn god, wat een aanblik! Ze had geprobeerd stilletjes terug te sluipen, maar ze maakte op de een of andere manier toch geluid, een takje of een steen, het verried haar in ieder geval, en hij had opgekeken. En die grijns, blij verrast, opgewonden. Ze kon wel door de grond zakken. Ze had hoogrode wangen gekregen en het gal steeg naar haar keel, maar daar stond ze, klemgezet door die perverse viezerik. De haartjes op haar armen kwamen overeind bij de herinnering en ze keerde terug naar de afleiding daarbinnen. De mensen van de ambulance hadden het eindelijk opgegeven en inspecteur Chambers vroeg naar de doodsoorzaak. Nightingale luisterde, terwijl inwendig medelijden en minachting om de voorrang streden. Toen werd ze weggestuurd om met nog meer buren te gaan praten.

Arthur Fish liep met snelle pasjes de stad in, richting Zeezicht. Hij voelde de oostenwind op zijn wangen. Hoewel hij zoals altijd op tijd was, wilde hij toch graag voortmaken. Het werd al donker, toen de ondergaande zon achter de wolken aan de horizon verdween. Toen hij de top van een heuveltje naderde, merkte hij voor zich uit een blauw zwaailicht op. Hij dacht onmiddellijk aan een ziekenauto en als vanzelf gingen zijn gedachten naar zijn vrouw: zou alles in orde zijn met haar?

Op de top van de heuvel kreeg hij in de gaten dat het een politieauto was en hij werd overspoeld door schuldgevoelens. Waren ze bij Amanda binnengevallen? Had ze de namen van haar klanten al onthuld? Stond zijn geheim op het punt bekend te worden? Maar nee, de auto stond aan de linkerkant, tegenover de bocht naar Zeezicht. Hij zette zijn kraag op en liep snel langs het zwaailicht heen.

Alle gedachten aan hartstocht, uit het verleden of toekomstige, verdwenen, toen hij tegen de wind in oostwaarts liep. Hij voelde zich een bange, oude dwaas. Toen hij even vooruitblikte naar het komende uur was het ontdaan van alle lust en emotie die anders zijn blik meestal vertroebelde: Hij was een man van middelbare leeftijd die op het punt stond naar een afspraak met een hoer te gaan die haar beste jaren had gehad. Erger nog, wat hij haar liet doen, nee, smeekte te doen, kon je echt geen normale seksuele impuls noemen. Hij rilde in zijn jas en voelde zich vanbinnen verschrompelen.

Amanda had de zwaailichten bij de flats tegenover haar gezien en bereidde zich al voor op het akelige geluid van knokkels op haar solide voordeur. Zij had ongelooflijk hard gewerkt de zekerheid te verkrijgen van een eigen, vast adres. Dat het dicht in de buurt kwam van een respectabel adres, maakte die prestatie des te groter. Slechts honderdvijftig meter scheidden haar van het blauwe zwaailicht en de verwaarloosde flats, die inmiddels een verre herinnering waren geworden door haar huidige liefdadigheidswerk en haar kerkbezoek.

Amanda was vijfenveertig, jong genoeg om redelijk soepel uit het straatleven te kunnen stappen, en dat had ze allemaal te danken aan drie dingen: een ijzeren wil, hard werken en een intuïtief inzicht in mensen. Haar grootmoeder zou trots zijn op wat ze bereikt had, afgezien van het beroep dat ze uitoefende.

Ze keek naar de weerkaatsing van het blauwe licht op de bomen in de verte en ze wist dat het een moeilijke avond zou worden. Haar volgende afspraak was Arthur Fish. Hij was de laatst overgeblevene van haar oude klanten. Alle andere had ze in de afgelopen jaren stilzwijgend ontmoedigd, terwijl ze zorgvuldig werkte aan de overstap – via de gevangenis – van het straatleven naar een eigen woning. Het was nu vijf jaar, zeven maanden en twee weken geleden dat ze uit de gevangenis was ontslagen, een ervaring die haar er uiteindelijk van had overtuigd dat ze alles in het werk moest stellen om de onderste sport van de ladder vast te grijpen, die haar enige uitweg was uit het moeras waar ze zich uit werkte om in leven te blijven. Het was haar gelukt; en alleen Arthur en de nachtmerries die ze af en toe had herinnerden haar aan de ware herkomst van haar forse aanbetaling op het huis. Nu had ze nieuwe geregelde klanten, die de hypotheek en de premies voor de zorgverzekering en haar pensioen binnenbrachten.

Waarom had ze Arthur nog steeds als klant? Alle anderen van vroeger waren weg, zij hadden de hint, of desnoods het dreigement, begrepen. Maar hij was blijven hangen. Ze moest toegeven (hoewel alleen voor zichzelf) dat ze in het verleden iets teders voor hem had gevoeld, en hij had zo'n zwaar leven gehad. Zijn verlangens waren zo simpel, om te lachen bijna. Hij had haar nooit kwaad gedaan en hij was de enige die haar die keer dat ze in elkaar geslagen was in het ziekenhuis was komen bezoeken. Ondanks zijn leeftijd, vijftig pas, had hij iets van een vaderfiguur gehad; haar eigen vader was een gril van haar moeders warrige verbeelding geweest.

Toen ze aan Arthur dacht, keek ze op de klok en ze besloot de kamer gereed te maken. Zij gebruikten altijd de achterkamer beneden; het was de enige met een open haard, en hij hield zo van een echt vuur. Dan huiverde hij eventjes, zodat ze haar glimlach moest verbergen, en liep hij erheen om de achterkant van zijn broek warm te laten worden. Tegen de muur daartegenover stond een grote bank, waar ze een zachte, lichtblauwe beddensprei van chenille overheen legde. Er stond een grote, ouderwetse badkuip van gegalvaniseerd ijzer voor het vuur, met daarnaast talkpoeder, flanellen washandjes en babylotion. De roede bleef nog in de kast liggen, die kwam later pas.

Amanda vond dat het bad een beetje te veel van het goede was, temeer daar hij een keer had toegegeven dat het nooit echt deel uitmaakte van de herinneringen die hij ophaalde om opgewonden te raken. Maar hij was tegenwoordig zo verstrooid, dat ze alle rekwisieten erbij moest halen om hem prompt binnen een uur te kunnen afwerken. En dat was waar hij voor betaalde. Ze bracht haar outfit in orde. Het schort was zo hard gesteven dat het in haar nek sneed. Hij zou vast en zeker te vroeg zijn. En dat was ook zo.

Nog geen uur later liet ze het bad vollopen, goot er wat lavendelolie in en ging uitgebreid liggen weken. Ze had nog minstens twee uur voordat haar laatste afspraak kwam. Deze vrije uurtjes waren een dierbare luxe waar ze nu van kon genieten. Terwijl ze zich op haar gemak achterover liet zakken in het geurige, hete water, kwam er een frons op haar voorhoofd. Wat was hij opgefokt geweest; ze had de fles babylotion bijna moeten leegmaken, en op het laatst, vlak voordat hij vertrok, had hij haar een verzegelde envelop gegeven. Ze was zo gewend geraakt aan cadeautjes, dat ze hem automatisch begon open te maken.

'Nee!' had hij geschreeuwd, 'niet doen! Berg hem alleen maar voor me op. En mocht me iets overkomen, dan moet je er direct mee naar de politie gaan.'

Heel vreemd. Meestal deed hij niet zo melodramatisch, maar zijn angst was zo reëel dat Amanda de envelop had aangepakt. Nu pas, terwijl ze achteroverlag en er voor het eerst goed over nadacht, begon ze zich ongerust te maken. Wat zat er in die envelop? Waarom had hij hem aan haar gegeven? En dat geklets over doodgaan, wat had dat te betekenen? Ze kon niet meer ontspannen blijven liggen en stapte uit het warme bad. In een zachte, gefrotteerde badjas gehuld liep ze op haar blote voeten naar beneden en maakte de envelop open door met haar lange, gelakte duimnagel aan de lijm te pulken.

Er zat een klein cassettebandje in, van ongeveer vijf bij tweeënhalve centimeter. Er was geen brief bij, er zat geen etiketje op, er stond alleen met potlood het cijfer 10 op. Ze bekeek de envelop. Niets bijzonders, een gewone manilla-envelop. Toch was Arthur bang geweest toen hij hem aan haar gaf. Ze tikte nadenkend met het cassettebandje tegen haar wang en probeerde te bedenken waar ze het zou verstoppen. Er stond een grote servieskast in de voorkamer, vol met porseleinen poppen in historische kostuums. De meeste waren klein, maar sommige waren meer dan zestig centimeter lang. Ze waren allemaal onberispelijk gaaf, de kleuren van de kostuums waren fris en de gezichtjes glanzend schoon. Amanda pakte een sleuteltje uit een pot op de schoorsteen en maakte een van de barokke glazen deurtjes open. Ze pakte een van haar favoriete poppen, Priscilla, eruit. Priscilla droeg een groenfluwelen wintermantel met randen van konijnenbont. Ze was vijftig centimeter groot en had een lekkere mof om haar tere porseleinen handjes warm te houden.

Amanda stopte de cassette in de mantel en zette de pop terug, waarna ze de andere er weer netjes voor zette. Ze voelde zich wel een beetje dwaas, maar ook opgelucht toen ze het licht uitdeed. Er gleed een schaduw langs het raam van de voorkamer, waarvan de gordijnen dichtgetrokken waren. Er liep iemand tussen het licht van de straatlantaren en haar huis door; diegene moest vlak bij zijn als die schaduw hier zichtbaar was. Ze huiverde en keek op de klok. Ze had nog steeds ruimschoots de tijd om ontspannen in het bad te gaan liggen voordat de volgende klant kwam.

Ze was alweer halverwege de trap, toen er op de voordeur werd geklopt. Amanda had geen zin om wie dan ook binnen te laten en ze bleef stokstijf op de trap staan wachten tot de onverwachte bezoeker wegging. Zeker een oude klant die het contact hoopte te hernieuwen; maar die zou toch moeten weten dat hij zonder afspraak nooit binnengelaten zou worden.

Er werd opnieuw geklopt, een dringend getik, dat de buren zou irriteren. Amanda draaide zich om op de trap en liep naar de voordeur; die zou in een zwaarbewaakte gevangenis niet misstaan. Er zaten twee zware sloten op, vergrendelingen aan de boven- en de onderkant en een veiligheidsketting van zware makelij. Precies op ooghoogte was een kijkgaatje met een vissenoog aangebracht waardoor ze de hele voortuin kon overzien, speciaal ontworpen om dode hoeken uit te sluiten, en onder het overhangende dak zat een intercom met een camera.

Door het vissenoog zag ze een slanke gestalte, half met de rug naar haar toegekeerd en met een honkbalpet op, waarvan de klep naar voren stond zodat het gezicht overschaduwd werd. Maar er was een stukje blond haar te zien in het licht. Terwijl ze bleef kijken, klopte de bezoeker opnieuw, lang en hard. In de voorkamer van de buren naast haar ging het licht aan en Amanda begon binnensmonds te schelden. Ze liet nooit vreemden binnen. Zelfs eventuele nieuwe klanten werden eerst op neutraal terrein gekeurd. Maar nu zat er niets anders op dan de knop van de intercom in te drukken.

'Wie is daar, wat wil je?' kraakte haar stem elektronisch door de luidspreker in het portiek. De gestalte draaide zich om en glimlachte in de beveiligingscamera. Amanda deed geschokt een stap naar achteren toen ze na al die tijd dat gezicht weer zag.

'Ik ben het, Amanda. Laat me binnen. Ik sta te verkleumen.'

Met trillende vingers van nerveuze opwinding draaide ze een voor een de sloten en vergrendelingen open. De veiligheidsketting rammelde toen ze hem losmaakte en als laatste draaide ze de deurknop om.

'Ben jij het,' was alles wat ze zei, toen haar onverwachte bezoek in het halletje stapte en ze de zware deur achter hen dichtdeed. Bij de buren ging het licht weer uit.

14

Rillend in zijn mantel stond Arthur op het perron op de trein terug te wachten. Hij voelde zich schuldig, zoals altijd op de avonden dat hij bij Amanda was geweest. Maar vanavond was hij ook nog eens ontzettend bang. Hij keek om zich heen. Afgezien van een verliefd stel was het perron leeg. Het seinlicht sprong op groen en de trein liep langzaam het station binnen en stopte met een vermoeide zucht van de remmen. Een paar seconden voordat hij zich weer in beweging zou zetten, kwam een tengere jongen in merkschoenen en een trainingspak van de trap hollen en greep de deurhendel beet. 'Achteruit!' schreeuwde de conducteur kwaad, maar dat negeerde hij en hij klauterde naar binnen, waarbij hij bijna struikelde over de voeten van een vrouw van middelbare leeftijd. Toen ze hem kwaad aankeek grijnsde hij naar haar terug en begon door de trein naar voren te lopen.

Verderop zat Arthur als een hoopje ellende in een hoek van een lege coupé. Hij voelde zich altijd down als hij terugging naar zijn invalide vrouw, maar vanavond was hij zo depressief dat hij niet eens helder kon denken. Hij liet telkens zijn hoofd in zijn handen zakken en wreef in zijn ogen. Zijn leven was een puinhoop: zijn werk, thuis, de seks – waar hij ook maar keek, hij had er een zootje van gemaakt. En hij had nog wel zo zijn best gedaan.

In het begin was alles fantastisch gegaan. Hoewel hij geen boekhouddiploma's bezat, had hij zich in de jaren zeventig langzaam opgewerkt van eenvoudige medewerker op de boekhoudafdeling van Wainwright. Hij was maar een autodidactische amateur, dus toen hij discrepanties begon op te merken had hij pas na lang aarzelen de aandacht erop gevestigd. Maar uiteindelijk werden de problemen te groot om ze te negeren: Er werd een cheque uitgeschreven voor het dubbele bedrag van een ontvangen factuur, waarna de factuur op mysterieuze wijze verdween; een dubieuze claim voor restitutie van een beschadigde levering werd zonder meer geaccepteerd; er werd een betaling overgemaakt naar een van hun grote leveranciers, en hoewel het bedrag juist was, werd het op een andere bankrekening geboekt. En dan was er nog al dat contante geld. Meestal waren het bundeltjes met biljetten van twintig pond, later werden het biljetten van vijftig pond. Hij vond dat ouderwets, maar zijn voorstellen om dat te verbeteren werden altijd genegeerd en de contanten bleven maar stromen. Hij had meer dan eens de moed bijeengeraapt om naar zijn afdelingschef te gaan, maar die begon dan tegen hem te schreeuwen en gooide hem het kantoor uit. Er gonsden praatjes dat Arthur Fish geen accountant was, maar een sukkel, zonder benul van waar hij het over had. Er gingen geruchten dat hij ontslagen zou worden. Als jonge, pasgetrouwde man met een torenhoge hypotheek en een vrouw die in verwachting was, zag Arthur zichzelf al op straat staan. Toen kreeg hij op een middag te horen dat hij de volgende dag een functioneringsgesprek zou hebben met de hoofdboekhouder. En hoewel zijn werk intussen écht stressvol was geworden, droomde hij nu nog van die avond dat hij zat te wachten, vol faalangst en onzekerheid. Als ze hem ontsloegen had hij geen referenties, geen getuigschriften en niets dan schulden.

De volgende morgen was hij misselijk op zijn maag en uitgeput door slaapgebrek naar zijn werk gegaan, in de verwachting dat hij ontslagen zou worden. Maar dat gebeurde niet, die dag niet en de dag daarna ook niet. In plaats daarvan sprak men waarderend over zijn ijver, maar ze zeiden erbij dat hij ijverig was op de verkeerde manier. Wainwright was een uniek en bijzonder winstgevend bedrijf dat op zijn eigen manier te werk ging, en als hij slim was en zich aanpaste zou dat in zijn voordeel uitpakken. Aan het eind van die maand zat er zonder enige verklaring vijftig pond extra in zijn loonzakje, een fortuin in die tijd. Hij had het op de bank gezet. Toen hij later opnieuw discrepanties zag, die geleidelijk aan omvangrijker en frequenter werden, sloot hij zich daarvoor af en hij ging door met het goedkeuren van de cashbedragen en de cheques waarmee de rekeningen van het bedrijf werden betaald.

In elkaar gedoken zat Arthur in zijn hoek, heen en weer wiegend met de bewegingen van de coupé, en hij besefte dat die eerste maanden waarin hij zijn ogen had gesloten en hoopte dat hij niet zou worden ontslagen, het begin waren geweest van een criminele carrière, dat wist hij nu met zekerheid. Wanneer was hij zichzelf voor het eerst als een crimineel gaan beschouwen? In die tijd beslist niet. Zelfs toen hij op mysterieuze manier promotie maakte nadat zijn afdelingschef aan een hartaanval was overleden, was hij te naïef geweest om door te hebben wat er aan de hand was.

Nu was hij procuratiehouder bij Wainwright Enterprises, dat een uitgebreid scala aan bedrijven omvatte waar duizenden mensen werkten. Het oorspronkelijke bedrijf was maar een klein overblijfsel binnen het zich uitbreidende imperium. Ze hadden recessies doorstaan en ze hadden zich beter hersteld dan hun concurrenten. Arthur was trots geweest op het bedrijf en de manier waarop het geleid werd. Terwijl de concurrentie wegkwijnde en instortte, bloeide Wainwright. Ze hadden nooit gebrek aan orders, hadden nooit problemen met de cashflow, en dat alles in een particuliere onderneming die al heel lang eigendom was van een aantal aandeelhouders en de familie. Het team van de boekhoudafdeling was klein gehouden en een plaatselijk accountantskantoor dat de boeken controleerde had nooit fouten ontdekt.

Arthur sloeg zijn armen om zich heen als troost. Zijn voormalige chef, die allang dood was, had hem een idioot gevonden en dat was hij ook. Toen hij begon te vermoeden wat er werkelijk aan de hand was, begon ook het aantal verrassingsbonussen in contanten toe te nemen, en hij en zijn vrouw Jill konden het zich veroorloven naar een echt leuk huis te verhuizen, waar zij dolblij mee was. Zij kreeg meer respect voor hem en daarmee groeide ook hun liefde voor elkaar. Het was ondenkbaar om dat allemaal op het spel te zetten, dus was hij ermee doorgegaan een oogje toe te knijpen. Tot de komst van Alexander en Sally Wainwright-Smith.

Hij had eruit moeten stappen toen Alan Wainwright, de vorige algemeen directeur, overleed. Hij had genoeg gespaard, maar tegen die tijd was de gezondheid van zijn vrouw zo hard achteruitgegaan, dat hij het niet aandurfde. Gedurende haar ziekteproces was Wainwright geweldig geweest, uiteraard. Ze hadden de beste verpleging betaald die maar mogelijk was, ze lieten specialisten overvliegen en financierden experimentele behandelingen, ze hielpen hem zelfs met de herinrichting van de aanbouw op de begane grond, toen duidelijk werd dat zij nooit meer iets zelf zou kunnen doen. Nu was het te laat. Hij zat gevangen in het web van bedrog en leugens dat hij, hoe ongewild ook, mee had helpen opbouwen. Er was geen uitweg. Hij wist dat hij met pensioen moest gaan en gedurende de laatste maanden van haar leven bij Jill moest blijven, maar hij durfde niet weg te gaan. Plotseling besefte hij met een akelige zekerheid dat hij niet lang van zijn pensioen zou kunnen genieten.

De deur tussen de coupés ging open en ook snel weer dicht, waardoor er een koude tochtvlaag binnenkwam. Arthur keek op en zag een slanke, in het zwart geklede jongeman, die op onvaste benen tussen de lege zitplaatsen door strompelde. Ze waren nu met zijn tweeën in die lege coupé en hij wendde gauw zijn blik af om oogcontact te mijden.

De jongeman liet zich schuin tegenover hem neerploffen en legde zijn modderige sportschoenen op de zitplaats vlak naast Arthur, die verontwaardigd mopperde en het waagde op te kijken. Twee ijskoude, blauwe ogen keken vol minachting terug. De jongeman grijnsde en Arthur draaide snel zijn hoofd af.

Bij de volgende halte kwam er niemand bij hen zitten en Arthur begon zich erg alleen te voelen met die vreemde man in de coupé. Hij berekende het aantal minuten tot de trein in Harlden zou aankomen en begon geduldig af te tellen. De jongeman zat hem nog steeds brutaal aan te staren en begon met iets in zijn zak te wriemelen. De stilte werd dreigend. Arthur, toch al gespannen door zijn eigen schuldige herinneringen en omdat hij eerder die avond bijna met de politie was geconfronteerd, nam plotseling het besluit ergens anders te gaan zitten. Hij pakte zijn pet en begon op te staan.

'Nee, nee.' De jongeman schudde zijn hoofd en boog zich naar voren om Arthur tegen te houden. Hij glimlachte nog steeds, maar het had nu iets waanzinnigs gekregen. Hij genoot van Arthurs plotselinge blijk van angst en liet hem dat ook merken.

'Pardon!' zei Arthur op autoritaire toon, maar de ander lachte hem gewoon uit en duwde hem ruw terug op zijn plaats.

'Hoe durf je. Ik moet uitstappen!'

'Dat klopt inderdaad. Ik heb gehoord dat je lang geleden al had moeten uitstappen.'

Bij die dreigende toon van de man kneep zijn hart pijnlijk samen van de stoot adrenaline die door hem heen ging en zijn maag kwam in opstand. Hij sprong weer overeind, vastbesloten zich langs hem heen te dringen en te vluchten, maar de jongeman hield hem tegen. Hij voelde twee scherpe stoten in zijn ribben en moest weer gaan zitten, toen hij door zijn knieën ging van de schok. Hij drukte zijn hand in zijn zij om de doffe pijn weg te wrijven en voelde dat het kleverig en nat was. Toen hij naar zijn vingers keek, zag hij dat ze onder het bloed zaten. Hij begon te trillen, inmiddels helemaal verstijfd door de afschuwelijke realiteit van wat hem overkwam. De jongeman stond nog steeds over hem heen gebogen en schommelde op zijn gemak mee met de bewegingen van de schommelende coupé. Hij hield een bebloede stiletto in zijn hand. Hij keek Arthur aandachtig aan en genoot zichtbaar van diens groeiende doodsangst.

'Waarom?' zei Arthur verbijsterd. Hij had geen pijn, hij voelde alleen een ijzige kou rond zijn enkels en hij was misselijk achter in zijn keel.

'Je bent een stoute jongen geweest, Arthur, en stoute jongens krijgen straf.' De jongeman spuwde de woorden uit en lachte om de ellende van de oudere man. Er sijpelde bloed door Arthurs overhemd dat zich voegde bij een steeds groter wordende natte vlek op de voorkant van zijn broek.

'En nou zit je nog in je broek te pissen ook, zak!'

De trein maakte een slingerbeweging over een oneffen wissel en reed door een uitgraving. Arthur herkende deze vertrouwde beweging en het geluid, en hij begreep dat ze de volgende halte naderden. Misschien zou er iemand instappen. Hij zou op het raam kunnen bonken, dan zag iemand hem misschien. Hij kon misschien toch nog ontsnappen!

Het leek wel alsof zijn belager zijn gedachten kon lezen. Met tegenzin hield hij op met het treiteren van zijn slachtoffer en keek om zich heen.

'Ik moet eruit. Zeg maar dag met je handje, Arthur.'

Toen stak hij zijn vuist met het mes erin naar voren. Arthur wilde hem afweren, maar zijn hand werd eenvoudig opzij geslagen en het mes drong naar binnen. Deze keer was het raak. De scherp gevijlde punt gleed tussen de ribben, recht in de hartspier. Arthurs hart klopte nog één keer haperend en stopte er toen mee.

De jongeman klapte het mes dicht, haalde Arthurs portemonnee uit zijn binnenzak en knoopte kalm het colbert van het slachtoffer dicht over de bloedende wonden. Hij legde de pet in zijn schoot, die het grootste deel van de vlek bedekte. Toen sloeg hij de lamp vlak boven het ineengezakte lichaam kapot. Met een beetje geluk zou niemand vóór het eindpunt iets in de gaten hebben.

Terwijl de trein langzamer ging rijden voor het volgende station, keek hij in de portemonnee, op zoek naar contant geld. Hij pakte het enige briefje van twintig pond eruit en gooide de portemonnee op de grond. Bij het station stapte hij uit. Het was hier drukker dan hem lief was. De roes van de drugs die hij in Brighton had gebruikt begon weg te ebben. Hij had ze nodig gehad om zijn zenuwen te bedwingen, want hij was nog nooit zo ver gegaan dat hij iemand in koelen bloede had gedood. Zijn hoofd leek te groot voor zijn lichaam en zijn handen begonnen te beven. Hij stak ze diep in zijn zakken, zodat het bloed niet te zien was. Het stonk bij de herentoiletten, maar er was niemand. Daar spoelde hij de ergste viezigheid weg onder een armzalig straaltje koud water. Gek genoeg waren er wel papieren handdoeken en met drie of vier ervan had hij het meeste bloed wel afgeveegd.

Op de taxistandplaats buiten het station stond nog één taxi. Het ontbrak hem vanavond niet aan contant geld en dat zou ook wel een tijdje zo blijven, dus besloot hij de gemakkelijkste weg naar huis te nemen. Achter in de taxi sloeg hij zijn laatste grijze pilletje naar binnen en slikte het door. Terwijl hij met de punt van zijn mes het vuil en het bloed onder de nagel van zijn duim vandaan schraapte, trok de shock weg en werd hij weer high. Toen pas herinnerde hij zich dat hij de portemonnee van de man had moeten meenemen om het eruit te laten zien als een beroving. Hier zou zijn opdrachtgever pissig over worden en plotseling was hij bang dat hij de tweede helft van zijn geld niet zou krijgen. Hopelijk zouden ze het nooit te weten komen en kwam hij ermee weg. Dat was meestal zo. Hij liet de chauffeur in het centrum stoppen en liep de rest van het korte stukje naar de club, waar hij wist dat hij het spul kon kopen dat hij nodig had om zonder nachtmerries de nacht door te komen.

15

Het was een lange dag geweest – correctie, het was een lange, lange maand geweest. Nog maar een paar dagen en dan was ze weer terug in Harlden. De drie weken dat ze uitgezonden was, waren een goede ervaring geweest, maar Nightingale was blij dat het paasweekend eindelijk kwam en dat het nu gauw voorbij zou zijn. Ze miste haar oude divisie meer dan ze ooit had verwacht. Het lag niet in haar aard om zich gevoelsmatig te binden aan plaatsen of aan collega's, maar daar was dat toch gebeurd, en toen ze er goed over nadacht baarde het haar zorgen. Het was niet prettig om erbij stil te staan, wat, of eigenlijk wie, ze dan zo erg miste.

Het was bijna tien uur en ze had langer dan veertien uur gewerkt. Ze zat in haar eentje op de afdeling. De anderen van haar ploegendienst waren al naar huis en het nieuwe team was in de kantine, om koffie en sandwiches met ham te kopen. Het enige wat ze nu nog wilde was het bad laten vollopen, er een paar druppels aromatherapie in sprenkelen, Schubert opzetten en een glas gekoelde chardonnay inschenken. Dan zou ze zich in het geurende warme water laten glijden tot het afgekoeld was. Dat idee was zo verrukkelijk dat ze de lavendel bijna kon ruiken toen ze haar jasje pakte en naar de deur liep.

De telefoon ging en ze liep door. Er waren anderen die dienst hadden, die veel frisser waren dan zij; ze konden wel opnemen als ze terugkwamen uit de kantine. De telefoon bleef maar doorgaan, alsmaar doorgaan. De drang om op te nemen was bijna niet te weerstaan: ze leek wel net zo geconditioneerd als een hond van Pavlov. Toen ze de deur opendeed en het antwoordapparaat hoorde aangaan, won dat het van de imaginaire lucht van lavendel. Met een kwade trap naar achteren schopte ze de deur dicht, greep de dichtstbijzijnde hoorn, hopend dat degene die belde al had opgehangen.

'Ja?'

'Dat werd een keer tijd, verdomme. Wie heb ik aan de lijn?' Ze herkende de stem van de brigadier van dienst.

'Agent Nightingale, brigadier.'

'Wie? O, jij. Waarom duurde het zo lang?'

'Ik was op weg naar buiten, brigadier.' Nightingale hoorde achter zich het gepraat van haar terugkerende collega's, dat opeens luider werd toen ze de deur opendeden.

'Vergeet het maar! Zoek inspecteur Linden of brigadier Pink en ga naar Zeezicht. Twee van mijn mensen hier hebben gereageerd op een melding van huiselijk geweld en ze hebben een lijk gevonden; het lijkt op een verdacht sterfgeval. De technische recherche is al onderweg.'

Nightingale kreunde. Het had geen zin ertegen in te gaan. Achter haar zat brigadier Pink luidruchtig koffie te slurpen en te roddelen. Hij zou vast en zeker zeggen dat ze met hem mee moest gaan, omdat hij geen kans voorbij liet gaan om met haar te flirten. Tot nog toe had ze haar façade van ijzige minachting kunnen ophouden terwijl ze inwendig kookte, maar ze was al zo moe vanavond. Zou ze zich gedeisd kunnen houden?

En ja hoor, Pink zei dat ze mee moest in zijn auto. De rit duurde twintig minuten en in die tijd zat hij maar tegen haar aan te kletsen. Het probleem met Pink was dat hij zichzelf zo'n vlotte, knappe kerel vond dat ze onmiddellijk voor hem had moeten vallen, ondanks het feit dat hij getrouwd was, wat iedereen wist. Hij beschouwde haar desinteresse als een goed verhulde aanmoediging, maar nadat hij wekenlang op alle mogelijke manieren aandacht aan haar had besteed zonder dat het enige impact op haar had gehad, scheen zijn geduld op te raken. Toen ze op hun bestemming aangekomen waren, had hij een onweerstaanbaar aanbod.

'Jij houdt van klassieke muziek, hè?'

'Ja.'

'Dat dacht ik al. Nou,' – hij leunde onnodig dicht tegen haar aan toen hij zijn veiligheidsriem losmaakte – 'ik heb twee kaartjes voor een concert in het Royal Pavilion op zaterdagavond.'

'Echt? Wat leuk voor je.'

'En, heb je zin om mee te gaan?'

'Dat denk ik niet, maar evengoed bedankt.' Ze stak haar hand uit naar de hendel van het portier om uit te stappen. Hij hield haar met voldoende kracht bij haar arm vast om haar tegen te houden.

'Kom op nou, Nightingale. Hou eens op met moeilijk doen. Je weet zelf ook wel dat je er zin in hebt. Stop nu maar met toneelspelen.'

Zijn vingers knepen in haar arm, maar hij opende ze net voldoende om even langs haar borst te strijken. En toen kwam zonder waarschuwing haar onderdrukte woede opzetten.

'Ik zei nee, en dan bedoel ik ook nee. Wil je nou een keer ophouden met me lastig te vallen!'

'Lastigvallen? Verwaande trut! Wie denk je wel dat je bent? Jezus, iedereen kan zien dat je loopt te hunkeren. De jongens hebben gelijk, je bent gewoon een frigide lesbo met een dichtgeknepen reet. Je schijt zeker alleen op zondag.'

Hij knalde zo heftig zijn portier open dat een aankomende motorrijder plotseling ver moest uitwijken. Nightingale bleef waar ze was en vocht tegen de opkomende tranen van gekrenktheid en woede. De mening van die stomme klootzak deed haar niet zoveel, maar dat hij zei dat de andere jongens op haar neerkeken, kwetste haar diep. Ze had hard gewerkt, ze was altijd bijgesprongen en ze had hen gesteund als ze achterliepen met hun administratieve werk. En waarvoor? Voor niks. Achter haar rug lachten ze haar uit. Even later waren de tranen verdwenen, maar de woede niet. Ze slikte heftig, verdrong het en liep achter Pink aan het keurige huis binnen, eentje van twee-onder-een-kap.

De technische recherche was er al en af en toe flitste de camera op in een kamer aan de rechterkant van de hal. Pink praatte met een van de geüniformeerde agenten die het eerst ter plaatse waren geweest.

'De buren, meneer en mevrouw Wells, maakten om ongeveer negen uur melding van lawaai.'

'Wat voor geluiden waren dat?' vroeg Pink.

'Stemverheffing en daarna geschreeuw.'

'Wie was zij?'

'Amanda Bennett.'

'Getrouwd? Samenwonend?'

De agent raadpleegde zijn opschrijfboekje: 'Mevrouw Wells zegt van niet. Ze woonde alleen. Ze is nog geen jaar geleden hiernaartoe verhuisd.'

Nightingale rekte haar nek uit en tuurde over Pinks schouder. De politiearts kwam en ging voorzichtig de voorkamer in. De technische rechercheurs maakten plaats en nu kon ze het lichaam voor het eerst zien. Een blanke vrouw van achter in de dertig, iets ouder misschien, met een slank lichaam dat in goede conditie was. Een beetje veel make-up, maar ze was vermoedelijk vrij aantrekkelijk geweest voordat de moordenaar haar had afgemaakt.

Voor zover Nightingale kon zien zat er geen opvallend patroon in de snijwonden op het gezicht en in de hals van de vrouw. Sommige waren ondiep, niet meer dan kleine haaltjes; andere waren diep in het vlees gedrongen. Zonder weerzin te voelen keek ze mee hoe de politiearts aan het werk ging.

'Ze is nog geen twee uur dood.'

'Doodsoorzaak?' Pink was altijd ongeduldig.

'Dat kan de patholoog-anatoom je vertellen.'

Er werd op een zakelijke manier aan en rondom het lijk gewerkt. Er werden geen grapjes gemaakt, niet uit respect, maar gewoon omdat iedereen zo moe was. Zonder iets tegen elkaar te zeggen doorzochten Pink en Nightingale het huis. Toen de politiearts weg was, betrad Nightingale voor het eerst de kamer waar de moord was gepleegd. Hij was keurig opgeruimd en bescheiden gemeubileerd. Het enige wat er werkelijk duur uitzag was een porseleinkast met een verzameling breekbare sierpoppen.

'We hebben ontdekt wat ze deed voor de kost,' riep Pink naar Nightingale en ze liep achter hem aan de trap op. Hij knikte met een veelbetekenende glimlach naar een van de kamers.

In één slaapkamer stond een groot tweepersoonsbed met een spiegel erboven en nog een spiegel aan het hoofdeinde. Er waren twee ingebouwde kasten, die discreet waren verborgen achter sierlijke houten kamerschermen. Er hingen rijen met bizarre uitdossingen, variërend van onschuldig tot volslagen gestoord. Tussen de onschuldiger pakjes hing een mantelpak van een schooljuf met een korte plooirok, een gewaad, een sportbroekje en een schort van een kinderjuf met een fles babylotion in de zak.

In de andere kast hingen strakke pakjes van elk denkbaar materiaal in rood, paars en zwart, met op de strategische plekken uitgesneden gaten: rubber, lurex, pvc, zijde, het was er allemaal. In het gedeelte met legplanken lag netjes opgestapeld een breed scala aan halsbanden met knoppen, laarzen, sekshulpmiddelen, rietjes en zweepjes. Het intrigeerde Nightingale wel, ondanks haarzelf, en ze hoopte dat het niet te merken was.

'Zeker een klant die kwaad werd.' Pink klonk erg zeker van zichzelf.

'Dat zou kunnen, maar waarom zou hij zoveel risico hebben genomen met al dat lawaai? En ze lijkt er niet op gekleed te zijn om een klant te ontvangen.'

'Nee, schat, je zit er helemaal naast; ze kleedde zich úít voor de klanten.'

Nightingale luisterde niet naar hem. 'Er was eerder vanavond ook al een moord, precies aan de overkant: Tracie Grey. Dat was ook een prostituee.'

'Waarom zeg je dat niet meteen, idioot? Het kan met elkaar te maken hebben.'

'De doodsoorzaak lijkt volkomen anders, brigadier. Maar neemt u me niet kwalijk, u hebt gelijk. Ik had het meteen moeten zeggen.' *En dat zou ik ook gedaan hebben, als je niet zo druk bezig was geweest met me te verleiden*, dacht ze erachteraan. Ze liep bij hem weg en haar neus volgend duwde ze de badkamerdeur open. Het uitdovende licht van een kaars werd weerspiegeld in een volgelopen bad met schoon water waarop rozenblaadjes en lavendel waren gesprenkeld. Aan één kant lag een opengeslagen boek en er stond een glas met iets dat wodka leek. Voor een kenner als Nightingale was dit al het bewijs dat ze nodig had: de vrouw beneden had een lekker bad klaargezet waar ze lang in wilde gaan liggen, voordat ze zo wreed was gestoord. Jammer genoeg had Pink het motief al in zijn hoofd zitten.

'Nightingale, kom naar beneden en ga de buren verhoren. Toe dan, steek je handen uit je mouwen; dit is een moordonderzoek, geen rondleiding.'

Zonder op Pinks agressieve gedrag te letten liep ze rustig weg om naar meneer en mevrouw Wells te gaan. Een agent in uniform had hen al ingelicht dat hun buurvrouw dood was en het bejaarde echtpaar zat daar, geschokt en vol afschuw.

Ze kreeg een kopje thee aangeboden, maar ze had niet in een van mevrouw Wells' gemakkelijke leunstoelen moeten gaan zitten. De vermoeidheid overviel Nightingale en ze had moeite om haar ogen open te houden. Maar mevrouw Wells was een uitstekende getuige, opmerkzaam en ter zake, en Nightingale werd weer wakker en luisterde met belangstelling.

'Amanda kwam hier negen maanden geleden wonen. Ik heb haar niet veel gezien, ze bleef erg op zichzelf. Vriendelijk, maar niet iemand om mee om te gaan.'

'Zijn er ooit tekenen geweest van een echtgenoot of minnaar, iemand met wie ze innig was?'

Mevrouw Wells zweeg en keek gegeneerd. 'Geen vast iemand, maar ze kreeg wel bezoek.'

'Mannelijke vrienden?'

De oude dame knikte en keek Nightingale niet aan.

Nightingale drong niet aan. Ze wisten al wat voor beroep het slachtoffer uitoefende; wat zij nu moest zien te achterhalen was de identiteit van de moordenaar.

'Kunt u zo'n bezoeker voor me beschrijven?'

'Nee. Dat is juist zo gek. Tot vanavond merkte je nauwelijks dat er iemand was. Altijd even bescheiden: een klopje op de deur en ze werden binnengelaten. Dit was niet zoals daarvoor. Dat is de reden waarom ik keek; vanwege al dat gebonk. Dat was nog nooit gebeurd.'

'Dus u hebt de bezoeker van vanavond gezien. Kunt u die beschrijven?'

'Nou ja, hij was tenger gebouwd, blond, een beetje mager, denk ik. Veel meer kon ik niet zien, maar zij kende hem, dat kon ik wel merken.'

'Waaraan merkte u dat?'

'Nou, Geoff had de deur een beetje op een kier gezet, met de ketting erop, en we stonden in dubio hem te vragen een beetje rustig aan te doen, toen zij de deur opendeed en zei: "Ben jij het." En toen liet ze hem binnen.'

'U zegt "hem"; weet u zeker dat het een man was?'

Het oude echtpaar keek elkaar geschokt aan.

'Nou, dat kan ik niet met zekerheid zeggen. Erg groot was die persoon niet, dus het had een vrouw kunnen zijn. Wat denk jij, Geoff?'

'Ik zou het niet kunnen zeggen. Ik nam aan dat het een man was, maar... ik heb het gezicht niet gezien en het figuur was niet te onderscheiden.'

'Wat gebeurde er nadat die persoon was binnengelaten?'

Mevrouw Wells vertelde verder en beschreef de geluiden van een ruzie, daarna geschreeuw van een vrouw, zo vreselijk, dat ze de politie hadden gebeld. Ze hadden de voordeur niet meer open of dicht horen gaan en daarna was er niets meer gebeurd, tot de politie arriveerde.

Nightingale kon verder niets meer van meneer en mevrouw Wells te weten komen en keerde met tegenzin terug naar brigadier Pink.

16

Zesendertig kilometer naar het noorden zat op precies diezelfde tijd hoofdinspecteur Fenwick op zijn hurken tussen twee versleten treinbanken. Hij keek in de verbaasde, glazige ogen van een man die aan de hand van zijn rijbewijs was geïdentificeerd als Arthur Fish. Vanwege mogelijke vingerafdrukken pakte Fenwick heel omzichtig de portemonnee op die naast zijn voeten lag. Fish was kort daarvoor gevonden door een schoonmaker. Deze was wel gewend aan dronkenlappen laat op de avond en hij had er dus niet van opgekeken toen hij de eenzame, in elkaar gezakte figuur zag, maar nu moest hij toch wel even bijkomen van het feit dat hij een lijk had gevonden. Fenwick had ontspannen thuis gezeten met een goed boek, toen hij een telefonische oproep kreeg. Zijn huis lag nog geen kwartier lopen van het station, dus was hij er op zijn gemak naartoe gejogd en al ter plaatse vóór de rest van het team aankwam. De geüniformeerde agenten die met de patrouillewagen waren uitgerukt, stonden buiten de trein en hadden enkele mogelijke getuigen bij elkaar gebracht in een wachtkamer.

Het was vreemd genoeg een vredig moment. Hij was alleen in dat rijtuig en slechts een kleine plas bloed die de bekleding van de zitplaats bevlekte was een aanwijzing dat deze plotselinge dood met geweld gepaard was gegaan. Hij raakte verder niets aan en vond het voldoende om de plek met zijn ogen af te zoeken. De mantel van de man was scheef dichtgeknoopt, de middelste knoop zat door het knoopsgat eronder. Het was een ouderwetse camel jas, driekwart lang, duur, maar zeker niet modieus te noemen. De pet van het slachtoffer lag op de grond tussen zijn suède veterschoenen. Hij leek in de vijftig, begon kaal te worden en hij had flink wat overgewicht.

Fenwick kwam overeind en stapte de trein uit om op de anderen te wachten. Hij werd ongeduldig, hij kon niet tegen wachten. Toen hoorde hij in de verte een sirene die luider werd en de blauwe flitsen van het zwaailicht verlichtten de bomen naast het spoor. Een paar minuten later arriveerde het team van de technische recherche. Ze trokken hun witte pakken, hoofdbedekkingen, handschoenen en overschoenen aan en begonnen met hun werk. Het eerste wat ze deden was de ruiten aan de buitenkant afschermen. Zo bedierven ze het uitzicht van een aantal zogenaamde reizigers, die de brutaliteit hadden om hun eigen trein te laten vertrekken om te kunnen blijven kijken. Goed zo, dacht Fenwick, blij dat ze nu een hele tijd verveeld moesten wachten op de volgende trein.

Er klonken zware voetstappen op de betonnen trap naar het perron en brigadier Cooper arriveerde, hijgend en met een hoogrood gezicht.

'Dat duurde lang!'

'Sorry, hoofdinspecteur, er was nog een ongeluk, op de ringweg. De hele rijbaan was versperd, dus moesten we terug en door het dorp rijden. Wat hebben we hier?'

'We hebben hier een zekere meneer Arthur Fish aan de hengel, zeer kort geleden overleden. Hij is' – hij keek op zijn horloge en dacht kort na – 'een uur geleden door de schoonmaker gevonden. Agent Dane was als eerste ter plaatse en deed de melding.'

'Verdacht?'

'Zou kunnen. Er zit bloed op de zitplaats en op zijn jas. Geen spoor van een wapen, dus tenzij hij een bloeding heeft gehad, ziet het er onnatuurlijk uit. Laten we horen wat Pendlebury te zeggen heeft, hij is net gekomen.'

De twee mannen gingen de trein binnen en troffen de humeurige patholoog-anatoom aan in bijna dezelfde houding als waarin Fenwick eerder had gezeten. Hij had de mantel, het colbert en het overhemd van Fish opengemaakt en bekeek de slappe bleke huid eronder.

'Goedenavond, dokter, hebben we werk aan de winkel?'

Er kwam nog geen antwoord, terwijl Pendlebury van heel dichtbij de verwondingen bekeek. Toen zei hij kortaf: 'Ja,' en ging weer verder.

Fenwick wachtte, een tactiek die meestal werkte bij deze buitengewoon zwijgzame man. Maar vanavond niet. Ten slotte was hij gedwongen te vragen: 'Hoe is hij gestorven?' en hij voegde er snel aan toe, in de hoop dat het voor één vraag kon doorgaan: 'En wanneer?'

'Er zitten drie steekwonden in de borst, waardoor hij veel bloed heeft verloren. Twee ervan lijken niet fataal, maar of ze de doodsoorzaak zijn geweest kan ik pas zeggen na het postmortale onderzoek.' Fenwicks tweede vraag werd volkomen genegeerd.

Fenwick ving Coopers blik op en trok een gezicht. Pendlebury was een uitstekend patholoog, maar wel iemand met een ingewikkelde gebruiksaanwijzing, en dat was de laatste tijd erger geworden.

Pendlebury keek of de fotograaf klaar was en riep toen abrupt iemand om hem te helpen het lijk te verplaatsen, zodat hij de temperatuur kon opnemen. De rechercheurs lieten hem achter in de benauwde coupé met de lucht van de ontlasting van een stervend mens, en gingen terug naar het perron. Cooper belde met de meldkamer om meer mensen te sturen en stelde Fenwick de vraag die hem al bezighield sinds hij was gearriveerd.

'Waarom hebben ze u hiervoor laten komen, hoofdinspecteur? Er zijn minstens twee inspecteurs op het bureau die het hadden kunnen afhandelen.'

Fenwick maakte met zijn gehandschoende handen de portemonnee van de dode man open en toonde Cooper een geplastificeerde identiteitskaart met een foto van de man. De naam van de man stond eronder, zijn beroep en de naam van het bedrijf waar hij werkte: Wainwright Enterprises.

'Agent Dane keek erin om te zien wie hij was en George Wicklow was zo pienter om het belang van deze zaak te beseffen toen de melding binnenkwam.'

'Dan had hij gelijk. Deze zou wel eens van groot belang kunnen zijn.'

Fenwick knikte, maar zei niets. Zijn verdenkingen jegens Wainwright Enterprises waren de vorige maand al gewekt, maar hij had niet verwacht dat hij er al zo gauw weer mee te maken zou krijgen. En met alle respect voor de dode man, voor een deel was hij er blij om.

Binnen een uur was het lijk weggehaald, hadden ze de schoon-maker, het stationspersoneel en de eventuele getuigen verhoord, en hadden ze maatregelen getroffen om het hele rijtuig aan een foren-sisch onderzoek te laten onderwerpen. De trein was om twaalf over negen van de kust vertrokken en was iets meer dan een uur later in Harlden aangekomen. Daar zaten elf haltes tussen. Tegen midder-nacht had de Operationele Dienst van de divisie ervoor gezorgd dat er posters op de perrons en de parkeerplaatsen langs het traject wer-den opgehangen, waarin om informatie werd gevraagd. De afval-bakken op alle stations werden opgehaald, voor het geval het moord-wapen was weggegooid, hoewel dat niet waarschijnlijk was, en bij het eerste ochtendkrieken zou er langs het spoor een zoekactie wor-den gehouden, te beginnen aan de kant van Harlden. In de ochtend zouden politieagenten het personeel op de andere stations gaan ver-horen en daarna de passagiers, in de hoop dat iemand zich Fish zou herinneren. Eén team zou een aantal dagen lang in de trein van twaalf over negen stappen, in de hoop passagiers te vinden die re-gelmatig die trein namen.

Op ongeveer dezelfde tijd dat het hoofd van de TGO-ruimte het dienstschema had voltooid, klopten Fenwick, Cooper en een vrou-welijke agent op de voordeur van de overleden meneer Fish. Een heel oude, vermoeid uitziende vrouw deed open. Zo te zien wilde ze ruzie gaan maken.

'Mevrouw Fish?'

'Nee. Wie bent u?' Ze gluurde door de kier van vijftien centimeter die de stevige veiligheidsketting toeliet. Fenwick liet zijn volmacht zien en noemde hun namen. Ze bekeek hem goed en ze zou hem de kaart afgepakt hebben als hij hem niet vastgehouden had. Toen deed ze schoorvoetend de deur open om hen binnen te laten. Ze werden meteen naar een ordelijke keuken gebracht, waar juist een kop thee was gezet.

'Nou?' zei ze stekelig. Zo'n vijandig iemand wenste Fenwick nie-mand toe en even leefde hij mee met Arthur Fish.

'Neemt u me niet kwalijk, wie bent u...?'

'Mevrouw Wilmslow, van nummer drieënzestig. Ik pas op de donderdagavonden op tot de verpleegkundige voor de nacht komt. Dan heeft meneer Fish zijn personeelsavond, maar zij is te laat en hij ook!'

'Voor wie past u op?'

'Voor meneer Fish, natuurlijk.'

Fenwick reageerde niet op die stompzinnige botheid en keek haar alleen maar aan.

'O, ik snap wat u bedoelt. Eigenlijk pas ik op mevrouw Fish.' Een stilte, toen zei ze voor het eerst iets uit zichzelf. 'Ze is erg ziek. Ik weet niet wat ze heeft, maar ik denk dat het MS is. Ze kan zelf niets meer doen, dat arme mens. Het is een wonder dat ze het nog zo lang volhoudt.'

Nu het moment van gecontroleerde zwijgzaamheid was doorbroken, kon mevrouw Wilmslow niet meer ophouden met praten. Ze vertelde hun alles over de ziekte van mevrouw Fish; de belangrijke baan van meneer Fish en zijn maandelijkse personeelsavond, en dat hij normaal gesproken om deze tijd al terug zou zijn geweest. Hij was een man met regelmatige en stipte gewoonten, meneer Fish. Wilden ze soms op hem wachten?

'Is mevrouw Fish wakker? Hoe goed kan zij ons begrijpen?'

'O, geestelijk mankeert haar niets, dat is het tragische. Haar lichaam laat haar in de steek. Op sommige dagen is ze beter dan andere, natuurlijk, maar ze kan niet meer praten – dat stopte ongeveer twee maanden geleden – en de blindheid komt vaker terug. Ik kan me niet meer herinneren wanneer ze voor het laatst uit bed is geweest. Het is tragisch. Moet je mij zien, ik ben drieëntachtig en nog even fit als twintig jaar geleden, terwijl zij, arme vrouw...' Mevrouw Wilmslow genoot een beetje te veel van haar treurige verhaal.

Fenwick onderdrukte een rilling, maar hij ontspande zich toen hij de kordate stem van de verpleegkundige in de hal achter zich hoorde.

'Sorry, dat ik zo laat ben. Het verkeer was verschrikkelijk.'

Ze kwam de keuken binnen en bleef stokstijf staan toen ze de ernstig kijkende vreemden zag staan.

'Ach nee, ze is overleden,' zei ze fluisterend.

'Nee, dat is niet de reden waarom we hier zijn, mevrouw...?' Fenwick liet haar zijn volmacht zien.

'Hay, Alice Hay. Wat is er gebeurd?'

'Wij denken dat haar man, meneer Fish dood is.' Fenwick keek aandachtig naar de gezichten van Edith Wilmslow en Alice Hay, toen hij hun het nieuws vertelde. Ze waren zichtbaar geschokt en sloegen allebei onwillekeurig hun hand voor hun mond van afschuw.

De verpleegkundige herstelde zich het eerst. 'Hoe is hij gestorven?'

'Dat kan ik u in dit stadium nog niet zeggen, maar we zullen iemand nodig hebben die het lichaam kan identificeren als zijn vrouw zo ziek is. Heeft hij kinderen?'

'Ja, maar ze wonen niet in de buurt. Ik zal het doen.' Alice klonk kalm en zakelijk nu ze van de schrik bekomen was en Fenwick nam dat aanbod graag aan.

'Is mevrouw Fish goed genoeg om het nieuws te horen?'

'Ze is er slecht aan toe, maar dat is chronisch, en ze is al een aantal maanden stabiel.' De verpleegkundige zweeg, diep in gedachten. 'Ze zal zich toch wel gauw ongerust gaan maken als hij nog niet terug is. Alles tegen elkaar afgewogen denk ik dat u het haar moet vertellen, maar laat me eerst haar dokter bellen. Ik heb zijn nummer voor noodgevallen.'

Ze wachtten allemaal terwijl Alice Hay met gedempte stem de dokter raadpleegde. Ze gebruikte de telefoon in de hal, hoewel er ook een in de keuken stond. Fenwick was dus niet de enige die Edith Wilmslows overduidelijke roddelzucht niet vertrouwde. Na een paar minuten kwam de verpleegkundige terug.

'Hij is het met me eens. Ze wordt alleen maar ongeruster als we tot morgen wachten en het vergroot de kans op een ernstige reactie alleen maar als ze het dan te horen krijgt, en het moet uiteindelijk toch gebeuren. Komt u maar mee, ik zal u de weg wijzen.'

Fenwick liep achter Alice aan en gaf Cooper te kennen dat hij bij mevrouw Wilmslow moest blijven om haar uit de buurt te houden.

'Eén keer knipperen voor goed of ja, drie keer voor nee of slecht,' riep de oude vrouw hen nog na, vastbesloten om ook haar duit in het zakje te doen in dit drama.

De kamer van de zieke vrouw bevond zich in een luxueuze uitbreiding achter het huis. Een grote, luchtige kamer op het zuiden, met een serreachtige wand die uitkeek over een mooi aangelegde tuin. Verborgen schijnwerpers wierpen hun licht op bijzondere planten, een fontein en een aardig stenen beeld van een hert met haar jong. Het was een serene setting om in te sterven.

De meeste hulpmiddelen voor de verpleging en verzorging werden uit het zicht bewaard in een kleine kamer met ingebouwde kasten en een aanrecht. Daartegenover, aan de andere kant van een kort gangetje, bevond zich een speciaal ingerichte badkamer met toegang voor een rolstoel, een tillift en andere hijsapparatuur. Alles wat je voor geld gedaan kon krijgen was hier gedaan, zonder op een cent te kijken.

Een laag brandende nachtkaars flikkerde zachtjes op het nachtkastje naast het bed. Het deed denken aan de verpleging uit lang vervlogen tijden. Het was onmogelijk uit te maken of de patiënt wakker was en Fenwick liet de verpleegkundige het eerst naar binnen gaan.

Zachtjes maakte Alice haar patiënt wakker. 'Mevrouw Fish? Bent u wakker? Ik ben het, Alice. Vindt u het erg als we het licht aandoen?' Ze pakte de hand van mevrouw Fish en voelde onopvallend haar pols. 'Het spijt me, maar er is iets gebeurd en u moet het weten.'

Fenwick ging in een stoel naast het bed zitten en legde uit wie hij was.

De verbazend mooie, bruine ogen van mevrouw Fish waren open en keken angstig. Fenwick, een geoefend brenger van slecht nieuws, kwam meteen ter zake.

'Mevrouw Fish, het spijt me heel erg, maar u moet u voorbereiden op zeer slecht nieuws.'

De vrees in haar ogen werd sterker en de verpleegkundige kneep even met een troostend gebaar in haar slappe hand. Fenwick ging verder in de wetenschap dat uitstel niets veranderde aan hetgeen hij te zeggen had.

'Er bestaat geen eenvoudige manier om dit te zeggen. Wij denken dat uw man vanavond is gestorven, in de trein naar Harlden. Ik leef heel erg met u mee.'

Toen Fenwick verklaarde waarom ze er zo goed als zeker van waren dat de man in de trein Arthur was, welde er een grote traan op die langs haar wang rolde, toen nog één, en daarna volgden er meer. Algauw was haar hele gezicht nat van tranen die ze zelf niet eens kon wegvegen. Dat ging lange tijd zo door en de verpleegkundige bette zachtjes haar gezicht met schone tissues.

'Bent u in staat een gesprekje te voeren, mevrouw Fish?'

Eén keer knipperde ze heftig met haar ogen.

'Wilt u weten wat er gebeurd is?'

Geknipper.

'Het lijkt erop dat de dood van uw man geen natuurlijke dood was. Wij denken ook niet dat het zelfmoord was. Wij vermoeden dat hij aangevallen en gedood is.'

Ze bleef hen aandachtig aankijken. Er waren geen tekenen van schok of verbazing, alleen een ongelooflijke kwaadheid in haar uitdrukkingsvolle ogen.

'Had uw man vijanden?'

Ze knipperde drie keer.

'Iemand die wrok jegens hem koesterde?'

Weer knipperde ze drie keer.

'Maakte uw man zich zorgen of was hij ergens bang voor?'

Een aarzeling, toen knipperde ze drie keer.

'U schijnt dat niet helemaal zeker te weten. Alstublieft, als hij zich anders gedroeg dan normaal, kan dat belangrijk zijn.'

Er kwam geen antwoord en de tranen kwamen terug.

'Heeft u een vriendin die we kunnen laten komen om bij u te blijven? Mevrouw Wilmslow misschien?'

Ze knipperde drie keer snel en beslist.

'Ik blijf hier tot morgenochtend, wanneer mevrouw Brown komt, hoofdinspecteur.' De zachte stem van de verpleegkundige klonk geruststellend en onmiddellijk begonnen de tranen weer te stromen. 'Ik denk dat dit nu wel voldoende is. Wilt u mevrouw Wilmslow uitlaten wanneer u weggaat? Dan kan ik hier blijven.'

Met een diepe zucht verliet Fenwick samen met Cooper het huis. 'Ze weet iets, daar ben ik zeker van, maar ze heeft besloten het ons niet te vertellen. Arme vrouw – ik wed dat ze nooit had verwacht dat ze haar man zou overleven.'

De volgende morgen gingen Fenwick en Cooper naar het postmortale onderzoek. De brigadier hing zijn tweedjasje buiten op, ervan overtuigd dat de lucht van de autopsieruimte er nog dagen in zou blijven hangen als hij het aan zou houden. Zijn broek zou die avond meteen in de was gaan, samen met alles wat hij had aangehad, maar het colbertje zou hij nog een tijdje moeten dragen voor het naar de stomerij ging. Hij had een gruwelijke hekel aan dit onderdeel van zijn werk. Zijn chef leek er ongevoelig voor te zijn, maar Cooper vond autopsies een crime en baalde ervan dat hij erbij moest zijn. Hij had zelfs niet warm ontbeten en hij hoopte dat hij die ene geroosterde boterham met marmelade binnen zou kunnen houden.

Pendlebury stond hen al in zijn operatiejas bij het lijk van Arthur Fish op te wachten. Deze lag met zijn gezicht naar boven op een metalen tafel. De patholoog-anatoom knikte hun allebei zwijgend toe toen ze binnenkwamen. Hij was chagrijniger dan ooit, vond Cooper.

Pendlebury begon in de microfoon die boven hem hing op te noemen wat hij aan de buitenkant zag, kleedde het lichaam uit en stopte de kleren in steriele plastic zakken voor het forensisch onderzoek.

'Afgezien van recente brandwonden op zijn linkerhand zijn er geen verdere tekenen van geweld op het lichaam, afgezien van deze steekwonden.' Hij sprak de exacte afmetingen van de steekwonden in. 'Drie steekwonden, met hetzelfde lemmet. De eerste twee waren niet dodelijk, beide hebben maar even gebloed. De derde lijkt vanuit een rechtstreekse hoek en met voldoende kracht te zijn geplaatst om het hart te bereiken: kijk, die flauwe bloeduitstorting van het heft van het mes. Het was een smal, scherp mes; aan de vorm van het letsel te zien was het een stiletto of iets van diezelfde orde. Ik kan jullie meer over het wapen zeggen als ik het inwendig onderzoek heb gedaan.'

Cooper slikte moeizaam.

'Er zit een goedje onder zijn vingernagels en rond zijn kruis – daarvan heb ik monsters naar het lab gestuurd. Het lijkt op een soort poeder, ruik maar.' Pendlebury tilde een van de handen van de dode man op om hen te laten ruiken. Cooper ving de lucht van Johnson's babylotion op, die hem meteen deed denken aan het badje van zijn dochter, jaren geleden, toen ze nog een baby was. Hij werd kwaad dat die mooie herinnering nu voorgoed bezoedeld was.

'Dat is babylotion, dokter, ik ken die lucht.'

'Hij had vlak voor zijn dood seks gehad en een condoom gebruikt. Daarna heeft hij zich niet meer gewassen, dus hebben we genoeg bewijsmateriaal.'

'Maar waarom babylotion?' Cooper had er moeite mee te begrijpen wat daar relevant aan was. Fenwick en Pendlebury keken elkaar aan en de patholoog-anatoom ging verder.

'Laten we hem omdraaien. Ken, help eens even.' Zijn assistent rolde het lichaam met geoefend gemak op zijn kwabbige buik en legde de ledematen recht.

'Kijk hier eens.' Er zaten lange, rode striemen op de billen en de onderrug van Fish. 'Een rietje, denk ik. Zeker geen riem of een zweep. Vermoedelijk een paar uur voor zijn dood toegebracht.'

'Sadomasochisme?'

'Jij zegt het, en ik zal je conclusie niet tegenspreken.'

Hij inspecteerde de rest van de rug en de ledematen en haalde pluisjes van een handdoek en stof van de huid en het haar op. Toen verzocht hij het lichaam weer op de rug te leggen.

Zonder dralen begon hij een y-vormige incisie te maken en begon op droge toon zijn commentaar in te spreken. De strakke, grijzige huid sprong plotseling open onder het ontleedmes en toen die microdunne laag loskwam, kon het onderhuidse vetweefsel zich verspreiden. Cooper stikte bijna. Fish was in slechte conditie geweest, hij droeg minstens twintig pond te veel met zich mee. Opeens was die vetlaag zijn meest prominente onderdeel geworden. Cooper keek eens naar zijn eigen welgedane pens en voelde de zure resten van zijn toast met marmelade achter in zijn keel branden. Hij hoestte luidruchtig en snoot zijn neus.

Fenwick leek nergens last van te hebben, hoewel dat altijd moeilijk te zeggen was. In tegenstelling tot Cooper was hij in staat elk spoortje van wat hij dacht van zijn gezicht te weren. Hij stond te kijken hoe Pendlebury zorgvuldig de inwendige organen verwijderde en woog. Die schenen allemaal betrekkelijk gezond te zijn, gezien de leeftijd van de man. Geen enkel spoortje van een hartkwaal, ondanks zijn gebrek aan lichaamsbeweging en zijn overgewicht. Pendlebury wees hen op de fatale wond in het hart en gaf de lengte en breedte van het lemmet aan.

Fenwick en Cooper bleven geduldig wachten toen de patholoog-anatoom de hersenen verwijderde en woog, maar er was voor hen niets meer te vernemen, en ze gingen weg toen het lichaam weer werd dichtgenaaid. Buiten op de parkeerplaats bleef Fenwick over het dak van hun auto geleund staan.

'Ik wil dat de rechercheafdelingen aan de kust worden ingelicht over dit sterfgeval. Ik weet wel dat het voorbarig is, maar de seks of wat daarvoor door moet gaan, die die arme kerel heeft gekocht, heeft vermoedelijk in Brighton of daar ergens in de buurt plaatsgevonden. Ik wil er geld op inzetten dat hij daar gisteravond op bezoek is geweest. Het is ver genoeg en druk genoeg om je anoniem te kunnen voelen.'

'Denkt u dat er een verband is tussen de seks en de moord?'

Fenwick zweeg even en schudde toen langzaam zijn hoofd. 'Dat is een mogelijkheid, maar waarom werd er dan mee gewacht tot hij in de trein zat?'

'Dus toch een verkeerd gelopen beroving?'

Fenwick keek de brigadier geïrriteerd aan.

'Waarom hebben we dan zijn portemonnee, met de creditcards er nog in? Nee, dat is ook onlogisch. Het voelt niet als een willekeurig misdrijf, en toch is het te bruut en te terloops gebeurd om voorbereid te zijn. Ik trek geen voorbarige conclusies, we zullen moeten afwachten wat er vandaag nog op ons afkomt.'

17

Fenwick zat de inhoud van Arthur Fish' portemonnee te bekijken, toen Cooper op de deur van zijn kantoor klopte en binnenkwam.

'Bent u zover, hoofdinspecteur?'

'Heel even nog. Ga zitten. Wat vind je hiervan?'

Cooper keek met een blik waaruit iets van haat sprak naar de hoekige bezoekersstoel in Fenwicks kantoor, maar hij deed wat hem gezegd was. De hoofdinspecteur liet hem een zilverkleurig sleuteltje zien.

'Van een hangslot, of van een koffer? Waar komt het vandaan?'

'Het zat verstopt in de voering van Fish' portemonnee. Er staat een nummer op. Laat dat uitzoeken, alsjeblieft. We houden het voorlopig stil. Is er al nieuws van de spoorwegen?'

Cooper schudde zijn hoofd. 'Niets. Vanavond waarschijnlijk, maar tot nog toe helemaal geen aanwijzing wie het deed of waarom.'

Fenwick vertrok geen spier bij Coopers slordige taalgebruik. Hij stond op en gooide Cooper zijn autosleuteltjes toe.

'Jij rijdt. Ik moet nadenken.'

Het werd een zwijgend ritje.

Er stonden in Engeland vijf kantoren van Wainwright Enterprises, maar geen daarvan had zoveel grandeur als het hoofdkantoor in een buitenwijk van Harlden. Het was een in het oog springend gebouw binnen een heel complex, ongeveer zes kilometer van het centrum. Een schitterende, vier verdiepingen tellende stalen constructie in de vorm van een piramide, met donkerblauw getint glas, torende uit boven een aangelegd park. Het gehele complex stond op een natuurlijke glooiing en doordat Wainwright Enterprises het daarbovenop had laten bouwen, eiste het automatisch een zekere autoriteit op, zoals het eigenlijk het hele economische leven van die regio beheerste. In trappen aangelegde fonteinen en in vorm gesnoeide struiken bedekten de helling van de heuvel en verhulden daarmee heel slim het parkeerterrein aan de achterkant van het gebouw. Cooper koos een van de bezoekersplaatsen uit en zette de auto keurig netjes neer, maar wel onder veel gekreun en gesteun. Zijn gezette bovenlijf maakte achteruit inparkeren tot een inspannende klus, zelfs met stuurbekrachtiging, en zijn eeuwige tweedjasje beperkte zijn bewegingen nog meer als hij zich omdraaide en omkeek. Toen hij eindelijk stond en de motor had afgezet, verbrak Fenwick de stilte.

'Alweer Wainwright. Ik vind het zo merkwaardig dat twee belangrijke functionarissen, de algemeen directeur en nu ook de procuratiehouder binnen een paar maanden na elkaar doodgaan.'

'Ongelukken gebeuren meestal in drieën. Wie is de volgende, denkt u?'

Die gedachte stond Fenwick helemaal niet aan en hij ging verder waar hij gebleven was. 'Je moet het toch met me eens zijn dat het een bizar toeval is.' Hij sloeg het portier dicht. 'En toevalligheden maken me altijd heel argwanend.'

Ze werden van de receptie naar een kleine vergaderruimte gebracht waar een grote, ronde kersenhouten tafel stond. Ze kregen koffie geserveerd.

De financieel directeur, Neil Yarrell, kwam na een paar minuten binnen. Hij was een slanke man van gemiddelde lengte en zag er veel jonger uit dan ze hadden verwacht, niet ouder dan vijfendertig. Hij stak hun een perfect gemanicuurde hand toe en Fenwick zag aan de snit van zijn kostuum en aan zijn stropdas dat ze van Italiaanse makelij waren.

'Hoofdinspecteur Fenwick, goedemorgen. Neemt u me niet kwalijk dat ik u heb laten wachten, maar ik had zojuist uw korpsleider aan de telefoon. U komt in verband met Arthur Fish. Een afschuwelijke zaak.'

Fenwick stelde Cooper voor, die prompt zijn aantekenboekje uit zijn zak haalde.

'Nog altijd pen en papier, en dat in deze tijd. Wat apart!'

Cooper keek verbaasd op. Deed die man met opzet zo bot?

'Het werkt, meneer.'

'Vast wel, maar ik blijf het boeiend vinden. Goed, wat wilt u van me weten?'

'Alles wat u kunt vertellen in verband met de heer Fish, te beginnen met zijn baan hier.'

'Nou, dan hoop ik dat u ruimschoots de tijd heeft, én papier, brigadier. Hij werkte hier al bijna dertig jaar.'

'Als we zijn personeelsdossier kunnen inzien hebben we voldoende achtergrondgegevens, meneer. Wilt u zijn functie en zijn verantwoordelijkheden omschrijven, alstublieft?'

'Hij was de procuratiehouder van het bedrijf; dat houdt in dat hij de managementaccounts bijhield en de interne financiële controle uitvoerde.'

'En waarin verschilt dat van uw werkzaamheden als financieel directeur?'

'Ik houd me bezig met strategische ontwikkelingen, de aandelen, de relaties met de aandeelhouders, meer omhoog en naar buiten dan naar binnen en de diepte in, als u begrijpt wat ik bedoel.'

Yarrell vervolgde met een langdradige omschrijving van het werk van Fish. Cooper vond het lastig om aantekeningen te maken, omdat hij absoluut niet wist welke aspecten belangrijk waren en welke alleen maar details. Na tien minuten nam Fenwick het gesprek over.

'Hoe was zijn stemming de laatste tijd?'

'Goed. Als altijd.'

'Hij leek geen problemen te hebben of ergens door in beslag genomen te worden?'

'Nee. Hij was wat zorgelijk van aard, maar dat vind ik wel goed bij een procuratiehouder.'

'En zijn persoonlijke leven?'

'Zijn vrouw bedoelt u? Ja, dat is erg triest. We waren allemaal ontzettend aangeslagen toen ze zo ziek werd. Voor Arthur zou het een zegen zijn geweest als ze was gestorven, eerlijk gezegd.'

Het kwam er allemaal zo mechanisch en zo kil en onverschillig uit, dat er een volslagen gebrek aan werkelijke sympathie voor zijn overleden collega uit sprak. Fenwick merkte dat hij een antipathie jegens Yarrell kreeg. Na een halfuur maakte hij een einde aan het gesprek. Ze hadden niets relevants gehoord. Yarrell beloofde hem het personeelsdossier op te sturen en zegde toe dat hij het personeel van de boekhoudafdeling een voor een naar hen toe zou sturen om ondervraagd te worden.

Het waren er zeven in totaal, onder wie de secretaresse van Fish. Tegen de tijd dat ze met de derde persoon hadden gesproken was Fenwick behoorlijk geïrriteerd.

'Niks!' barstte hij uit. 'Geen mallemoer! Ze zijn stuk voor stuk bereid te zweren dat Fish een aardige, stille vent was, prettig om mee te werken, die nooit kwaad werd of over zijn toeren raakte. Ze hebben geen kletsverhalen over hem of over de rest hier; geen kwaad woord over wie dan ook. En niemand weet iets van die personeelsavonden.'

'Nou ja, best mogelijk dat het een fatsoenlijk bedrijf is om voor te werken. Het heeft een uitstekende reputatie.'

'Nee, Cooper. Het is mij een beetje te correct allemaal. Het lijkt wel alsof ze zijn bewerkt voordat ze met ons kwamen praten. Voordat we hier weggaan moet jij uitzoeken of hij een beëdigde of een gediplomeerde registeraccountant was, en of een van die hotemetoten personeelsavonden houdt die hij bezocht. Zo niet, dan denk ik dat het zijn dekmantel was voor zijn prostitueebezoek.'

Cooper knikte en stond op om het volgende personeelslid binnen te laten om verhoord te worden. De ondervraging ging snel en voorspelbaar, en ook bij de vijfde en de zesde medewerker van de boekhoudafdeling. De laatste die binnenkwam was de secretaresse van Fish, Joan Dwight. Zij was in de vijftig en nu al in tranen en overstuur; dit leek iets meer op te gaan leveren dan de anderen. Ze was net gaan zitten toen Yarrell op de deur klopte en Fenwick wenkte naar buiten te komen.

'Is het echt nodig dat u met mevrouw Dwight spreekt?' fluisterde hij. 'Ze is helemaal van de kaart.'

'Het is van groot belang dat we iedereen spreken die meneer Fish heeft gekend.'

'Ja, maar zij zal u niets kunnen vertellen, ze is niet zo heel snugger. Ik kan me niet voorstellen hoe zij u zou kunnen helpen.'

'Desondanks, als u me niet kwalijk neemt...' Fenwick keerde de man de rug toe en deed de deur van de vergaderruimte achter zich dicht.

Mevrouw Dwight huilde en was inderdaad erg van streek, en er was behoorlijk veel geduld voor nodig om een samenhangend verhaal uit haar te krijgen. Eigenlijk was het niet zoveel anders dan bij de anderen, maar ze kregen nu in ieder geval wel wat meer inzicht in het beroepsleven van Arthur Fish.

'Hij was heel regelmatig in al zijn gewoonten. Hij kwam iedere dag iets vóór kwart over acht binnen en hij wilde het eerste halfuur voor zichzelf hebben. Ik kwam altijd tegen negen uur, zette koffie en maakte de post open. Dan begon hij te dicteren.'

'Schreef u steno?'

'Soms, bij korte stukken, maar een jaar geleden begon hij met zo'n dictafoon te werken en daar moest ik erg aan wennen. Daaraan kun je zien wat een aardige man het was.' Ze leunde naar voren en wapperde met een doorweekte tissue naar Fenwick om het te onderstrepen. 'Ik raak ontzettend in de war met zijn bandjes. Ik kon maar niet onthouden welke ik al had getypt. Ik wiste de nieuwe en ik typte de oude opnieuw, ik kreeg het ervan op mijn zenuwen. Toen bedacht meneer Fish helemaal voor mij een systeem. We hadden altijd een stuk of tien kleine cassettebandjes in omloop; die nummerde hij allemaal voor me en hij hield een lijst bij, waarop ik kon zien welk bandje ik moest uittypen. Daarna hadden we geen problemen meer.'

Fenwick verwonderde zich over het geduld van die man, dat hij kon omgaan met deze lieve, maar warrige dinosaurus. En zij was duidelijk erg op hem gesteld geweest en ontzettend loyaal aan hem.

'En was hij recentelijk uit zijn doen?'

Ze keek naar haar schoot en zat aan de doorweekte tissue te draaien.

'Nee,' zei ze aarzelend, 'hetzelfde als altijd. Hoewel hij de afgelopen weken heel vaak overwerkte; en hij heeft het me nooit met zoveel woorden gezegd, maar ik weet wel dat het thuis slechter ging.'

'Hoe wist u dat dan?'

'O, door kleine dingen. Hij liet de deur tussen zijn kantoor en het mijne altijd openstaan, tenzij hij een bespreking had, natuurlijk, maar de laatste tijd deed hij hem dicht.'

'En hoe lang deed hij dat al?'

'Een paar weken of zo. En gisteravond, voordat hij naar zijn personeelsavond ging, deed hij zijn deur dicht en begon een heleboel werk in te spreken.' Plotseling keek ze geschokt. 'O, dat moet ik gaan doen. Natuurlijk, dat moet ik nog gaan doen. Hij heeft het hele bandje ingesproken. Ik weet het, omdat ik alleen de nummers één tot en met negen in mijn rekje boven heb staan.'

'En u merkte niet aan hem dat hij in de war was of op een of andere manier anders?'

'Nee, eigenlijk niet.' Joan schudde nadrukkelijk met haar strak gepermanente hoofd. 'Dat zou ik hebben geweten.' Ze tuitte haar lippen.

Cooper stelde voor het eerst een vraag, heel vriendelijk, met dat zachte Sussex-accent van hem: 'Hebt u wel eens meegemaakt dat hij kwaad werd, mevrouw Dwight?'

De tranen begonnen weer te stromen en haar gezicht werd rood. Ze knikte bijna onmerkbaar.

'Wel een beetje, de laatste tijd,' fluisterde ze. 'Ik denk dat de ziekte van zijn vrouw hem eindelijk te veel werd. Normaal verhief hij nooit zijn stem, maar vorige week schreeuwde hij tegen me. Hij schreeuwde echt!'

'En denkt u dat het kwam door de situatie thuis?'

'Ja, wat zou het anders kunnen zijn? Ik weet dat hij niet goed overweg kon met de nieuwe algemeen directeur, maar waarom zou hij daar boos om worden?'

Mevrouw Dwight kreeg opeens in de gaten wat ze had gezegd en Fenwick kon duidelijk merken dat ze er spijt van had. Hij zag aankomen dat ze zou dichtklappen.

'Brigadier, kan ik u even onder vier ogen spreken?'

Mevrouw Dwight onderbrak hen: 'Ik moet eigenlijk terug. Ze zullen me missen. En ik moet dat bandje nog uitwerken.'

'Geeft u ons nog een paar minuutjes, alstublieft. Het duurt niet lang.'

Fenwick en Cooper liepen naar buiten. Fenwick boog zich naar het oor van de brigadier en fluisterde: 'Waarom neem jij het vanaf hier niet over? Ik kom een beetje te autoritair over om er meer uit te krijgen en ze heeft voor haar gevoel een respectabel aandeel geleverd. Zij vindt dat ze ons inmiddels meer heeft verteld dan ze hoefde. Vraag of ze je de weg naar de kantine wil wijzen en nodig haar dan uit voor een kopje thee.'

Terwijl Cooper de vergaderruimte weer binnenging, besloot Fenwick op zoek te gaan naar de nieuwe algemeen directeur van Wainwright Enterprises. Achter zich hoorde hij dat de brigadier mevrouw Dwight een complimentje maakte over haar vest, en ze raakten in gesprek over het breiwerk van zijn vrouw. Toen ging de liftdeur achter hen dicht.

Fenwick liep vanaf de vergaderruimte de lange gang door, nieuwsgierig om meer te weten te komen over de firma Wainwright. Snel inspecteerde hij de begane grond, waar zich alleen vergaderruimten, de postkamer, de toegang tot de laad- en losplaats en een kleine recreatieruimte voor het personeel bevonden. Toen hij naar de liften liep, riep de altijd oplettende receptionist: 'Kan ik u helpen?'

'Nee, dank u.'

'Waar gaat u naartoe?'

'Even rondkijken.'

'Wij hebben liever dat onze bezoekers op de begane grond blijven.

De ligging van de kantoren is erg verwarrend.'

'Daar kom ik wel uit, maakt u zich maar geen zorgen.'

Een belletje kondigde de komst van de lift aan en de receptionist raakte geagiteerd.

'Meneer, bezoekers moeten toch echt op de begane grond blijven.'

'Ik ben geen bezoeker,' zei hij en hij stapte in de lift. Technisch gezien hoorde hij dit niet te doen. Hij had geen volmacht en geen bevel tot huiszoeking, maar hij wilde niet dat de directie van tevoren op de hoogte werd gesteld van zijn komst. Het was al bijna middag en hij wilde hen nog voordat ze gingen lunchen spreken.

In de lift was geen indicatie te zien van wat er op de verschillende etages gebeurde, daarom drukte Fenwick op alle knoppen, met de bedoeling de lift vast te houden, terwijl hij even uitstapte om te gaan kijken. Op de begane grond en de eerste verdieping bevonden zich rijen rustige, kleine kantoren, geen van alle groot genoeg om het kantoor van de algemeen directeur te kunnen zijn. Op de tweede en derde verdieping waren groepjes mensen in pak aan het werk of praatten gedempt met elkaar in een grote open kantoorruimte.

De bovenste verdieping was aanmerkelijk kleiner dan de andere en toen Fenwick uit de lift kwam, stapte hij op een dik tapijt in een met hout betimmerde lobby. Rechts van hem waren zware mahoniehouten deuren die openstonden. Hij zag daar aan één kant een groot leeg bureau met een computer staan. Hij liep ernaartoe.

Het bureaublad van mahoniehout was smetteloos. Naast de computer lagen een half opgebruikt stenoblok en ongeveer tien brieven op het bureau, klaar om ondertekend te worden. Dat was alles, afgezien van een in leer gebonden agenda. Fenwick dacht aan het volgestouwde bureau van zijn eigen secretaresse en verwonderde zich over het contrast. Deze persoon was het toppunt van efficiëntie of had gewoon heel weinig te doen.

Aan de andere kant stonden nog twee bureaus, die allebei vol lagen maar onbemand waren, verder waren er nog twee kantoren waarvan de deuren gesloten waren. Fenwick keek neer op de brieven en begon zonder dat te willen een ervan te lezen.

'Kan ik u helpen?'

Het was een keurige, maar scherpe stem en hij merkte dat hij rood werd als een stoute schooljongen. Hij draaide zich om en keek in het gezicht van een knappe blonde vrouw, die niet veel ouder was dan een jaar of zevenentwintig. Ze trok haar mantel uit. Daaronder droeg ze een op maat gemaakt zwart mantelpak met een lichtroze blouse, wat haar figuur goed deed uitkomen. Haar haren waren uit haar ovale gezicht weggetrokken, dat de teint had van een volmaakte Engelse roos. De ogen stonden iets schuin, wat haar een Aziatisch uiterlijk gaf, en haar welgevormde mond was zo opgemaakt dat hij uitnodigde tot kussen. Ze had een kan met verse koffie op het bureau neergezet.

'Ja, ik ben hoofdinspecteur Fenwick, van de politie Harlden.' Hij liet haar zijn legitimatie zien. 'Een belangstellende vraag: wie neemt op deze etage de telefoon aan?'

'Voicemail, met een doorschakeling naar de telefoniste voor dringende boodschappen. Dat is goedkoper dan een secretaresse neer te zetten.'

'En u bent...?'

'De secretaresse van meneer Wainwright-Smith. Wat wilt u? Ik weet dat er geen afspraak is gemaakt voor vandaag, waarom bent u dan hier?'

'U bent toch zeker wel ingelicht over Arthur Fish?'

Ze bleef hem nietszeggend aankijken, maar de zachte rozenkleur verdween uit haar gezicht.

'Zoals u ziet komen we net binnen.' Ze wees op haar jas. 'Wat is er dan met Arthur Fish?'

'Hij is gisteren vermoord. Ik ben de rechercheur die het onderzoek leidt.'

Ze zei niets, maar ze stak haar hand uit om steun te zoeken. 'Komt u dan maar binnen om met Alex te praten... Meneer Wainwright-Smith. Hij weet het nog niet.'

Ze klopte op een van de anonieme, mahoniehouten deuren en liep zonder op antwoord te wachten naar binnen, waarbij ze Fenwick achter zich liet. Ze begon al te praten voordat hij haar daarvan kon weerhouden, terwijl ze in de deuropening bleef staan en hem daarmee het zicht op de kamer ontnam. 'Alex, hier is hoofdinspecteur Fenwick van de politie in Harlden. Hij is hier omdat Arthur gisteren is vermoord.'

Dat had ze heel slim gedaan, nu zou hij nooit weten hoe de algemeen directeur van Wainwright Enterprises hierop reageerde.

Wainwright-Smiths secretaresse wees Fenwick met een elegant handgebaar een stoel aan en hij keek om zich heen in het kantoor, dat de omvang had van een grote vergaderkamer. Gemeten naar de omvang was de meubilering bescheiden, onder de middelmaat zelfs. Voor de ramen met uitzicht was een bureau geplaatst, omringd met gemakkelijke stoelen. Eén hele wand werd in beslag genomen door houten dossierkasten. Helemaal aan de andere kant, tegenover het bureau, was een zithoek, bestaande uit twee banken en drie gemakkelijke stoelen, losjes gegroepeerd rondom een enorme koffietafel. Tussen het bureau en de banken lag een oosters tapijt in een soort niemandsland.

Cooper had met Wainwright-Smith gesproken over de dood van zijn oom, dus Fenwick had hem nooit ontmoet. Hij was veel jonger dan Fenwick had verwacht. Hij had rossig blond haar, opvallend blauwe ogen en een heleboel sproeten in zijn verrassend open gezicht. Aanvankelijk schatte Fenwick hem in als een vrij karakterloos iemand, maar toen hij hem een hand gaf en hem aankeek, zag hij daar een kracht en intelligentie die hem waarschuwden dat hij deze man niet moest onderschatten.

'Wat afschuwelijk! Wanneer is dat gebeurd?' zei hij ontsteld maar beheerst.

'Gisteravond.'

'Maar ik heb hem om vijf uur nog gezien, vlak voordat hij naar de personeelsavond ging.'

'Het schijnt dat iedereen op de hoogte is van de personeelsavonden. Wat zijn dat?'

'Dat weet ik niet precies. Het heeft iets te maken met de boekhoudafdeling, geloof ik, maar we wisten er allemaal van omdat Arthur er zo fanatiek in was. Hij ging er iedere maand heen en miste er nooit één; ze zouden hem een aanwezigheidsbonus moeten geven!'

Fenwick dacht even aan het lijk en de aanwijzingen van recente, sadomasochistisch getinte seksuele activiteiten, en hij vroeg zich af wat voor impact die wetenschap zou hebben op de nagedachtenis van Arthur Fish. Zou hij stijgen of dalen in de achting van de mensen?

Hij werkte zijn standaardvragen af over de laatste dagen van Fish, maar als algemeen directeur wist Wainwright-Smith niet veel over de dagelijkse gang van zaken bij zijn procuratiehouder.

'Neil Yarrell is de financieel directeur, hij zal u meer kunnen vertellen. Hij heeft nauw toezicht op de afdeling.' Wainwright-Smith aarzelde. 'U zegt dat hij vermoord is. Is dat zeker? Kan het geen zelfmoord zijn geweest?' Hij keek angstvallig naar zijn secretaresse toen hij dat zei. Zij was tijdens het gesprek in de kamer gebleven en zat keurig en beschaafd op de bank, haar perfecte, lange benen met de knieën en de enkels naast elkaar opzij, zoals het hoort.

'Wij zijn er vrijwel zeker van dat het moord is – er is geen wapen op de plaats van het misdrijf gevonden en de manier waarop hij is gestorven is een heel ongebruikelijke, om maar niet te zeggen onmogelijke manier van zelfmoord plegen.'

'Hoe is hij dan gestorven?'

'Wij geven nog geen details vrij. Waarom vroeg u of het geen zelfmoord was?'

'O, zomaar.' Weer keek hij naar de vrouw, alsof ze hem moest helpen. 'Het komt...' aarzelde Wainwright-Smith, en zijn assistent kwam naar hem toe.

'Moord is zo'n schokkende en uitzonderlijke gebeurtenis,' maakte zij het voor hem af.

Fenwick keek naar het stel. Er was meer tussen die twee dan een relatie van baas en secretaresse. Wat had Wainwright-Smith willen zeggen voordat hij werd afgekapt?

'Dan neem ik aan dat het een beroving is geweest.' Ze kwam zo kalm en beheerst over, alsof ze er totaal buiten stond, bijna alsof ze het normaal vond dat er af en toe iemand gewelddadig om het leven werd gebracht.

'Waarom denkt u dat het een beroving was?'

Zijn vraag schokte haar, dat was duidelijk.

'Waarom niet? Dat zijn de meeste willekeurige moorden toch?'

'En waarom gaat u ervan uit dat het willekeurig was, mevrouw...?'

'Wainwright-Smith, Sally. Ik ben de vrouw van Alex. Natuurlijk dacht ik dat het willekeurig was. Waarom zou iemand nou per se Arthur Fish willen ombrengen? Hij deed geen vlieg kwaad.'

'Kende u hem dan goed?'

'Nee, ik kende hem nauwelijks. Jij, Alex?'

Haar man leek nog altijd geschokt te zijn, er stond een diepe frons op zijn gezicht. 'Natuurlijk kende ik hem. Ik werk al sinds ik van school kwam voor de firma Wainwright en toen zat hij al jaren op de financiële administratie.'

Fenwick vond dat hij die twee nodig uit elkaar moest halen. Ze dwongen hem zijn vragen van de een naar de ander te pingpongen en dat leidde hem af.

'Mevrouw Wainwright-Smith, mag ik zo vrij zijn om een kop koffie te vragen, geen melk, één klontje suiker.'

Ze zou verse koffie moeten gaan zetten, omdat de kan die op het bureau in de andere kamer stond intussen zou zijn afgekoeld. Met zichtbare tegenzin ging ze het kantoor uit. Fenwick deed gedecideerd de deur achter haar dicht.

'Wat is de echte reden waarom u zich afvroeg of het zelfmoord was, meneer Wainwright-Smith?'

De man tegenover hem knikte, alsof hij toegaf dat het onvermijdelijk was dat Fenwick die vraag ging stellen.

'Arthur had problemen met de werkdruk, ook al zijn we nu helemaal gecomputeriseerd. Ik maakte me ongerust of we hem zo zwaar hadden belast dat hij de hand aan zichzelf had geslagen. Hij was een heel nerveuze man.'

'Waarom zou hij zo nerveus zijn?' Fenwicks vraag klonk heel mild, als een routinevraag, maar het maskeerde hoezeer hij geïntrigeerd raakte door de opmerkingen van Wainwright-Smith. Ze stonden in groot contrast tot de geïnstrueerde antwoorden die het personeel van de boekhouding had gegeven.

'Zei ik nerveus? Ik bedoel, gauw zenuwachtig. Hij was iemand die zich druk kon maken over kleinigheden en omdat het bedrijf zo gegroeid is, raakte hij blijkbaar een beetje overwerkt.'

'Ondanks de computerisering?'

Om de een of andere reden voelde Wainwright-Smith zich ongemakkelijk bij die vraag.

'Misschien juist daardoor. Hij hield niet van veranderingen.'

'Zijn er nog andere dingen die u me kunt vertellen, meneer?'

Wainwright-Smith wendde zijn blik af, niet in staat Fenwick recht aan te kijken. 'Nee, alleen dat ik hem zal missen.' Hij zweeg. 'Sally blijft lang weg. Ik zal haar even gaan helpen.'

Het laatste wat Fenwick wilde was dat ze hun antwoorden op elkaar gingen afstemmen. Hij schoot uit zijn stoel overeind en was al bij de deur voordat de andere man daar aankwam.

'Doet u geen moeite. Ik ga haar wel halen. Ik moet haar toch een paar vragen stellen en ik heb u al lang genoeg opgehouden.'

Ze gaven elkaar een hand en Fenwick trok zich terug in de kleine directiekeuken, waar hij Sally aantrof die de koffie die ze eerder had gezet in de magnetron aan het opwarmen was. Ze zag zijn blik van ongeloof en glimlachte.

'Wie wat bewaart heeft wat, hoofdinspecteur.'

'Uiteraard.'

Terwijl hij van zijn oud smakende, maar hete koffie dronk, vroeg hij haar rechtstreeks naar haar automatische aanname dat de dood van Fish een beroving was geweest. Zij ontweek zijn vragen met een handigheid waarop geoefend was en het maakte hem argwanend en gefrustreerd. Toen hij zijn koffie ophad ging hij weg.

Sally. Hij begon te begrijpen waarom de Wainwright-clan haar niet mocht en haar zo sterk wantrouwde, en ze was zonder meer mooi genoeg om de mensen te laten denken dat ze in staat was iemand te strikken. Fenwick bleef zich over haar verwonderen toen de lift zonder onderbrekingen afdaalde. Het was een vreemde relatie, daar op die bovenste verdieping, en niet bevorderlijk voor het onderzoek.

De receptionist was zichtbaar opgelucht toen hij terugkeerde van zijn onbevoegde uitstapje door het gebouw. Cooper wachtte hem in de receptie op met een grijns op zijn gezicht. Hij was echt een onmogelijke man.

'Wacht tot we in de auto zitten, brigadier.'

Ditmaal reed Fenwick, die graag iets te doen wilde hebben.

'Vertel maar.'

'Ze werd zéér spraakzaam toen ze achter een kopje thee met een plak vruchtencake zat. Meneer Fish is schijnbaar erg over zijn toeren geraakt sinds Alexander Wainwright-Smith het roer overnam, en ook daarvoor was hij niet bepaald een relaxte figuur te noemen.'

Fenwick vertelde aan Cooper wat Alexander had onthuld over Fish' toegenomen werkdruk en zijn problemen met computers.

'Nou, dat verklaart het dan.'

'O ja? Daar ben ik het niet mee eens. De Wainwright-Smiths kwamen mij al te snel met een mening over zijn dood aanzetten: zelfmoord op grond van overbezorgdheid, of een beroving. Naar mijn ervaring zijn er weinig onschuldige mensen, of in ieder geval weinig mensen die niets te verbergen hebben, die dergelijke suggestieve opmerkingen maken tegenover de politie zonder eerst de feiten te hebben aangehoord.'

Cooper fronste zijn voorhoofd. Daar was hij het klaarblijkelijk niet mee eens. Toen sprak hij de gedachte uit die hem bezighield: 'Denkt u niet dat uw eerdere bezorgdheid in verband met Wainwright Enterprises u een beetje al te wantrouwig maakt, hoofdinspecteur?' Hij zei het respectvol, maar hij kreeg een gedecideerd antwoord.

'Nee, Cooper. We moeten veel meer over Fish te weten komen. Ga praten met zijn bankmanager, zijn vrienden en zijn advocaat. Hoe groot is het bezit dat hij nalaat? Wainwright-Smith liet niet het achterste van zijn tong zien en zijn vrouw is een gesloten boek. Ik vertrouw haar voor geen cent.'

'Dus u hebt de veelbesproken Sally ontmoet? Begrijpt u inmiddels waarom Graham Wainwright haar zo wantrouwt? Mevrouw Dwight heeft me van alles over haar verteld en ik sta te popelen om haar zelf te ontmoeten. Het is jammer dat wij haar vorige maand geen van beiden hebben verhoord. Ik vraag me af wat Nightingale van haar vond. Zij heeft het tweede gesprek gevoerd, nietwaar?'

'Ik geloof het niet. Sally was ziek of zo, en tegen de tijd dat ze beter was hadden wij ons werk al afgerond.' Fenwick zette zijn richtingaanwijzer aan en verliet de ringweg.

'Mevrouw Dwight zegt dat ze zich overal mee bemoeit. Ze werkt hier pas een week of zo, en ze mogen haar nu al niet. Zelfs Neil Yarrell past op zijn tellen als zij in de buurt is.'

'Waarom werkt ze in hemelsnaam als secretaresse van haar man?'

'Kostenbesparing, volgens mevrouw Dwight. Hé, kijk uit, die fietser! Wat een idioot, zeg!' Cooper draaide zich om en schreeuwde naar de geschrokken tiener, die vanuit een zijweg vlak voor hun auto de weg op schoot.

Fenwick had geremd, was ver uitgeweken en reed zonder achterom te kijken verder. Hij leek niet eens geschrokken, laat staan kwaad te zijn. Cooper vroeg zich zoals zo vaak af of de hoofdinspecteur eigenlijk nog wel gevoelens overgehouden had, afgezien van de liefde voor zijn kinderen.

'Mevrouw Wainwright-Smith schijnt ongelooflijk op de penning te zijn, hoewel zij en Alexander de helft van zijn ooms bezittingen hebben geërfd,' vervolgde Cooper. 'Sally werkte ergens anders, maar ze heeft haar boeltje gepakt, is met hem naar het familielandgoed verhuisd, regelde het allemaal in een sneltreinvaart, begon zich te vervelen en richtte toen haar aandacht op het bedrijf. Nu zit ze overal bovenop, snijdt in de uitgaven en komt overal aanzetten met voorstellen voor meer efficiency.'

'Dan is ze dus eigenlijk niet zijn secretaresse, dat is gewoon maar een etiket.'

'O nee, dat klopt. Ze mag dan niet populair zijn, ze werkt als een paard, zegt mevrouw Dwight. En de bezuinigingen zijn ook op de bovenste verdieping doorgevoerd. Ze heeft een secretaresse en een assistent weggesaneerd en regeert daar nu met ijzeren hand. Ze heeft een beginnend secretaresse voor zichzelf in dienst genomen en Yarrell heeft een eigen secretaresse, die in zijn kantoor zit.'

'Dat is misschien wel goedkoop, maar het is niet effectief. Toen ik bovenkwam was zij de enige op kantoor, en ze was net binnengekomen. Wij moeten weer met Graham Wainwright en de rest van de familie gaan praten. Dit is de kans om het onderzoek in de zaak Alan Wainwright te heropenen. Ik zal vanmiddag met de korpsleider gaan praten.'

Fenwick stopte bij een bakkerij.

'Een broodje? We hebben geen tijd om te lunchen.' Cooper knikte met tegenzin en troostte zichzelf met de gedachte dat het in ieder geval beter was voor zijn taille als hij zijn gebruikelijke warme maaltijd met vlees en groente in de politiekantine oversloeg. En de plak vruchtencake die hij natuurlijk gewoon voor de gezelligheid samen met mevrouw Dwight had gegeten, hadden de gaatjes al gevuld.

18

Het spoorwegstation was nog geen zevenhonderd meter verwijderd van het politiebureau in Harlden, dus had Fenwick voor het gemak op de etage boven zijn kantoor een ruimte voor het grootschalige onderzoek laten inrichten. Tegen de tijd dat hij en Cooper terugkeerden van Wainwright was de ruimte al helemaal uitgerust met bureaus, telefoons, computers, printers, een rechtstreekse fax, een beveiligde dossierkast en de onvermijdelijke witte borden. Hij had voor twee uur een briefing gepland. De commissaris en de korpsleider wilden dit zo snel mogelijk opgelost hebben. Iedereen die er was besefte het grote belang van deze zaak, en de druk om een snel resultaat te behalen groeide nu al.

Een team van meer dan vijftig rechercheurs van divisies langs de hele spoorlijn was al vanaf het eerste ochtendlicht aan het werk geweest en Fenwick kreeg er een inspecteur bij om het werk in Harlden te leiden, terwijl hijzelf het hele onderzoek coördineerde. Helaas was Blite de enige beschikbare inspecteur en die had de neiging bochten af te snijden.

De TGO-ruimte was goed georganiseerd. Er hingen al foto's van de plaats delict, naast twee foto's van Fish, levend en glimlachend tijdens een feestje van het werk. Een tabel met de treintijden van Brighton naar Harlden was gekopieerd en vergroot, en ook die van alle aansluitende trajecten. Op een van de borden had iemand een keurig staatje gemaakt met links een kolom met alle stations langs de spoorlijn en daarboven een checklist, waarop gedetailleerd stond aangegeven welke activiteiten er op elk station moesten worden afgehandeld: de inhoud van alle afvalbakken verzamelen en doorzoeken; het spoorwegpersoneel en alle passagiers die geregeld met deze trein gingen ondervragen; posters ophangen met een omschrijving van het misdrijf en een oproep aan het publiek om mee te helpen; taxi's controleren; de beelden op beveiligingscamera's verzamelen, enzovoort. Fenwick was zeer tevreden toen hij zag dat het bord al voor meer dan de helft voltooid was.

Anne, zijn secretaresse, kwam binnen vlak voordat de bijeenkomst zou beginnen.

'De korpsleider wil u direct na de briefing spreken, hoofdinspecteur.'

Fenwick knikte en schikte zich in het onvermijdelijke. Hij riep de vergadering kort tot de orde. Er was al uitgebreid onderzoek gedaan en alles was goed georganiseerd, maar het had nog weinig opgeleverd. Toen de vergadering tien minuten bezig was, werd de deur met onnodig veel kracht opengegooid en kwam er haastig een jonge agent-rechercheur binnen. Fenwick kende hem vaag; hij deed de tweejarige, versnelde promotieopleiding aan de politieacademie. Iedereen rolde met zijn ogen en schudde met zijn hoofd, toen de jongeman tevergeefs naar voren dook om de deur vast te grijpen voordat hij met een harde klap tegen de muur sloeg. Fenwick liet met opzet een stilte vallen en de student bleef met een hoogrode kleur achter in de ruimte staan.

'Neemt u me niet kwalijk, hoofdinspecteur. Er was een aanwijzing en daar ben ik achteraan gegaan. Het spijt me heel erg dat ik te laat ben, hoofdinspecteur.'

Cooper keek de jongen kwaad aan en gebaarde dat hij voorin moest gaan zitten. Hij wilde een team onder zich hebben dat stipt was en hij was ouderwets gedisciplineerd. Hij bespaarde Fenwick de moeite om over een reactie na te denken en liet de laatkomer meteen verslag uitbrengen.

'Ja, brigadier. Wij kregen een melding binnen dat er op het station Burgess Hill een treinkaartje en papieren handdoeken met bloed erop waren gevonden. Het treinkaartje is een retourtje Harlden-Brighton, brigadier, en het is gekocht op de dag dat Fish is vermoord. Ik heb het kaartnummer doorgegeven aan het station hier, zodat zij ons kunnen zeggen wanneer het gekocht is. In Burgess Hill gaat het politieteam intensiever ondervragen.'

Inspecteur Blite deed laatdunkend over zoveel naïviteit. 'Dat bloed kan van iedereen zijn. Een of andere vent heeft zich gesneden aan een bierblikje, weet jij veel.' De agent kreeg een kleur, maar hield zijn rug recht en keek Fenwick aan, die hem een knikje gaf.

'Het duurt wel even voordat we de resultaten van de bloedtest van het forensisch lab binnen hebben, maar dit heb je intussen goed afgehandeld. De zaak is nog geen vierentwintig uur oud en als we een doorbraak hebben zal dat waarschijnlijk vandaag of morgen zijn. Denk er goed aan dat jullie objectief blijven en door moeten gaan met het onderzoek op de andere stations, vooral in Brighton. Wat hebben ze daar te melden gehad?'

'Niet veel, hoofdinspecteur. Er is één iemand geweest die Fish heeft gezien, wat bevestigt dat hij bij het hoofdstation is uitgestapt, maar de reguliere taxichauffeurs herkennen hem geen van allen en de buschauffeurs tot dusverre ook niet.' Brigadier Gould had de leiding gekregen over het onderzoek langs het spoor. Hij had ervaring in het samenwerken met de andere betrokken divisies en de spoorwegpolitie.

'Kort voordat hij stierf had hij seks gehad, en aan de tekenen op zijn lichaam te zien zou het van sadomasochistische aard kunnen zijn geweest. Hoever zijn ze met het ondervragen van de bekende prostituees in Brighton en de plaatsen eromheen?'

'Niet ver.' Inspecteur Blite schudde sceptisch zijn hoofd. 'Er zijn daar gisteravond twee prostituees vermoord, vlak vóór dat verschrikkelijke paasweekend. De hele divisie werkt zich een ongeluk en ze proberen wel te helpen, maar...' Zijn stem zakte weg.

'Twee vermoorde prostituees gisteravond? Is er verband met onze meneer Fish, denk je?'

'Ik betwijfel het. De politie van Brighton zoekt naar verbanden tussen de twee plaatselijke moorden – ze waren binnen een paar honderd meter van elkaar gevonden – en ze zitten er niet op te wachten om Fish er als een nodeloze complicatie aan toe te voegen. Ik zal er evengoed achteraan gaan.'

Fenwick las de belangrijkste bevindingen van de patholoog-anatoom en de verslagen van het forensisch lab voor. De laatste bevestigden de vermoedens van de patholoog-anatoom: onder de nagels en op het lichaam van Fish waren sporen van bodylotion en talkpoeder gevonden. De microscopisch kleine deeltjes in de striemen op zijn onderrug waren hout, en nu waren ze bezig om erachter te komen wat voor hout, niet dat dat zoveel zou helpen, waarschijnlijk. Fenwick negeerde de lachsalvo's toen de babylotion ter sprake kwam.

'Goed, goed, zo is het mooi geweest. Nog één ding: we hebben een complete serie vingerafdrukken op de jas van het slachtoffer gevonden en nog meer op zijn portemonnee. Het zullen waarschijnlijk niet die van de moordenaar zijn, of hij moet wel heel erg onhandig zijn geweest, maar we laten ze vergelijken met de nationale databank.'

De briefing was afgelopen en toen de anderen allemaal vertrokken waren, begon Cooper over de sleutel.

'Hij hoort bij een kleine, brandbestendige kluis, maar onze slotendeskundige heeft geen idee waar hij is gemaakt. Hij heeft er een afdruk van gemaakt en die naar de Met gestuurd. Daar hebben ze kennelijk experts die ons kunnen helpen, maar dat gaat even duren, een week, misschien wel langer.'

'Houd goed in de gaten waar hij op zou kunnen passen; het is vreemd dat hij hem in zijn portemonnee had opgeborgen.'

Na de briefing liep Fenwick de trap af, en negeerde stoïcijns de pijnscheut in zijn rechterknie, die om onverklaarbare reden weer begon op te spelen. Die oude blessure koos steevast momenten van stress of intensieve inspanning uit om zich te roeren. In zijn kantoor aangekomen trok hij zijn colbert uit en hing het zorgvuldig over de leuning van een bezoekersstoel. Toen ging hij in zijn eigen stoel achteroverzitten, met zijn handen verstrengeld achter zijn hoofd, en bleef simpelweg naar datgene zitten staren wat op het prikbord tegenover zijn bureau hing. Al vanaf de eerste dag van zijn loopbaan had hij gemerkt dat het hem hielp zich te focussen als hij zich aan de hand van het verzamelde bewijsmateriaal een visuele indruk van een zaak vormde. Meteen toen hij een eigen kantoor kreeg, had hij een kurkbord opgehangen – dit was nog hetzelfde bord als toen, hoe toegetakeld ook – en er kopieën op geprikt van de belangrijkste bewijsstukken die het team dat een grootschalig onderzoek verrichtte, bijeenbracht. Het hing al bijna halfvol met materiaal van de zaak Fish, en Anne had het verslag van Alan Wainwrights zelfmoord in een van de hoeken opgehangen.

De telefoon ging, maar hij liet hem overgaan; er was een dringende fax binnengebracht en hij keek er niet eens naar; zijn secretaresse kwam verse koffie brengen, maar toen ze de signalen herkende zette ze de mok zonder iets te zeggen neer, liep weer weg en trok de deur achter zich dicht.

Er bestond geen wetenschappelijke methode of proces om te beschrijven wat er in zijn hoofd omging. Hij wachtte op inspiratie, het moment waarop de juiste, willekeurige, half voltooide ideeën hun weg naar zijn actieve denkproces vonden. Na een tijdje pakte hij zijn pen, trok een leeg vel papier op het smetteloos witte schrijfblad dat midden op zijn bureau lag en begon snel en in een beknopte schrijfstijl het ene woord na het andere op papier te krabbelen:

Waarom Fish? Waarom de trein?
Is het MOTIEF persoonlijk of werkgerelateerd?
Waarom de gesloten kantoordeur? → schuld?

> → telefoontjes?
> → fraude?
> → ANGST?
> → laatste tape – wat staat
> erop?

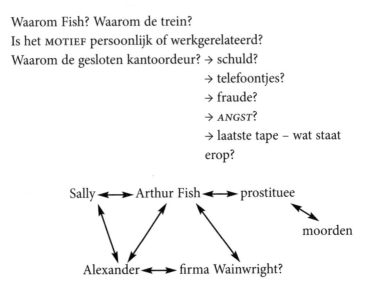

Het gekrabbel hield op en hij keek naar de dingen die hij had opgeschreven. Er zat weinig logica in, maar desondanks prikte hij het op zijn kurkbord naast een foto van Arthur Fish, die op een feestje van zijn werk glimlachend in de camera keek.

De telefoon ging opnieuw en hij griste de hoorn van de haak, geërgerd door de interruptie. 'Ja?' snauwde hij.

'Fenwick. Heb je mijn boodschap niet gekregen? Die verdomde secretaresse van je...' Het was de korpsleider. Woedend.

'Neemt u me niet kwalijk, meneer. Ik heb hem wel gekregen, maar er kwam later nog een ontwikkeling bij, waardoor ik afgeleid werd. Mijn excuses.'

'Ja, ik heb het al gehoord, dat kaartje met bloed erop. Laten we hopen dat het de doorbraak is die je nodig hebt. Moet je horen, ik heb een buitengewoon boze Alexander Wainwright-Smith aan de telefoon gehad. Ik had je nog zo gezegd dat je subtiel met Wainwright

Enterprises om moet gaan, maar nee, je gaat erheen en je banjert er rond alsof die tent van jou is!'

Fenwick vroeg maar niet hoe het kwam dat de korpsleider nu al op de hoogte was van de ontdekking van het treinkaartje op station Burgess Hill. Blite had hem waarschijnlijk zelf opgebeld toen de briefing afgelopen was. Maar de klacht van Alexander verraste hem, vooral omdat hij meende een zekere subtiliteit bij de algemeen directeur te hebben bespeurd. Hij vermoedde dat Harper-Brown overdreven reageerde op een milde opmerking en koos de toon van zijn antwoord dan ook overeenkomstig.

'Ik ben absoluut nergens naar binnen gebanjerd, dat kan ik u verzekeren, meneer. Ik was me juist heel erg bewust van uw richtlijnen en heb me daar ook naar gedragen. Was hij heel erg kwaad? Wilt u dat ik hem bel?'

'Dat is niet nodig. Wees in de toekomst alleen wat zorgvuldiger. En ik wacht nog steeds op je rapport van vandaag. Ik ga ervan uit dat ik je er niet nog een keer aan hoef te herinneren.'

'Ik ben er nu mee bezig, meneer, en ik zal u en commissaris Quinlan het komende uur een kopie toesturen.' Commissaris Quinlan was per slot van rekening Fenwicks directe superieur en had de leiding over de divisie in Harlden. De commissaris tolereerde de rechtstreekse bemoeienissen van de korpsleider in gevoelige zaken met een geduld waar Fenwick alleen maar bewondering voor kon hebben.

Het telefoontje had Fenwick een slecht humeur bezorgd en het bericht dat ze hem die middag maar beter met rust konden laten bereikte het team algauw. Een uur later werd er aarzelend op zijn deur geklopt en stak Cooper zijn hoofd om de deur. Toen hij Fenwick voor zijn prikbord zag was hij zichtbaar opgelucht en kwam hij de kamer in.

'Heeft u nieuwe ideeën, hoofdinspecteur?'

'Nog niet. Ik heb het grootste deel van de middag aan de telefoon gezeten met de andere divisies. Er zijn tot nog toe geen nieuwe doorbraken. We moeten erachter zien te komen of een van die moorden

op de prostituees in Brighton verband houdt met ons geval en natuurlijk het bloed en de vingerafdrukken zo snel mogelijk laten analyseren. Heeft Gould het team bij het station Burgess Hill versterkt?'

'Ja, hoofdinspecteur. Hij spoort al het personeel en de taxichauffeurs op die gisteravond dienst hadden, voor het geval de moordenaar op dat station is uitgestapt. We hebben ook een lijst van de
zorgcentra gekregen met alle gevallen van geweldpleging in de wijken. Het is een hele waslijst.'

'Is de familie van Fish al opgespoord?'

'Eén zoon woont in Canada en is op weg naar huis. De dochter
werkt voor een vrijwilligersorganisatie in Afrika; we hebben haar
nog niet te pakken gekregen. Geen spoor van de andere zoon. Hij
schijnt ergens op trektocht te zijn.'

'Bel Joan Dwight op. Ik wil weten wat er op de tape stond die Fish
donderdag heeft ingesproken voordat hij van kantoor wegging, hoe
onbelangrijk ook.'

Cooper keek stiekem op de klok: het was kwart over zes. De
hoofdinspecteur zag hem kijken en vloekte hardop.

'De kinderen! Neem me niet kwalijk, Cooper. Ik moet even bellen!'

Terwijl de brigadier wegging toetste hij het nummer in. Zoals bijna altijd nam Bess op: 'Harlden twee-zes-vijf-negen-twee, met wie
spreek ik?'

'Met papa.'

'Papa!' gilde haar hoge stemmetje in zijn oor en hij moest lachen.
Zo ging het altijd wanneer hij belde: ze was zo warm, zo trouw en
zo open in haar uitingen van liefde. Soms brak het zijn hart en kwam
de angst in hem opzetten dat hij op een dag niet in staat zou zijn dat
absolute vertrouwen in hem waar te maken. Ze wist onmiddellijk
dat hij laat thuis zou zijn en met een grootmoedigheid en begrip die
haar zeven jaren ver te boven gingen, bespaarde ze hem de moeite
het te moeten uitleggen.

'Zal ik tegen Wendy zeggen dat ze je eten klaar moet zetten voor
als je terug bent, vanavond? Daar rekent ze al half op.'

'Ze hoeft geen eten voor me te koken, maar als ze het al gedaan heeft, ja, zeg dan maar dat ik laat ben. En, hoe is het vandaag met jou gegaan?'

Ze vertelde opgewekt over school en haar blokfluitles.

'We leren "Three Blind Mice", een echt liedje, en ik kan het al bijna spelen zonder de bladmuziek! Zal ik het je laten horen? Blijf hangen.'

Ze was al weg voordat hij iets kon zeggen. In de verte hoorde hij haar naar Christopher roepen, 'Papa is aan de telefoon!' en daarna een ongecoördineerd gestamp, gerammel van de hoorn op de houten tafel en toen de stem van zijn zoon.

'Hallo. Ben je weer laat?'

'Ja, jammer genoeg wel, Chris. Hoe is het met je? Heb je een prettige dag gehad?'

Aan de reeks bijna eenlettergrepige antwoorden hoorde hij dat zijn zoon geen prettige dag had gehad, maar dat hij lekker had gegeten. Hij was zo slecht opgewassen tegen het leven dat Fenwick zich constant zorgen om hem maakte. Hoe moest hij overeind blijven in een wrede, verwrongen wereld? Chris kon niet eens omgaan met rotstreken op het schoolplein en liep er dagen mee rond. Bess kwam natuurlijk wel voor hem op, maar zij was maar één jaar ouder en ze zou er niet altijd zijn. Hij leek zo huiveringwekkend veel op zijn moeder, vond Fenwick.

Chris gaf de hoorn weer aan zijn zusje en hij hoorde een ongelijke triool en de dalende tonen haperden. Bess blies van nervositeit te hard en piepte, of ze blies te zacht, zodat er geen geluid kwam. Het deuntje kwam niet verder dan de eerste paar regels, maar drie simpele noten zijn een deuntje, en hij hoorde het wonder ervan. Toen kwam Bess weer aan de telefoon.

'Hoorde je dat, papa? Hoorde je dat? Echte muziek!'

'Schitterend, lieverd, heel goed. Ga maar gauw weer verder oefenen.'

Even later legde hij de hoorn op de haak en staarde weer naar de muur. Nog drie uur en het was vierentwintig uur geleden dat het lichaam was gevonden. In een impuls besloot hij brigadier Gould in Burgess Hill op te gaan zoeken.

19

Nightingale liet zich in het geurende hete water zakken en legde haar hoofd achterover op een opgevouwen handdoek. De lampen waren uit en de kaarsen flikkerden in de luchtstroming, waardoor ze honderden lichtpuntjes wierpen op de lichte tegels en de zeepbelletjes, die tintelden op haar huid.

Ze wachtte op het moment dat ze zich schoon zou gaan voelen en stelde zich voor dat het hete water haar poriën openzette om de reinigende oliën op te nemen en daarna de laag vuil en minderwaardigheid die ze over haar hele lijf voelde, weg zou spoelen. Ze zette haar bijna lege wijnglas voorzichtig neer, sloot haar ogen, kneep haar neus dicht en liet zich onder het oppervlak zakken. Ze bleef zo lang mogelijk zo liggen, maar het hielp niet: het vuil wilde niet wijken.

Rusteloos liet ze het bad leeglopen, dronk haar wijn op en ging rigoureus onder de koude douche staan. Toen draaide ze de knop van koud naar gloeiend heet en toen weer naar ijskoud. Na vijf minuten kon ze niet anders doen dan stoppen; het werd te heftig om het vol te houden. Dat ze zich smerig voelde zat alleen maar in haar hoofd, dat wist ze wel, maar ze proefde nog steeds de stank van de straat achter in haar keel, en het gevoel van vettig gruis op haar huid wilde niet weggaan.

Heel simpel gezegd was het een afschuwelijke dag geweest. Rond de schemering hadden zij en haar partner die avond de bus genomen en ze waren naar het eindstation van de trein gereden. Daar hadden ze afgesproken uit elkaar te gaan en na elk vol uur weer bij elkaar te komen, tenzij er in de tussentijd ontwikkelingen waren. Nightingale begon te lopen tot ze in de straten van een achterbuurt kwam, met als enige versiering de meisjes die tegen lantarenpalen leunden, of in portieken en op straathoeken stonden. Zij had haar uiterste best gedaan om er heel gewoontjes uit te zien, maar zelfs haar oudste spijkerbroek was modieus, en het T-shirt dat ze droeg was frisgewassen. Ze viel op als een baken in de nacht en vormde een schril contrast met degenen om haar heen. Zelfs de jongste, die pas dertien moest zijn geweest, zag er afgeleefd en vaal uit toen Nightingale langskwam.

Het zou niet gemakkelijk worden om gesprekken aan te knopen. Een groepje van vier vrouwen met huidskleuren die varieerden van diepzwart tot spierwit, stond op een hoek door elkaar heen te snateren, terwijl ze hun ogen gericht hielden op het voorbijkomende verkeer. Nightingale liep naar hen toe, maar ze bleven doorpraten.

'Neem me niet kwalijk, kan ik even met jullie praten?'

Een mollig Euraziatisch meisje gaf antwoord zonder ook maar één keer haar ogen van de rijdende auto's af te wenden. 'Ben je een journalist of zo?'

'Nee, ik ben van de politie.'

Ze barstten allemaal in lachen uit. Niet pesterig, maar van hilariteit bij het idee dat zij zich in het hoofd haalde dat ze hun tijd zouden willen verdoen aan een gesprek met haar.

'Wij onderzoeken de moord op Tracie Grey en Amanda Bennett, gisteravond. Het waren pr...' Nightingale haperde bij dat woord. Opeens bedacht ze dat ze geen idee had of zij het als een belediging zouden opvatten. De groep voelde dat ze in verlegenheid was en nu keken ze langzaam allemaal naar haar. Het was ongelooflijk, maar Nightingale voelde dat haar wangen begonnen te gloeien en ze slikte.

'Het waren prostituees. Amanda woonde in Zeezicht en we proberen mensen te vinden die haar kenden. Tracie woonde in Black Rock Heights, nummer drie.'

'Hoe oud ben jij?' De dunne, bleke vrouw stond op kauwgom te kauwen en liet het continu van de ene kant van haar mond naar de andere kant gaan. Met lipcontour had ze fantasievol een hartje op haar gezicht getekend, ondanks haar dunne lippen, die ze op een misprijzende manier tuitte. Met felrode lippenstift had ze die lastige vorm voller gemaakt. Het leidde Nightingale af en ze keek een andere kant op.

'Dat doet er niet toe.'

'Nee, ik ben benieuwd naar de ervaring van de agenten die ze op zo'n belangrijke zaak zetten.'

'Er zijn er meer dan tien van ons mee bezig.' Nightingale besefte dat het gesprek haar ontglipte; hoe meer ze over zichzelf moest verklaren, hoe minder ze zou bereiken. 'Kende iemand van jullie Amanda Bennett of Tracie Grey?'

Twee van hen schudden zwijgend hun hoofd; de andere twee waren volslagen ongeïnteresseerd. Ze gaf het op en liep verder. Achteraf gezien was dat eerste gesprek misschien nog wel het minst onplezierige geweest van die avond. Er was naar haar gespuugd, er waren oneerbare voorstellen gedaan en ze was 'per ongeluk' tegen een betonnen pilaar geduwd. Na zes lange uren had ze niemand gevonden die toegaf de vermoorde vrouwen te hebben gekend en hetzelfde was het geval bij haar collega.

Toch had ze wel iets geleerd, gewoon door het eindstation van de trein te observeren. Je had vaste klanten: mannen die uit de trein stapten, regelrecht via een zij-ingang naar buiten kwamen en een van de vrouwen daar een seintje gaven. Zo'n vrouw kwam na een halfuur terug; God wist waar ze geweest waren, maar het was duidelijk wat ze gedaan hadden. Dan had je de nieuwelingen: schichtig, nieuwsgierig, opgewonden; ze bleven binnen rondhangen en verdwenen uit het zicht zo gauw er een politie-uniform verscheen.

De kinderen waren het moeilijkst in de gaten te houden. Op hun dertiende of veertiende wisten de pienterste onder hen al wie een potentiële klant was en gingen ze er snel op af, zodat ze de concurrentie voor waren. Soms ging er een ritueel van hofmakerij aan vooraf achter een bord friet en een hamburger. Heel af en toe maakte de klant – in de tijd dat Nightingale stond te observeren was het altijd een man – duidelijk dat hij geïnteresseerd was in een triootje en dan vormden de kinderen een paar: jongen/jongen, jongen/meisje, meisje/meisje. Als zij verdwenen bleven ze meestal een paar uur weg. Sommige kwamen helemaal niet terug.

Het zieligst waren de wat oudere tieners met hun lange haren, hun puistjes en hun broodmagere armen met bloeduitstortingen: verslaafd, gebruikt en misbruikt. Ze hingen daar rond, wanhopig op zoek naar een klant, te bang om terug te gaan naar hun pooier als ze niet hadden gescoord. Maar ze hadden allemaal één ding gemeen: geen van alle wisten ze iets over Amanda Bennett of Tracie Grey.

Ze zag aan hun ogen dat ze zich bewust waren van het gevaar – ze leefden er van uur tot uur mee – maar zij maakte geen deel uit van hun hoop op een oplossing. Zoals een van hen die het best uit haar woorden kon komen het zei, vlak voordat ze het die avond doodmoe en gedeprimeerd voor gezien hield: 'En hoe waren jullie dan van plan om mij te redden?'

'Wij kunnen moordenaars opsporen en opsluiten.'

'En de volgende dan, en die daarna? Waar zijn jullie als ik hier op straat sta?'

Nightingale wist niet wat ze daarop moest zeggen.

'Exact. Jullie kunnen niets voor ons doen, en wij doen niets voor jullie.'

Ondanks het bad moest ze heel erg haar best doen om haar geest tot rust te laten komen en te gaan slapen. Toch lukte het haar wel en toen om acht uur de wekker afliep werd ze bijna helemaal uitgerust wakker. Het was een heldere, frisse ochtend en ze besloot te gaan joggen in het kleine park tegenover haar appartement. Als ze pittig doorliep deed ze vijfenhalve minuut over één rondje; vandaag deed ze er vijf minuten over, om haar trage bloedsomloop flink op gang te brengen. Al vóór halftien was ze fris gedoucht en klaarwakker op het bureau.

Er was geen spoor van Pink of van de rest van de avonddienst te bekennen, dus besloot ze aan haar administratieve werk te beginnen. Pink had zich vast voorgenomen de twee moorden aan elkaar te koppelen, maar hoe ze ook haar best deed, Nightingale zag het verband niet. De zes uur die ze gisteravond op straat had doorgebracht waren volslagen tijdverspilling geweest.

Ze legde de laatste hand aan haar deprimerend korte aantekeningen toen Pink binnenkwam, op de voet gevolgd door twee andere agenten van de recherche. Ze hadden alle drie een vetvrije zak in de hand en de lucht van gerookte bacon vulde de ruimte. Dit was een van de vele rituelen die Nightingale had leren mijden tijdens haar korte uitzending; het was dé manier om haar het gevoel te geven dat ze anders was, óf als doelwit van ongewenste intimiteiten óf door haar uit te sluiten.

Het water liep haar in de mond bij de geur van warme bacon. Ze was de vorige avond zo misselijk geworden, dat ze als avondmaal alleen maar twee grote glazen wijn had gedronken, met een paar soepstengels erbij. Inmiddels rammelde ze van de honger en een baconsandwich was precies waar ze trek in had. Het was kwart voor tien, ze had nog net tijd om vóór de briefing naar de kantine te gaan.

'Goedemorgen,' riep ze, toen de anderen langs haar liepen. Ze keek op van haar toetsenbord terwijl ze door bleef typen. Pink keek haar argwanend aan en ze glimlachte open en nietszeggend terug. Toen stond ze op en hing haar tas over haar schouder. Het was weer zo'n zonnige dag en ze had een mintgroen linnen pak aangetrokken met een ivoorkleurige blouse. Het ensemble zag er koel en fris uit en het paste haar perfect.

'Waar ga jij heen?'

'Naar de kantine. Ontbijt halen.'

'De briefing is over een kwartier. Wel op tijd komen.'

Ze lette niet op Pink en liep naar het souterrain. Op deze tijd was de rij zo lang dat men op de gang stond. Ze sloot aan en begon op de klok te kijken. Tien minuten later had ze haar sandwich van geroosterd volkorenbrood, bruine saus en drie plakken bacon. De hitte drong door de papieren zak en het servetje heen en ze hield hem ver bij haar mantelpak vandaan, want op de plekken waar ze hem vasthield verschenen vette drukpunten.

Het duurde altijd eeuwen voordat de lift kwam, dus rende ze met twee treden tegelijk de trap op. Ze kwam precies één minuut voor het begin van de briefing binnen. Ze deed de deur open toen de anderen weer naar buiten kwamen. 'TGO-ruimte 2. Nu meteen.' Het humeur van Pink was nog erger dan anders.

Nightingale draaide zich meteen om en wilde achter hem aan lopen.

'Geen eten tijdens een briefing, dat weet je. Laat het hier liggen.'

Dat was waar, het was de regel, maar niemand hield zich eraan, tenzij de commissaris erbij was. De anderen hadden hun sandwiches al op, die van haar was nog sappig en warm. Ze slikte een mond vol speeksel weg.

'Oké.' Ze liep naar haar bureau en legde de warme zak op een notitieblok. Een paar agenten grijnsden zonder sympathie naar haar, anderen keken haar niet eens aan. Een van hen, die voldoende zelfvertrouwen had en zijn werk goed genoeg deed om zich nergens iets van aan te trekken, trok een gezicht en gaf haar een stootje tegen de schouder. 'Let maar niet op hem,' vormde hij met zijn mond.

TGO-ruimte 2 was half gevuld met geüniformeerde politie en rechercheurs. Pink was al in een heftige discussie toen Nightingale binnenkwam, haar bril met stalen montuur op het puntje van haar neus in afwachting van aantekeningen op het witte bord. Ze praatte ontspannen met een paar andere agenten, eigenlijk niets bijzonders, maar een normaal gesprek was een oase van rust vergeleken met de chargerende opmerkingen die Pink meestal had.

Hij riep de vergadering tot de orde en binnen een paar minuten was bevestigd wat zijzelf al eerder dacht. Ondanks zijn vaste voornemen waren er geen aanwijsbare verbanden tussen de twee gevallen. Toch liet hij de onderzoeksteams gecombineerd werken en hij benadrukte dat ze moesten blijven zoeken naar onderlinge verbanden. Nightingales korte verslag bevatte net zo weinig bijzonderheden als die van de anderen en Pink genoot met volle teugen.

Hun taken werden opnieuw vastgesteld. Pink zei tegen Nightingale dat haar dienst erop zat, tot ze die avond opnieuw de prostituees zou gaan ondervragen. Dat hield in dat ze onverwacht een flink aantal uren vrij had. Op goed geluk belde ze Nick, een andere student van de versnelde politieopleiding in Harlden, om te horen of hij vrij was en zin had om naar Brighton te komen voor de lunch. Tot haar verbazing lukte dat.

Ze namen hun consumpties mee naar de tuin van de pub en hij hoorde haar beschrijving van de lopende zaak aan. Ze vertelde hem dat haar gesprekken in de tippelzones niets hadden opgeleverd en emotioneel uitputtend waren en dat ze voelde dat die vrouwen haar niet moesten; door haar aanwezigheid had ze de klanten, die langzaam langs de stoeprand reden of de opzichtige kaartjes in de telefooncellen bekeken, schichtig gemaakt. Het was voor het eerst dat Nightingale meemaakte dat ze faalde, en dat beviel haar helemaal niet. Ze kon zich niet in deze mensen inleven en zij van hun kant wantrouwden haar of gedroegen zich zo minachtend tegenover haar dat ze er kwaad van werd. Zij probeerde alleen maar haar werk te doen en nog meer moorden te voorkomen, maar daar hadden ze geen boodschap aan.

Voor één keer gaf ze lucht aan haar frustraties en klaagde: 'Hebben ze dan niet in de gaten dat ik er ben om ze te helpen? Ik doe alleen maar mijn werk!'

Nick keek eens naar de onkreukbare, elegante vrouw tegenover hem. Een volmaakt gave huid, heldere ogen, verzorgde nagels, een moderne pagecoupe in haar kastanjebruine haar die minstens vijftig pond had gekost. Ze droeg vrijwel geen make-up, die had ze niet nodig, maar desondanks zag ze eruit alsof ze klaar was voor een fotoreportage. Eén slanke voet, gestoken in een pump van hertenleren suède, hing over de bank waar ze op zaten.

Haar uiterlijk verried precies waar ze vandaan kwam: uit een bevoorrecht, upper class nest, met een exclusieve opleiding. Hoe moest hij haar zeggen dat zij een volstrekte alien zou zijn voor de meeste mensen met wie ze te maken zou krijgen in het beroep dat ze gekozen had, en dat ze kwetsbaar was voor de manier waarop zij tegen haar aankeken? Toch was ze als politievrouw een van de besten.

'Voor hen is het moeilijk om jou te vertrouwen. Je bent anders, niet alleen omdat je de wet vertegenwoordigt, maar ook omdat je van een andere klasse bent.'

'Ach, kom toch! We leven in een nieuw millennium, dan kun je toch niet meer van klasse spreken.'

'Jawel. Het is de realiteit waarmee je te maken hebt. Je hebt een bevoorrechte opvoeding gehad en dat is te zien. Dat houdt voor een heleboel mensen in dat jij hun problemen niet begrijpt en waarom zouden ze je dan vertrouwen?'

'Maar ik begrijp ze wel en ik wil ze helpen. Dat moeten ze toch zien.'

'Mensen zien wat ze willen zien. Begrijp me niet verkeerd: als de mensen je eenmaal kennen wordt het anders, en ik zeg niet dat je lastig bent om mee samen te werken of zo, want dat ben je niet, je bent een prima mens. Maar je moet goed begrijpen dat jij voor de doorsnee prostituee die bij de pier rondhangt, alles vertegenwoordigt wat zij niet heeft. Het is nog een wonder dat je niet aangevallen bent!'

Nightingale haalde mistroostig haar schouders op en Nick besloot over iets anders te praten. 'Kom, ik haal nog wat te drinken voor je. Hetzelfde recept?'

'Nee, dank je, bitter lemon graag. Ik moet nog rijden.'

Na weer zo'n vruchteloze avond keerde Nightingale even na enen terug in haar flatje. Het antwoordapparaat knipperde. Haar moeder had twee keer ingesproken om haar eraan te herinneren dat haar broer zaterdag jarig was. Ze hielden een lunch met de hele familie en zij werd ook verwacht. Ze wiste de tape, controleerde zorgvuldig of haar deuren en ramen op slot zaten, nam een douche en stapte meteen in bed.

De volgende morgen werd ze met branderige ogen wakker en staarde wezenloos naar het plafond. Toen ze had gedoucht, zich had aangekleed en na het eten van wat fruit in de auto zat om naar het bureau te gaan, kreeg ze een idee. Als ze snel was kon ze er nog voor de briefing van die middag achteraan gaan.

Bij de divisie zocht ze een paar dingen op en ging op zoek naar de afdeling Jeugd en Zeden, waar ze bij de koffieautomaat bleef rondhangen. Dat ze een knappe jonge meid was had ook zijn voordelen, en algauw raakte ze in gesprek met een wat slordig uitziende rechercheur. Hij had geen enkel bezwaar om haar uit te leggen hoe het er bij de zedenpolitie in Brighton aan toeging, en stelde voor om een kop koffie te gaan drinken in een café in de buurt. Achter een uitstekende cappuccino begon hij te praten.

'In principe heb je hier drie soorten prostituees: allereerst de losvaste, huisvrouwen, die thuis hun zaakjes afhandelen. Die houden zich gedeisd, maken weinig kosten en ze zijn niet aangesloten bij de bendes. We horen zelden iets over hen, behalve wanneer een van de buren begint te klagen, of wanneer ze in elkaar geslagen worden omdat ze op een terrein komen dat van een georganiseerde bende is.

De tweede groep heeft met drugs te maken; meestal zitten daar de nieuwelingen bij. Ze worden opgepikt door een vent die zich voordoet als hun prins op het witte paard. Hij maakt hen verslaafd en dan gaan ze klanten zoeken om hem een plezier te doen en om aan hun verslaving te voldoen. Dat is georganiseerd en territoriaal, en er zijn jongens én meisjes bij betrokken. De succesvolle pooiers klimmen op en werken voor clubs of plaatselijke bendes, maar het echte geld verdienen ze met de prostitutie en drugs.'

'Wat gebeurt er met die meisjes?'

'Die gaan over het algemeen al vroeg dood. Als ze tegen de dertig lopen zien ze eruit als vijftig en zijn ze niet meer aantrekkelijk. Ze worden door hun pooiers gedumpt en daarna glijden ze steeds verder af, tot ze dakloos en straatarm zijn. Ik zei het vanochtend nog tegen brigadier Pink: jullie Tracie Grey zat in die groep. De flat waar ze gevonden is, was er een van de vijf die haar pooier in bezit had, en naar haar leeftijd te oordelen zou ze daar niet lang meer hebben gewoond.'

Nightingale staarde hem vol verbazing aan. Waarom had Pink niet meteen achter de naam van Tracies pooier kunnen komen, in plaats van Nightingale en de anderen nog een keer de straat op te sturen, wat gedoemd was te mislukken en wat vernederend voor hen was? Ze slikte haar woede over de slordigheid waarmee hij deze zaak tot dusverre had behandeld weg, en concentreerde zich op het vervolg van het gesprek.

'Helemaal bovenaan staan de escortbureaus en de speciale dienstverlening. Die worden meestal geleid door syndicaten. Zij zijn strak georganiseerd en erg lucratief. Ze mikken op de rijkere clientèle, zakenlieden en mensen die in de publieke sector werken en die later merken dat ze gecompromitteerd zijn geraakt, zodat ze gunsten moeten verlenen aan lieden die ze liever niet waren tegengekomen.'

'Dus dat is een tak van de georganiseerde misdaad en gaat gepaard met chantage?'

'Dat is altijd georganiseerd, ja, maar de chantage is selectief. De prostitutie bestrijkt tegenwoordig slechts ongeveer een kwart van hun omzet. De rest is smokkel, autozwendel, grote diefstallen.'

'En Amanda Bennett?'

'Tot ze werd vermoord zou ik er geld onder hebben verwed dat zij een overlever was. Wij kennen haar tamelijk goed; ik heb haar zelfs een keer gearresteerd. Ze had een strafblad, maar ze slaagde er op de een of andere manier in zichzelf omhoog te werken uit de onderlaag van de business. Ze heeft een paar jaar geleden gezeten, omdat ze leefde van immoreel verkregen inkomsten: ze runde een bordeel met jonge meisjes, geen van alle minderjarig, daar zorgde ze wel voor, maar toch jong genoeg om de dochter te kunnen zijn van de meeste van haar klanten. En ze bediende mannen met uitzonderlijke voorliefdes.'

'En bij welk syndicaat behoorde zij?'

'Goede vraag. Daar zijn we nooit achter gekomen, en dat is ook de reden waarom ze zo lang heeft vastgezeten. Ze hield vol dat ze alleen werkte en we hebben het tegendeel nooit kunnen bewijzen.'

'Zou ik het dossier eens mogen inzien?'

'Ik zou niet weten waarom niet. Vraag maar aan brigadier Pink, hij heeft het.'

Nightingale dronk haastig haar koffie op en bedankte de hoofdagent voor zijn hulp, maar ontweek handig zijn voorstel om later samen iets te gaan drinken. Ze had nog maar twee dagen te gaan tot ze naar Harlden kon terugkeren en die gedachte hielp haar over haar intense verontwaardiging heen.

Later hoorde Pink op het bureau wat ze had gedaan, met wie ze had gesproken en wat ze op eigen initiatief te weten was gekomen. Terwijl hij naar haar keurige hoofd keek, zoals ze over haar toetsenbord gebogen zat om haar rapport te typen, gingen er snel achter elkaar een heleboel uitdrukkingen over zijn gezicht, van woede, verbazing en schoorvoetend respect. Maar hij zei niets. Wel gaf hij Nightingale toestemming om zich in de laatste dagen voordat ze eindelijk naar Harlden terugkeerde, bezig te houden met het afwerken van de losse eindjes.

20

'Alex en Sally hebben ons weer uitgenodigd om te komen eten. Op de achtentwintigste.'

'We zijn de vorige maand nog bij hen geweest, Graham.'

'Ik weet het, maar Sally belde op en drong er nogal op aan, en ik heb maar ja gezegd.'

'Dat is komende vrijdag al. Ik dacht dat je hun gezelschap helemaal niet prettig vond.'

'Alex gaat wel, in beperkte mate, en ik moet toch naar het zuiden om een paar zakelijke kwesties te bespreken. Ik ga een paar dagen eerder weg om wat dingen te regelen en jij kunt naar me toe komen.'

Graham klonk luchtig, maar Jenny kon zien dat zijn schouders gespannen waren en dat maakte haar ongerust. Hij was de afgelopen dagen zo in zichzelf gekeerd.

'Ik ga met je mee.'

'Nee!' zei hij op scherpe toon, waardoor Jenny uit het veld geslagen was.

'Wat is er, Graham? Wat knaagt er aan je? Waarom wil je niet dat ik meega? Het is goed voor je als er iemand bij je is.'

'Ik wil jou er niet in betrekken, lieveling. Er moeten een paar dingen openlijk besproken worden en dat kan ik beter doen als ik alleen ben. Toe nou, kijk niet zo. Na dat diner kunnen we naar Londen gaan en dan koop ik iets voor je.'

'Ik hoef geen cadeautjes, Graham. Het enige wat ik wil is bij jou zijn.'

'O, maar dat wordt een heel speciaal cadeau, iets wat ik nog nooit voor iemand heb gekocht. Ik ga maar een paar dagen weg en daarna zijn we weer bij elkaar.'

Hij probeerde zijn armen om haar heen te slaan, maar Jenny hield hem nogal gepikeerd af, wat hen allebei van hun stuk bracht.

'Dit is niets voor jou.'

'Dat weet ik, Graham,' zei ze met een door tranen verstikte stem, 'maar je bent de laatste tijd zo afwezig. We zijn zo halsoverkop naar Schotland gegaan, dat ik de indruk kreeg dat je ergens voor wegliep. En je hebt voor de jacht drijvers in dienst genomen die niets te doen hebben en maar wat rondlummelen, maar ze hebben meer weg van beveiligingsmensen. En elke keer als jij denkt dat ik niet kijk, lijk je je doodongerust te maken.'

Nu sloeg hij zijn armen wel om haar heen en stond ze het toe.

'Het spijt me. Ik wil je absoluut niet ongerust maken, lieveling. Je hebt gelijk, ik ben gespannen. Er is iets niet in orde en daar heb ik van de privédetective nu ook de bewijzen van gekregen.'

'Ik dacht dat hij Sally in de gaten hield?'

'Dat deed hij ook.' Graham keek dreigend en Jenny werd opnieuw heel bang. 'Ik heb alles wat ik nodig heb over Sally, dat is het probleem niet. Maar wat ik over haar te weten ben gekomen heeft me naar nog veel meer rotzooi geleid.'

'Vertel het me, ik wil je graag helpen.'

Hij drukte haar stevig tegen zich aan.

'Nee, Jenny. Daarvoor ben je te belangrijk voor me. Ik zou het niet kunnen verdragen als jou iets overkwam. Ik hou van je.'

Deze plotselinge liefdesverklaring legde haar het zwijgen op. Dat had hij nog niet eerder tegen haar gezegd en toen ze gingen samenwonen had hij heel duidelijk verklaard dat liefde niet aan de orde was. Er was gedurende de afgelopen weken iets veranderd en dat besef maakte haar gelukkig, maar ze voelde zich er ook ongelooflijk kwetsbaar door.

'Ik hou ook van jou, Graham. Heel veel.'

Ze kuste hem heftig en begon hem mee te trekken naar de slaapkamer. Het geluid van de telefoon op de overloop stopte hen. Graham nam op. Toen hij na een minuut ophing zonder veel gezegd te hebben, was zijn gezicht grauw geworden.

'Dat was George Ward. Arthur Fish is dood. George is net terug van een golfvakantie en hoorde dat hij donderdagavond is vermoord. Ik had niet weg moeten gaan. Hij zou misschien nog hebben geleefd als ik dit eerder had afgehandeld.'

'Je denkt toch niet dat het iets te maken heeft met je vader of met de zaak?'

Graham liet zich hoofdschuddend op de bovenste traptree zakken en legde zijn hoofd in zijn handen. Jenny sloeg haar arm om zijn schouder en wist niet wat ze zeggen moest. Ze was ontzettend bang dat Graham, idealistisch als hij was, en zonder één greintje zakelijk inzicht, verwikkeld was geraakt in iets heel gevaarlijks, iets waarbij zoveel op het spel stond dat het zelfs iemand het leven kon kosten.

'Ik vertrek woensdag.' Graham stond abrupt op en trok haar overeind. Toen hij de uitdrukking op haar gezicht zag, zei hij: 'Ik ga alleen, Jenny. Ik zie je de achtentwintigste in de Hall.'

'Graham, wees alsjeblieft voorzichtig. Ik moet er niet aan denken je te verliezen, niet nu het zo goed gaat tussen ons. Ik weet niet waar je je zoveel zorgen over maakt, maar pas alsjeblieft heel goed op. Er zijn twee mensen dood die voor jullie familiebedrijf hebben gewerkt en jij denkt kennelijk dat dat geen toeval is. Ik weet wel dat ik jouw twijfels over de dood van je vader niet deelde, maar ik had het misschien mis. Als je iets weet of zelfs maar vermoedt, ga dan alsjeblieft naar de politie.' Haar openlijk smekende toon maakte dat hij haar dicht tegen zich aan trok en haar over de haren streek.

Hij fluisterde in haar oor: 'Dat zal ik ook doen, schat, na het diner, maar ik moet eerst zekerheid hebben. Ik zal geen onnodige risico's nemen, dat beloof ik je.'

Graham kneep in haar hand en trok haar langzaam mee over de overloop naar de slaapkamer.

21

Op de zaterdagavond na de moord op Fish, kwam Fenwick net op tijd thuis van het bureau om zijn kinderen voor het slapengaan voor te lezen. Een uur later belde Cooper hem. Ook al hadden ze bij het forensisch laboratorium een hele handafdruk van de schouder van Arthur Fish' colbert kunnen afnemen, toch waren ze er vier uur lang ingespannen mee bezig geweest om de vingerafdrukken definitief te kunnen matchen met die op het bebloede treinkaartje dat op het station Burgess Hill was gevonden. Daarna had het een hele dag geduurd om ze te vergelijken met die van de criminelen in het nationale datasysteem.

'We hebben een match, hoofdinspecteur. De afdrukken ter plaatse zijn allemaal afkomstig van een zekere Francis Fielding, die een bekende is van de divisie in Brighton. Hij heeft een hele reeks veroordelingen achter zich, te beginnen met jeugdcriminaliteit, drie keer voor drugsgerelateerde misdrijven, één keer voor pooieren en twee keer voor zware geweldsdelicten. Voor dat laatste heeft hij negen maanden gezeten. Vier maanden geleden is hij vrijgekomen.'

'Dan zou het toch een beroving kunnen zijn. Heb je het al met Brighton opgenomen?'

'Nee, hoofdinspecteur, ik heb eerst u gebeld. Wilt u dat ik dat doe?'

'Ja, maar vraag aan brigadier Gould of hij het wil doen. Hij kent hen goed en we moeten absoluut zeker weten dat ze het niet verprutsen. Kom me ophalen, dan gaan we erheen. Ze hoeven niet op ons te wachten, tenzij ze twijfels hebben over hoe ze te werk moeten gaan. Laat de onderzoeksleider mij op mijn mobiele telefoon bellen om af te spreken waar we elkaar treffen.'

Toen hij ophing voelde Fenwick zijn hart in zijn keel kloppen. Dit was de doorbraak die ze nodig hadden. Binnen een paar uur kon hij de zaak afsluiten, met een van de sterkste bewijzenreeksen die hij ooit had gehad. Het zou een geweldig resultaat zijn, voor hem persoonlijk en voor heel Harlden. Hij zat bij Cooper in de auto, nog geen kilometer van het adres van de verdachte, toen ze een telefoontje uit Brighton kregen dat zijn hoop de bodem insloeg. Cooper nam op.

'Het is Brighton, hoofdinspecteur. Ze hebben Fielding gevonden. Hij is dood.'

De plaats waar de dode lag werd fel verlicht door een naakt peertje van honderd watt, dat aan het plafond hing van een onverwarmde eenkamerflat. Het lijk lag voorover op het bed en de patholoog schatte dat hij al meer dan vierentwintig uur dood was. De lijkstijfheid in het bovenlichaam was al verdwenen en zat alleen nog in de benen. Een technisch rechercheur had al een gebruikte injectienaald gevonden en een zak met heroïne, zo leek het. Fenwick wachtte tot de plaatselijke onderzoeksleider zich had voorgesteld en vragen begon te stellen.

De patholoog-anatoom gaf bondige, zakelijke antwoorden. 'Het lijkt erop dat hij is overleden aan een enorme overdosis heroïne. Een klassieke vernauwing van de pupillen, niet groter dan een speldenknop, maar ik moet wachten op de bevestiging van het toxicologisch onderzoek. Tijdstip van overlijden ligt binnen de afgelopen zesendertig uur, maar het is minstens vierentwintig uur geleden. Voor zover ik in dit stadium kan zeggen is hij hier op zijn bed overleden en is hij niet verplaatst.'

Brigadier Winters knikte en nam een territoriale houding aan. 'Bel me op zodra hij geïdentificeerd is, dan kom ik naar je toe. Maar het lijkt mij vrij definitief. Te oordelen naar de hoeveelheid heroïne die we hebben gevonden, moet hij plotseling aan een heleboel contant geld zijn gekomen en is hij overenthousiast geworden, waardoor hij zijn hersens aan de kook heeft gebracht.'

Fenwick keek rond in de smoezelige keuken. Er stonden borden met voedselresten op het aanrecht opgestapeld. Waar nog ruimte over was stonden twee schone koffiemokken op een afdruiprek, met een pot oploskoffie ernaast en een oud geworden pak melk.

'Het lijkt alsof hij bezoek verwachtte.'

Brigadier Winters haalde zijn schouders op en negeerde de opmerking. 'We zullen praten met de buren en met mensen van wie we weten dat ze hem kenden, dus ik zal u op de hoogte houden, hoofdinspecteur.' Hij bleef beleefd, maar het was duidelijk dat Winters niet de indruk had dat Fenwick veel aan zijn onderzoek zou kunnen bijdragen.

'Dat is prima. Mocht u verder nog dingen ontdekken die hem met Arthur Fish in verband brengen of met uw twee prostituees, laat het ons dan weten. Wij willen graag weten hoe hij zoveel geld in handen heeft gekregen. En als u een mes vindt, kunt u dat dan zo snel mogelijk naar ons laboratorium sturen? Het zou het moordwapen kunnen zijn waarnaar we zoeken.'

Met de dood van Fielding kwam Fenwick onmiddellijk onder een enorme druk te staan om de zaak af te sluiten. Brigadier Winters vond de stiletto die het moordwapen bleek te zijn en de korpsleider redeneerde dat dit het laatste bewijs was dat ze nodig hadden. Fenwick was het er niet mee eens, maar met al zijn overredingskracht kon hij de korpsleider en commissaris Quinlan er niet van overtuigen hem brigadier Gould en zijn mensen nog een week ter beschikking te stellen.

Toen ontdekte het team in Brighton tweeduizend pond aan contant geld in een bruine papieren zak, verstopt onder Fieldings vloerplanken, en Fenwick voerde aan dat dit een bewijs kon zijn voor een moord in opdracht. Ondanks zijn drugsverslaving was Fielding maar een klein dealertje geweest in de plaatselijke scene, en was er geen verklaring voor hoe hij zo vlak voor zijn dood aan zoveel geld was gekomen. Met tegenzin zwichtte Harper-Brown en kreeg Fenwick zijn kostbare extra week.

Hij stelde brigadier Gould onmiddellijk op de hoogte. Deze moest proberen de herkomst op te sporen van het geld dat in Fieldings flat was gevonden, uitzoeken of er een connectie bestond tussen Arthur Fish, Amanda Bennett en Tracie Grey, en verder heel alert zijn op alles wat op een motief zou kunnen lijken, waardoor de moord herleid kon worden tot Wainwright. Dat was een pittige opdracht, maar Gould was een ijverige politieman. Fenwick had er alle vertrouwen in dat deze brigadier, áls hij gelijk had dat het geen simpele beroving was geweest, de schakels zou vinden die ze nodig hadden.

DEEL DRIE

Moord zit schijnbaar af en toe in de familie, net als talent.
G.H. Lewes

22

In de hele Hall waren de open haarden aangestoken, in de hal, de zitkamer, de salon en in de grote eetzaal, en de vlammen zetten de heringerichte kamers in een gloed van licht. Alles zag er perfect uit. Alexander en Sally hadden zich vast voorgenomen de familie in stijl in hun nieuwe huis te verwelkomen; daar had het onder de vorige eigenaar aan ontbroken, vonden ze.

Hongerig verteerden de vlammen in de grote salon de blokken van droog dennenhout en spuwden gloeiende asdeeltjes tegen het haardscherm. In de hoeken en bij de ramen bleef de koude lucht koppig hangen. De salon was groter dan het hele grondoppervlak van hun vorige huis en Alexander had het er nog nooit lekker warm gehad. Toen ze hier introkken had Sally direct de centrale verwarming afgezet. En die ging vóór november niet meer aan, wist hij; het was een van haar regels.

Ze verwachtten zeven gasten: Jeremy Kemp en zijn vrouw, Graham en Jenny, Julia en Colin en hun dochter Lucy. Sally had de gebeurtenis enorm nauwgezet voorbereid en de enige taak van Alexander was de vuren gehoorzaam te laten branden. Buiten was het al vroeg gaan schemeren en er hing een druilerige mist om het huis.

De telefoon ging.

'Alexander? Hoi, met Jenny. Kan ik Graham even spreken, alsjeblieft?' Ze belde met een mobiele telefoon, dat was te horen aan de ruis.

'Hij is er nog niet, Jenny.'

'Maar hij zou woensdag al naar jullie toe komen. Hij zei dat hij een vroege afspraak had of zoiets. Het is niets voor hem om weg te gaan en me niet te zeggen waar hij is. Ik maak me ongerust, Alexander. Toen hij wegging was hij in alle staten. Heeft hij jullie eigenlijk wel gebeld?'

'Nee, maar ik kan het aan Sally vragen, als je wilt.'

Alexander hing op en ging zijn vrouw zoeken. De keuken was de meest voor de hand liggende plek om het eerst te gaan kijken, maar daar was ze niet. In de eetkamer waren alle kaarsen aangestoken. Twee dikke altaarkaarsen stonden tussen de bloemarrangementen in het midden van de mahoniehouten tafel en de victoriaanse rode wijnglazen vingen het licht op, zodat de tafel leek te baden in een etherische, sprookjesachtige gloed. Het massieve tafelzilver van zijn oom was glanzend opgepoetst en weerkaatste het kaarslicht. Ook hier geen Sally. Alexander dacht aan de bloemenkamer en toen hij door de gang achter in het huis liep hoorde hij haar stem.

'Goed, Irene, dit is voor de kamer van Julia en Colin, je weet wel, de Oriëntaalse Kamer. Breng het er voorzichtig naartoe! Mors niet en zorg ervoor dat je het op een onderzetter neerzet. Ik wil geen watervlekken op de meubelen zien. En kom snel terug, deze is voor de kamer van Graham. De gasten kunnen elk moment hier zijn.'

Irene, een van de hulpen voor overdag die onder druk was gezet om vanavond ook te komen helpen, wurmde zich langs Alexander heen met een hoog, dun bloemstuk in haar handen, dat vaag Japans aandeed.

Sally was zo geconcentreerd bezig met de laatste hand leggen aan de bloemstukken, dat ze hem niet hoorde aankomen. Een groot plastic schort, losjes in haar nek gestrikt, beschermde haar avondkleding, die ze al aangetrokken had. Ze had een broekpak van roze zijde uitgekozen, met een tuniek met lange mouwen en een ivoorkleurige sjerp om haar minuscule taille. De broek was strak en flatteerde haar tengere figuur, wat haar verleidelijk en tegelijk ook fragiel maakte. Het roze en het ivoor benadrukten haar volmaakte teint. Ze had haar haren opgestoken voor die avond en de gladde knot leek haast te zwaar voor haar lange, slanke nek. De oorhangers met de diamant en de parel waren van zijn tante geweest, maar ze pasten bij niemand zo perfect als bij Sally: ze waren als frisse dauw op een smetteloze roos, een contrast met de volmaakte fluweligheid.

'Hoi.'

Hoewel hij het zachtjes zei, schrok ze zich wild. 'O! Ben jij het. Je maakt me aan het schrikken. Zijn de vuren in orde?'

Ze keerde weer terug naar haar bloemstuk. Het brons en de oesterkleur van de chrysanten vloekten ontzettend met haar kleding en de schaal met bloemen die ze zo fijntjes aan het schikken was, deed hem denken aan een grafkrans.

'Goed dat je er bent,' ging ze verder. 'Ik kreeg het veiligheidsslotje van mijn horloge niet dicht. Kun jij dat even voor me doen?'

'Dat is mooi. Wanneer heb je dat gekregen?' Alexander keek vol ontzag naar de elegante, gouden wijzerplaat die met diamanten was bezet, en het roze krokodillenleren bandje.

'Het was een cadeautje van je oom, afgelopen kerst. Het is een Patek Philippe; heel lief van hem.'

Ze hield haar veel te dunne pols voor hem op, waaraan een loshangend, gouden veiligheidskettinkje bungelde. Hij trok de gesp strak aan en probeerde het kettinkje dicht te maken. Het scherpe stukje goud, onderdeel van het slotje, schoot in het zachte vlees onder de nagel van zijn duim.

'Au! Dat rotding prikt!'

'Pas op, het bloedt! Laat het niet op mijn mouw komen. Hier, was het af onder de kraan.'

Alexander spoelde het bloed af en trok zachtjes het stukje goud onder zijn nagel vandaan.

'Het is gebroken.'

'Laat maar zitten. Het komt wel goed. Wilde je iets?'

'Jenny belde net. Ze vroeg naar Graham. Zij dacht dat hij er al zou zijn, maar hij had niet gezegd dat hij eerder zou komen, toch?'

Sally pakte een fijne, lange schaar en knipte een recalcitrante knop af die niet wilde gehoorzamen.

'Nee, voor zover ik weet niet.'

'Dat heb ik haar ook gezegd. Ze klonk ongerust.'

'Ach, je kent Graham. Die maakt zijn eigen wetten. Hij zal wel ergens een andere Jenny hebben gevonden en er een dagje met haar tussenuit zijn gegaan.'

Irene kwam weer haastig de kamer in en perste zich met haar pronte figuur langs Alexander heen. Sally drukte haar ruw de bloemen in handen.

'Hier, pak aan! Laat het water er niet overheen gaan, sukkel! Kijk toch wat je doet!'

Een plasje water verspreidde zich langzaam over de tegelvloer. Alexander pakte een doek en bukte zich om het op te nemen terwijl Irene weer langs hem heen moest, op haar tenen en met haar handen vol.

'Ze moet hier weg!' siste Sally.

'Kom op, Sal. Het was een ongelukje. Helemaal niet erg.'

'Daar gaat het niet om, idioot! Ze is weer in verwachting, dat kan iedere gek zien. En ze is pas negentien.'

Alexander wrong de doek uit boven de gootsteen, terwijl zijn vrouw voorzichtig haar schort afdeed. Morgen zou een van de meisjes de bloemenkamer wel opruimen; voor nu was het welletjes, de gasten werden om zeven uur verwacht. Sally haastte zich naar de keuken en Alexander zocht de vleugel van zijn oom op, om nog één laatste ogenblik van rust te hebben.

Het was koud in de muzieksalon. Hij deed het licht aan, waardoor het buiten meteen donker leek. De mist was dichter geworden en bedekte het groen van de gazons en de schoonheid van de borders zonder onderscheid met een dikke, monotone, grijze deken.

Hij tilde het deksel van de Steinway op en begon te spelen. De nocturne in E mineur van Chopin vloeide als vanzelf uit zijn vingers en hij sloot zijn ogen om het rustige andante door zich heen te laten stromen. Het was maar een kort stuk en het verdreef even zijn gedachten aan Sally uit zijn geest. Zijn vrouw had iets wat de mensen schrik aanjoeg en dat begon hem zorgen te baren.

'Alex? Hier ben je! Schiet eens op, de gasten zijn er. De butler pakt hun jassen al aan.'

Het vuur in de salon was om onverklaarbare redenen laag gaan branden. Een paar minuten geleden laaide het nog hoog op, maar nu lagen de blokken te smeulen en steeg er een dikke houtrook uit op. Sally keek Alexander woest aan. Onvergeeflijk was het, dat hij het grootse entree bedierf. Verder was alles perfect.

De butler nam de blaasbalg ter hand en liep naar het vuur. Na een paar keer blazen begon het te flikkeren en te gloeien. Sally liet haar gasten de veranderingen zien die ze in de kamer had aangebracht, zich niet bewust – maar misschien negeerde ze het ook gewoon – van de jaloezie en onderdrukte woede bij haar toehoorders. Na een tijdje maakte Lucy zich los van haar ouders en liep naar Alexander toe die bij het vuur stond, terwijl ze het glas champagne dat haar werd aangeboden, aanpakte.

'Alexander, ik moet je om een gunst vragen. Mijn vriend is vandaag jarig en we waren van plan geweest om het samen te vieren. Maar ik moest hiernaartoe. Niet dat ik dat erg vind, want ik vind het altijd om leuk je te zien, maar...'

'Waarom heb je niet gebeld? We kunnen er gemakkelijk een gast bij hebben.'

'Mama wilde het niet hebben, maar ik heb tegen Ryan gezegd dat ik het aan jou zou vragen en hij kan hier binnen twintig minuten zijn.'

Alexander lachte. 'Bel hem maar, hoor. De telefoon staat in de hal.'

'Dat is oké, ik heb een mobieltje. Bedankt, Alexander!' Ze gaf hem een kus op zijn wang.

Ze hadden allemaal ten minste twee glazen champagne op voordat Jenny met de taxi van het station arriveerde. Ze was gekleed alsof ze ging stappen; haar zwarte mini-jurk met kant was zo doorschijnend dat je haar bijpassende beha kon zien. Meteen toen ze binnenkwam keek ze verwachtingsvol rond of ze Graham zag.

'Is hij er nog steeds niet?'

'Nee, liever. Maar maak je niet ongerust, hij zal zo wel komen opdagen. Wedden dat hij ergens rondhangt en de tijd is vergeten,' zei Sally in een terloopse, nietszeggende poging om haar gerust te stellen en ze kuste in de lucht naast Jenny's wang.

'Maar dat is niets voor hem. Hij heeft me al twee dagen niet gebeld en dat is nog nooit eerder gebeurd.'

Achter Jenny's rug wisselde Sally een blik van verstandhouding met Julia, die bij zichzelf dacht: *zo, dus hij heeft eindelijk genoeg van haar. Dat werd tijd.*

De ongerustheid van Jenny werd even verdreven door de komst van de Kemps, snel gevolgd door Ryan, tot Lucy's grote blijdschap en ergernis van haar moeder.

'Blijft hij ook slapen?' vroeg Sally koeltjes aan Lucy, haar man nadrukkelijk negerend.

Om Lucy niet in verlegenheid te brengen gaf Ryan meteen antwoord. 'Nee hoor, bedankt. Ik drink niet, dan kan ik straks nog terugrijden.'

Er gingen canapés met gerookte zalm rond en Graham was er nog steeds niet. Er werd nog meer champagne geschonken, de klok sloeg acht uur en er viel een onbehaaglijke stilte.

De butler redde de situatie door met een gewichtige stem aan te kondigen dat het diner kon worden opgediend.

Lucy begon te giechelen om zijn pompeuze manier van doen, wat haar moeder nog kwader maakte. Sally stelde voor dat ze maar zonder Graham moesten beginnen, anders zou het diner bederven. Muriel Kemp moest Jenny overreden om uit haar stoel bij het raam te komen en Ryan vroeg Alexander hardop of hij de butler samen met het huis had geërfd. En zo gingen ze met broze, onzekere pogingen tot conversatie door de grote hal in de richting van de eetzaal.

Alexander had een goede keuze gemaakt uit de wijnen in zijn ooms kelder. Zelfs Colin was onder de indruk en begon uit te weiden over de Gevrey-Chambertin die werd ingeschonken. Aan de andere kant van de tafel zat Sally te glimmen en te schitteren van plezier toen haar gasten zich begonnen te ontspannen. Elk compliment werd met gracieuze bescheidenheid in ontvangst genomen, maar Alexander kon zien hoeveel het voor haar betekende. Jeremy Kemp zat rechts van haar, op de plaats die voor Graham bestemd was, en ze deed zo charmant en vleiend tegen hem dat hij zichtbaar bedwelmd van haar raakte.

Alexander lachte inwendig, toen hij zag hoe zijn vrouw vriendelijk de overdreven klopjes en omarmingen van de advocaat afhield. Rechts van hem zat Jenny, die bijna niets zei en met lange tanden zat te eten. Tijdens het hele, langdurige diner deden Alexander en Ryan ijverige pogingen om haar op te beuren, maar het hielp allemaal niets. Haar ongerustheid was intussen bijna tastbaar geworden en iedereen werd erdoor aangestoken.

Om Jenny's gedachten van Graham af te leiden stelde Alexander na de koffie voor naar de muzieksalon te gaan, die boven de hal aan de voorkant van het huis lag.

Hij was nog altijd in de stemming voor Chopin en speelde eerst de E mineur nog een keer en ging toen over op een van zijn favoriete etudes. Hij was halverwege een volgende nocturne toen hij Lucy zag wenken. 'Wij gaan even wandelen,' vormde ze met haar lippen en ze wees naar de deur.

Toen de muziek was afgelopen keerde de hele groep, zonder Lucy en Ryan, terug naar de salon om koffie en armagnac te drinken. Afgezien van Ryan zouden ze die nacht allemaal blijven logeren en niemand had haast om naar bed te gaan. De betovering van de muziek had zijn uitwerking op hen allen gehad, behalve op Jenny, die buiten zichzelf en bijna in tranen was van ongerustheid. Rond middernacht begonnen er een paar te kaarten.

'Wat is dat?' Julia keek met een ruk op.

'Wat?'

'Dat geluid, het lijkt wel geschreeuw.'

'Het zal wel een vos zijn,' zei Sally wegwuivend. Maar ze bleven allemaal stilletjes zitten luisteren of ze het opnieuw hoorden.

'Daar! Horen jullie dat?'

Ze knikten allemaal. Het gegil was nu duidelijk te horen, hoewel de mist een ondoordringbare sluier rond het huis legde.

'Waar is Lucy?' zei Julia met een schelle stem van ongerustheid.

'Ze is een uurtje geleden met Ryan gaan wandelen.'

Alexander maakte zich er niet al te druk om. De Hall lag weliswaar kilometers buiten de bewoonde wereld, maar de twee geliefden waren bij elkaar.

'Colin, ga je dochter zoeken. Ze moet niet in haar eentje buiten lopen.' Julia keek haar man beschuldigend aan.

Colin hees zich traag maar gehoorzaam overeind. Zijn gezicht was rood aangelopen en bezweet en hij waggelde toen hij probeerde de deur te vinden.

'Ik ga wel mee.' Alexander stond al en was in de hal voordat iemand hem kon tegenspreken. Afgezien van Jenny scheen hij de enige te zijn die nog helemaal nuchter was.

Het was kil en vochtig buiten en hij had er spijt van dat hij geen jasje had aangetrokken. Waar moest hij beginnen? Hij kon nauwelijks een paar meter voor zich uit zien. De kreet klonk opnieuw en de haartjes op zijn armen en in zijn nek gingen overeind staan. Het klonk zo menselijk: een doodsbang, paniekerig gejammer. Hij begon in de richting ervan te lopen en te roepen.

'Lucy? Ryan? Waar zijn jullie?' Nu kon hij gesnik horen. Het was geen dier. Hij begon te rennen, maar hield toen weer in, bang dat hij degene die daar in het donker was zou mislopen.

'Lucy! Hier ben ik. Lucy!'

Er maakte zich een schaduw los uit de mist, die op een sukkeldrafje naar hem toe kwam. Hij zag twee hoofden en gezwaai van armen. Het waren Lucy en Ryan, die zich doodsbleek en met openhangende mond van afgrijzen aan elkaar vastklampten. Ze leken wel versteend.

'Het is goed. Hier ben ik, kom maar.' Hij sloeg zijn armen om beiden heen. Lucy snikte inmiddels onbedaarlijk en beefde in zijn armen. Ryan legde zijn hoofd zwaar ademend op zijn schouder en Alexander kon een scherpe, zure lucht van angst ruiken, telkens als hij uitademde.

'Het is in orde. Jullie zijn veilig. Kom maar mee naar het huis.'

Hij dacht dat ze verdwaald waren en in de mist en de duisternis tussen de bomen het spoor bijster waren geraakt tot ze totaal gedesoriënteerd en bang waren geworden. Ze waren nog zo jong, en dit was een geschikte avond om overal spoken te zien, zelfs voor de meest prozaïsche geest.

'Je snapt het niet.' Ryans stem klonk hees van angst.

'Wat snap ik niet?'

'Het is... wij... hij...' Wat het ook was, Ryan kreeg de woorden niet uit zijn keel.

Lucy ademde twee keer heel diep in. 'Het is Graham, Alexander. We hebben Graham gevonden. Ik denk dat hij dood is.'

23

'O, god!' Alexanders eerste gedachte ging naar Jenny. Hoe moest hij dat tegen haar zeggen? Daarna dacht hij schuldbewust aan zijn neef. Hij had zich dus toch ongerust om hem moeten maken.

'Weet je het zeker, Lucy? Ryan?'

Lucy knikte. Ryan zei: 'De man die we hebben gevonden is dood. Dat weet ik zeker.'

'Het was afschuwelijk, Alexander.'

'Zeg me waar hij is, dan ga ik kijken. Jullie blijven in de tussentijd hier.' Hij wilde niet dat ze het huis zouden binnenstrompelen voordat hij terug was om Jenny te ondersteunen.

Hun aanwijzingen waren vaag. Ze konden zich niet herinneren waar het lichaam was – 'onder een boom' was alles wat ze konden uitbrengen – en ook niet hoe lang ze hadden gerend voordat Alexander hen vond. Het drong al snel tot hem door dat hij Graham met geen mogelijkheid in zijn eentje zou kunnen vinden. Hij had hulp nodig.

Julia stond op het terras voor het huis met haar mantel om haar schouders en tuurde in de mist. Meteen toen Lucy haar zag, rende ze bij Alexander en Ryan weg en wierp zich in de armen van haar moeder.

'Lucy, schat. Sst, stil maar. Het is goed. Je bent nu veilig. Kom mee om warm te worden. Je bent door en door koud.'

Door het gevoel van veiligheid, liefde en een meelevende stem brak Lucy totaal en bleef er weinig meer van haar over dan een hevig snikkend hoopje narigheid.

'Kom, kom, alles is in orde.' Julia sloeg haar mantel om de trillende schouders van haar dochter.

'Wat is er, Alexander? Wat is er gebeurd?' Sally stond kaarsrecht en volkomen kalm naast Jenny, die hem vol afgrijzen aanstaarde. Op de een of andere manier wist ze het al; ze had een voorgevoel gehad dat ze het ergste moest vrezen.

'Lucy, Ryan, vooruit, ga binnen in de salon bij het vuur zitten om warm te worden.'

De twee liepen gauw weg; de opluchting en de uitputting wogen zwaarder dan de wens om in het middelpunt van de aandacht te staan. Julia en Muriel Kemp gingen met hen mee.

Alexander liep naar Jenny toe en sloeg zijn armen stevig om haar heen. Hij probeerde woorden te vinden die de pijn die hij zou veroorzaken, konden verzachten, maar dat was onmogelijk.

'Jenny,' zei hij zachtjes zonder op de anderen te letten, 'Lucy en Ryan denken dat ze Graham hebben gevonden. Ze zeggen dat hij dood is.'

Hij zette zich schrap voor een aanval van hysterie en nog meer tranen, maar Jenny bleef volkomen roerloos staan.

'Dood, zeg je.' Haar stem klonk kalm en verkillend vlak. 'Dan kunnen we maar beter naar hem gaan zoeken.'

'Wij zullen wel gaan, Colin, Jeremy en ik. Blijf jij maar hier bij Sally.'

'Nee! Ik moet erbij zijn. Dat zou hij hebben gewild. Ik ga mee.'

'Jenny...'

'Laat maar, Alex,' zei Sally. 'Ze heeft gelijk. Trouwens, ik ga ook mee.' Ze gebaarde naar de butler dat hij hun jassen moest gaan halen en ze ging andere schoenen aantrekken. Haar zakelijke aanpak verontrustte Alexander meer dan al het andere tot nog toe op deze krankzinnige avond.

Jenny was helemaal verstijfd in zijn armen. Hij probeerde haar tegen zich aan te drukken als gebaar van troost en steun, maar ze merkte het niet. Jeremy Kemp en Colin, die van de schok weer nuchter was geworden, stonden zwijgend te wachten bij de open voordeur en tuurden vol ontzetting in de steeds dichter wordende mist rondom het huis. Na een paar minuten kwam de butler terug met jassen en zaklantarens, op de voet gevolgd door Sally.

'Wilt u dat ik de politie bel, meneer?' Hij zei het respectvol, maar het was duidelijk te merken dat hij vond dat zijn werkgevers de verkeerde volgorde hanteerden.

Sally was Alexander voor. 'Vind je dat niet een beetje voorbarig, Jarvis? Weten wij veel. Best mogelijk dat Graham gewoon voor dood ligt door de drank, en dat hij niet echt dood is.'

Een fractie van een seconde keken ze haar allemaal vol ontzetting aan. Alexander voelde hoe Jenny rilde bij die harteloze woorden van zijn vrouw, en hij zei snel: 'Mevrouw is diep geschokt, Jarvis. Ze dacht er niet bij na. Natuurlijk moet je de politie bellen. Ik had er zelf aan moeten denken. Heel goed, man.'

De butler knikte slechts. Hij had het allemaal door, maar hij was te professioneel om te laten merken hoe hij erover dacht. Alexander kon zien dat zijn vrouw hevig spijt had van wat ze had gezegd, maar ze kon het niet meer terugnemen. Zeg dan tenminste sorry, wenste hij vurig, maar dat deed ze niet, in plaats daarvan ging ze de groep voor naar buiten.

Ze konden alleen maar afgaan op de vage beschrijving van Lucy en Ryan waar ze het lichaam hadden gevonden. Alexander bracht de anderen terug naar de plek waar hij het stel was tegengekomen en bleef daar staan om te bespreken hoe ze te werk zouden gaan.

'Ze kwamen daarvandaan,' verklaarde hij en hij wees in de dichte mist, 'en ze zeiden dat het onder een boom was. Recht voor ons is een bosje met kreupelhout en ik geloof een paar eiken en beuken aan de linkerkant.'

'Je hebt daar ook die oude beuk rechts,' zei Sally.

'Ja, natuurlijk. Nou, we zijn met ons vijven. Ik stel voor dat we twee groepen maken en bij het bosje weer samenkomen. Als iemand iets vindt, moet hij roepen, dan gaan we op de stem af.'

Colin zei: 'Ik vind het niet erg om alleen te gaan, ouwe jongen, dan hebben we drie verschillende zoekrichtingen en werken we sneller. Ik weet de weg op het terrein.'

'Oké, Colin, dan...'

'Ik wil met jou meegaan, Alexander.'

'Natuurlijk, Jenny. Jeremy, dan nemen jij en Sally...'

'Wij gaan naar de oude beuk, schat.'

'Goed. Dan gaan wij naar die verste eiken toe en jij naar de groep bomen ernaast, Colin.'

De groep ging uiteen en het gele schijnsel van hun zaklantarens verdween in het parelgrijze duister van de nacht. Kemp liep achter Sally aan, die zelfverzekerd de pas erin zette. Hij voelde zich geïntimideerd door haar vastberaden tred. Zwijgend liepen ze verder tot ze opeens bleef staan en de lucht opsnoof.

'Wat is er?'

'De rivier. Ruik je dat? We moeten er nu bijna zijn, maar we zijn een beetje te ver naar het zuiden afgeweken. Deze kant op.' Sally liep weer door en keek nauwelijks achterom. Ze had een blos op haar gezicht en haar ogen glansden.

De gekste vormen doemden voor hen op toen het licht uit de zaklantaren zwarte schaduwen van struiken en lisdodden op de muur van mist wierp. Een omheind weiland strekte zich uit helemaal tot aan de rivieroever en even later hoorden ze het ruisen van de wind over het water. De mist trok net voldoende op, waardoor ze de hele rivier konden overzien.

'De beuk staat vlak achter die bomen. We zien hem zo.' En ja, de enorme, naar boven reikende, takken kwamen algauw in zicht. Sally hief haar lantaren op en scheen in de kruin van de enorme boom, waar de takken en jonge blaadjes heen en weer zwaaiden in de wind, als grote plukken zeewier die door de stroom worden bewogen.

'Schijn eens op de grond, Sally,' drong Kemp aan. 'Anders missen we hem misschien.'

Maar Sally leek het niet te horen. Langzaam begon ze om de grote boom heen te lopen. De mistflarden boden hardnekkig weerstand tegen de windvlagen en bleven tussen de takken hangen.

'Wat is dat?' zei Kemp, schor van de schrik. 'Daar, aan de andere kant.'

Sally hield de lantaren naar boven gericht, tussen de takken van de grote beuk, terwijl ze maar om de massieve stam heen bleef draaien.

'In godsnaam, mens!' Kemp rende voor haar uit en struikelde over boomwortels en gleed bijna uit op de natte bladeren.

'Mijn god! O, mijn god!'

Sally kwam rustig naar hem toe lopen en scheen met de lantaren op de witte gedaante, die een paar centimeter boven de grond heen en weer zwaaide en ronddraaide. Er was geen twijfel aan dat hij dood was. Zijn ogen stonden open en puilden uit, bloeddoorlopen door de kracht van een langzame wurging; zijn tong stak uit zijn mond en was zwart en opgezwollen. Het touw dat hem kennelijk had gedood, was diep in de blote huid van zijn hals gedrongen en op de plekken waar het hem had gesneden toen hij nog leefde, zaten bloedvlekken. Hij was naakt, op een kleine leren string na.

'Laten we de anderen maar roepen.'

'Je kunt Jenny hier niet naartoe laten komen, Sally. Dit mag ze niet zien.'

'Die is toch niet tegen te houden. Ze wil hem zien.'

'Maar we móéten haar tegenhouden. Dit is geen aanblik voor een vrouw!' Die woorden schokten hen allebei. Sally was veruit de meest beheerste van de twee. Af en toen draaide ze zich om en staarde ze naar het lichaam alsof het haar fascineerde, maar ze gaf absoluut geen blijk van angst.

Kemp voelde zijn eigen hart in zijn hoofd bonken en de geschoktheid op zijn gezicht veranderde in verwarring. Hoe was het mogelijk dat iemand geen krimp gaf bij een dergelijke afgrijselijke aanblik? Hij wist niet of hij onder de indruk of argwanend moest zijn. Hij kon normaal gesproken heel goed zijn gezicht in de plooi houden, maar wat Sally betrof kon hij zijn gevoelens niet verbergen. Ze interpreteerde zijn gezichtsuitdrukking helemaal juist.

'Je hebt gelijk, Jeremy, zoals altijd,' zei ze. 'Pak de lantaren en ga Alex zoeken voordat ze hier zijn.'

'Kun je dat aan, hier in je eentje?'

Sally keek naar het lijk en knikte. 'Ga maar.'

Alexander zag het licht van een andere lantaren op en neer gaan in de mist. Er kwam iemand naar hen toe rennen. Zijn maag kromp samen en hij hield Jenny's arm stevig vast.

'Het is goed,' zei hij zachtjes tegen haar. 'Ik ben bij je.'

Kemp kwam in zicht en ze wachtten zwijgend op hem. Met één blik op zijn gezicht wisten ze wat hij gevonden had. Ze stonden in een kring van verschrikking; niemand wilde de vraag stellen die zou bevestigen dat het leven van hen allen vanaf nu totaal anders zou zijn.

'Is hij dood?' verbrak Jenny's gefluister de stilte.

'Ja, Jenny, daar is geen twijfel aan. Hij is dood.'

Ze knikte en leunde zwaar tegen Alexander aan, die onwillekeurig zijn armen om haar heen sloeg.

'Heb je Sally bij Colin achtergelaten?'

'Nee.' Kemp keek verbaasd bij die suggestie. 'Ze is bij het l... Ze is bij Graham.'

'Alleen?' Alexander was verontwaardigd.

'Ze stelde het zelf voor, echt waar.'

'Godallemachtig, je moet af en toe gewoon niet naar haar luisteren, voor haar eigen bestwil! Dat weet je toch.'

'Maar, ik... Ze stond erop. Ze was heel kalm.'

Alexander keek eens naar Jenny, die zich krampachtig aan hem vasthield.

'Laat maar. Moet je horen, jij brengt Jenny terug naar het huis en je wacht op de politie. Ik ga wel naar Sally toe.'

'Nee, ik wil hem zien.'

'Dat is geen goed idee, Jenny. Ga alsjeblieft met Jeremy mee terug.'

'Nee, Alexander. Ik moet hem zien. Anders zal ik me later altijd blijven afvragen hoe... waarom... of hij heeft geleden.'

Kemp dacht aan het ontzettend verwrongen gezicht, de uitpuilende ogen, het touw met de bloedvlekken.

'Ik denk dat het niet verstandig is, Jenny, echt niet. Het is beter om hem later te zien, als hij' – hij had willen zeggen 'een beetje opgeknapt is', maar hij hield zich net op tijd in – 'als hij straks binnen is.'

'Waarom? Wat is er dan met hem aan de hand? Wat is er met hem gebeurd?' Nu begon ze te schreeuwen, hysterisch bijna. 'Zeg het dan!'

Kemp keek hen aan, niet wetend wat hij doen moest.

Jenny probeerde zich los te maken van Alexander, in een vertwijfelde poging om Graham te vinden en zelf te gaan kijken, hoe afschuwelijk de realiteit ook was. Ze konden haar niet terugsturen naar het huis, dan zouden ze haar samen moeten brengen en Alexander wilde liever naar zijn vrouw toe.

'Zeg het haar,' drong hij bij Kemp aan. 'Niet weten doet meer kwaad dan goed.'

'Het lijkt erop dat hij zelfmoord heeft gepleegd. Hij heeft zichzelf opgehangen.'

'Nee. Dat heeft hij niet. Waarom zou hij? Jullie hebben het helemaal mis.'

'Daar valt eigenlijk niet aan te twijfelen. Hij hing toen we hem vonden.'

Huiverend zag Kemp het groteske silhouet voor zich, dat als een vogelverschrikker in een halo van mist om zijn as draaide.

'Het kan niet.' Er kwam iets in haar hoofd op en ze glimlachte een beetje waanzinnig. 'Dat is niets voor Graham! Dat is het, het kan Graham niet zijn, hij zou nooit zelfmoord plegen. Hij hield van het leven en hij is er veel te laf voor. Het is allemaal een grote vergissing.'

Haar opluchting was aandoenlijk om te zien. Alexander keek Kemp aan en de advocaat schudde zijn hoofd. Er was geen spoortje twijfel op zijn gezicht. Zo onwaarschijnlijk als het leek, Alexanders neef was dood.

Verderop bij het huis werd een zaklantaren zichtbaar en toen een tweede. Een paar minuten later verschenen er twee agenten in uniform. Colin kwam vanuit de richting van de rivier aanlopen en wachtte zwijgend toen hij de uniformen zag.

'Meneer Wainwright-Smith?'

'Dat ben ik,' zei Alexander.

'Wij hebben een melding gekregen dat er een lichaam is gevonden.'

'Ja. Mijn neef, Graham Wainwright.'

'Nee, het is hem niet. Ik zeg toch aldoor dat hij het niet kan zijn. Hij zou zichzelf nooit op die manier ombrengen!'

De agent die sprak keek naar het groepje mensen; ze waren duidelijk overstuur.

'Maak er melding van dat het bevestigd is, Bill. En zeg dat er een vrouwelijke agent mee moet komen, samen met de politiearts.' Hij sprak Alexander aan. 'Als u ons naar het lichaam wilt brengen, meneer...'

Alexander aarzelde, keek naar Jenny en knikte toen. Kemp ging hen voor over het smalle voetpad langs de rivier. Op de oevers was alle mist praktisch opgelost, verwaaid door de opstekende wind. Het bosje kreupelhout met die ene enorme beuk verscheen voor hen.

'Hij is onder die beuk, ik zal het u laten zien.'

'Hebt u het lichaam dan gevonden, meneer?'

'Ja, ik was samen met mevrouw Wainwright-Smith. Trouwens, ik ben Jeremy Kemp, de advocaat van de familie.'

Ze liepen om de boom heen en Kemp zag ertegenop de man daar weer te zien hangen.

'Het is weg!' kraakte hij vol ongeloof. 'Het lichaam is weg. Het hing daar, aan die tak!'

'Hier moet je zijn,' riep Colin aan de andere kant van de enorme stam. Hij zat op zijn hurken naast Sally, met zijn armen om haar heen. Ze snikte zachtjes. Het lichaam lag een meter verderop op de grond met het touw nog strak om de nek. De plotselinge confrontatie met een dode en een huilende vrouw scheen hem nerveus te maken en hij probeerde sputterend zijn reactie te verklaren: 'Ik hoorde haar huilen toen we hier aankwamen. Vrij stom, Kemp, om haar hier alleen te laten.'

De stomverbaasde advocaat staarde naar de grond en vroeg zich af hoe Sally in godsnaam in staat was geweest het lijk van Graham te laten zakken. Zich al te bewust van haar verdriet zei hij maar niets. Hij kon toch niet gaan protesteren dat zij degene was geweest die met droge ogen en volmaakt kalm het voortouw had genomen en hem had opgedragen weg te gaan om de anderen te zoeken. Zoals ze er nu bij zat was dat gewoon niet geloofwaardig.

Alex liep naar zijn vrouw toe en op dat moment trok Jenny zich los uit zijn greep en rende naar het lichaam van Graham toe. Ze liet zich op haar knieën in de rottende bladeren vallen. Met één blik op zijn verwrongen gezicht wist ze dat het inderdaad Graham was en dat hij ontegenzeglijk dood was. Ze uitte een vreselijke jammerklacht en begon over hem heen te wiegen.

Agent Parks probeerde de controle over de situatie te herwinnen. 'Goed. Wil iedereen hier komen staan en weggaan bij het lichaam, alstublieft?' Zijn collega probeerde Jenny weg te halen, maar ze vocht als een tijgerin en schopte en sloeg van zich af. Uiteindelijk slaagde hij erin haar op te tillen en weg te dragen. Jeremy Kemp en Colin hielden haar vast en na enkele ogenblikken werd haar geschreeuw minder en ging het over in een constant, zacht gehuil.

Alexander moedigde Sally aan om ook weg te gaan. Eindelijk stonden ze alle vijf ver genoeg weg en kregen de agenten, vrij laat, de kans om de plaats des onheils af te zetten.

Parks keerde bij het groepje terug met zijn opschrijfboekje in de hand.

'Een paar vragen, alleen om de hoofdzaken vast te stellen.' Hij dacht aan het lijk dat van de boom was gehaald, aan al die voetstappen op de plek en dat er sporen waren van de schermutseling tussen Jenny en zijn collega. Hij zou zwaar in de problemen komen.

'Wie heeft het lijk nu eigenlijk gevonden?'

'Mijn dochter Lucy,' verklaarde Colin. 'Zij is in het huis bij mijn vrouw.'

'Was ze alleen?'

'Nee, Ryan was bij haar. Dat is haar vriend. Ze kwam naar het huis terug en wij hebben een zoekactie op touw gezet.'

'In plaats van op de politie te wachten?' Parks moest aldoor denken aan de puinhoop die ze er op die fatale plek van hadden gemaakt. Waarom hadden ze niet gewoon kunnen wachten tot de professionele hulpdiensten ter plaatse waren?

'Wij dachten dat hij misschien nog in leven zou zijn.'

'Dus Lucy en Ryan wisten het niet zeker, klopt dat?'

'Nee,' zei Alexander, 'zij waren duidelijk geweest, maar wij, nou ja, Sally vooral, dachten dat hij misschien dronken was of zo.'

'Ik begrijp het. En Sally is...?'

'Mijn vrouw, agent Parks, mevrouw Wainwright-Smith. Maar u kunt nu niet met haar praten. Zoals u ziet is ze heel erg overstuur. Ik moet haar terugbrengen naar het huis, en Jenny ook. Ze hebben allebei een shock en het is hier koud.'

'Dat is goed, meneer. Als ik nu even de namen van u allemaal kan krijgen. En ik verzoek u geen van allen het huis te verlaten. Wij moeten verklaringen opnemen.'

'Verklaringen? Maar waarom dat? Dit is een zelfmoord,' zei Kemp. 'U hoeft deze familie toch niet meer lastig te vallen?' Hij schoot helemaal in zijn rol als advocaat van de familie.

'Het enige wat we momenteel hebben, meneer, is een plotseling sterfgeval dat duidelijk geen natuurlijke oorzaak heeft. De rechercheur die het onderzoek leidt zal absoluut verklaringen van u willen opnemen.'

24

Het was een stil groepje dat rond de laag brandende resten van het vuur in de salon verzameld was, wachtend op de komst van de rechercheurs die weldra de regie over hun leven in handen zouden nemen. Alexander had de koks en de butler gekalmeerd en hun geld aangeboden om te blijven, ook al protesteerden ze dat ze niets hadden gezien en de politie niet konden helpen. Lucy lag boven in een diepe slaap; Ryan had zijn moeder gebeld om uit te leggen dat hij laat zou zijn, en hij zat nu stil achter zijn spelcomputer.

Er klonken wielen op het grind, portieren die geopend en weer dichtgeslagen werden en vervolgens was er een zacht gemompel in de hal te horen. De butler liet een lange, donkere man en een vrouw in uniform in de kamer. Alexander herkende de man meteen.

'Hoofdinspecteur Fenwick. Fijn dat u er bent. Wij hadden niet verwacht dat u voor zo'n...' – hij zocht naar de juiste woorden – '...huiselijke kwestie zou komen.'

'Dag, meneer Wainwright-Smith. Mijn brigadier had dienst en hij vond dat ik ingelicht moest worden. Ik ben uit mezelf gekomen. Dit is agent Shah. Ik weet dat het laat is,' en terwijl hij het zei sloeg de grootvaderklok in de hal gehoorzaam twee uur, 'maar ik zal van ieder van u afzonderlijk verklaringen moeten opnemen. Is er een kamer die ik daarvoor kan gebruiken?'

'Natuurlijk. De zitkamer hiernaast, of anders de bibliotheek aan de andere kant van de grote hal, hoewel het daar tamelijk koud is.'

Julia stond op.

'Mijn dochter Lucy ligt vast te slapen. Ze is pas zeventien; moet u van haar ook vannacht nog een verklaring hebben?'

'Was het niet Lucy die het lichaam heeft ontdekt?' Julia knikte. 'In dat geval ben ik bang dat ik toch zo snel mogelijk met haar moet praten, tenzij ze een slaapmiddel heeft gekregen.'

Julia knikte met tegenzin en ging haar dochter wekken. Plotseling barstte Sally, die op de bank zat die het dichtst bij het vuur stond, in een huilbui uit.

'O, wat verschrikkelijk allemaal! Ik kan er niet meer tegen. O, god!' Sally liet haar hoofd in haar handen vallen en begon van voren naar achteren te wiegen, terwijl de tranen tussen haar vingers door stroomden en op de broek van haar avondkleding spetterden. Jeremy en Colin haastten zich naar haar toe, maar bleven toen wat aarzelend staan om haar door haar man te laten troosten. Hij probeerde het, maar ze was bijna hysterisch.

'Dit gaat zo niet, hoofdinspecteur. Ik moet haar naar bed brengen.'

'Je moet een dokter laten komen.' Colin keek Alexander beschuldigend aan.

'Ik heb wat valiumtabletten in mijn tas. Zou dat helpen?' Muriel Kemp keek eventjes nerveus naar haar man, terwijl ze in een grote tas met paisleymotief zocht.

'Ze moet een behoorlijk recept hebben, Muriel, niet jouw troostsnoepjes. Ik ben het met Colin eens, we moeten haar dokter laten komen.'

Alexander hielp Sally overeind.

'Het is wel goed. Ze heeft haar eigen recept. Dank je wel, Muriel, lief dat je eraan denkt, maar ze kan het beste haar eigen medicijnen innemen. Maar ze moet wel gaan rusten.' Hij keek Fenwick aan. 'Vindt u het erg, hoofdinspecteur? Ze is nu toch niet in staat om u te helpen.'

Fenwick keek eens goed naar mevrouw Wainwright-Smith. Eigenaardig, zulk hevig verdriet bij iemand die anders zo beheerst was. Waren ze dan zo aan elkaar gehecht geweest, zij en Graham Wainwright? Meer dan aangetrouwde neef en nicht? Haar gehuil irriteerde hem. Het was theatraal en afstotend. Hij besloot dat haar ondervraging tot de volgende morgen kon wachten en zei dat ook tegen haar man. Toen ze samen de imposante houten trap opliepen, kwamen Lucy en haar moeder net naar beneden. Lucy staarde Sally aan, kennelijk van haar stuk gebracht door al dat misbaar. Fenwick zag dat haar moeder 'nou, nou, nou' zei en haar hoofd schudde over zoveel theater bij een volwassen vrouw die niet eens familie was. Boeiend was dat: alle mannen wilden Sally beschermen, maar de vrouwen reageerden heel anders. Hij vroeg zich af wat het was.

'Dag, Lucy, ik ben Andrew Fenwick.' Hij trok zijn beste vaderlijke glimlach tegenover het mooie blonde meisje, dat hem met grote ogen van het huilen aanstaarde. Ze had een chenille peignoir aan die haar twee maten te groot was en had de kraag opgezet. 'Ik ben van de politie en ik ben hier omdat je neef Graham is overleden. Begrijp je dat?'

'Natuurlijk. Het is in orde, ik bedoel, ik ben in orde. Niet zoals zij daar.' Ze draaide zich om en keek naar boven.

Ryan legde zijn spelcomputer weg en kwam naar haar toe. Hij pakte haar hand vast.

'Gaat het, Luce?'

'Ja hoor, prima. En met jou?'

'H-hm, het gaat wel.'

Verlegen bleven ze voor de anderen staan, te groot om zich spontaan in elkaars armen te laten vallen, maar nog niet groot genoeg voor voldoende zelfvertrouwen om het toch te doen.

'Deze kant op, Lucy, alsjeblieft. Wil je dat een van je ouders erbij is?' Lucy schudde haar hoofd en Fenwick en agent Shah liepen met haar mee door de hal naar de bibliotheek. Het was er kil, maar dat scheen geen van hen erg te vinden. Lucy trok de peignoir dicht om zich heen, haalde haar voeten uit de veel te grote slippers en trok ze in de plooien van de warme stof onder haar dijbenen. Fenwick kwam meteen ter zake.

'Jij vond het lichaam, samen met Ryan,' stelde hij vast.

'H-hm. Wij gingen een eindje wandelen en daar was het... hij... onder die boom.' Ze moest even slikken, maar ze scheen zichzelf redelijk onder controle te hebben. Hij besloot op dezelfde zakelijke manier verder te gaan.

'Ik wil dat je me alles vertelt wat je je herinnert. Alles.'

'Nou, het was heel donker en mistig. We waren verdwaald, maar ik kon de rivier horen. Als we die vonden, zou ik de weg naar huis wel weer weten. Opeens stond die boom daar voor ons, weet u.'

Fenwick knikte.

Ze trok haar knieën op en sloeg haar armen eromheen. Haar ogen werden wazig toen ze zich concentreerde op een of andere verre herinnering, maar toen vestigde ze haar aandacht weer op de politieman. Ze trok een grimas.

'Sorry. De boom. Toen we die vonden was ik eerst opgelucht, omdat we niet meer verdwaald waren. Er hing een dichte mist en we raakten doorweekt. Nu komt het akelige stuk,' zei ze met een iel stemmetje, dat Fenwick deed denken aan zijn eigen dochtertje van zeven.

Zonder er bij na te denken stond hij op en ging naast haar zitten. Hij pakte haar ene, verstijfde hand van haar knie en hield hem in zijn eigen troostende handen. Hij zag dat agent Shah's gezicht vertrok en hij schudde eventjes licht met zijn hoofd. Het was misschien niet volgens de regels, maar hij wist dat het juist was.

'Ga door, we hebben geen haast. Neem de tijd.'

'Het gaat wel hoor, het is alleen dat...' Ze kneep in zijn vingers en Fenwick zag dat de politievrouw zich ontspande. 'O, ik weet het niet. Hoe ik het ook probeer te bekijken, het is zó verschrikkelijk.'

'Een lijk vinden is altijd verschrikkelijk, maar jij moet ons helpen, door ons precies te vertellen wat je gezien hebt.'

'Oké.' Ze haalde diep adem en keek weer de andere kant op. 'Om de een of andere reden liepen we om de boom heen en toen zag ik die figuur in de mist bewegen. Ik had in de gaten dat er iets vreemds was met die gedaante, in plaats van dichterbij te komen bleef hij daar en hij zwaaide heen en weer, bijna alsof hij danste. Het was doodeng.

Ryan dacht dat het een gluurder was en hij werd erg boos. Hij stapte er met grote passen op af en zei: "Hé, wat moet dat. Wat valt er te zien?" Maar hij kreeg geen antwoord, natuurlijk, dus ging ik er ook naartoe en meteen toen ik daar was en het gezicht kon zien, wist ik dat het Graham was. Zijn haar, zoals hij het draagt; tegenwoordig draagt niemand zijn haar meer zo. En ik dacht, helemaal niets voor hem om zo rond te sluipen. Maar hij had geen kleren aan, alleen zo'n leren ding, een soort string, en zijn, zijn...' weer viel ze stil, toen fluisterde ze, 'u weet wel, zijn geval, dat stak aan de bovenkant naar buiten. Toen keek ik naar zijn ogen.' Ze stopte met praten en slikte moeizaam.

'Ga door.'

'Ze stonden wijd open en ze keken starend. Helemaal rood in het licht van Ryans lantaren. Ik wist dat hij dood was. Dat moest wel. Graham was een rare gozer, maar pervers was hij zeker niet. Ik gaf een gil. Ryan schreeuwde en greep mijn hand en toen begonnen we allebei te rennen. Overal om ons heen was mist en het leek wel alsof we eeuwig bleven rennen. Toen was Alexander er, en hij was heel kalm. Hij bracht ons naar het huis en ik ging naar bed en, nou ja, dat was het. Dat is alles.'

'Goed gedaan,' zei hij en hij klopte haar op de hand. 'Hiermee heb je ons ontzettend goed geholpen. Ik moet alleen nog een paar dingen checken. Toen jij en Ryan aan het wandelen waren, hebben jullie toen iets gehoord?'

'Nee, niets. Een oude vos die jankte, en een uil, waar Ryan van schrok. Maar verder niets.'

'Jullie hadden niet de indruk dat er nog iemand anders daarbuiten was?'

Ze rilde, maar schudde haar hoofd. 'Nee. Niet voordat we het lichaam zagen. Het was volkomen stil en de mist leek de geluiden te versterken.'

'Laten we terugkeren naar het lichaam. Je zei dat het heen en weer slingerde?'

'Ja. Hij hing, wist u dat dan niet?' Lucy keek verbaasd. 'Hij had een dik touw om zijn nek. Ik weet wel dat we hadden moeten proberen hem naar beneden te halen, maar daar dacht ik op dat moment niet eens aan en hij wás dood, er was geen vergissing mogelijk.'

'Je hebt er goed aan gedaan hem te laten waar hij was. Bij een plotselinge dood moet de politie er altijd bij gehaald worden, en het is het beste om de plaats waar het gebeurd is met rust te laten.'

'O, gelukkig. Daar voelde ik me schuldig over.' Ze keek opgelucht en geeuwde plotseling.

'Is er nog iets anders op die plek wat je je kunt herinneren? De kleur van het touw, of hoe het was geknoopt? Waar zijn kleren waren, bijvoorbeeld?'

Ze dacht diep na. 'Nee, niets. Alleen dat er, nou ja, er lag rommel op de grond rondom de boom. Dat zag ik nog voordat ik het lichaam zag.'

Meer kon Lucy hem niet vertellen over de vondst van het lichaam, en Fenwick ging verder met haar terugkeer naar het huis. Dit herinnerde ze zich niet zo goed. Ze was blijkbaar verder in een shock geraakt tegen de tijd dat ze Alexander tegen het lijf liepen. Ze beschreef vrij duidelijk hoe bezorgd haar neef was geweest, hun terugkeer naar het huis en dat ze daar op ongeloof stuitten dat Graham dood was. Haar enige gedetailleerde herinnering was dat Sally bits had gezegd: 'Best mogelijk dat Graham voor dood ligt door de drank, en dat hij niet echt dood is', en hoe hatelijk dat klonk. Maar Jenny had hen wel geloofd. Ze was de hele avond al zo ongerust over Graham en ze was er zeker van geweest dat hem iets was overkomen.

Hij bedankte Lucy en vroeg agent Shah om haar terug te brengen naar haar ouders en Ryan op te halen, zonder hen met elkaar te laten praten.

Ryan was ook zeventien en Fenwick bood hem nog een keer aan te wachten tot zijn ouders konden komen om tijdens het gesprek bij hem te zijn. Maar de jongen lachte alleen maar even en zei dat hij kon beginnen. Hij bevestigde Lucy's verhaal en voegde er zelf een paar kleinigheden aan toe. Hij had meer gezien van het touw om Grahams nek. Het zag eruit als een strop van een gehangene, op de juiste manier geknoopt, en het lange eind ervan liep onder een dikke, boven de grond uitstekende wortel aan de rechterkant door. De 'rommel' op de grond waren een paar pornografische tijdschriften geweest, maar hij kon niet zeggen wat voor soort. Fenwick bedankte hem en regelde een politieauto om hem thuis te brengen. Het ergerde hem dat geen van beide ouders de moeite had genomen om hem bij te staan.

Wie nu? dacht hij. Wat was de beste volgorde? Hij besloot eerst de dames te ondervragen. Jenny moest hij snel spreken, en hij wilde er graag achter komen hoe de mensen over Alexander en Sally dachten, voordat hij hen verhoorde.

Jenny kwam binnen, zwaar leunend op de arm van Shah, en de agente ging naast haar op de bank zitten. Jenny liet zich achterover in de kussens zakken en sloot haar ogen. De klok in de hal sloeg kwart over drie. Voordat ze aan het gesprek konden beginnen werd er even op de deur geklopt en kwam Muriel Kemp binnen met een dienblad met thee en koekjes.

'Ik dacht dat jullie dit wel konden gebruiken.' Met een aarzelende glimlach zette ze het blad voorzichtig neer op het lage tafeltje voor de lege haard. Fenwick bedankte haar en schonk voor allemaal een grote mok hete thee in. Hij deed er voor Jenny suiker in, ondanks haar zwakke protest.

Ze had natuurlijk een zware shock, waardoor een dikke deken van uitputting en ongeloof over haar was neergedaald en ze zich bewoog alsof ze slaapwandelde. Ze was volkomen lethargisch geworden. Fenwick kon zich niet herinneren dat ze iets had gezegd sinds hij hier was en nu had hij een verklaring van haar nodig. Meer dan de anderen kon zij hem helpen vaststellen of deze plotselinge dood een ongeluk, zelfmoord of moord was geweest.

Hij sloeg haar aandachtig gade terwijl ze mechanisch haar thee opdronk en af en toe een vies gezicht trok vanwege de suiker. Ze was een aardige vrouw om te zien: ze had een dikke bos blond haar en ondanks de winter waren haar gladde armen en lange, dunne benen bruin. Met haar grote blauwe ogen zou ze een mannenhart kunnen veroveren, besefte hij, hoewel niet het zijne. Maar de botstructuur van deze bloeiende jonge vrouw was niet bijzonder, en hij dacht dat mettertijd haar knappe uiterlijk geleidelijk zou vervagen, wat het verkeerde soort echtgenoot, die had gedacht dat hij met deze vrouw een hoofdprijs had gewonnen, zou verrassen.

Door de thee leek ze wat op te leven. Plotseling vermande ze zich en keek ze Fenwick voor de eerste keer aan.

'U bent ontzettend geduldig, maar ik neem aan dat u wilt opschieten met de verhoren. Het gaat wel weer. Begint u maar.'

Haar hele houding stond in zo'n schril contrast tot die van Sally Wainwright-Smith, dat Fenwick zich weer afvroeg of er iets was geweest tussen Sally en haar aangetrouwde neef. Hij ondervroeg Jenny vriendelijk maar standvastig en nam de periode met haar door vanaf het moment dat ze Graham voor het laatst had gezien, meer dan twee dagen geleden.

'Hij vertrok woensdagochtend al heel vroeg met zijn Jaguar uit Schotland. We zouden elkaar hier vanavond weer treffen.

Op donderdagochtend werd ik ongerust. Graham belt me 's avonds altijd op, en dat had hij de avond daarvoor niet gedaan. Ik wist niet bij welk hotel hij had gereserveerd, dus kon ik niet navragen of hij veilig was aangekomen.'

'Waarom was u ongerust?'

'Hij werd de laatste tijd zo in beslag genomen, maar hij was ook gesloten, en dat was helemaal niets voor hem. Hij wilde niet met me praten over de reden van zijn zorgen. Hij zei dat het beter was als ik het niet wist.'

'Heeft u enig vermoeden waar hij zich zoveel zorgen over maakte?'

'Het moet iets te maken hebben met Sally, of met het bedrijf, denk ik. Dat waren zijn grootste obsessies. Hij had een privédetective, die al weken bezig was in Sally's verleden te graven.'

'En heeft hij u niet verteld wat hij over Sally had ontdekt?'

'Nee.'

'En wat het bedrijf betreft?'

'Ik weet niet wat er aan hem knaagde, maar het had zeker met Wainwright Enterprises te maken. Graham' – haar stem haperde toen ze zijn naam uitsprak, alsof daardoor de werkelijkheid terugkwam die ze tijdens het gesprek was vergeten – 'Graham was niet geïnteresseerd in het bedrijf voordat zijn vader stierf. Maar toen begon George Ward hem op de herdenkingsplechtigheid aan het hoofd te zaniken dat de dood van zijn vader geen zelfmoord kon zijn geweest. En anderen bleven er maar over doorgaan dat het zo ongelooflijk was dat Sally en Alexander de helft van de bezittingen hadden geërfd. Om die reden heeft hij de korpsleider opgebeld, en toen kwamen jullie langs. Dat was ook de tijd waarin hij de privédetective in de arm nam.

Hij zei tegen de detective dat hij dacht dat Sally zijn vader op de een of andere manier had overgehaald zijn testament te wijzigen, dus concentreerde die man zich helemaal op haar en haar privéleven. Maar toen is er iets gebeurd, wat weet ik niet, waardoor Grahams aandacht naar het bedrijf zelf werd getrokken. Hij maakte zich druk over iets wat hij of de privédetective had ontdekt, en ik denk dat hij van plan was hiernaartoe te gaan om iemand daarmee te confronteren. Daar ben ik nu eigenlijk wel zeker van, want waarom zou hij anders alleen zijn gegaan, zonder mij? Toen hij hoorde dat Arthur Fish dood was, werd hij echt heel ongerust en ik ook. Ik zei tegen hem dat hij naar jullie toe moest gaan, naar de politie.'

'Waarom heeft hij dat niet gedaan?'

'Hij zei dat hij dat ook zou doen, na vanavond, maar nu...'

Haar ogen vulden zich met tranen en Fenwick besloot het gesprek snel af te ronden. Hij wilde nog een paar dingen weten: de geschatte tijd van Grahams vertrek uit Schotland, een signalement van zijn rode xjs die nog altijd vermist was, het nummer van zijn mobiele telefoon en de bevestiging dat hij een dik pak papier had meegenomen op zijn laatste reis.

Eindelijk, nadat ze afwezig haar koude, gezoete thee had opgedronken, keek ze hem bedachtzaam aan. 'Weet u, ik had geen verkering met Graham vanwege zijn geld. Ik ging er niet vanuit dat ik lang genoeg met hem samen zou zijn om hem te helpen met het uitgeven ervan. Hij wisselde zo ongeveer elk seizoen van vriendin.' De tranen begonnen plotseling uit haar ogen te druppelen.

'Maar u lijkt wel heel erg verdrietig te zijn over zijn dood.'

'O, ik hield van hem. Ik zou alles voor hem over hebben gehad.'

Fenwick vroeg haar vriendelijk: 'Jenny, waarom heeft hij zelfmoord gepleegd, denk je?'

Ze keek hem wezenloos aan. 'Zelfmoord gepleegd? Denkt u dat

het zelfmoord is?' Ze schudde heftig haar hoofd. 'Graham zou nooit zelfmoord hebben gepleegd. Nee, dit is moord.'

De klok sloeg opnieuw het halve uur. Fenwick had met Jenny te doen. Hij vroeg haar naar haar eigen activiteiten van de afgelopen dagen en liet haar toen naar bed gaan. Toen ze de kamer uit was vroeg hij aan agent Shah: 'Geloof jij haar?'

'Ja, volkomen. Alles wat ze zegt klonk waar.'

'Ik ben het met je eens, denk ik. Er waren geen schuldgevoelens, en ze liet de juiste mate van geschoktheid en verdriet zien.'

'Neemt u me niet kwalijk dat ik het zeg, hoofdinspecteur, maar u hebt haar niet gevraagd naar het testament van Graham Wainwright. Of wie zijn erfenis krijgt.'

'Nee, dat klopt. Dat bewaar ik voor Jeremy Kemp. Die gaan we nu verhoren, maar ik wil eerst even weten hoever Cooper gevorderd is. Jij wacht hier en je zorgt ervoor dat er niemand naar zijn bed gaat.'

Het was bijna vier uur in de nacht toen Fenwick Cooper vond. Deze had snel het keukenpersoneel ondervraagd en was vervolgens regelrecht naar de plaats des onheils gegaan. Het lichaam was eindelijk weggehaald en de patholoog-anatoom zou 'om negen uur precies' aan het postmortale onderzoek beginnen. Cooper liep met zijn baas naar de boom waar het lichaam was gevonden en zag heel erg tegen diens reactie op. De bekende witte tent was opgezet onder de wijd uitgespreide takken van de beuk. Er scheen wit licht naar buiten op de rotte bladeren en verwrongen boomwortels, die overal rondom de boom naar boven staken. Daarbinnen trof Fenwick twee technisch rechercheurs aan die nog altijd hard aan het werk waren. Hij bleef dan ook zorgvuldig bij de ingang staan.

'Ik moet zo terug om verder te gaan met de gesprekken, dus alsjeblieft alleen de belangrijkste feiten, brigadier.'

'De plaats van het voorval was een zootje toen we hier aankwamen: het lichaam was van de boom gehaald, er waren pogingen gedaan om de strop van de hals te halen, maar dat was niet gelukt, overal staan voetafdrukken, zowel komende als gaande.'

'We moeten erachter zien te komen wie dat allemaal gedaan heeft. Het waren niet Lucy en Ryan. Die hebben het lichaam precies zo achtergelaten als ze het gevonden hadden. Al enig inzicht of het moord, zelfmoord of een ongeluk was?'

'Volgens de politiearts wijst alles erop dat het, ik citeer: "Onopzettelijke verwurging was gedurende auto-erotische stimulatie". Hij had een onthullende leren lendenbedekking aan en er lagen verschillende van *deze dingen* in de buurt.' Cooper gaf Fenwick twee pornografische tijdschriften in bewijszakken, vol expliciete, maar normale seks.

'Zijn er dingen die op iets anders wijzen?'

'Eén of twee. De strop was erg professioneel gelegd en de manier waarop hij rondom die tak daar was geslagen en weer terugliep naar de grond...' Cooper liep heel behoedzaam naar een grote, blootliggende wortel en wees er van een meter afstand naar: 'Hier... Dit is onlogisch. Ik snap niet hoe hij vanaf de plek waar hij was geleidelijk aan de druk kan hebben verhoogd. Volgens mij moeten er twee mensen aan te pas komen om dat voor elkaar te krijgen.'

'Zorg ervoor dat er iemand hier blijft als de techneuten weg zijn en kom dan naar het huis toe.'

Colin en Jeremy Kemp stonden hem al in de hal op te wachten. Ze waren moe en kwaad. Ze eisten dat hij voortmaakte met de gesprekken, maar Fenwick was vastbesloten ze allemaal zelf te doen, hij zei dan ook beleefd doch beslist nee. Eerst sprak hij met Kemp en hoorde op dat moment dat hij en Sally degenen waren geweest die het lijk voor de tweede keer hadden ontdekt.

'En Sally was kalm toen u haar achterliet?'

'Volkomen kalm, inspecteur...'

'Hoofdinspecteur.'

'Volkomen kalm. Ze is een heel bijzondere vrouw, weet u. Ik zou haar niet alleen gelaten hebben als ze niet in orde was geweest, maar ze was opvallend flink. Ze drong er als het ware op aan dat ik wegging.'

'Werkelijk waar?' Fenwicks gezicht vertrok en hij zag aan Kemp dat hij meteen spijt had van die opmerking. Maar de advocaat was wel zo verstandig om zich in te houden en de zaak niet nog erger te maken.

'Dus die inzinking die ze vanavond had, die aanval van hysterie, dat was dus niets voor haar?'

'Natuurlijk niet. Ze is vanavond door een hel gegaan. Flink zijn en haar best doen om sterk te zijn voor Jenny; het is volstrekt begrijpelijk dat ze op een gegeven moment instortte. Het is voor iedereen doodeng om een man aan een boom te zien hangen. Ze is eigenlijk heel erg gevoelig. Ze moet zoveel regelen in haar leven. U heeft geen idee wat ze allemaal doet en hoe Alexander op haar rekent; daar is hij zich grotendeels niet eens van bewust! Die man beseft niet wat een geluksvogel hij is.' Dit laatste kwam er zo verbitterd en jaloers uit, dat als er ooit iets met Alexander mocht gebeuren, Fenwick geneigd zou zijn om Jeremy Kemp boven aan de lijst van verdachten te zetten.

'En hoe zit het met het testament van Graham Wainwright, meneer Kemp? Heeft hij dat nog gewijzigd, op grond van zijn erfenis?'

'Waarschijnlijk wel, maar dat kan ik niet zeggen. Hij was geen cliënt meer van mij. Ik heb zijn zaken overgedaan aan een zekere notaris Sacks, in Reigate. Wij zullen u meteen het adres geven.'

'Waarom heeft hij een andere notaris genomen?'

'Hij was kwaad over het testament van zijn vader; daar gaf hij ons kantoor in het algemeen en mij in het bijzonder de schuld van. Hij zei dat wij iets hadden moeten doen om te voorkomen dat zijn vader het wijzigde. De verhoudingen verbeterden naderhand wel weer, maar tegen die tijd was hij naar een ander notariskantoor overgestapt.'

'Vertelt u me eens iets over dat testament van Alan Wainwright.' Hij kon merken dat Kemp zich wilde beroepen op zijn zwijgplicht, maar dat hij daar toch maar van afzag.

'Oorspronkelijk zouden alle bezittingen, afgezien van wat symbo-

lische giften, naar zijn zoon Graham gaan. Alan had een intense hekel aan zijn zuster en zwager en moest er niet aan denken dat zij
enige invloed zouden krijgen in het bedrijf. Zij zouden dus nooit
veel erven, ondanks hun verwachtingen.'

'En het testament werd gewijzigd, zodat Alexander en Sally Wainwright-Smith een substantieel deel van de bezittingen erfden?'

'Ja. Het kwam neer op de helft. Kort daarna kwam Alan mij een
kopie van een brief brengen die goedgekeurd was door de directie
van Wainwright Enterprises, waarin Alexander werd voorgedragen
als algemeen directeur wanneer hij zou komen te overlijden.'

'Verbaasde het u?'

Kemp aarzelde even en zei toen kort: 'Zeer.'

Dat was de enige mening die hij over dat onderwerp bereid was
te geven. Ook was hij niet erg mededeelzaam over Sally. Fenwick
kreeg weer de bekende beschrijving te horen dat zij een heel bijzondere vrouw was die onafgebroken had gewerkt om de gecompliceerde erfenis van haar man te doorgronden; daarbij was ze ook zijn
persoonlijke secretaresse en voerde ze reorganisaties door op het
kantoor van de algemeen directeur.

Cooper kwam stilletjes tijdens het verhoor binnen en ging in een
harde stoel bij de lege haard zitten.

Fenwick keerde terug naar het moment dat het lijk werd ontdekt,
maar Kemp leek er weinig voor te voelen om verder te praten. Zijn
zinnen werden afgemeten, zijn toon was opgelegd vlak. Niet eenmaal gaf hij vanuit zichzelf een feit of een mening prijs.

'Dus tegen de tijd dat u samen met de anderen terugkwam, lag
het lichaam op de grond. Hoe heeft mevrouw Wainwright-Smith dat
gedaan?'

'Joost mag het weten...' Kemp stopte opeens en staarde Fenwick
met open mond aan. Het was duidelijk te zien hoe hij één en één bij
elkaar optelde. Hij had iets gezegd wat hij niet had moeten zeggen,
dat was duidelijk; hij keek Fenwick aan als een schooljongen die door
de mand valt omdat hij zijn les niet heeft geleerd. In de stilte die viel
gingen de ogen van Kemp schichtig heen en weer door de kamer.

Hij probeerde alles wat er gezegd was nog eens voor zichzelf te herhalen en een manier te bedenken om zich uit de puinhoop te redden
waarin hij zichzelf had gemanoeuvreerd. Maar hij was te moe om
zich alle zetten in dat bedrieglijk simpele gesprek te herinneren en
uiteindelijk perste hij zijn vlezige lippen nog vaster op elkaar en zei
niets meer.

Dit is vermoedelijk het verstandigste van alles wat hij vanavond
heeft gedaan, dacht Fenwick.

Nadat Kemp hem had beloofd al zijn activiteiten gedurende de
afgelopen drie dagen tot in detail door te geven, inclusief de namen
van de twee anderen met wie hij en zijn vrouw donderdagavond
hadden gebridged, wenste Fenwick hem goedenacht.

Mevrouw Muriel Kemp kwam snel daarna binnen. Zij was een
kleine, tengere vrouw die als een vogel met haar handen fladderde
wanneer ze zenuwachtig werd en ze sprak in halve zinnen, alsof ze
niet genoeg zelfvertrouwen had om een mening af te ronden. Ze had
kleine, bruine, harde ogen, inmiddels vermoeid in de vroege uren
van de ochtend, maar toch alert.

Na vijf minuten concludeerde Fenwick dat zij weinig kon bijdragen aan zijn kennis tot dusver omtrent de gebeurtenissen van die
avond, maar hij was wel benieuwd naar haar kijk op Sally Wainwright-Smith.

'Wat is Sally voor iemand?'

Mevrouw Kemp begon onrustig met haar handen in de lucht te
wapperen, een paar centimeter boven haar schoot.

'Wel aardig.'

Dat was het, hier geen verhalen over een 'bijzondere vrouw'.

'Hoe goed kent u haar?'

'Helemaal niet goed. We gaan nauwelijks met de Wainwright-
Smiths om.'

'Maar ze had een heleboel werk aan het uitpluizen van Alan Wainwrights erfenis, dus ze zal wel heel wat tijd met uw man hebben
doorgebracht.'

'Ik weet niet wat u wilt insinueren, hoofdinspecteur, echt niet.'

'Helemaal niets, alleen dat hij haar tamelijk goed zal hebben leren kennen en misschien wel een mening over haar heeft gegeven.'

'Wij spraken zelden over haar. Mag ik nu gaan? Ik ben nogal moe.' Ze pakte een kussen met franje op van de bank en begon aan de losse uiteinden te wriemelen.

'Die reacties van mevrouw Wainwright-Smith van vanavond: vond u die op de een of andere manier vreemd?'

Ze snoof als antwoord en concentreerde zich op de vlechtjes die ze in de franje legde. 'Het is een heel vreemde vrouw. Ik kijk nergens van op.'

'In welk opzicht is ze vreemd?'

'Dat is ze gewoon, hoofdinspecteur. Laten we zeggen, een vrouw vol tegenstellingen. Ze is bepaald geen vrouw met de vrouwen, weet u. Ze gaat veel beter met mannen om... Ik kan het moeilijk beoordelen.'

Muriel Kemp liet niets meer los en Fenwick liet haar gaan.

Het gesprek met Colin Wainwright-McAdam, Grahams aangetrouwde oom, volgde een vreemd gelijksoortig patroon als dat met Jeremy Kemp. Het onthulde niets nieuws, behalve dan dat Colin een onaangename snob was. Ook hij was een en al lofzang over Sally en hij legde aan Fenwick uit hoe broos ze was onder dat bedrieglijk flinke uiterlijk.

'En vrouw als Sally is een kostbaar kleinood voor iedere man, hoofdinspecteur, hoe competent hij van zichzelf ook moge zijn.'

Toen de klok ten slotte weer een uur had vol gemaakt, werd Alexander Wainwright-Smith gewekt uit een diepe slaap op de bank voor de uitdovende sintels van het vuur in zijn zitkamer. Cooper begeleidde de slaperige man door de grote hal om naar Fenwick en Shah toe te gaan en ging toen zelf stilletjes uit het zicht van iedereen zitten. Hij geloofde niet dat dit sterfgeval zelfmoord was – daar had het niet de schijn van – en voordat hij Wainwright-Smith diep in slaap in zijn zitkamer had gevonden, was hij zijn hoofdverdachte geweest. Maar de aanblik van de slapende man, met zijn mond opengevallen, één arm breeduit en met de ander om een gebloemd kussen voor zijn borst geslagen, had hem op andere gedachten gebracht. Niet alleen omdat hij er gewoon onschuldig uitzag, hij *sliep* onschuldig. Hij had nog nooit een schuldig mens meegemaakt, tenzij het een ware psychopaat was, die zo goed kon slapen in de nacht van zijn misdrijf en wachtte op het eerste verhoor door de politie.

Alexander gaapte luidruchtig en sloeg toen snel ter verontschuldiging zijn hand voor zijn mond. Agent Shah trok rare gezichten in een poging niet meelevend te glimlachen.

'Sorry hoor, maar ik ben zó duf.' Hij wreef stevig over zijn gezicht en schudde met zijn hoofd. 'Zo, dat is beter. Jullie zullen wel kapot zijn.'

Fenwick haalde zijn schouders op en begon toen voor de laatste keer die nacht zijn vragen te stellen. Alexander gaf bedachtzaam antwoord. Toch was hij nog altijd wazig en verdoofd van de slaap en het nachtelijke uur. Uitstekend, wat Fenwick betrof: die man leek niet de tegenwoordigheid van geest of de fut te hebben om iets anders te zijn dan eerlijk. Hij herhaalde het gedeelte waarin hij Lucy en Ryan aantrof, de daaropvolgende zoekactie in drie groepen, de ontdekking van het lichaam en de terugkeer naar het huis. Toen Fenwick hem vriendelijk vroeg naar de reacties van zijn gasten, met inbegrip van die van zijn vrouw, gaf hij heel gewoon antwoord met een duidelijke herinnering aan de verschillende gesprekken. Zelfs toen Fenwick hem confronteerde met Sally's aanval van hysterie bleef hij onwankelbaar kalm. Ja, dat had hem wel verbaasd, maar het was ook wel een uitzonderlijke toestand geweest, en wie was hij om kritiek te leveren op zo'n menselijke reactie?

'Hoe gaat het nu met mevrouw Wainwright-Smith?'

'Ze slaapt. Ze heeft een paar tabletjes genomen en is meteen onder zeil gegaan.'

'Is dat een structureel recept?'

'Helaas wel, ja. Ze is onder behandeling van onze arts voor lichte depressiviteit. Het is volgens hem geen zorgelijke toestand, maar hij wil wel graag dat ze naar een specialist gaat en meer rust neemt. Weinig kans, op dit moment.'

'Wat is de reden van haar kwaal?'

'Dat kan ik niet met zekerheid zeggen. Sinds mijn oom in januari overleed hebben we een heleboel meegemaakt en aanvankelijk leek Sally het redelijk goed aan te kunnen. Vorige maand zijn we hiernaartoe verhuisd en ze heeft het helemaal laten opknappen; ze heeft mij geholpen met het analyseren van het bedrijf, de rompslomp van onze erfenis uitgezocht, geprobeerd de breuk met de familie te lijmen en kwam daarna mijn kantoor reorganiseren. Maar het schijnt haar de laatste weken boven het hoofd te groeien.'

'Enig idee waarom?'

'Nee, helemaal niet, alleen dat ik momenteel nogal lang doorwerk, dus misschien is ze eenzaam. We zijn pas een paar maanden getrouwd; die plotselinge verandering zal dus wel een schok voor haar zijn, vermoed ik.'

Fenwick merkte dat Wainwright-Smith iets achterhield; hij was intussen klaarwakker en had zichzelf geheel in de hand. Hij besloot een ander thema aan te snijden.

'U kende haar dus nog niet zo lang voordat u trouwde?'

Alexander lachte. 'Nee. We hadden wat je noemt een stormachtige romance. Ik leerde haar voor Kerstmis kennen en trouwde in januari met haar.'

'Was het een grote bruiloft?' Fenwick wilde in de achtergrond van Sally doordringen, zonder haar man opmerkzaam te maken op zijn belangstelling.

'Nee, alleen maar een paar familieleden van mij. Sally had niemand uitgenodigd.'

'Dat is nogal ongebruikelijk.'

'Ze is erg op zichzelf, hoofdinspecteur. Ze zei dat ze met het verleden wilde breken en een nieuw leven beginnen.'

'Waarom was dat?'

'U stelt een heleboel vreemde vragen, in deze omstandigheden.'

'U hebt gelijk. Ik dwaal af. Neemt u me die onbenullige nieuwsgierigheid niet kwalijk, we zijn moe, allemaal. Ik zal de rest van mijn vragen bewaren tot morgenochtend, als we terugkomen om uw vrouw te spreken. Goedenacht, meneer Wainwright-Smith.'

'Goedenacht, hoofdinspecteur.'

25

'Wat had hij aan toen je hem vond?'

'Je hebt de foto's toch gezien, alleen die leren string, verder niets. Waarom vraag je dat?'

'Kijk maar.'

Fenwick tuurde naar Grahams hals, waar kneuzingen zaten van het touw toen hij langzaam werd gewurgd. Er zaten ook krassen, vermoedelijk van zijn nagels, toen het touw strakker aangetrokken werd.

'Waar moet ik naar kijken?'

Pendlebury zuchtte diep, alsof een veelbelovende leerling zakte voor een belangrijke toets.

'Je moet kijken naar het patroon van de bloeduitstortingen en schroeiplekken van het touw. Zie je iets geks?'

Fenwick tuurde nog beter, hij wilde Pendlebury niet teleurstellen.

'Ik zie dat het patroon erg onregelmatig is. Daar, in de richting van de nek – ik neem aan dat de knoop onder zijn linkeroor drukte – zit een volledig ontwikkelde ronde bloeduitstorting. Aan de rechterkant vormen de zware kneuzingen een dunne lijn met vlekjes van onderhuidse bloedingen. En er lijkt een dunne, donkerdere bloeduitstorting te zijn, een soort gekartelde lijn, die rondloopt over de helft van zijn nek.'

'Niet slecht. En waar denk je dat dat op wijst?'

'Onregelmatige druk, veranderingen in de hoek van het lichaam? Ik heb geen idee. Zeg jij het maar.'

Pendlebury ging naast hem staan en bukte zich, waarbij hij zijn gezicht vertrok van pijn. Hij wees met zijn worstachtige pink heel subtiel op de verschillende verwondingen.

'Ik denk dat hij aangekleed was toen de strop om zijn nek werd gelegd. Dit is een duidelijke deuk veroorzaakt door de kraag van een overhemd; nee, je hoeft niet te turen, ik heb vergrotingen van de beelden. Dat zou ook verklaren waarom de bloeduitstorting aan de rechterkant boven die duidelijke lijn anders is dan onder die lijn.'

'Dus hij is uitgekleed toen hij al dood was?'

'Dat is heel goed mogelijk, en hier, wacht, ik geef je een vergrootglas, kijk eens naar het patroon van deze bloeduitstorting.'

.Fenwick keek nog beter.

'Het is de indruk van een ketting, denk ik. Die is op de meeste plaatsen in zijn nek gedrukt, maar precies op die plek kunnen we een duidelijk patroon van de schakeltjes vaststellen.'

'Ik zal aan zijn vriendin vragen of hij een ketting om zijn hals droeg.'

'En vraag haar dan ook meteen wat voor ring hij droeg.'

Er zat een duidelijke afdruk van een ring om zijn rechterpink, met een eeltplek op het kussentje in zijn handpalm, dat bij dagelijkse handelingen langs het metaal schuurde: als hij een pen vasthield of bij het eten en drinken.

'Een beroving had ik nog niet als motief in overweging genomen!'

'Ze kunnen meegenomen zijn als aandenken, of hij is door iemand anders uitgekleed, misschien een opportunistische dief die niet erg teerhartig was, maar dat denk ik niet. Het leren broekje dat hij aanhad was gloednieuw; het plastic bandje van het prijskaartje zat er nog aan. Dat moet hebben geschuurd en vervelend hebben aangevoeld, maar er zijn op het lichaam geen sporen van terug te vinden. Of hij had het aangetrokken vlak voordat hij stierf, of iemand anders heeft het hem naderhand aangetrokken.'

'We zullen proberen te achterhalen wie die dingen maakt en met een beetje geluk kunnen we de aankoop traceren. Zijn deze vers?' Fenwick wees op twee langgerekte bloeduitstortingen onder de oksels van de dode man.

'Ze zijn vaag, nauwelijks ontwikkeld, maar ze zijn inderdaad vrij nieuw. Ik zou zeggen dat ze vlak voor zijn dood zijn veroorzaakt.'

'Was hij vastgebonden?'

'Nee, daar zijn ze te kort voor. Iets dergelijks heb ik nog nooit eerder gezien.'

Hij ging een stukje achteruit om zijn assistent de kans te geven er een close-upfoto van te maken. Toen ging hij verder met het minutieuze onderzoek van de buitenkant van het lichaam, maar hij vond niets belangwekkends meer. Vervolgens maakte hij de magere torso van Graham open en begon aan het inwendige onderzoek en het verwijderen van de vitale organen. Fenwick luisterde naar het ongewoon korte commentaar dat Pendlebury in de microfoon boven hem insprak en maakte zich zorgen: de man was merkbaar afwezig. Af en toe moest hij overeind komen om zijn rug te strekken en als hij dat deed zag Fenwick dat het zweet op zijn gezicht stond van de pijn.

'Voordat hij stierf had hij ontbeten, maar de maaginhoud was nog niet volledig verteerd. Ik zou zeggen dat hij binnen een uur na zijn laatste maaltijd dood was. Als je zijn hotel kunt vinden en weet wanneer hij heeft ontbeten kan ik je een duidelijker tijdstip van overlijden geven. Nu kan ik alleen maar zeggen dat het tussen de twaalf en achttien uur was voordat zijn lichaam werd gevonden. Ik moet alleen monsters afnemen voor het toxicologisch onderzoek, dan ben ik klaar.'

'Van gisterochtend tot aan het middaguur dus. Nou, dat is vast een beginnetje. Dan laat ik je nu verdergaan met je werk.'

Pendlebury kwam overeind met een pijnlijk vertrokken gezicht.

'Spit?'

'Gewoon ischias. We krijgen regen.'

De patholoog-anatoom was narriger dan ooit en wees Fenwicks poging tot medeleven met een bruuske beweging van zijn bedekte hoofd af. Hij knikte naar zijn assistent: 'Je kunt hem afwerken.' Hij stak zijn bebloede gehandschoende vinger naar Fenwick op: 'Over tien minuten in mijn kantoor?'

Fenwick ging in de enige bezoekersstoel in het benauwde kantoor zitten en wachtte geduldig. Tot zijn verrassing kwam de patholoog-anatoom al snel binnen, met een grauw gezicht van de pijn. Toen Pendlebury met zijn forse gestalte door de kleine ruimte liep leken de muren op hen af te komen. Met een verkrampt gezicht liet hij zich voorzichtig in een leren stoel zakken en zette een verschoten kussen in zijn rug.

'Whisky?'

'Dat is te vroeg voor mij.' Het was pas elf uur en Fenwick schudde de bezorgdheid om zijn oudere vriend van zich af; hij moest zich er niet mee bemoeien.

'Je hebt gelijk, maar het helpt en dat heb ik nodig.' Pendlebury schonk een klein beetje voor zichzelf in en gebruikte het stiekem om een wit pilletje weg te spoelen. 'Man, dit is een rotklus.'

'Zelfmoord, ongeluk of moord?' Fenwick moest het wel vragen, hoewel het duidelijk was dat de doodsoorzaak bij lange na niet zo voor de hand lag als het op het eerste gezicht leek.

'Precies.' De patholoog-anatoom spreidde zijn smetteloos schone, dikke vingers uit op het bureau en bestudeerde ze aandachtig. 'Alle drie is mogelijk. Je houdt rekening met een ongeluk vanwege de auto-erotische verwurging, neem ik aan? Hm, ja. Nou ja, het zou kunnen.' Hij legde de nadruk op 'kunnen', wat erop wees dat het niet zijn voorkeurshypothese was. 'Maar nee, dat denk ik niet. Natuurlijk, het was zo'n zootje op die plek dat alles mogelijk is.' Hij keek beschuldigend over zijn halve bril en Fenwick fronste zijn voorhoofd.

'Hou maar op, ik weet het. Maar die schade was al aangericht voordat wij kwamen. Ze hebben in elk geval niet het touw doorgesneden.'

'Maar goed, ik ben niet voor een ongeluk. Afgezien van al het andere, daarvoor was die strop helemaal van het verkeerde soort. De knoop moet verdomd veel pijn hebben gedaan, voldoende om hem af te leiden, hoezeer hij ook zijn best deed om opgewonden te raken. En de porno die je hebt gevonden was erg mild. Je zou iets veel ruigers verwachten. Zoals ik zeg, we kunnen het niet uitsluiten vanwege die plek, maar ik vind het hoogstonwaarschijnlijk.'

Er viel een stilte, waarin Fenwick de oudere man zijn eigen gedachten liet uitwerken. 'Dit is een moeilijk geval, Fenwick. Wat ik er ook van denk, het wordt lastig te bewijzen, omdat de reeks van bewijzen zo ontzettend verstoord is. Als het zelfmoord was, heeft hij het niet efficiënt gedaan. Hij is gestikt, zijn nek is niet gebroken, dus dat sluit uit dat hij van die tak gesprongen is. Hij heeft ergens op gestaan en het weggeschopt, en hij moet wel een paar minuten heen en weer gezwaaid hebben. Dat is wel een heel pijnlijke manier om eruit te stappen, maar dat heeft hij zich misschien niet gerealiseerd.'

Fenwick stond op en begon heen en weer te lopen, maar hij was algauw aan de andere kant van de kamer. Hij ging met zijn rug tegen een deur met een glazen paneel staan; plotseling voelde hij zich zwaar gefrustreerd en hij wilde het liefst weg.

'En moord? Ja, dat is absoluut een mogelijkheid. Als er op het touw monsters worden gevonden van de stof van zijn vermiste kleren, zijn we een heel eind verder. Zijn die er?'

'Het is naar het forensisch lab gestuurd, maar de plaats waar hij is gevonden was zo aangetast dat we nooit in staat zullen zijn een volkomen waterdichte bewijsvoering rond te krijgen. Is er nog meer?'

Pendlebury schudde zijn hoofd. Er waren geen andere tekenen van letsel op het lichaam, geen oude verwondingen, niets wat hen verder hielp. Hij merkte dat Fenwick stond te trappelen om weg te gaan en rondde snel af. Hij zou de normale gang van zaken volgen en de monsters naar de afdeling toxicologie sturen. De meeste resultaten zouden binnen vierentwintig uur bekend zijn.

Fenwick rende de trappen van de ziekenhuisvleugel af waar het mortuarium was ondergebracht en sprintte over de parkeerplaats naar zijn auto toe. 'Stomme idioot!' schreeuwde hij onder het rennen. En daarmee bedoelde hij niet de patholoog-anatoom.

Een uur later zat hij op zijn hurken in de witte tent, die zich uitspreidde vanaf de takken van de beuk. Hij was de mensen van de technische recherche misgelopen, maar de agent die buiten op wacht stond gaf hem de boodschap door dat hij voor in de middag een kant-en-klaar rapport van hen zou krijgen. Hij bevond zich nu aan de zijkant van de plaats van het sterfgeval en keek omhoog naar de takken. Onder aan de knoestige stam breidden zich kromme wortels uit, die wel zes meter verderop tussen de rottende bladeren in de grond verdwenen. Er groeide geen gras op de grond onder de boom; daar lag een laag bladeren en afval van jaren in verschillende stadia van ontbinding. Met een omzichtigheid die hij eigenlijk overbodig vond gezien het gestamp van de avond daarvoor, begon Fenwick met handschoenen aan de dikke bladlaag opzij te vegen in een strook van ongeveer een meter breed, en werkte steeds dichter naar de plek toe waar het lichaam had gelegen.

Toen hij op minder dan een halve meter van de voet van de stam kwam, liep hij op zijn tenen terug naar de buitenste rand en begon daar opnieuw te vegen om de opgeruimde strook te verbreden. Bij de stam aangekomen liep hij weer terug naar de rand van de cirkel en ging verder met het schoonvegen. Het was heet in de tent en hij trok zijn jasje uit.

'Heeft u hulp nodig, hoofdinspecteur?' De agent tuurde bezorgd naar binnen.

'Ja, agent... Robin, heb ik het goed?'

De man straalde omdat zijn naam was onthouden, zalig onwetend van het feit dat Fenwick daar een ezelsbruggetje voor had: Hij kon maar beter niet weten dat zijn rode neus die op een snavel leek, zijn belangrijkste kenmerk was om herkend te worden.

'Kom binnen. Pas op. Veeg de afgevallen bladeren die rechts van je liggen van het pad dat ik gemaakt heb. Zet je voeten voorzichtig neer.'

'Waar moet ik naar zoeken, hoofdinspecteur? Ze zijn behoorlijk grondig geweest, weet u.'

Fenwick trok één wenkbrauw op en de man hield meteen zijn mond. Hem was niet naar zijn mening gevraagd.

'Afdrukken in de grond. Ze zullen zich vooral hebben geconcentreerd op het zoeken naar sporen en bij het slechte licht van vanochtend kunnen ze de afdrukken die ik zoek hebben gemist.'

De twee mannen werkten nog tien minuten zwijgend door. Ze begonnen vervelend te zweten toen het zwakke zonlicht door de beschutting van de boom brandde en de lucht in de gesloten tent eronder opwarmde.

'Hoofdinspecteur! Hier. Wat is dit?'

Fenwick hurkte naast de opgewonden agent neer en bekeek de keurige L-vormige groef in de grond, die meer dan twee centimeter diep was. Zorgvuldig schraapten ze de bladeren eromheen weg en vonden nog drie van zulke afdrukken. Ze hadden elk een afmeting van ongeveer twee bij tweeënhalve centimeter en lagen ongeveer vijfenveertig centimeter uit elkaar.

'Prima werk, man. Geef me je radio en blijf hier. Niemand komt hier binnen, begrepen?'

Fenwick riep het bureau op en er werd een nieuw team van technisch rechercheurs naar de beuk gestuurd. Hij verzocht hun alle dode bladeren weg te halen, te doorzoeken en afgietsels te maken van de afdrukken in de grond. Het zou een smak geld van hun budget opslokken, maar dat regelde de commissaris wel. Bovendien kreeg hij nu het gevoel dat hij met een moord te maken had. Dat het lichaam was uitgekleed nadat de dood was ingetreden was geen afdoende bewijs. Maar Jenny's opmerkingen over de zorgen van Graham en het feit dat hij van plan was om met de politie te gaan praten, hadden een voor de hand liggend motief opgeleverd. Nu had hij ontdekt dat de kist waarop de man had gestaan, was weggehaald. Alles bij elkaar genomen leek het op moord.

In huize Wainwright sliep iedereen uit en de tijdelijke butler van gisteravond was weg. Fenwick klopte een paar minuten lang heel hard op de voordeur en ging toen van ergernis op zoek naar de dienstingang. Die zat op slot, maar net toen hij erover dacht in te breken, verscheen er een meisje op een fiets.

'Kan ik u helpen?'

'Ja, ik moet meneer en mevrouw Wainwright-Smith spreken en ze doen niet open. Mijn naam is hoofdinspecteur Fenwick van de recherche in Harlden.' Hij liet haar zijn legitimatie zien. 'En wie bent u?'

'Ik ben Irene. Ik werk hier.'

'Werkte u gisteravond ook?'

'Ja, tot middernacht. Daarna ben ik naar huis gegaan.'

'En waar is dat?'

'Aan de andere kant van het park. Zeg, waarom bent u hier trouwens?'

Fenwick legde uit dat hij een afspraak had met mevrouw Wainwright-Smith. Ze kreeg een schichtige blik in haar ogen alsof ze zich ervan bewust werd dat ze zo nu en dan de wet overtrad. Opeens was ze minder bereid om hem binnen te laten en ze blokkeerde de ingang toen ze de deur had opengemaakt.

'Ik zal aan mevrouw Wainwright-Smith gaan vragen of het in orde is. Blijft u maar even staan waar u bent.'

'Het is in orde. Ze verwacht me.'

Ze haalde verslagen haar schouders op en hij volgde haar naar binnen door een lange, bruin met beige betegelde gang, met aan weerskanten afgetrapte donkerbruine deuren. De opknapbeurt van mevrouw Wainwright-Smith had zich niet uitgestrekt tot het gedeelte van het personeel.

'Godallemachtig!'

De butler en de koks hadden het kennelijk niet als hun taak beschouwd om aan het eind van een lange avond op te ruimen. De werkbladen stonden vol met glazen, kopjes, mokken en resten geroosterd brood.

'Wat is hier aan de hand geweest? Toen ik wegging was alles netjes opgeruimd!' Er zat nu al een defensieve klank in haar stem, en Fenwick vroeg zich af hoe het was om mevrouw Wainwright-Smith als werkgeefster te hebben.

'Het is erg laat geworden.'

'Wat is er gebeurd?' Opeens kwam er angst in haar ogen opzetten en deed ze een stapje achteruit. 'Waarom bent u hier?'

'Ik zal het je zo allemaal uitleggen. Vertel me eerst eens over gisteravond terwijl je theewater opzet.'

Hij gooide zijn jasje over een stoel, trok zijn stropdas losser en maakte voorzichtig zijn manchetknopen los, voordat hij zijn mouwen oprolde.

'U bent smerig. Waar heeft u gezeten?'

Hij wreef vermoeid over zijn wangen en gaapte luid.

'Als jij mij over gisteravond vertelt, dan vertel ik jou ook alles.'

Toen ze roddel en achterklap rook maakte ze twee mokken sterke thee, zette een blauw met wit gestreepte suikerpot midden op de tafel en ging met haar comfortabele achterste op een oude, met leer overtrokken stoel zitten.

'Begin maar.'

'Jij eerst.'

'Mij best. Er valt niet zoveel te zeggen. Ik ben betaald voor de hele dag, met extra geld voor na elven en ik ben om twaalf uur weggegaan.'

'Hoe ben je hiernaartoe en weer thuis gekomen?'

Op haar gezicht was ergernis te lezen bij die domme vraag. 'Op de fiets, weet u nog.'

'Ook 's nachts?'

'Tuurlijk. Dat is best veilig. Ik ga over het fietspad bij de rivier, dan over het voetpad door het bos en dan moet ik alleen nog door Badgers' Break om thuis te komen.'

Fenwick prentte in zijn hoofd dat hij een grote stafkaart moest hebben. 'Hoe lang doe je erover?'

'Dat hangt van het weer af. Als het goed weer is tussen de twintig en vijfentwintig minuten. Als het mistig is, zoals gisteravond, zo tegen de veertig.'

'En hoe laat was je hier gisteren?'

'Precies om acht uur 's morgens.'

'En je bent gebleven tot middernacht. Dat is een lange dag.'

Ze aarzelde even en knikte toen.

'Vertel me eens over die dag.'

'We hebben ons uit de naad gewerkt. De gasten zouden om zeven uur komen en er was geen enkele kamer in orde. Dat was een fout van de werklui. Ze waren te laat met het afwerken van de laatste slaapkamers. Ik zei nog tegen mevrouw dat ze het niet door dat bedrijf moest laten doen, maar ze deed het toch, omdat ze goedkoop waren. En om eerlijk te zijn' – ze knikte bij zichzelf – 'ze hebben het beter gedaan dan ik had gedacht. Nou ja, háár wil je echt niet teleurstellen, hoor, neem dat maar van mij aan.'

'Dat had ik al begrepen,' zei Fenwick hoofdschuddend, alsof hij met haar meeleefde.

Irene keek hem taxerend aan en nam een flinke slok thee.

'Koekje?'

'Graag, ik heb het ontbijt overgeslagen.'

Ze verdween in de voorraadkamer en kwam terug met een nieuw pakje biscuit. Zijn maag knorde zo hard dat ze het hoorde en ze lachte. Ze pakte het broodmes en sneed de glimmend rode plastic verpakking voor een derde open. Ze wees naar de inhoud die eruit kwam.

'Pak maar.'

'Dank je wel.'

'Dus u heeft al over haar gehoord. Man, man, het is wel veranderd, hoor.'

'Sinds wanneer?'

'Sinds de oude meneer Wainwright hier was, natuurlijk.'

'Werkte je hier toen ook al?'

'Ja, zo af en toe. Meneer en mevrouw Willett waren het fulltime-personeel. Ik kwam soms. Maar die heeft ze op straat gezet, natuurlijk. Snijden in de kosten noemt zij het, slavenarbeid noem ik het. Ze is keihard. Neem nou gisteren. Wij zijn hier stipt om acht uur, Shirley en ik, en zij loopt al door het huis te commanderen. Ze heeft een waslijst met dingen die gedaan moeten worden, waar een normaal denkend mens een week voor uittrekt. Maar nee hoor, mevrouw niet.'

'En meneer Wainwright-Smith; hielp hij mee?'

'Arme man. Die was helemaal van de wereld. Ik kwam in zijn

slaapkamer en hij lag te snurken dat de lampen ervan zouden springen!'

Fenwick volgde een vermoeden: 'En hoe laat ging mevrouw Wainwright-Smith weg?' Hij vertrouwde Sally niet op grond van haar gedrag van gisteravond en anticipeerde er al op dat ze misschien tegen hem zou liegen tijdens het gesprek. Als hij een onafhankelijke verklaring had omtrent haar doen en laten gaf hem dat een heel wat geruster gevoel.

Er kwam een berekenende trek op het gezicht van Irene, maar hij keek heel onschuldig terug.

'U vertelt haar toch niet dat ik dit heb gezegd?'

'Dat kan ik niet beloven, maar ik noem geen namen tenzij ik daartoe gedwongen ben.'

'Hm.' Daar dacht ze eventjes over na, terwijl ze op haar koekje knabbelde. Fenwick hield zijn mond en dronk met een licht geslurp van zijn thee.

'Oké. U gaat Shirley ook verhoren, toch? Dus dan kunnen we het allebei gezegd hebben. Eh, ja, ze ging om ongeveer halfnegen weg, misschien nog wel eerder. Ze zei dat ze direct naar de markt wilde om vers fruit en groente te halen voor het diner. En voordat u het vraagt, ik zag haar pas weer rond lunchtijd, maar ze moet hier terug zijn geweest, want alle groente stond in de keuken toen wij onze koffiepauze hadden gehad.'

'Hoe laat was dat?'

'Dat weet ik niet. Even kijken. Ik deed de bovenboel, terwijl Shirley hier beneden bezig was. We namen om negen uur een kop thee.' Ze keek schuldbewust. 'Een paar minuutjes maar, hoor. Ik denk dat het tegen elven liep toen we beneden terugkwamen en dat we toen de groente zagen staan, pal in de zon ook nog. Al die moeite om het vers te kopen en dan laat ze het gewoon zo staan. Ze had zeker haast. Ze is die hele morgen niet één keer komen kijken wat we aan het doen waren; dat gaat helemaal tegen haar natuur in.'

'En wanneer werd meneer Wainwright-Smith wakker?'

'Waar gaat het allemaal over, zeg? Waarom vraagt u dat allemaal?'

Fenwick bracht haar kort op de hoogte en keek naar haar gezicht toen het nieuws tot haar doordrong. De afschuw op haar gezicht maakte al snel plaats voor nieuwsgierigheid en een morbide belangstelling.

'En wanneer is hij gestorven, denkt u?'

'Gisteren op een bepaald moment.'

'En hij is pas gisteravond na twaalven gevonden. Dan moet ik vlak langs hem gefietst zijn.' Ze rilde. 'En was het zelfmoord?'

'Dat kan, maar we kunnen andere mogelijkheden nog niet uitsluiten.'

'Dus het zou moord kunnen zijn.' Ze genoot ervan, trok een akelige grijns en zei: 'Zo, zo. Nog een verdacht sterfgeval. Ik vraag me af wie nú de gelukkige is.'

'Bedoel je wie er erft?'

'Ja. Het zou wel boeiend zijn als zij van boven het weer is, hè?'

'Maar in feite is het toch *meneer* Wainwright-Smith die erft, nietwaar?'

'Wat van hem is, is van haar, neem dat maar van mij aan. Het grootste deel van de tijd is hij te gast in zijn eigen huis.'

'Nou, hoe laat is hij gisterochtend opgestaan?'

'Ik ben hem om twaalf uur een kop thee gaan brengen, want ik begon me ongerust te maken. Ik wist dat hij naar zijn werk moest en het was niets voor hem om zich te verslapen. Ik moest hem wakker schudden en de gordijnen openschuiven.'

'En toen?'

'Ik liet hem liggen. Ik heb toast voor hem gemaakt toen hij beneden kwam en een pot verse koffie gezet. Vlak daarna kwam mevrouw terug en nadat ze had gedoucht en andere kleren had aangetrokken, gingen ze naar hun werk.'

'Wat voor indruk maakte mevrouw Wainwright-Smith toen ze terugkwam?'

'Gehaast, zoals altijd. Verbaasd, dat ze haar mannie bij ons in de keuken zag zitten, dat is alles.'

'We moeten ook met Shirley praten en het zou handig zijn als we je adres hebben, voor het geval dat.'

'Geen probleem.' Ze pakte een velletje van een kladblok dat aan een haakje bij de telefoon hing en schreef zorgvuldig haar adres voor hem op.

Er klonk een luid gerinkel en ze keek naar het bellensysteem met trekkoorden aan de wand.

'De voordeur. Excuseer me.'

Fenwick keek rond in de keuken. De deur was behangen met dik groen laken en daarachter kon hij niets horen. Als Irene en Shirley ergens anders in het huis bezig waren geweest, had iemand na negen uur gemakkelijk naar binnen kunnen glippen en het fruit en de groente kunnen neerzetten. Wel onhandig om ze in de zon te laten staan en ze niet in de schaduw aan de andere kant van de keuken neer te zetten. Misschien iemand die haast had, of die niet gezien wilde worden.

Graham Wainwright was tussen zes uur 's morgens en twaalf uur 's middags overleden. Een tijdspanne van zes uur, waarvoor noch Alexander, noch Sally Wainwright-Smith een alibi hadden.

De deur zwaaide wijd open en er waren een heleboel stemmen te horen. Brigadier Cooper en het nieuwe team waren gearriveerd. Fenwick hoorde Irene en Cooper al lachen om een grap die hij niet had verstaan en hij besloot de rest van de ondervragingen in de keuken door zijn brigadier te laten doen. Agent Shah stond zwijgend in de hal te wachten. Terwijl er verse thee werd gezet liep hij langs de voorraadkamer, de bloemenkamer en de opslagruimten naar de salon. Het was er donker en het rook er muf naar oude brandy en sigaren. Hij schoof de gordijnen opzij en zette een raam open.

Toen hij aan de gordijnkoorden trok, wierp het heldere licht de schaduwen terug zodat de zware, antieke mahoniehouten tafels, voetenbankjes en banken, die groot genoeg waren voor vier personen, werden onthuld; en verguldsel, overal verguldsel: op de muurkandelaars, de kroonluchters en de enorme spiegels die aan de muren hingen. Terwijl hij de hele kamer door liep over de lichter geworden Perzische tapijten en de gepoetste ingelegde vloer, versprong zijn spiegelbeeld aan beide kanten van de ene spiegel naar de andere; het was een hinderlijke beweging in zijn ooghoeken.

Er was een aangrenzende zitkamer met een tussendeur, mooi en comfortabel, die uitkwam op de voorste hal. Daartegenover was een kleine werkkamer met de huishoudadministratie, netjes opgestapeld naast een pc. Dan was er nog de bibliotheek, waar Fenwick de afgelopen nacht zijn gesprekken had gevoerd. Stoelen met bruin gebarsten leren bekleding stonden aan de walnoten tafels en aan de leestafel, die zo glanzend gepoetst was dat hij oplichtte. Langs alle wanden stonden enorme boekenkasten, helemaal tot aan de ramen. Toen hij uitademde zag hij condens in die koude kamer vol schaduw.

Er lag nog een boek op een van de tafels en Fenwick sloeg het open bij een van de gemarkeerde pagina's: 'Rozen – ziekten en ongedierte.' Hij hoorde voetstappen achter zich en draaide zich om. Daar stond Alexander, ongeschoren, met zijn haren alle kanten op, in een zware, badstoffen kamerjas.

'Hoofdinspecteur, ik wist niet dat u hier was. Heeft u al koffie gehad?'

'Ik heb thee en biscuits gehad, dank u. Daar heeft Irene voor gezorgd.'

'Mooi zo. Ik kan ook wel wat gebruiken. Vindt u het vervelend om mee te gaan naar de keuken?'

'Eigenlijk kom ik niet voor u, maar voor uw vrouw. Is mevrouw Wainwright-Smith al wakker?'

Er ging meteen een trek van bezorgdheid over Alexanders gezicht.

'Ik heb haar in haar kamer laten slapen.'

Dus de Wainwright-Smiths sliepen apart, hoewel ze pas een paar maanden getrouwd waren. Heel vreemd.

'Moet u haar echt nu al storen?'

'Jazeker. Wilt u haar alstublieft gaan wekken en haar vragen over, laten we zeggen, vijf minuten naar mij toe te komen?'

Dat klonk als een bevel en Alexander ging onmiddellijk, met zorgelijke fronsrimpels op zijn gezicht. Fenwick ging Cooper en Shah halen om erbij te komen zitten en voltooide zijn inspectie van de rest van de begane grond.

Aan de andere kant van de grote hal lagen de eetkamer en een gang met marmeren tegels die naar een fraai ingerichte, victoriaanse serre leidde. Vanuit de achterste hal liep een tweede, zeer steile trap naar boven, waar hij in het duister verdween.

Achter zich hoorde hij zachte stemmen en hij liep naar de dame en heer des huizes toe, die bij de lege haard in de grote hal op hem stonden te wachten.

In die vijf minuten had Sally Wainwright-Smith zich aangekleed en haar zilverblonde haar naar achteren gekamd in een keurige paardenstaart. Ze was niet opgemaakt, maar haar fijne huid en de vorm van haar ogen waren dusdanig, dat ze dat ook niet nodig had. Afgezien van haar bleekheid, waardoor ze met haar natuurlijke broosheid bijna een verwaarloosde indruk maakte, was er niets te merken van de hysterie van de avond daarvoor.

Fenwick knikte even ter begroeting en liep toen naar de bibliotheek. Cooper, Shah en Sally volgden hem, maar toen ook Alexander aanstalten maakte om naar binnen te gaan, draaide Fenwick zich om en schudde zijn hoofd. Alexander keek zijn vrouw bezorgd na toen ze de kamer binnenging. Sally draaide zich niet om en maakte ook niet de indruk dat het haar overviel dat ze alleen was met de politie.

Fenwick nam snel de plichtplegingen vooraf door en vroeg haar meteen naar haar activiteiten van de vorige dag, vanaf het moment dat ze wakker werd.

'Dat is voor een deel een beetje vaag. Ik ben vroeg opgestaan en heb de meisjes hun taken voor die dag opgegeven en toen ben ik weer naar bed gegaan. Dat had ik niet tegen ze gezegd, omdat ik wilde dat ze flink doorwerkten; er was heel veel te doen en ze zijn niet geconcentreerd als ik er niet bij ben.' Ze keek hem recht en met een open oogopslag aan.

'Dus u bent niet weggegaan om het fruit en de groente te gaan halen?'

Ze knipperde met haar ogen en aarzelde even.

'Nee, dat heb ik gewoon gezegd om hun het idee te geven dat ik terug zou komen.'

'Dus u loog tegen hen?'

'Een leugentje om bestwil, hoofdinspecteur, dat kan geen kwaad.'

'Wie leverde dan de groente af?'

'De man van de markt; dat was al eerder afgesproken.' Dat kwam er vlot uit, maar haar wangen werden rood, en Cooper maakte een aantekening.

'Ga door. Wat gebeurde er toen?'

'Alex en ik waren allebei doodop. Ik werd na halftwaalf wakker, heb lang gedoucht en ging toen mijn kleren klaarleggen voor de avond. Toen ik naar Alex' kamer ging was hij daar niet. Ik trof hem in de keuken waar hij koffie zat te drinken met een van de meisjes. Toen gingen we direct naar kantoor, hebben wat gewerkt en zijn toen weer naar huis gegaan. We zijn al die tijd bij elkaar geweest. Om ongeveer halfzes waren we hier terug. Daarna hebben we ons een ongeluk lopen ploeteren tot onze gasten kwamen.'

Daarna vroeg Fenwick haar te omschrijven hoe zij en Jeremy Kemp het lijk van Graham hadden gevonden. Ze liet haar hoofd hangen en bedekte eventjes haar gezicht met haar handen. Toen ze opkeek waren haar wangen nat. Cooper stak haar een schone witte zakdoek toe, die ze met een dankbare glimlach aanpakte.

'Herinnert u zich hoe het lichaam eruitzag toen u het vond?'

'Nee.' Het was nauwelijks hoorbaar.

'Jeremy Kemp liet u achter; wat deed u toen?'

Ze schudde haar hoofd, maar gaf geen antwoord. Er kwamen nog meer tranen los en Fenwick wachtte tot het ophield.

'Sorry. Ik vind het nog altijd moeilijk om erover te praten. En om eerlijk te zijn, het is allemaal erg vaag. Ik herinner me nog wel de aanblik van het lichaam; verder is het allemaal weg, tot Alex me kwam zoeken. En later, ik weet het niet, het werd me gewoon allemaal te veel.'

Fenwick ondervroeg haar indringend over de manier waarop het lichaam uit de boom was gehaald, maar ze zei dat ze dacht dat Kemp het had gedaan, en als dat niet zo was, dan zou ze het niet weten. Toen de ondervraging intensiever werd, ontweek ze alle opmerkingen, met de afdoende bewering dat ze zich totaal niets meer herinnerde van die cruciale periode dat ze onder de boom had gewacht.

'Mevrouw Wainwright-Smith, eerder op de avond had u het idee weggewuifd dat Graham iets kon zijn overkomen.'

'Was dat zo? Ja, u hebt gelijk. Het leek ook zo onwaarschijnlijk. Hij was een en al leven, echt zorgeloos. En ik had nooit gedacht dat hij... dat hij zou... Nou ja, hij scheen zo'n levensgenieter te zijn. Maar misschien was dat maar een pose. Jenny zei dat hij zich de laatste tijd heel veel zorgen had lopen maken. Wij hadden naar haar moeten luisteren.'

'U moet hem wel goed gekend hebben, dat zijn dood u zo diep raakt.'

'Nee, ik kende hem helemaal niet.' Sally schudde opstandig haar hoofd. 'We begonnen elkaar juist wat beter te leren kennen, deze laatste weken na de dood van zijn vader.'

Ondanks haar tranen, de hysterie van de vorige avond en haar merkbare verbazing dat hij wist van haar gesprek met de meisjes, had Sally zichzelf duidelijk onder controle en voelde ze zich op haar gemak. Fenwick woog bij zichzelf de voor- en nadelen af of hij haar verklaring over de dag van Grahams dood zou aanvechten, maar besloot dit voorlopig te laten rusten. Als ze ontspannen was werd ze vermoedelijk wat achtelozer. Hij had haar al op één leugen betrapt, dus kon ze meer fouten maken.

Toen Sally weg was en hij met Cooper en Shah achterbleef, sloeg hij Cooper opzettelijk over en vroeg hij aan de agente: 'En, wat vind jij van haar?'

Shah was net zo verbaasd als Cooper dat zij als eerste haar mening mocht geven, maar ze had haar antwoord onmiddellijk klaar: 'Ik vertrouw haar niet en ik geloof haar niet.'

Fenwick reageerde hier niet op en keek naar Cooper. Aan het gezicht van de brigadier was te zien dat hij het daar volstrekt mee oneens was.

'Dat is cru en voorbarig. Ik begrijp niet hoe je dat zo snel kunt zeggen.'

'Wat vind jij dan, Cooper?'

'Het lijkt mij een verstandig vrouwtje. Ze is goed voor haar man. Ze werkt heel hard. Niet altijd helemaal zeker over de kleinigheden van gisteren, maar je kunt zien dat ze van streek en in de war is.'

'Gek is dat, hè? Twee volkomen verschillende standpunten, één vanuit het perspectief van een man en het andere uit dat van een vrouw.'

'Hoofdinspecteur, ik geef mijn mening zuiver professioneel, niet op grond van mijn vrouw zijn,' zei agent Shah rood van verontwaardiging. 'Ik heb hier bezwaar tegen...'

'Rustig maar, het is niet seksistisch bedoeld. Als je naar al onze gesprekken kijkt, blijkt daaruit dat de vrouwen geen van allen een goed woord voor Sally Wainwright-Smith over hebben, terwijl alle mannen haar zonder uitzondering bewonderen en haar willen beschermen.'

'Maar die act van "arme, dappere ik" is zo doorzichtig als wat.'

'Voor jou misschien wel, maar niet voor haar man, Colin, Kemp, zelfs niet voor brigadier Cooper.'

'Even wachten, hoofdinspecteur. Ik heb alleen maar mijn onmiddellijke reactie gegeven, gooi me niet op één hoop met de anderen. Ik ken haar nauwelijks.'

Fenwick wuifde Coopers onbehagen lachend terzijde. Het kwam zelden voor dat hij onzeker of verward was.

Maar Cooper was gepikeerd. Hij vond het vervelend dat hij door de hoofdinspecteur in het bijzijn van Shah in twijfel werd getrokken. 'En wat vindt u dan van haar, hoofdinspecteur? Ik veronderstel dat u immuun bent voor haar charme.'

Fenwicks lach verdween onmiddellijk. 'Ja, dat ben ik ook. Ik heb me nog geen vaststaande mening gevormd, maar ik denk dat ze een doortrapte en misschien wel manipulatieve vrouw is, die het liegen te gemakkelijk afgaat om haar te kunnen vertrouwen.

Agent Shah, ik wil dat je de kist gaat zoeken waarin het fruit en de groente gisteren zijn afgeleverd en kijk of je kunt achterhalen waar hij vandaan komt. Vraag aan Irene welke markten er gisteren open waren en bij wie Sally ze gekocht kan hebben. Cooper, ga met Julia Wainwright-McAdam praten. Zij en Colin hebben hier overnacht. Vraag aan Jenny of Graham sieraden droeg en zo ja, of ze die kan omschrijven. Vervolgens wil ik foto's hebben van alle gasten van gisteravond en van Graham Wainwright en Neil Yarrell. O ja, en ga even kijken of het forensisch team er al is. Ik wil dat ze afgietsels maken van die afdrukken onder de boom.'

'Wat bent u met die foto's van plan, hoofdinspecteur?'

'Dat ben ik nog aan het uitwerken, maar ze zullen nog van pas komen, dat weet ik. Ik ga een wandeling over het terrein maken tot jullie klaar zijn. Over een halfuur ben ik bij de auto.'

Hij moest nadenken voordat hij een briefing hield met het team. Hij moest duidelijk maken dat het een moordonderzoek was zonder de bewijslast te overdrijven, want anders zat inspecteur Blite al bij de korpsleider nog voor hij de woordjes 'zaak gesloten' uit zijn mond had.

Sally stond bij de dubbele voordeuren en zag de drie politiemensen over haar lange oprit met grind verdwijnen. Toen ze zich omdraaide stond Alexander achter haar in de hal.

'Daar ben je. Alles in orde?'

Sally knikte en liep naar hem toe om steun bij hem te zoeken.

'Je ziet ontzettend wit, Sally, en je eet weer niet goed, hè? Ik zag het gisteravond aan het diner.' Wat hij eigenlijk wilde zeggen was dat ze te veel begon te drinken, maar hij wist niet hoe.

'Niet zaniken, Alex. Ik voel me prima. Ik ga een kop koffie drinken om wakker te worden.' Plotseling merkte ze dat hij was gekleed om naar kantoor te gaan.

'Ga je werken? Maar het is zaterdag!'

'Eh, ja. Tenzij je per se wilt dat ik blijf.'

Ze schudde haar hoofd; ze kon de energie of de slinksheid niet opbrengen om in te gaan tegen zijn constante obsessie voor zijn werk. 'Nee, doe maar. Maar er is wel iets waarover ik met je wil praten. Het is vrij dringend.'

Ze ging hem voor naar buiten en liep met hem mee over het grind naar zijn geparkeerde auto. Het voorjaarszonnetje scheen helder. Hij opende het portier aan de bestuurderskant en liet het openstaan zodat er koele lucht naar binnen kon waaien.

'Schat, de dood van Graham heeft me erg aan het denken gezet over dingen waar ik normaal niet bij stil wil staan,' zei Sally met een zachte vermoeide stem, alsof ze doodmoe, zelfs treurig was.

Alexander gaf een geruststellend kneepje in haar schouder, trok toen haar tengere lichaam tegen zijn borst en hield haar stevig vast. Hij kuste haar op haar haren en genoot van de zachte aanraking ervan tegen zijn wang. Ze zuchtte en liet de spanning in haar lichaam los.

'Ik heb over de dood nagedacht; hoe het lot plotseling en zonder waarschuwing vooraf al onze plannen kan veranderen. We moeten er beter op voorbereid zijn en ik vind het vreselijk om het te zeggen, maar we hebben nog niets gedaan aan het opstellen van ons testament.'

Tot haar verbazing lachte haar man. 'Natuurlijk heb ik dat al gedaan. Meteen toen we trouwden.'

'Maar Jeremy...' Ze hield zich in.

'O, typisch Kemp om je onnodig ongerust te maken. Ik heb het niet door hem laten doen. ik heb zo'n doe-het-zelfprogramma gekocht. Op dat moment kon ik zijn rekeningen absoluut niet betalen.'

'Maar er is na die tijd een heleboel gebeurd.' Ze gebaarde met haar arm naar het huis en het landgoed eromheen. 'Moet je het dan niet updaten?'

'Dat heb ik al een paar keer gedaan en het ligt veilig bij de bank, dus het kan niet wegraken. Je hoeft je geen zorgen te maken, zeker niet nu Graham dood is. Als ik eerst was overleden zou ons aandeel naar hem teruggegaan zijn, maar zoals het nu is, erven wij van hem. Dat was een voorwaarde in het testament van de oude man.' Hij tilde haar hoofd naar zich op, zodat hij haar zachtjes kon kussen. 'Ik heb ervoor gezorgd dat als er met mij iets gebeurt, met jou alles in orde komt; en jou zal niets overkomen. Nu moet ik weg. Ik zal proberen rond de lunch thuis te zijn om te zien of het goed met je gaat. Tot straks!'

Sally keek hem na toen hij wegreed. Zodra hij uit het zicht was maakte de vermoeide trek op haar gezicht plaats voor woede. Terwijl ze naar binnen beende, rukte ze drie lange stengels van de bloeiende kamperfoelie van de muur, de ene na de andere, en trok ze kapot. Onder het lopen gooide ze de bloemen en de stengels op de grond.

Irene was nog altijd alleen in de keuken. Ze was begonnen met het opruimen van de rommel: het opstapelen van de borden, het scheiden van het porselein, het glaswerk en het zilveren bestek, en er ging ontmoedigend weinig in de vaatwasmachine. Ze was de mokken en het biscuit op de oude vurenhouten tafel vergeten, wat ze anders nooit zou doen.

'Hoe durf je jezelf van mijn eten te bedienen!'

Irene kwam overeind bij de vaatwasmachine en draaide zich om. Daar stond Sally witheet met haar vinger naar het pakje biscuit te wijzen.

'De helft van het pakje is op! Dat was gisteravond nog niet open-gemaakt!' Als ze Irene had beschuldigd van een affaire met haar man had die toon van verraad niet erger kunnen zijn.

Irene kreeg een kleur. Ze kende de regels; die had Sally haar dui-delijk uitgelegd toen ze hier kwam.

'Ze waren voor de politiemensen, mevrouw. Ze hadden niet ont-beten.'

Sally keek naar de kruimels die nog op de legging en het vest van Irene zaten en keek haar ongelovig aan.
'Maak het niet nog erger door tegen me te liegen, Irene. Lieg nooit tegen mij.'

Irene kreeg koude rillingen in haar nek toen ze naar Sally's bleke, schuinstaande ogen keek. Het liefst zou ze haar middelvinger willen opsteken en haar zó met het huis en de hele troep achterlaten, maar dat mens joeg haar angst aan en ze moest haar geld van de afgelopen week nog krijgen. Ze besloot meteen haar ontslag in te dienen zodra deze week erop zat en ze haar geld had gekregen. Tot dat moment kon ze beter haar mond houden.

'Het spijt me, mevrouw. Trekt u het maar van mijn loon af. Ik zal het niet meer doen.'

Sally knikte een keer, keek naar de prijs op het pakje en pakte toen opzettelijk vijf koekjes en propte ze in haar mond, het ene na het andere. Irene staarde haar aan en wist niet wat ze zag.

Toen ze in de auto zaten op de terugweg naar Harlden vatte Cooper zijn gesprek met Julia samen.

'Tante Julia tolereert Alexander, maar ze verafschuwt zijn vrouw. Ze insinueerde dat de oude Alan Wainwright een affaire met Sally had, en dat zij hem had verleid om zijn testament te veranderen.'

'Is dat te bewijzen?'

'Nee. Het is nog precies als daarvoor, toen Graham bij ons kwam met zijn twijfels over de dood van zijn vader.'

'En nu is Graham ook dood. Dat zijn drie machtige, invloedrijke mannen, die in de afgelopen twee maanden dood zijn gegaan, en ze zijn alle drie verbonden met dat bedrijf.' Fenwick zweeg, kennelijk diep in gedachten. 'Noch Sally, noch Alexander heeft een waterdicht alibi voor de ochtend waarop Graham is gestorven. Ze hebben allebei een motief en Sally's reactie van gisteravond was bizar, om het zacht uit te drukken. Ik laat ze allebei schaduwen; tot we bewijzen hebben die op het tegendeel wijzen, zijn ze mijn hoofdverdachten.'

Cooper keek zijn baas onverholen zorgelijk aan.

'Dat zal u niet erg populair maken bij de korpsleider, hoofdinspecteur.'

'Vertel mij wat! Maar sinds wanneer heb ik de populariteitsprijs gewonnen?' Hij lachte zo vol zelfvertrouwen dat Cooper hem er alleen maar om kon benijden. 'Even over iets anders. Hoever is brigadier Gould met de losse eindjes van de zaak Fish?'

'Hij staat onder druk. De divisie in Brighton blijft zeggen dat die zaak gesloten is nu Francis Fielding dood is, dus daar werken ze niet erg mee. Er loopt daar een echte kloothommel rond, Pink heet hij, die er veel plezier aan schijnt te beleven om zo min mogelijk hulp te bieden.'

'Nou, wat mij betreft is die zaak niet gesloten. Er lag verdacht veel geld in Fieldings flat, en waar dat vandaan kwam was niet na te gaan, dus we kunnen niet uitsluiten dat hij is betaald om Arthur Fish te vermoorden.'

'Het is altijd een ramp om te proberen een samenzwering te bewijzen en de korpsleider zal er niet blij mee zijn.'

'Als deze sterfgevallen op de een of andere manier aan elkaar gekoppeld zijn, en als de dood van Alan Wainwright ook moord was, dan is het een ingenieus opgezette samenzwering.'

'Ingenieus en brutaal, om het risico te nemen Graham binnen een week na Fish te vermoorden.'

'Brutaal, óf wanhopig. Als er een verband is, hebben degenen die erachter zitten een bijna suïcidaal verlangen om risico's te nemen, maar ze zijn wel heel slim. Is er bij degenen die wij hebben gesproken iemand die aan die beschrijving voldoet?'

Er viel een stilte. Toen zei Cooper aarzelend: 'Alexander is een stuk pienterder dan hij wil laten merken.'

Shah merkte, aangemoedigd door Fenwicks eerdere belangstelling voor haar opinie, op: 'Sally ook. Ik denk dat zij het gehaaidst is van de twee en we weten maar heel weinig van haar af.'

'Jullie hebben allebei gelijk. Cooper, we moeten met die privédetective gaan praten die Graham in dienst had. En laat de plaatselijke politie in Schotland zijn huis doorzoeken of daar enige informatie te vinden is. We moeten ook met het personeel gaan praten.'

Zwijgend reden ze verder tot ze in Harlden High Street aankwamen, waar ze vast kwamen te zitten in de onvermijdelijke verkeersdrukte rond lunchtijd.

26

Harlden was ooit een aardig marktplaatsje geweest. Nu moesten de auto's constant strijd leveren in een systeem van eenrichtingsverkeer, dat voor de planner waarschijnlijk een genot was geweest, maar een kwelling voor de automobilist. Fenwick zette Cooper en Shah af aan de kant van de weg tegenover het bureau, dan kon hij de tijd die het hem kostte om in kruiptempo de parkeerplaats te bereiken, gebruiken om na te denken. Gek genoeg vond hij dat niet erg. De puzzelstukjes begonnen in elkaar te passen en er ontstond een vaag beeld. Hij zag het nog niet scherp voor zich, maar het begon een vorm aan te nemen, en hij moest het de ruimte geven om uit te kristalliseren.

Die ideeën waren gekomen, toen hij probeerde Sally's gedrag in een logisch patroon te plaatsen. Hoe hij ook zijn best deed, hij zag geen enkele logica in haar grillige stemmingswisselingen. Van de ene minuut op de andere werd ze hysterisch, het volgende moment was ze kalm en beheerst. Hij besloot een boodschap in te spreken bij de psychiater die als adviseur voor het korps werkte, en hij keek ervan op dat ze hem onmiddellijk terugbelde. Hij zat net in een lastige verkeerssituatie bij een noodstoplicht, omdat één rijbaan was afgesloten vanwege de wegwerkzaamheden aan een slecht functionerende rotonde, maar hij nam toch opmerkelijk bedaard zijn mobiele telefoon op.

'Fenwick.'

'Dag Andrew, met Claire Keating. Je had gebeld.'

'Claire! Wat fijn dat je terugbelt. Heb je een paar minuutjes? Ik heb een zaak onder handen, althans, iemand die bij een zaak betrokken is, die me voor een raadsel stelt, en ik heb je hulp nodig.'

'Zeg het maar, dat intrigeert me.' Claire had een stem als honing op een warme dag en nu klonk ze wel heel plezierig. Maar Fenwick was er nu niet voor in de stemming om daar gevoelig voor te zijn.

Hij legde zijn dilemma in verband met Sally's gedrag aan haar voor en weidde uit met voorbeelden en citaten uit haar verklaring. Claire luisterde zonder hem te onderbreken en toen hij klaar was, duurde het vrij lang voor ze antwoord gaf.

'Wat je beschrijft kan op een gedragsstoornis wijzen, maar het kunnen ook gewoon symptomen van acute stress of depressie zijn. Dat kan ik moeilijk beoordelen zonder haar gezien te hebben.'

'Maar als het een gedragsstoornis is, wat kan er dan aan ten grondslag liggen?'

'Een geesteszieke, mishandeling, een persoonlijkheidsstoornis, of alle drie. De symptomen zijn vrij vaag, maar zoals jij het vertelt vind ik ze wel een beetje extreem klinken. Maar daarmee is nog lang niet gezegd dat het om een vorm van abnormaliteit of sociale onevenwichtigheid gaat.'

'Ga er even van uit dat het meer is dan alleen het gevolg van stress, wat kan daar dan de diepere oorzaak van zijn?'

'Andrew, ik stel nooit een diagnose op basis van een hypothese, dat weet je.'

'Alsjeblieft?' Wat klonk hij menselijk en hulpzoekend. Ze zweeg nog langer, toen zei ze: 'Ik kan echt geen commentaar geven op die Sally over wie je het hebt, maar ik kan wel iets zeggen over vorige gevallen. Als je maar goed begrijpt dat het informeel is.'

'Natuurlijk.'

'Goed. Mijn ervaring met extreme gevallen is dat heftige stemmingswisselingen, grillig gedrag, obsessies, grootheidswaan, gevolgd door aanvallen van paniek en paranoia symptomen kunnen zijn van manische depressiviteit. Het is te behandelen met medicijnen.'

'Ze krijgt van de dokter pillen tegen depressiviteit.'

'Dat is absoluut niet hetzelfde.'

'Vergeet dat ik dat gezegd heb. Als het geen manische depressiviteit is, wat kan dan nog meer de symptomen veroorzaken die ik beschreven heb?'

Fenwick had zich door de verkeerschaos gemanoeuvreerd en zag even verderop de hekken van de parkeerplaats van het politiebureau.

'De mate van emotionele onzekerheid die je beschrijft kan veel oorzaken hebben, maar een heel algemeen voorkomende is een of ander trauma of mishandeling in de kindertijd.'

Fenwick dacht onmiddellijk aan zijn eigen zoontje en diens afschuwelijke reactie op de ziekte van zijn moeder, en hij kreeg het er koud van. Het kind was pas vier jaar geweest toen hij getuige was van haar zelfmoordpoging en Fenwicks vertwijfelde pogingen om haar te reanimeren. Claire praatte door, onwetend van zijn gedachten op dat moment.

'Een beschadigd individu kan gewoon volwassen worden en het kan zelfs goed met hem gaan. Soms leidt hij zijn leven en gaat hij dood zonder enig uiterlijk teken van een trauma in de vroege jaren. Maar de laatste tijd is men wel van mening dat het steeds onwaarschijnlijker is dat zo iemand een normale volwassene wordt. Het moderne leven is buitengewoon intens geworden. De mensen worden zo gebombardeerd met informatie, opinies en argumenten dat de realiteit heel subjectief wordt. Als je daar een onvolledige emotionele ontwikkeling en een onderdrukte respons op een jeugdtrauma bij optelt, dan worden bepaalde mensen, die op het oog goed aangepast lijken maar die dat met grote moeite overeind weten te houden, een tijdbom. Veel mensen leven achter een zorgvuldig opgetrokken façade en ze zijn in alle opzichten "normaal", wat dat ook mag inhouden, maar in werkelijkheid balanceren ze op het scherpst van de snede. Ze weten een wankel evenwicht te bewaren, tot het leven hen omverduwt. Dat gebeurt voortdurend en dan zeggen we dat ze een zenuwinzinking hebben. De meeste mensen herstellen wel weer, maar soms is een psychose kwaadaardig, en dan worden ze chronisch ziek. Andrew, hoor je me wel? Ben je daar nog?'

'Jawel. Heel eventjes, ik ben net bezig de auto te parkeren.' Fenwicks stem klonk zwak en hij hoopte dat Claire het zou toeschrijven aan de fysieke bezigheid van het manoeuvreren met de auto. 'Praat maar door, hoor. Kan zo iemand gevaarlijk zijn?'

'Normaal gesproken niet, alleen voor zichzelf; maar heel af en toe ligt de stoornis dieper en dan wordt het een andere kwestie. Als er een ernstig trauma heeft plaatsgevonden, de dood van een ouder, of van een broertje of zusje bijvoorbeeld, en als dat niet is behandeld en het wordt gevolgd door, zeg maar, enigerlei vorm van mishandeling, dan kun je te maken krijgen met een explosieve persoonlijkheid die tot extreme reacties in staat is en die zich niet gebonden voelt door welke maatschappelijke conventies dan ook, maar dat is erg zeldzaam.'

Hij kon zich er bijna niet toe brengen antwoord te geven en toen hij dat ten slotte toch deed, kwam er alleen maar gefluister uit.

'Dank je wel, Claire, dat was heel verhelderend. Ik bel je nog als er meer ontwikkelingen zijn.'

'Geen probleem. Zeg, gaat het wel met je? Bel me gauw weer eens op, je hebt mijn privénummer, dus je kunt me altijd bereiken. Ik zou het leuk vinden.'

Het duurde even voordat Fenwicks handen ophielden met trillen. Hij hield zichzelf aldoor voor dat het over Sally was gegaan, niet over Chris. Chris was een jochie van zes, met een liefhebbende vader, die vastbesloten was ervoor te zorgen dat wat er met zijn moeder was gebeurd, niet de onuitwisbare littekens zou achterlaten die Claire zojuist had beschreven. Hij slikte het brok in zijn keel weg en begaf zich langzaam naar de briefing.

27

'Welkom terug.'

'Ik ben blij dat ik weer terug ben.' Nightingale liet haar reistas op een bureau vol krassen in de hoek vallen, naast de radiator die het maar zelden deed, en ze had het gevoel dat ze thuisgekomen was.

'Was het leuk?'

'Ik heb het wel eens beter naar mijn zin gehad, maar het ging wel. En hoe is het hier?'

Agent Driscoll bracht haar volledig op de hoogte, vooral van de geruchten over de nieuwste affaire, en hij had het even over de werkdruk in verband met het lopende onderzoek. De moord op Arthur Fish, vorige week, boeide Nightingale onmiddellijk.

'Wie werken daaraan?'

'Fenwick en Cooper, plus meer dan tien anderen. Brigadier Gould is ermee bezig, dus je kunt het aan hem vragen als je durft.'

'En jij?'

'Ik ben bezig met een plotseling sterfgeval: Graham Wainwright. Een ophanging die van alles kan zijn, moord, een ongeluk, zelfmoord. De hoofdinspecteur vermoedt dat het moord is, maar inspecteur Blite vindt dat te ver gaan. Ik heb mijn geld op Blite gezet; hij denkt dat het een ongelukje is geweest; die gozer had een leren string aan, zijn leuter hing eruit en er lagen allemaal pornoblaadjes om hem heen toen we hem vonden. Wat zou jij dan denken?'

'Dat hangt van de omstandigheden af. Zeg, waarom werkt Fenwick daar ook aan?'

'Hij denkt dat het met elkaar in verband staat. Fish werkte bij Wainwright Enterprises en...'

'Wainwright Enterprises? Hier in Harlden?'

'Ja, hoezo?'

'Hun algemeen directeur is eerder dit jaar overleden; zelfmoord, volgens het gerechtelijk vooronderzoek. Ik was daar toen als eerste ter plaatse.'

Driscoll haalde zijn schouders op. Als ze niet meeging in de algemene kritiek op de superieuren, was hij niet geïnteresseerd. Ze liet hem verdergaan met zijn rapport en ging kijken of ze een handje kon helpen in de zaak Wainwright.

'Hoofdinspecteur?'

Fenwick trok een ongeduldige blik en keek Nightingale aan die in de deuropening van zijn kantoor stond. Hij nodigde haar niet binnen.

'Ja, agent, is het dringend? Ik heb het erg druk.' Hij was blijkbaar diep in gedachten en leek gespannener dan normaal.

'Kan ik bij het team komen werken? Aan de zaak Wainwright?'

'Ga maar met het hoofd coördinatie van de TGO-ruimte praten, die organiseert de manschappen.' Hij boog zijn hoofd weer en ging verder met het lezen van de papieren die voor hem lagen. Ze kon inrukken.

'Dank u, hoofdinspecteur.'

Toen ze bij zijn kantoor wegliep, besefte ze dat het stom van haar was om te denken dat hun eerdere samenwerking iets voor Fenwick had betekend. Toch had het werk dat ze vorig jaar voor hem had gedaan geresulteerd in een belangrijke doorbraak; ze had er zelfs haar leven voor op het spel gezet. En dit was dan de erkenning die ze daarvoor kreeg. Onwillekeurig wreef ze over haar linkerarm en voelde de verdikking van het littekenweefsel onder de mouw van haar blouse. In die maanden dat het onderzoek liep bruiste ze van energie en was ze zo dicht bij Fenwick komen te staan dat haar leven er heel anders was gaan uitzien, en daar verlangde ze naar terug.

De gezamenlijke opsporing van een seriemoordenaar had haar zo totaal in beslag genomen, dat ze de draad van haar relatie met haar verloofde nooit meer had opgepakt. Plotseling besefte ze, en dat was geen prettig inzicht, dat ze dat ook niet meer had gewild. Nightingale schudde deze verontrustende gedachten van zich af en ging op zoek naar de rechercheur van dienst, van wie ze een uitbrander kreeg omdat ze te laat was. Ze werd ingedeeld bij algemene zaken. Er kwam een melding binnen van een gewapende overval op een krantenkiosk en ze was al onderweg.

Fenwick had een bespreking met het hele team georganiseerd en het geroezemoes van dertig stemmen kwam hem al tegemoet toen hij boven aan de trap de deur opendeed. Hij deed het kalm aan toen hij door de gang liep. Jezelf willen bewijzen dat je nog met gemak de trap op kon rennen was één ding, met een rode kop voor het team verschijnen was wat anders.

Commissaris Quinlan had onmiddellijk meer mensen ingezet toen Fenwick hem meedeelde dat ze met een moord te maken hadden. Een aantal van hen was aangetrokken uit de omringende divisies en dit was de eerste keer dat hij een briefing met dat voltallige team zou houden. Hij was benieuwd wat voor mensen hij had gekregen.

Toen hij binnenkwam nam het lawaai meteen af en Cooper bewonderde en benijdde hem erom; die man had zo'n sterke uitstraling dat hij gewoon meteen alle aandacht opeiste. En het was écht, geen act. Hij betwijfelde zelfs of Fenwick wel in de gaten had wat voor impact hij op zijn teams had.

Als zijn rechterhand in de zaak Wainwright was Cooper verantwoordelijk voor de coördinatie, samen met het hoofd van de TGO-ruimte. Fenwicks vasthoudende opvatting dat de drie plotselinge sterfgevallen bij het bedrijf Wainwright met elkaar in verband konden staan, maakte het onderzoek naar de dood van Graham een stuk ingewikkelder. De teams zouden constant al hun rapporten met elkaar moeten vergelijken en verslag moeten uitbrengen over alle punten die op elkaar aansloten, hoe toevallig ook.

Fenwick draaide er niet omheen. Hij schetste de drie sterfgevallen van dit jaar die met Wainwright Enterprises te maken hadden, en zijn werkhypothese, dat ze op de een of andere manier aan elkaar gekoppeld waren. Hij omschreef de twijfels omtrent de zelfmoord van Alan Wainwright en het gebrek aan bewijs, waardoor ze hun onderzoek hadden moeten afbreken. Brigadier Gould was ook verzocht aanwezig te zijn, om uitleg te geven over de zaak Fish en de onafgewerkte kwesties waar hij mee bezig was.

'We hebben het ontbrekende cassettebandje, tape nummer tien, nog altijd niet gevonden. Het is niet in zijn kantoor of in zijn huis.'

'Blijf zoeken. Ik wil het absoluut vinden, want zijn laatste woorden staan erop. Al enig idee waar Fish in Brighton naartoe ging?'

'Nee, hoofdinspecteur. Geen van de prostituees die we hebben ondervraagd heeft hem herkend. Het onderzoek gaat door, maar het team van Brighton werkt zich nog altijd suf om hun eigen moorden op diezelfde avond op te lossen.'

'Het blijft een raar toeval en ik moet zeker weten of er geen verband is. Laat iemand van jouw team de rapporten van de technische recherche en van het forensisch lab over de dood van Fish goed controleren en vergelijken met die over de moord op Grey en Bennett.'

Wat hij van hem vroeg was een enorme klus en voegde een nieuwe complicatie toe aan hun onderzoek. Cooper zag dat de schouders van Gould een beetje afzakten, maar hij vermande zich. 'Goed, hoofdinspecteur. Kan ik daar extra mensen voor krijgen?'

'Praat met de coördinator van de TGO-ruimte; misschien kan hij iets voor je doen.'

Het nieuwe team had met beleefde belangstelling aangehoord hoe hij de parallelle gevallen omschreef, maar ze waren er meteen met hun volle aandacht bij toen hij met de briefing over de dood van Graham Wainwright begon. Hij legde uit waarom hij dacht dat het moord was, hoewel de uitslagen van het postmortale onderzoek niet eenduidig waren. Dit nieuwtje bracht een golf van opwinding teweeg en inspecteur Blite stak nonchalant zijn hand op.

'Ja, inspecteur?'

'Stelt u een aparte onderzoeksleider aan voor de dood van Wainwright, nu het moord is? Zo ja, dan meld ik me daarvoor aan.' Die opmerking kon opgevat worden als constructief maar ook als een belediging; per slot van rekening was Fenwick de hoogste onderzoeksleider in alle drie de gevallen. Fenwick besloot het als constructief op te vatten en gaf opgelegd ontspannen en zelfverzekerd antwoord.

'Na de briefing ga ik mijn strategie met de commissaris bespreken en doe ik een aanbeveling om een onderzoeksleider aan te stellen voor deze laatste moord. Ik zal uw belangstelling voor die functie in gedachten houden. Brigadier Cooper, wilt u verslag uitbrengen van het onderzoek tot dusverre en van de gesprekken van afgelopen nacht?'

Cooper begon te praten, maar toen hij de plaats delict beschreef, werd hij onmiddellijk door inspecteur Blite in de rede gevallen.

'Maar hoe krijg je een gezonde, volwassen man zover dat hij met een strop om zijn nek op een kist gaat staan?'

Zijn onverholen scepsis maakte Cooper razend; daarnet had hij nog om de volle verantwoordelijkheid in die zaak gevraagd, wat moest het team daar wel van denken?

'Dat weten we niet – nóg niet. Misschien heeft iemand een pistool tegen zijn hoofd gehouden, of hem het idee gegeven dat het een spelletje of een grap was.'

'Hij was al in de veertig, op die leeftijd werk je toch niet meer mee aan een of andere stomme grap.'

'Dat weet je nooit. Hij viel op jonge vrouwen. Jenny Reynolds is pas twintig en die daarvoor schijnt een model van zeventien te zijn geweest!'

Fenwick hoorde het even aan toen die twee begonnen te bekvechten of het wel of niet moord was geweest. Toen kwam hij tussenbeide.

'Degene die de taak van onderzoeksleider op zich neemt moet de theorie van moord door ophanging rigoureus testen. Het is hoogst ongebruikelijk, maar afgaand op de andere bewijzen die we hebben is het gevaarlijk om er alleen op grond van de methode die de moordenaar heeft gekozen van uit te gaan dat hij niet is vermoord: dat is waarschijnlijk met opzet gedaan om ons te laten geloven dat het een ongeluk of zelfmoord is geweest. Laten we doorgaan, brigadier. Hoever bent u met de kist met groente en fruit?'

'Er is een resultaat,' glimlachte Cooper. 'We hebben de kist herleid naar een marktkraam. De groentehandelaar herinnerde zich die bestelling omdat hij zo groot was, en hij was op zijn mobiele telefoon doorgegeven; het nummer staat op zijn bestelwagen. Hij heeft hem beslist niet zelf afgeleverd, zoals Sally Wainwright-Smith zei. Hij zegt dat hij achter zijn kraam stond en zelfs niet even een plasje is gaan plegen. De bestelling moet op vrijdagochtend zijn opgehaald.'

'Weet hij nog wanneer en door wie?'

Cooper trok een gezicht. 'Niet duidelijk, maar hij weet wel zeker dat het niet Sally Wainwright-Smith was. Ik liet hem haar foto zien en hij zei dat hij zich haar zeker zou hebben herinnerd. Hij denkt dat het een vent is geweest.'

'Hebt u hem de foto van Graham Wainwright-Smith laten zien?'

'De foto van *Graham*? Nee, ik heb hem die van Alexander laten zien; hij was het niet.'

'Ga terug met de foto van Graham. En is de kist naar het forensisch lab gegaan?'

'Ja. Maar hij zit vol vingerafdrukken. Het gaat eeuwen duren om ze te identificeren en te elimineren.'

'Geeft niet. Toch maar doen. En zorg dat ze worden vergeleken met die van de dode man.'

Inspecteur Blite fronste, maar hij zat gelukkig op de eerste rij, zodat alleen Fenwick en Cooper het konden zien. Hij was het er kennelijk niet mee eens dat er mankracht werd ingezet voor zo'n langdurige klus waar volgens hem geen goede reden voor was.

Meteen toen de briefing voorbij was ging Fenwick naar het kantoor van de commissaris om te wachten op het telefoontje van de korpsleider, die direct op de hoogte gebracht wilde worden. Er was nu vierentwintig uur overheen gegaan sinds de dood van Graham en hij wilde snel resultaat hebben. Het gesprek begon vrij voorspelbaar. De korpsleider uitte zijn bezwaren tegen het belang om verder te werken aan de moord op Arthur Fish. Fenwick verdedigde zijn handelwijze op grond van de noodzaak om elke mogelijke connectie met de dood van Graham Wainwright uit te sluiten en de commissaris steunde hem daarin. De korpsleider gaf schoorvoetend toe, maar Fenwick wist dat het geleende tijd was. Harper-Brown had goede redenen om het brede onderzoek snel af te sluiten, want het kostte veel mankracht, ook bij het forensisch onderzoek, en beide waren krap.

Hij luisterde zwijgend en aandachtig toen Fenwick verklaarde waar hij zijn vermoeden dat Graham Wainwright was vermoord op baseerde. Hij was niet blij met die conclusie, maar accepteerde haar met tegenzin.

'En hoe ga je het nu aanpakken? Je hoofdverdachte is zeker Jenny Reynolds?'

'Ja, dat is beslist een van de theorieën, meneer.' Uit Fenwicks toon viel niets op te maken, maar hij keek de commissaris over de telefoon heen aan en schudde vertwijfeld zijn hoofd.

De korpsleider sprak: 'Luister, ik moet naar een andere vergadering. Commissaris, wie stel je aan als onderzoeksleider?'

Fenwick en Quinlan hadden dit al doorgesproken voordat ze Harper-Brown belden. Fenwick wist dat hij een hoofdrechercheur moest aanstellen als leider van het onderzoek naar de moord op Graham, maar hij wilde zelf de touwtjes in handen houden bij het grootschalige onderzoek in de zaak Wainwright. Daar ging de commissaris mee akkoord – hij had een heilig vertrouwen in Fenwicks oordeel – maar hij wilde het team zo veel mogelijk plaatselijk houden, en de enige beschikbare hoofdrechercheur was inspecteur Blite. Met tegenzin accepteerde Fenwick dat Blite onderzoeksleider werd, maar dan moest hij wel aan hem verslag uitbrengen.

'Wij dragen inspecteur Blite voor als...'

'Goed.'

'... en hij brengt verslag uit aan hoofdinspecteur Fenwick, die de algehele verantwoordelijkheid behoudt over alle zaken die betrekking hebben op het bedrijf Wainwright.'

Er viel een stilte, waarin Fenwick voor zich zag hoe de korpsleider op zoek was naar argumenten waarom dit onjuist zou zijn. Maar die waren niet zo makkelijk te vinden en na een tijdje zei hij, vrij geïrriteerd: 'Goed dan, maar ik wil niet dat er overdreven naar die verbanden wordt gezocht. Probeer het simpel te houden en laat de pers er in godsnaam geen lucht van krijgen.'

Blite was in de wolken met zijn aanstelling, ondanks de bepaling dat hij verslag moest uitbrengen aan Fenwick, in plaats van rechtstreeks aan de commissaris. Terwijl ze samen hun tactiek voor de afhandeling van de zaak uitstippelden, herhaalde Blite zijn standpunt dat ophanging een zeer ongebruikelijke methode was om iemand te vermoorden. Daar was Fenwick het mee eens. Ze zouden allebei heel nauwkeurig het rapport van het postmortale onderzoek doornemen zodra dat eindelijk kwam en de researchafdeling zou HOLMES, het landelijke politiedatasysteem, nakijken, of er gelijksoortige gevallen waren geweest.

'We hebben een heleboel te doen, inspecteur, en ik help ook mee.' Fenwick wilde er dicht op blijven zitten, vooral omdat Blite gevoelig zou zijn voor de onvermijdelijke hints van de korpsleider om de zaak snel af te sluiten. 'Zijn er aspecten waarvan jij graag wilt dat ik me ermee bezighoud?'

Dat aanbod kon Blite niet afslaan; hij moest verslag aan Fenwick uitbrengen en hij wilde voortmaken.

'Mijn team gaat zich concentreren op de ondervragingen, de rapporten van het forensisch onderzoek en de technische recherche over de plaats delict; ze gaan de haalbaarheid van de doodsoorzaak testen, de privédetective opsporen, de contacten met Schotland onderhouden, praten met Kemp over het testament van de oom en ze doen de persbriefing. Het zou handig zijn als jij Grahams nieuwe advocaat kunt ondervragen en een huiszoekingsbevel voor Wainwright Hall en het landgoed eromheen regelt.'

Natuurlijk schoof hij de gevoelige en vervelende onderdelen van de zaak op hem af, maar Fenwick had niet anders verwacht. Ze spraken af om tegen zessen weer bij elkaar te komen.

Fenwick en Cooper gingen samen met de heer Sacks praten, de advocaat van de dode man. Anders dan veel andere advocatenkantoren was dat van Sacks op zaterdag tot drie uur geopend. Fenwick was nieuwsgierig om te weten waarom Graham een kantoor in de regio had uitgekozen, aangezien hij na de dood van zijn vader zijn tijd voornamelijk had verdeeld tussen Londen en Schotland.

Mr. Sacks was een elegante man, die kennelijk een fortuin uitgaf aan zijn kleermaker in een alles bij elkaar genomen toch niet zo geslaagde poging om zijn gewichtsprobleem te verhullen. Hij liet Fenwick en Cooper een modern, sober ingericht kantoor binnen en liet hen direct rond een dure esdoornhouten tafel plaatsnemen. Het smetteloze, zacht gepolitoerde tafelblad maakte dat Cooper er zelfs zijn elleboog niet op durfde te leggen, laat staan zijn notitieboekje.

Sacks sputterde meteen al tegen, omdat hij probeerde te vermijden details over Graham Wainwrights zaken vrij te geven. Dat hield abrupt op toen het tot hem doordrong dat Fenwick bereid was zo nodig naar de rechter te stappen. Hij drukte op de zoemer om zijn secretaresse te roepen, die even later de dossiers kwam brengen, eentje gebonden in een kalfsleren map en twee dossierdozen, die barstensvol papieren zaten.

'Graham en ik hebben bij elkaar op school gezeten, dus toen hij besloot bij Kemp en Kemp weg te gaan, belde hij mij op met het verzoek cliënt bij ons te worden. In maart zijn we begonnen met voor meneer Wainwright te werken, vlak nadat zijn vader overleden was en hij een aanzienlijk deel van diens bezittingen erfde.'

'Maar niet zoveel als waarop hij had gehoopt.'

Sacks keek gechoqueerd bij die botte opmerking uit de mond van een hoofdrechercheur.

'Daar kan ik echt niets over zeggen.'

'Heeft hij u gevraagd te overwegen om de erfenis, die voor de helft naar de Wainwright-Smiths is gegaan, aan te vechten?'

De advocaat sloeg het dunne dossier met zijn lange, dorre vingers open en bladerde naar een paar aantekeningen achterin. Even verscheen er een zorgelijke trek op zijn gezicht, die ook snel weer weg was.

'Aanvankelijk wel, maar daar kwam hij later op terug.'

'Waarom?'

'Ik heb geen idee. Hij liet de kwestie gewoon vallen.'

'En hoe zit het met de voorwaarden in Graham Wainwrights eigen testament?'

'Hij heeft er geen opgesteld; hij is zonder testament overleden. Ik denk dat hij niet verwachtte al zo snel te zullen sterven, hoofdinspecteur.'

Geen testament. Nog een reden om te betwijfelen dat zijn dood zelfmoord was. Na zo'n grote erfenis zou hij zeker zijn zaken in orde hebben gebracht voordat hij de hand aan zichzelf sloeg.

Sacks ging verder, onwetend van de gedachten die Fenwick bezighielden.

'Mijn werkzaamheden voor meneer Wainwright bleven beperkt tot wat onderzoek op het gebied van aanspraken. Zoals u ziet is het maar een heel dun dossier.'

'En dat andere?' Fenwick wees naar de aftandse dossierdozen.

'Van Kemp en Kemp. We hebben er nog niets mee gedaan. In feite zijn ze pas een week vóór meneer Wainwrights vroegtijdige dood gekomen. Mijn cliënt was er buitengewoon op gebrand dat we ze bemachtigden. Dat is hoogst ongebruikelijk. Ze waren per slot van rekening niet het eigendom van meneer Wainwright, maar hij stond erop, dus hebben we die kwestie in gang gezet. Jeremy Kemp werkte heel erg mee, hoewel het vrij lang heeft geduurd voor we ze kregen.'

'Ik snap het. Meneer Sacks, ik vroeg me af of we een kopje koffie zouden kunnen krijgen?'

'Echt? Blijft u dan nog zo lang?'

'Ja, we zijn er nog wel even.'

Cooper keek naar beneden om niet te laten merken dat hij verbaasd was. Hij dacht dat ze klaar waren. De zoemer werd weer ingedrukt en de secretaresse van Sacks nam ijverig de bestelling op. Even later bracht ze drie al ingeschonken kopjes en een kannetje room, dat keurig naast de suiker stond. Fenwick deed zoveel room en suiker in zijn koffie dat het kopje bijna overliep. Toen haalde hij met veel omhaal papieren uit zijn leren tas, iets wat Cooper hem nog nooit had zien doen. Hij kon schijnbaar één bepaald artikel niet vinden en Cooper zag tot zijn schrik dat er zomaar plompverloren notities, dossiers en zelfs een opvouwbare paraplu op het maagdelijke esdoornhout werden gekwakt. Telkens als er weer iets op de groeiende stapel kwam, kromp Sacks in elkaar, en toen er een kleine nietmachine neerkwam en omviel, moest Cooper zich inhouden om zijn hand niet uit te steken.

'Ha, daar heb ik het.' Fenwick leek zich niet bewust te zijn van het groeiende afgrijzen van de advocaat. 'En, kent u een van deze mensen?'

Strijdlustig duwde hij een plastic map met foto's over de tafel, maar hij mikte op de een of andere manier verkeerd en in plaats van bij Sacks aan te komen, gleed hij met een vaartje in de richting van Fenwicks overvolle koffiekopje. Een hoek van de map bleef onder de rand van het schoteltje hangen, waardoor het kopje omviel. Sacks keek vol schrik naar de stroom donkerbruin vocht, die naar de rand van het tafelblad en het volmaakte beige kleed eronder liep.

'Kijk nou toch eens wat u doet!'

'Het spijt me ontzettend. Hier, laat me helpen.' Fenwick pakte wat papieren zakdoekjes en duwde die Sacks in de hand. Hij deed het zo gehaast dat hij de bovenkant van het melkkannetje raakte, dat omviel tegen het suikerpotje, dat op zijn beurt omging. Nu was er ook nog kleverige bruine suiker bij de gemorste koffie gekomen, die begon op te lossen.

'Idioot!' riep Sacks furieus. Hij staarde één tel vol afschuw naar de ramp die zich op zijn tafel voltrok en die ook het buitensporig dure tapijt dreigde te ruïneren, en sprong toen naar de deur.

Meteen toen hij weg was, was er geen spoor meer te bekennen van onbehouwen lomp gedrag. Fenwick liep vlug om de tafel naar het in leer gebonden dossier en begon erin te bladeren.

'Hoofdinspecteur toch!'

'Niets aan de hand. Houd jij even de gang in de gaten en zeg me wanneer hij terugkomt.' Hij ging snel verder met het doorkijken van de pagina's en stopte af en toe een paar tellen om de inhoud te scannen.

'Hij komt eraan!'

Toen Sacks en zijn secretaresse terugkwamen, zagen ze Fenwick vertwijfeld met zijn tissues in de weer om druppels op te deppen die over de rand van de tafel liepen. Met behulp van doeken en een spons leek de ramp net op het nippertje te zijn afgewend. Maar het dossier met de foto's was naar de filistijnen.

'Het spijt me werkelijk ontzettend. Zeg, we komen wel een andere keer terug om de foto's door te nemen.'

Sacks kreeg het nauwelijks uit zijn strot om beleefd gedag te zeggen. Cooper maakte snel dat hij wegkwam; hij was helemaal rood van onderdrukte verontwaardiging en schaamte. Hij zei niets, tot ze in Fenwicks auto zaten en de hoofdinspecteur vlot terugreed naar het bureau in Harlden.

'We hadden geen huiszoekingsbevel.'

'Zo is het.'

'We waren niet gerechtigd om te zoeken.'

'Heb ik gezocht? Ik herinner me niet dat ik gezocht heb.'

'Maar hoofdinspecteur!'

'Niets "maar". Ik heb alleen maar even gekeken naar papieren die hij open en bloot op tafel had liggen. Als ze werkelijk gevoelige informatie bevatten had een advocaat als Sacks ze meegenomen.'

Cooper verviel in een overdreven kritisch stilzwijgen en Fenwick reed verder. Ze waren al bijna bij het bureau toen Coopers nieuwsgierigheid het ten slotte won van zijn principes. 'En was het interessant?'

Fenwick glimlachte fijntjes, maar maskeerde dat door zijn hoofd om te draaien toen hij de parkeerplaats opreed.

'Ja, zeer interessant. Kom mee, dan bespreken we het in mijn kantoor.'

Fenwick wuifde even naar de brigadier van dienst, die op de zoemer van de elektronische deur drukte die het kantoorgedeelte scheidde van de openbare ruimte van het politiebureau, en rende met twee treden tegelijk de trap op, Cooper ver achter zich latend. Toen hij zeker wist dat zijn brigadier hem niet kon zien, bleef hij staan en wreef met een pijnlijk vertrokken gezicht over zijn rechterkniegewricht. Daarna liep hij rustig de rest van de trap op en tegen de tijd dat Cooper zijn kantoor binnen kwam puffen had hij zijn ademhaling weer onder controle.

'Wie, zou jij zeggen, is de betrouwbaarste – en openhartigste – advocaat die wij kennen?'

Cooper, die op adem moest komen, was blij met de denkpauze. 'Hm, lastig.' Hij krabde op zijn hoofd en ging op de keiharde bezoekersstoel zitten. 'Cook, misschien. Wel een beetje een ouwehoer, maar hij deugt wel.'

'Goed idee. Geef me eens even dat telefoonboek aan, daar, achter je.'

Na drie keer overgaan werd er opgenomen en Cooper kon duidelijk het Schotse accent door de telefoon horen bulderen.

'Hé, Andrew! Lang geleden. Wat kan ik voor je doen?'

'Ik heb een beetje hulp nodig, Richard. Iemand met inzicht in onze plaatselijke advocatenkantoren.'

'Boeiend. Vertel.'

'Wat kun jij me zeggen over een zekere mr. Sacks?'

'Die is betrekkelijk nieuw, duur en verdomd arrogant. Een mooi portret. Héél gewiekst en heel prikkelbaar. Niet iemand om tegen je in het harnas te jagen.'

'Juist.' Fenwicks toon liet aan duidelijkheid niets te wensen over.

'Te laat, hè? Geeft niet. Je overleeft het wel. Was dat het?'

'Nee, nog iets. Kemp en Kemp: hoe staan die bekend?'

Er viel een lange stilte.

'Dat is wat lastiger,' zei Cook ten slotte. 'Is dit officieel?'

'Absoluut niet.'

'En je belt niet met je mobieltje?'

'Nee, ik zit op kantoor en er loopt geen bandje mee. Vooruit, je maakt me nieuwsgierig.'

'Waarom wil je het weten?'

'Dat kantoor werkte voor een bedrijf waar sinds het begin van het jaar een aantal mensen onverwacht dood zijn gegaan, en in het geval van ten minste een van hen hebben we onze verdenkingen.'

'O, dan gaat het over Wainwright. Interessant.' Cook ging er niet van uit dat Fenwick zijn veronderstelling zou bevestigen of ontkennen, dus praatte hij gewoon door. 'Nou, wat kan ik je vertellen? En voor ik dat doe, moet je goed weten dat ik hiervan helemaal nooit iets in het openbaar zal zeggen. Eens kijken, er gaan een paar geruchten over Kemp en Kemp, nou ja, over hun zeer gerespecteerde cliënt Wainwright Enterprises, eigenlijk. Allemaal niet zeker, er zit alleen een luchtje aan.'

'Wat voor luchtje?'

'Een luchtje van oneerlijk geld. Kemp is al sinds mensenheugenis de juridisch adviseur van Wainwright Enterprises en ze behartigen ook de juridische belangen van de familie. Wainwright is een eigenaardig bedrijf. Ze blijven constant groeien; ze blijven winst maken, in goede tijden maar ook in slechte tijden.'

'Zou jij een voormalig cliënt van Kemp overnemen – zeg maar, iemand van de familie Wainwright?'

'Ik denk het niet.' Hij zweeg. 'Nee, schrap dat. Absoluut niet.'

'Je hebt me een heel eind op weg geholpen. Dank je wel, Richard.'

'Geen punt. O, nog één ding. Ook dit is maar een gerucht, maar op de golfclub zeggen ze dat Kemp buiten de pot pist. Hij is op vreemde plaatsen gezien met iemand die in de verste verte niet op zijn vrouw lijkt.'

'O, zo. Enig idee wie?'

'Helemaal niet, het is mijn kringetje niet, maar James FitzGerald zou je misschien kunnen helpen. Hij is de baas van FitzGerald Financial Advisers in High Street en hij gaat om met Kemp en mensen van Wainwright Enterprises.'

Toen Fenwick peinzend ophing bekeek Cooper hem met hernieuwd respect.

'Hoe bent u op het spoor van Kemp gezet?'

'Door het gezicht van Sacks toen hij de pagina's van dat keurig netjes ingepakte dossier doorbladerde. Hij zag daar iets staan wat hij liever niet had meegenomen naar de kamer. Hij zat daar al die papieren uit te spreiden om te laten merken dat hij en zijn firma niets te verbergen hadden, en toen opeens kreeg hij in de gaten dat het wel zo was. Het stond op zijn gezicht te lezen. Ik was benieuwd wat dat was.'

'Dus u hebt die koffie met opzet omgegooid?'

'Hoe kom je daar nou bij, Cooper!' Fenwick veinsde dat hij gekwetst was en trok toen een samenzweerderige grijns.

'En, wat heeft u ontdekt?'

'Een memo van Sacks aan de andere partners, om hen in te lichten dat Graham Wainwright een verzoek had ingediend om cliënt bij hen te worden. Er zat een schatting bij van het vermoedelijke honorarium – meer dan vijftienduizend pond – maar vervolgens een zinnetje dat ongeveer luidde: 'Gezien de familiegeschiedenis van deze cliënt en de naam van het cederende advocatenkantoor, stel ik voor dat we die mogelijkheid tijdens de volgende partnervergadering op de zestiende ter sprake brengen.' Ik vermoed dat ze Graham zouden hebben afgewezen als hij hem niet had gekend of als het kantoor niet nieuw was geweest en nog prestige moest opbouwen, en dat is wel erg interessant.'

FitzGerald Financial Advisers zat midden in High Street, in een elegant en duur pand. Helemaal achterin was een bescheiden balie waar de routinezaken werden afgehandeld en daarvoor stonden twee zakelijke bureaus en stoelen die een flink eind uit elkaar geplaatst waren.

Achter de receptie zat een vrouw met haviksogen, die innemend naar Fenwick glimlachte toen hij binnenkwam.

Zachtjes, om potentiële cliënten niet af te schrikken, zei hij: 'Wij zouden graag de heer FitzGerald willen spreken. Ik ben hoofdinspecteur Fenwick en dit is brigadier Cooper van de recherche in Harlden.' Hij liet zijn legitimatie zien.

'Meneer FitzGerald is momenteel aan de telefoon met een cliënt, maar ik zal hem laten weten dat u er bent. Wat kan ik tegen hem zeggen als reden van uw komst?'

'Dat is een zaak van de politie.'

Fenwick keek haar na toen ze een kantoor binnenging in een hoek achter de essenhouten balie. Terwijl hij wachtte, keek hij naar een vlotte jongeman die probeerde twee zeer sceptische mensen te overtuigen van de voordelen van een levensverzekering en een pensioenverzekering. Hij betwijfelde of het hem zou lukken.

'Hoofdinspecteur Fenwick, brigadier Cooper,' riep de receptioniste hen zachtjes binnen.

James FitzGerald zat op zijn gemak achter een eikenhouten bureau dat er weinig pretentieus en vrij gehavend en doorleefd uitzag, ongeveer zoals de man zelf. Hij had drie telefoons, waarvan eentje ingebouwd was in een unit van bijna dertig centimeter lang en die vol zat met voorgeprogrammeerde nummers. Het leek net een klein schakelbord en toen ze binnenkwamen was FitzGerald juist bezig het zo te verdraaien dat zijn bezoekers de namen naast de druktoetsen niet konden lezen. Hij was lang en mager, met gebogen schouders, maar zijn handdruk was verrassend stevig.

Fenwick nam een paar tellen om de man te taxeren en besloot meteen terzake te komen. Hij verklaarde dat ze bezig waren met een onderzoek naar ten minste één moord en een aantal verdachte sterfgevallen, en hij zag de uitdrukking van de man veranderen van geschoktheid naar nauwelijks verholen bezorgdheid. Maar toen hij de connectie met Wainwright Enterprises noemde, ging die bezorgdheid over in behoedzaamheid.

'En wat heeft dat allemaal met mij te maken?'

'Kemp en Kemp zijn de juridisch adviseurs van Wainwright Enterprises.'

Het was weliswaar een rechtstreekse vaststelling, maar die had een opmerkelijk effect op FitzGerald. Hij ging verzitten en stak zijn vinger achter zijn boordje, alsof zijn stropdas opeens wat te strak zat. Hij vertrok zijn mond tot een dunne, harde streep.

'Ik zie nog steeds niet in waarom u met mij komt praten.'

'Ik had begrepen dat u ons wellicht wat achtergrondinformatie over Kemp zou kunnen verschaffen.'

'Ik ken ze nauwelijks; zij zijn geen advocaten van ons. U bent aan het verkeerde adres, hoofdinspecteur.'

'Vanuit het circuit heb ik gehoord dat ik aan het juiste adres ben.'

FitzGeralds gezicht verkleurde van wit naar donkerrood en hij deed zijn mond open om tegen te spreken, waarbij hij zijn scherpe, witte tanden liet zien. Maar van het ene moment op het andere loste zijn kwaadheid op in het niets en barstte hij in lachen uit, wat in Fenwicks geoefende oren duidelijk kunstmatig klonk.

'Oké, oké. Als ik een hoge toon aansla komen jullie helemaal over me heen vallen. Ik zou graag willen weten wie er naar mij heeft verwezen, maar dat gaan jullie me natuurlijk niet vertellen. "Vanuit het circuit," alsjeblieft zeg!' Hij lachte opnieuw en ging comfortabel achterover in zijn stoel zitten, waarbij hij zijn ene been optilde en zijn glanzend gepoetste schoen op een openstaande la zette.

'Wat denkt u dat ik u kan vertellen?'

'Ik probeer erachter te komen wat voor advocatenkantoor zij zijn.'

'Nou, dat is duidelijk zat. Dat kunt u ook aan henzelf vragen.'

'Is er iets ongewoons met hen?'

'Niet dat ik weet.'

'Geen verhalen over schimmige zaakjes en dergelijke?'

'Niets.'

'Waarom krijg ik dan te horen dat u een goede geruchtenbron bent?'

FitzGerald lachte opnieuw. 'O, dat is oud nieuws. Kemp heeft een affaire gehad met mijn eerste vrouw, maar dat is jaren geleden. Zoals ik zei, u bent aan het verkeerde adres.'

Er klonk duidelijk in door dat dit het laatste was wat hij gezegd had. Fenwick nam snel afscheid en vertrok samen met Cooper.

Zodra hij er zeker van was dat de politiemannen het pand hadden verlaten, pakte James FitzGerald meteen de telefoon en drukte een voorgeprogrammeerd nummer in.

'Ja, met mij. We moeten praten. Nee, niet hier. Op de club. ... Nee, nu meteen. We hebben een probleem.'

Terug op het bureau namen Fenwick en Cooper voordat ze naar de avondbespreking gingen de dag door. Cooper stond er verbaasd over dat de hoofdinspecteur zo ontspannen bleef na hun ontmoeting met James FitzGerald.

'Hij loog!'

'Natuurlijk loog hij. Wat interessant is, is de vraag waarom. Waarom neemt een man als FitzGerald het risico te liegen tegen de politie? Zag je zijn telefoon? Hij had het nummer van Kemp rechtstreeks voorgeprogrammeerd staan en ook dat van Wainwright Enterprises. En dat verhaal over zijn eerste vrouw!'

'Ik snap niet hoe je zo kalm kunt blijven.'

'Dit is onze eerste echte doorbraak in de zaak. Hij liegt, en dat wil zeggen dat hij meent dat er iets is wat het waard is om over te liegen. Ik wil dat je zijn achtergronden helemaal doorspit. We moeten ook mevrouw Kemp weer ondervragen om meer te weten te komen over haar man. Wainwright is tot nog toe waterdicht; we moeten zwakke schakels aan de buitenkant zien te vinden. We hebben een strak georganiseerd team nodig om die verbanden uit te werken: jij en nog een andere rechercheur.'

'Wie krijg ik dan om dat allemaal te doen? Je hebt iedereen die vrijkwam al toewijzingen gegeven in de zaak van Graham Wainwright. Ik heb geen mensen meer over.'

'Ga maar met de coördinator praten.'

De briefing duurde maar kort. Blite had Grahams privédetective opgespoord maar was er niet veel wijzer van geworden. Het onderzoek van de man naar het verleden van Sally Wainwright-Smith had niets meer onthuld dan dat ze op zeker moment haar naam had veranderd, en voordat hij aan haar verder had kunnen werken, had Graham hem opgedragen zich op Wainwright Enterprises te concentreren. Hij had een beetje graafwerk verricht en de namen achter de aandeelhoudende trusts gevonden, daarna had hij zijn geld en zijn congé gekregen. Het rapport van het postmortale onderzoek van Graham was er nog steeds niet, maar Fenwick had wel een huiszoekingsbevel gekregen voor Wainwright Hall en het omliggende terrein. Nu Fenwicks naam zwart op wit op het verzoek tot huiszoeking stond, aarzelde Blite geen moment om de verantwoordelijkheid voor de huiszoeking weer op zich te nemen.

'Hoe ver ben je met het uittesten van ophanging als moordmethode?' wilde Fenwick weten. Hij moest er absoluut zeker van zijn of een dergelijk ongebruikelijke methode verdedigbaar was als de zaak voor de rechter kwam.

'Zeker, het is te doen.' Maar het klonk smalend, alsof dat antwoord uiteindelijk voor de hand lag, ondanks zijn eerdere scepsis. 'En bij HOLMES is een zaak gevonden die er erg op lijkt.'

'Mooi, dat is een hele opluchting.'

Fenwick verzocht Blite achter het rapport van het postmortale onderzoek aan te gaan; het was cruciaal voor het onderzoek en ze zouden vertraging oplopen als het nog langer ging duren.

Toen hij later die avond bezig was orde te scheppen op zijn bureau ging de telefoon. Het was commissaris Quinlan die hem vroeg bij hem op kantoor te komen.

'Ha, hoofdinspecteur. Ik had het net over je.' Commissaris Quinlan keek Fenwick over de rand van zijn leesbril aan. 'De korpsleider begint weer zenuwachtig te worden. Een paar mensen van jouw team zijn kennelijk in de plaatselijke clubs opgedoken en hebben daar het verkeerde soort vragen gesteld over bepaalde leden: de heren Kemp, FitzGerald en Wainwright-Smith om precies te zijn.'

'Mooi zo, dat werd een keer tijd.'

'Niet mooi. De korpsleider is toevallig ook lid van sommige van die clubs en hij heeft klachten gekregen. Er is ook iemand geweest, en ik weet niet wie, die nieuwe twijfels bij hem heeft gezaaid over de belangrijkste strekking van jouw theorie, dat Wainwright Enterprises en de familie Wainwright de spil van alles zijn. Hij is er niet gelukkig mee.'

Fenwick bracht commissaris Quinlan op de hoogte van de ontwikkelingen van die dag en bevestigde dat hij nog altijd van mening was dat de zaken met elkaar te maken hadden. Quinlan luisterde aandachtig en sprak hem niet tegen, maar hij maakte zich wel zorgen.

'Het is zo flinterdun allemaal. Het zou veel eenvoudiger zijn om de zaak Fish af te sluiten nu de moordenaar dood is. Het forensisch lab heeft bewezen dat zijn stiletto het moordwapen was en je hebt getuige op getuige gehad, die bevestigde dat hij de man was die ze in de trein hadden gezien.'

'Maar waarom vermoordde hij Fish nadat hij hem eerst van Harlden naar Brighton en weer terug was gevolgd?'

'Zo'n vent als hij, die in drugs handelt en geassocieerd wordt met gewelddadige lui? Zo'n misdrijf is nauwelijks verrassend te noemen.'

'Misschien niet, maar er zijn ook verschillende rapporten waarin staat dat hij op de avond voordat hij stierf liep te zwaaien met stapeltjes bankbiljetten, en dat past helemaal in mijn theorie dat hij is betaald om Fish te vermoorden.'

'Ik geef je nog één week met dit volledige team, maar als je niets meer vindt, moet je daarna de dood van Fielding aan Brighton overlaten en je gewoon op Graham Wainwright concentreren. En geen tegenspraak, hoofdinspecteur, nog één week.'

Als de commissaris al zó vroeg in de zaak Graham Wainwright zó direct werd, moest hij wel ontzettend onder druk zijn gezet. Fenwick zuchtte en haalde zijn schouders op ten teken dat hij het begrepen had, al was hij het er niet mee eens.

'We zullen ons op die zaak richten, commissaris, maar geef me alsjeblieft de vrijheid om vragen te stellen, ook al is het op de verkeerde plaatsen.'

Quinlan keek zorgelijk. 'Dit is een gevoelige periode. De Raad van Toezicht komt op de negende bijeen. Ik zal doen wat ik kan. In de tussentijd houd jij mij en Harper-Brown volledig op de hoogte.'

Fenwick keerde nog even terug naar zijn kantoor om papieren op te halen die hij mee naar huis wilde nemen om ze te bestuderen, toen de telefoon ging. Het was zeven uur en hij had de kinderen al gezegd dat hij om halfacht thuis zou zijn.

'Ja?'

'Brigadier van dienst, hoofdinspecteur. Neem me niet kwalijk dat ik u stoor. Maar ik heb hier ene miss Wilson beneden staan die een verklaring wil afleggen in verband met de moord op Fish.'

'Laat iemand in de TGO-ruimte die verklaring dan opnemen.'

'Daar is niemand, hoofdinspecteur. De brigadiers Cooper en Gould zijn op pad en brigadier Rike is een tijdje geleden ziek naar huis gegaan.'

Brigadier Rike was de coördinator, verantwoordelijk voor het reilen en zeilen in de TGO-ruimte. Fenwick explodeerde, wat zelden voorkwam.

'Wat heeft het nou voor zin om een TGO-ruimte te hebben als die niet bemand is, brigadier? Er is geen excuus voor; die ruimte is hier nota bene op het bureau godver... betert. Roep Driscoll en laat hem iemand naar de TGO-ruimte sturen, nu meteen. En zet die vrouw in een gespreksruimte. Ik kom eraan.'

Hij was de hoofdrechercheur op deze zaak; dat hij zo'n verklaring moest komen opnemen bracht een gebrek aan efficiëntie aan het licht dat hem grote zorgen baarde. Dit kon symptomatisch zijn voor een dieper liggend probleem. Hij dacht onmiddellijk aan Cooper en liet zich door de meldkamer doorverbinden met de radio van zijn brigadier.

'Cooper! Er is niemand die de TGO-ruimte bemant! Wat is er in godsnaam aan de hand?'

'Rike zou daar moeten zijn, hoofdinspecteur.' Fenwick hoorde aan de stem van de brigadier dat het hem niet lekker zat en daar was hij blij om.

'Nou, daar is hij niet, en sinds wanneer zit er maar één rechercheur achter de telefoons in een meervoudig moordonderzoek?'

Cooper had hem erop kunnen wijzen dat de moord op Fish met de dood van Francis Fielding praktisch opgelost was en dat Fenwick zoveel verschillende onderzoekslijnen had uitgezet, dat brigadier Rike het onmogelijk meer aankon. Dat hád hij allemaal kunnen zeggen, maar wat Fenwick hoorde was: 'Het spijt me, hoofdinspecteur. Het zal niet meer voorkomen. Ik denk dat we brigadier Rike moeten vervangen. Hij was helemaal niet in orde en heeft heel erg zijn best gedaan, maar hij kon het niet meer aan.'

'Doe dat dan, Cooper. Ga met de brigadier van dienst praten en zorg dat die kamer behoorlijk bemand is als ik daar terugkom nadat ik zélf een simpele getuigenverklaring heb moeten opnemen!'

Miss Wilson was naar een van de gespreksruimtes op de begane grond gebracht. Fenwick schatte haar leeftijd op halverwege de veertig. Ze ging keurig gekleed, was welbespraakt en werd vergezeld door een gehoorzame hooglandterriër aan een riem met een Schots ruitje.

'Miss Wilson, neemt u me niet kwalijk dat ik u heb laten wachten. Ik ben hoofdinspecteur Fenwick. Ik leid het onderzoek naar de dood van meneer Arthur Fish.'

Ze stak hem een goed verzorgde hand toe en hij ving een zweem van citrusachtige eau de toilette op. Miss Wilson was exact het type getuige dat jury's en rechters graag zien, en hij hoopte, tegen beter weten in, dat ze iets belangrijks te melden had.

'Allereerst moet ik me verontschuldigen dat ik hier niet eerder mee ben gekomen, hoofdinspecteur. Ik ben de afgelopen dagen wezen zeilen met mijn zuster en zwager en ik had geen idee van die moord.' Hij wuifde haar excuus weg en ze vervolgde: 'Op donderdag 20 april nam ik de trein van zeventien over zes uit Harlden, en ik herinner me heel duidelijk dat ik meneer Fish heb gezien. Er zaten drie jonge meisjes in diezelfde coupé, die zich heel erg misdroegen en die de arme man de hele tijd tot aan Brighton toe hebben zitten treiteren.

Vlak voordat we uit het station van Harlden wegreden stapte er een jongeman in. Ik herinner het me, omdat hij zich langs me heen drong toen hij instapte en over Hector, mijn hond, struikelde en me uitschold.'

'Zou u hem opnieuw herkennen?'

'Ik denk het wel. Hij had erg opvallende ogen.'

Fenwick pakte mappen met foto's, waaronder ook een van een grijnzende Francis Fielding, en liet ze aan haar zien.

Zonder aarzelen wees ze de foto van Fielding aan. 'Ja, dat is hem, ik weet het zeker.' Fenwick voelde de adrenaline door zich heen gaan. 'Is hij de moordenaar?' Miss Wilson klonk verbaasd.

'We denken van wel. Hoezo?'

'Nou, dat is dan wel raar, omdat ik zag dat hij in Brighton zijn vriendin ontmoette, dus ga je ervan uit dat zij daar samen de avond zouden hebben doorgebracht.'

Dit was helemaal nieuw. Ze hadden geen idee wat Fielding had gedaan in de tijd dat hij wachtte op de trein terug naar Harlden. Hij vroeg miss Wilson dringend verder te vertellen.

'Ik was in Brighton als eerste uit de trein gestapt omdat ik de bus naar mijn zuster moest halen. Maar goed, ik miste hem en toen ik terugliep om in de rij te gaan staan voor een taxi, zag ik meneer Fish aan de overkant van de straat. Die man op uw foto liep achter hem en ik weet zeker dat hij met een vrouw was.'

'Kunt u haar beschrijven?'

'Niet goed. Ik heb er niet zo goed op gelet en er reden auto's tussen ons door. Blond en slank is het enige wat ik me herinner.'

'En daarna?'

'Meer niet, helaas. Ik moest lang wachten en stapte toen in een taxi naar mijn zuster. We wilden 's ochtends vroeg het water op.'

Fenwick bedankte haar en verzekerde haar dat de informatie heel nuttig was geweest. Toen vroeg hij aan een agent om haar verklaring op te nemen. Binnen een paar minuten was hij alweer in zijn kantoor en zat hij aan de telefoon met brigadier Gould.

'We hebben een getuige die Fielding het station van Brighton heeft zien verlaten, samen met een vrouw – blond en slank, is alles wat we over haar weten. Laat iemand alle gesprekken op het station in Brighton overdoen en spoor de taxichauffeurs die die avond dienst hadden op. Hang ook een poster op bij de taxistandplaats met het verzoek of getuigen zich willen melden. Er stond die avond een wachtrij bij de taxi's en iemand kan de ontmoeting van Fielding en die vrouw hebben gezien of ze hebben zien weglopen.'

Hij hing weer op en elk spoortje somberheid dat op hem was neergedaald na zijn gesprek met commissaris Quinlan vervloog. Hij was weer vastberaden en optimistisch. Er waren meer bewijzen; hij hoefde ze alleen maar te vinden. Hij pakte de laatste dossiers snel in en ging op weg naar huis, in de hoop zijn kinderen nog te zien voordat ze sliepen.

28

De volgende morgen ging Cooper naar de administratie en vroeg om nog meer agenten. De avond daarvoor waren er direct al twee gevonden, maar hij had nog iemand nodig. Toen de naam Nightingale viel knikte hij met een vrijblijvend gebrom, maar stiekem was hij blij dat hij die meid weer kon inzetten bij een van zijn onderzoeken. Het compenseerde tenminste dat hij die ochtend zijn warme ontbijt had overgeslagen.

Nightingale kon haar geluk niet op toen ze botweg te horen kreeg dat ze naar Cooper in de TGO-ruimte moest gaan. Hij was daar met brigadier Gould en inspecteur Blite. Ze keken op toen ze binnenkwam, taxeerden haar leeftijd en rang en gingen toen weer door met hun gesprek. Ze glimlachte opgelucht; het was wel eens prettig om gewoon genegeerd te worden. Het team begon binnen te druppelen voor de eerste briefing van die dag en hoewel het een zondag was, zag ze weinig lange gezichten. Fenwick arriveerde vlak voor negenen.

'Mooi, jullie zijn er allemaal. Ik wil de vorderingen in elke zaak bespreken, te beginnen met Arthur Fish. Weten we al iets meer over waar hij naartoe ging toen hij het station verliet?'

Brigadier Gould schudde zijn hoofd.

'Hoever is het team met het ondervragen van de prostituees? We weten dat Fish van bizarre seks hield. Dat moet het eenvoudiger maken.'

'Ja, maar zo ongewoon is het niet. Geloof me, de meeste meisjes – en jongens, wat dat aangaat – zijn bereid om hun klanten een beetje SM te bieden, als het er maar niet te ruig aan toegaat.'

'Maar die babylotion en talkpoeder dan, zo gewoon is dat niet.'

De rechercheur haalde zijn schouders op en Nightingale deed haar mond al open, maar hield zich toch in. Ze moest leren niet bij elke vergadering zo bijdehand te zijn. Fenwick had het echter al gezien.

'Heb je iets te melden, Nightingale?'

Ze dacht snel na over de plaats delict met de kostuums in de kast, de ouderwetse badkuip en het kindermeisjesschort met de fles babylotion.

'Toe maar.'

'Wanneer is Fish overleden, hoofdinspecteur?'

'Op 20 april.'

'Er is toen een prostituee vermoord. Ik was daarbij.'

'Dat weten we, maar de rechercheur die het onderzoek leidde zei dat er geen connectie was. Als je het daar niet mee eens bent, praten we er naderhand wel over. Goed, ik vind dat we de vrouw van Fish opnieuw moeten horen.'

Brigadier Gould worstelde nu al met de nieuwe werklast in Brighton. 'Zij is praktisch comateus, hoofdinspecteur.'

'Desondanks... Ik doe het wel als jullie het te druk hebben.'

Inspecteur Blite was opzettelijk achter in de ruimte gaan zitten en had tijdens de hele rapportage van brigadier Gould zitten fluisteren met een brigadier van zijn eigen team, waarmee hij duidelijk te kennen gaf dat die zaken volgens hem helemaal niets met elkaar te maken hadden. Maar het beurde hem wat op toen Fenwick hem naar voren riep om het team op de hoogte te brengen van de stand van zaken. Inspecteur Blite had goed nieuws te melden en wilde ervan genieten. Voor het gemak zag hij daarbij over het hoofd dat het speurwerk dat tot de doorbraak had geleid, op Fenwicks initiatief was verricht, niet het zijne.

De vingerafdrukken van de dode waren op de groente- en fruitkist gevonden, samen met die van Sally Wainwright-Smith. De marktkoopman wees hem aan als de man die de bestelling had opgehaald.

'Dat wijst nog verder op de mogelijke betrokkenheid van mevrouw Wainwright-Smith, en zij heeft een zwak alibi, in tegenstelling tot Jenny Reynolds. We hebben getuigenverklaringen dat ze op vrijdagmorgen in de trein uit Schotland zat.'

Fenwick had zijn verdenkingen jegens Sally Wainwright-Smith alleen tegenover Blite uitgesproken, omdat hij wilde dat het team objectief bleef. Maar nu bleek Blite opeens bereid te zijn openlijk zijn mening te delen en dat vond Fenwick te vroeg. Hij sneed een ander thema aan.

'Staat er nog iets nieuws in het volledige rapport van het postmortale onderzoek?'

'Dat hebben we nog steeds niet gekregen, hoofdinspecteur,' zei Blite op een geprikkeld sarcastische toon. Het was te merken dat hij in verlegenheid was omdat hij het rapport nog niet van de patholoog-anatoom had los weten te krijgen.

'Dat is volslagen onacceptabel. Ik bel Pendlebury zelf wel even en zorg dat je het vandaag nog krijgt.'

Blite knikte, opgelucht dat Fenwick hem daarmee verloste uit een lastig parket. Hij had het kantoor van dr. Pendlebury een halfuur geleden pas gebeld en zijn scherpe neus voor politieke problemen pikte een luchtje op dat heel wat smeriger was dan de geuren in de autopsieruimte.

Na de vergadering bleven Gould, Nightingale en Cooper bij Fenwick achter. Nu de groep was uitgedund voelde Nightingale zich ontspannen genoeg om haar verhaal te doen.

'Op 20 april, rond negen uur 's avonds, hoorden de buren van Amanda Bennett geluiden van een worsteling en brekend glas.'

'Fish heeft haar dus niet vermoord; die zat alweer in de trein terug naar Harlden.'

'Nee, hoofdinspecteur, maar het kan zijn dat hij voor die tijd bij haar op bezoek is geweest. Haar huis was vol kostuums, zwepen, kettingen...'

Brigadier Gould onderbrak haar. 'Onze vriend vond het fijn om zich zachtjes met een rietje te laten kastijden en daarna zijn kont te laten afkussen, Nightingale, niet van dat ruige gedoe.'

Nightingale kreeg een kleur. 'Dat weet ik, brigadier, en ik vermoed dat Bennett tamelijk veelzijdig was, ze deed niet alleen harde dingen. In haar kast vonden we een roede, babylotion en talkpoeder. Dat is niet afdoende, dat weet ik, maar het kan een schakel zijn.'

Brigadier Gould had spijt van zijn sarcasme. 'Mee eens, we kunnen er niet omheen. Ik laat het forensisch lab de houtspoortjes die we van zijn lichaam hebben gehaald vergelijken met die roede in haar huis. Als dat klopt, gaan we alle sporen met elkaar vergelijken.'

Fenwick stemde hiermee in. 'We hebben een drukke dag voor ons, maar ik heb de indruk dat we op een keerpunt staan, in ieder geval in de zaak Fish. Cooper, jij en Nightingale gaan naar de vrouw van Kemp. Zoek uit of er waarheid schuilt in het gerucht dat Kemp een affaire had. Daarna gaan jullie praten met het andere meisje dat in Wainwright Hall werkt, Shirley Kennedy, en neem haar verklaring over de donderdag op. Ik moet met de vrouw van Fish gaan praten. En we moeten blijven graven in Sally's achtergrond. Maar eerst ga ik achter Pendlebury aan voor dat rapport. Ik weet niet wat er de laatste tijd met die man aan de hand is.'

Pendlebury had te goeder trouw beloofd dat ze het rapport van het postmortale onderzoek de dag daarvoor al binnen zouden hebben, maar hij was ziek geworden en met spoed naar het ziekenhuis gebracht, en niemand van zijn kantoor wilde zijn handtekening eronder zetten.

Toen Fenwick het nummer van zijn kantoor belde, kreeg hij te horen dat Pendlebury inmiddels thuis was na een korte opname, en of de hoofdinspecteur hem gauw wilde gaan opzoeken, zodra het hem schikte. Fenwick ging direct.

Hij trof de patholoog-anatoom in een serre vol exotische planten aan, waar hij in een gemakkelijke stoel zat, met zijn benen omhoog op een rieten voetenbankje. Pendlebury trok een pijnlijk gezicht toen hij zich bewoog om Fenwick de hand te schudden. Dat bracht Fenwick ertoe directer te zijn dan gewoonlijk.

'Wat is er met je aan de hand? Waarom hebben ze je gisteren in het ziekenhuis laten opnemen?'

'Daar zit ik een beetje mee in mijn maag. Ik ben tijdens het werk onderuitgegaan. Het veroorzaakte een hele heisa.' Onverschilliger kon hij het niet zeggen, maar Fenwick liet zich niet om de tuin leiden.

'En...?

'Er zit een groeisel onder aan mijn ruggengraat. Ik wist al langer dat het meer was dan alleen ischias. Ik verging gisteren van de pijn en over de tafel gebogen staan maakt het alleen maar erger. Het is goddank geen kanker, maar ik moet wel geopereerd worden en het is niet zonder risico.'

'En waarom lig je dan nu niet in het ziekenhuis?'

'Ik heb mezelf ontslagen. De operatie is woensdag pas en ik kan er niet tegen daar te liggen met een stelletje zieke mensen om me heen en aan te moeten horen wat ze allemaal hebben meegemaakt. Zodra ze weten dat je zelf medicus bent, ben je een gevangene in je eigen bed. Ik ga er dinsdag naartoe, dat is ruimschoots op tijd.'

'Waarom wilde je me spreken?'

'Vanwege het postmortale onderzoek van Wainwright.' Hij zweeg, en het was hem aan te zien dat hij zich helemaal niet prettig voelde bij wat hij moest gaan zeggen. 'Ik heb het verprutst, Andrew. Het spijt me, maar ik heb mezelf volkomen voor schut gezet.'

'Hoe dan?' Fenwicks stem kreeg een neutrale klank, wat altijd gebeurde wanneer hij worstelde om zijn emoties onder controle te houden. Een postmortaal onderzoek met fouten was een ernstige zaak. Het kon zijn onderzoek in gevaar brengen, een cadeautje voor de verdediging tijdens een rechtszaak.

'Ik voelde me zo ontzettend beroerd. Ik had een paar pijnstillers genomen, maar die werkten helemaal niet. Ik ben er redelijk van overtuigd dat mijn uitwendig onderzoek helemaal in orde is.' Hij tikte op een map op een tafel naast zijn stoel en Fenwick begreep dat dat het langverwachte rapport was. 'Ik heb mijn aantekeningen nog een keer doorgelezen en ik heb het nog een keer helemaal door mijn plaatsvervanger, Roy Maitland, laten controleren, en dat deel van het onderzoek is goed. Ik kreeg pas problemen na het verrichten van de sectie.

De doodsoorzaak is duidelijk verstikking, maar niet door ophanging, zoals ik dacht; het was wurging door afbinding. Hij is met dat touw gewurgd en daarna opgehesen, om het eruit te laten zien als ophanging. Het spijt me, Andrew. Het zal me nooit meer overkomen. Ik had gisteren niet moeten gaan werken.'

'Hoe kun je er zo zeker van zijn dat het wurging is geweest? Je zei dat de lijkbleekheid ophanging als doodsoorzaak ondersteunde.'

'Dat is ook zo. De lijkbleekheid was heel geprononceerd in zijn handen, vingers, benen en voeten, en er waren geen drukpunten. Hij moet meteen nadat hij dood was opgehesen zijn, of misschien zelfs al toen hij bewusteloos raakte; hier ben ik zeker van. In gevallen van moord door wurging oefent de moordenaar meestal te veel kracht uit, waardoor het tongbeen breekt. Bij zelfmoord of accidentele wurging gebeurt dat bijna nooit.'

'En Grahams tongbeen was gebroken?'

'Ja. En er is nog iets.'

'Ga door.'

'Er zaten sporen van een barbituraat in het lichaam van Wainwright. De rapporten van het toxicologisch onderzoek waren al snel binnen. Op de ochtend dat hij stierf had hij honderdveertig milligram Nembutal binnengekregen, ingenomen met een groot glas whisky. Dat is normaal gesproken niet voldoende om een volwassen man te doden, zelfs niet als het vermengd is met alcohol, maar het zal hem zeer zeker hebben verdoofd.'

'En werkt het snel?'

'Tamelijk snel, ja. Als het via de mond wordt ingenomen, en er zitten geen sporen van naalden op zijn lichaam, dat heb ik laten checken door mijn plaatsvervanger, wordt het geabsorbeerd door de dunne darm. En als hij, laten we zeggen, Rohypnol heeft gekregen, dan zal hij meegaand en gemakkelijk te manipuleren zijn geweest. Het probleem is dat daar nu geen sporen meer van zijn.'

'Dus de moordenaar kan hem de drug hebben toegediend, hebben gewacht tot het begon te werken en hem hebben gewurgd toen hij zwaar bedwelmd was.'

'Juist. Ik heb Roy Maitland gevraagd het postmortale onderzoek opnieuw te doen. Hij is vandaag geheel tot je beschikking. Je hoeft godzijdank niet bang te zijn dat het eerste onderzoek de resultaten zal beïnvloeden. Hij zegt dat de organen en alle monsters intact zijn en niet zijn vervuild. Ik heb het niet staan verknallen tijdens het onderzoek zelf, alleen mijn analyse was verkeerd.'

Pendlebury keek hem van onder zijn borstelige wenkbrauwen aan. Wat hij Fenwick nu ging vertellen zou bevestigen hoe hij had staan prutsen bij het inwendige onderzoek.

'Ik heb alle tekenen in de inwendige organen gemist – tegen de tijd dat we zo ver waren gevorderd kon ik nauwelijks meer uit mijn ogen kijken – maar ze zijn er wel: in de longen, in de hersenen en in de lever. Het is een duidelijk geval van moord, hoofdinspecteur.'

29

Het huis van Kemp stond een beetje achteraf, aan een rustige weg met bomen buiten een dorp, zes kilometer rijden vanaf Harlden. Het hoge smeedijzeren hek onder aan de oprit, die wegdraaide achter een schitterend bosje met beuken en esdoorns, stond open.

'Hij heeft goed geboerd, zo te zien.'

Nightingale knikte en zei niets. Ze stopte haar eigen herinneringen aan thuis weg in een verre uithoek van haar geest. Er waren er te weinig die nostalgische gevoelens opriepen en er zaten te veel akelige bij, die ze liever vermeed.

De oprit slingerde door de bossen en toen die wat minder dicht werden kwam een schitterend huis uit de Queen Anne-periode in zicht, dat op een lichte glooiing stond.

'Het is kleiner dan ik dacht, na al die hekken,' grijnsde Cooper.

'Maar wel origineel,' zei Nightingale voordat ze zich kon inhouden.

'Wat?'

'Het is authentiek. Het mag dan niet groot zijn, maar het is een lieve duit waard, geloof mij maar.'

'Hoe kun je dat zien?'

Wat nu? Hoe vermeed ze het dingen te zeggen die haar onterecht zouden stigmatiseren als een geaffecteerde upper class snob? Ze besloot een leugentje te vertellen.

'Wij hadden op school een project, wat neerkwam op het onderscheid zien tussen een echte, massief houten tafel en eentje die gefineerd is, zal ik maar zeggen. We leerden te letten op die typische, verfijnde soort bakstenen en of de ramen precies goed waren en de punt van het dak klopte, al die kleine details.'

'Hm.' Cooper keerde de auto en zette hem voor het huis.

Aan één kant van de deur hing een fraaie, antieke trekbel. Cooper gaf er een ruk aan en Nightingale kromp ineen. Muriel Kemp herkende de brigadier meteen en verbleekte.

'Mevrouw Kemp?'

'Ja.' Haar handen fladderden naar haar gezicht en bleven bij haar open mond hangen.

Waar is ze zo bang voor? vroeg Nightingale zich af en ze nam haar nog wat aandachtiger op.

'Ik ben brigadier Cooper, van de recherche Harlden. Mogen we even binnenkomen, alstublieft?' Hij liet haar zijn legitimatie zien, maar ze keek er nauwelijks naar.

'Ja, ik herken u, maar wat is er aan de hand? Is alles goed met Jeremy? Ik bedoel... Ja, natuurlijk, komt u binnen.'

Ze is als de dood, dacht Nightingale.

'Dank u wel. Dit is agent Nightingale, en voor zover ik weet is alles goed met meneer Kemp. Wij zijn hier omdat we met u willen praten.'

Ze knipperde heel snel met haar ogen en haar hand beefde toen ze de deur achter hen dichtdeed. Toen vermande ze zich.

'Ik weet eigenlijk niet of ik u kan helpen, brigadier. Ik neem aan dat het mijn man is, die u moet spreken.'

'Nee, we moet ú spreken.'

Weer verrieden haar handen haar toen ze hen voorging naar de zitkamer. Het was er koud en Nightingale keek met nostalgisch plezier naar de dunne ademwolkjes in de kille, stilstaande lucht.

'Wat wilt u dan van mij, brigadier?'

'Zoals u weet onderzoeken wij de plotselinge dood van Graham Wainwright...'

Cooper gaf de vrouw met een monotone stem een samenvatting van de zaak, maar hij schoot er niets mee op. Nightingale merkte dat ze haar kracht herwon en daarmee ook de boosheid om te protesteren. Als dat eenmaal gebeurde werd het een helse klus om door haar behoedzaamheid heen te breken. Ze kende dit type vrouw van haar moeders koffieochtenden als ze thuis was tijdens een lange, saaie schoolvakantie.

Mevrouw Kemp was beleefd, vriendelijk, waarschijnlijk ook welwillend, maar wel een beetje een snob. Zij was terechtgekomen in een huis en in een levensstandaard die veel hoger lag dan ze ooit had verwacht. Met als gevolg dat ze door twijfels werd geplaagd of ze dat allemaal wel verdiend had en of ze naar haar stand leefde, en, bovenal, of ze wel de juiste stijl had. Zelfs haar stem was onzeker, haar accent hield het midden tussen uitstekend algemeen beschaafd Engels en een poging om, volgens haarzelf, voornaam te klinken. Dat was triest, maar het was ook een zwakheid die Nightingale kon uitbuiten. Ze hoefde alleen maar haar schoolstem op te zetten, die akelig correct was.

'Mevrouw Kemp, het spijt me zó dat ik u moet onderbreken, maar ik heb werkelijk ontzéttende hoofdpijn en ik vroeg me af of we u zouden mogen lastigvallen voor een kopje thee? Zou het u vreselijk ontrieven?'

Zowel brigadier Coopers mond als die van mevrouw Kemp vielen op hetzelfde moment open. Nightingale zette een dapper glimlachje op, hoopte ze. Mevrouw Kemp reageerde op het verzoek alsof ze was voorgeprogrammeerd en verliet de kamer.

'Vertrouw maar op mij, brigadier,' zei Nightingale met haar normale stem. 'We komen een heel eind verder als we het op mijn manier doen.'

Cooper aarzelde even en probeerde erachter te komen of die jonge blaag van een meid brutaal tegen hem deed, maar daar was geen spoor van te bekennen. Hij knikte.

'Doe het maar op jouw manier, maar zorg er dan wel voor dat het werkt.'

Ze glimlachte met een knipoog naar hem.

Na een paar minuten was mevrouw Kemp terug met een dienblad waarop een zilveren theeservies stond, en tere porseleinen kopjes. Er waren melk en citroen en heerlijke koekjes, die eruitzagen alsof ze op de tong zouden smelten. Nightingale onderdrukte een glimlach toen ze zag dat er ook honing was, in een klein porseleinen potje, naast de klontjes suiker. O hemeltjelief, net als vroeger.

'Wat verrúkkelijk,' flapte ze eruit. 'En uw theepot ziet er precies zo uit als die van mijn moeder.'

Mevrouw Kemp bloosde ervan en volvoerde de daaropvolgende theeceremonie met een vriendelijke zelfverzekerdheid; ze genoot er zichtbaar van. Even was er een vervelend moment, toen het erop leek dat Cooper honing op zijn koekjes ging smeren, maar zelfs hij merkte de ontsteltenis op het gezicht van de vrouw van de advocaat op en toen was het gevaar geweken.

Nightingale babbelde opgewekt met mevrouw Kemp. Het ijs was gemakkelijk gebroken door het elegante theeservies en het gesprek was vanzelf overgegaan op het belang zekere normen in stand te houden, wat blijkbaar een favoriet thema was in haar kringen. Cooper mompelde een verontschuldiging en verliet de kamer, maar dat werd nauwelijks gehoord. Zodra hij weg was veranderde Nightingale van tactiek.

'Ik ben zo blij dat hij weggegaan is, mevrouw Kemp. Er is iets wat ik wilde aansnijden, maar dat kan ik beter onder vier ogen doen.'

Mevrouw Kemp keek navenant geschrokken en haar theekopje rinkelde op het schoteltje.

'Het gaat over meneer Kemp en enkele van zijn activiteiten in de afgelopen maanden.'

Het gezicht van mevrouw Kemp verbleekte en ze staarde met een harde blik in haar bruine ogen naar de charmante jonge vrouw, die ze eventjes als een vriendin had beschouwd.

'Er gaan geruchten... eh, nee, meer dan dat, vrees ik... echte verhalen over uw man en zijn...'

'Nog wat thee, agent Nightingale? Uw kopje is leeg.'

'Nee, dank u wel. Zoals ik al zei, hebben wij sterk de indruk gekregen dat uw man misschien een affaire heeft.'

Zag ze daar even iets van opluchting? Wat vreemd.

'Wie zegt er zulke dingen?' De minachting in haar woorden klonk geforceerd, alsof ze probeerde te zeggen wat er van haar verwacht werd.

'We hebben het feitelijk uit een aantal bronnen vernomen.'

Er viel een lange stilte. Toen zette Muriel Kemp haar kop en schotel nadrukkelijk weg.

'Ja, het heeft geen zin om het te ontkennen. Jeremy heeft affaires gehad, af en aan, gedurende ons hele huwelijk. Zo af en toe doet hij zijn best, maar dan valt hij weer voor iemand anders. Ik hoor dat niet te weten, natuurlijk, zo houd je het beschaafd, maar hij weet eigenlijk wel dat ik het weet.'

'En vindt u dat niet erg?' Nightingale deed haar best om een beleefde, onderzoekende toon aan te slaan.

'Dat heb ik niet gezegd! Het is een kwestie van ermee om kunnen gaan, dat is alles. En hij gaat niet bij me weg.'

'Hoe weet u dat zo zeker?'

'Omdat hij bang wordt zodra zij serieus worden. Dan komt hij gauw weer terug naar huis. En wat zijn nieuwste vlam betreft, zij wil hem niet, dat is het! Ze jut hem op en dan wordt ze ineens zogenaamd preuts. Hij denkt dat ik het niet merk, maar de hele golfclub weet het. Maar hij heeft bijna aan het doel voldaan en dan is het voorbij.' Haar stem trilde, ondanks de moeite die ze deed om onverschillig te blijven. Het was Nightingale wel duidelijk dat ze een hoge tol betaalde voor dat 'ermee om kunnen gaan'.

'Het klinkt alsof het bij die laatste affaire heel erg om geld draait... heel berekenend.'

'Omdat het ook exact zo is, van haar kant zeker. Niet van zijn kant, natuurlijk. Die arme sukkel.'

'Wie is zij?'

Mevrouw Kemp keek haar verbaasd aan. 'Wilt u zeggen dat u het niet wéét? Dat meent u niet!'

'Ik ben pas op deze zaak gezet. Zegt u het, alstublieft, dat bespaart tijd.'

'Sally Wainwright-Smith, natuurlijk. Ik dacht dat jullie dat allemaal wel wisten.'

Nightingale maakte een keurige aantekening in haar boekje en ging verder.

'U zegt dat uw man bijna aan het doel heeft voldaan. Wat bedoelt u daarmee?'

'Heb ik dat gezegd? Dat weet ik niet.'

'Kom, kom, mevrouw Kemp. U weet best dat u dat gezegd hebt en u gaf aan dat de flirt van haar kant volkomen berekenend was. Waarom?'

'Ik ben een verbitterde, versmade vrouw, agent. Ik heb recht op mijn cynisme.'

'En ik ben een politievrouw die onderzoek doet naar een aantal moorden, dus ik heb het recht om vragen te stellen.'

Mevrouw Kemp leek geschokt door die plotselinge strenge toon van Nightingale. Desondanks ging ze in de contramine.

'Ik bedoelde er niets mee.' Ze loog, dat was duidelijk, en bovendien kon het haar niet schelen dat Nightingale dat wist. Zelfs haar conventionele vormen brachten haar er niet toe eerlijk te zijn. Afgaand op haar intuïtie besloot Nightingale tot een verrassingsaanval over te gaan.

'Maar maakt u zich dan geen zorgen om de veiligheid van uw man of die van uzelf?'

Mevrouw Kemp probeerde haar gezicht in de plooi te houden, maar de angst die Nightingale had gezien toen ze de deur opendeed, was in haar ogen teruggekeerd. Ze borduurde erop door.

'In dit jaar zijn er drie mensen die een connectie hadden met Wainwright doodgegaan; twee zijn er vermoord, één sterfgeval is verdacht.'

'U wilt toch niet zeggen dat... Mijn god!' Ze sloeg haar hand voor haar mond van schrik. 'Mijn god!' zei ze nog eens en ze keek Nightingale met hernieuwd respect aan. Ze zweeg een hele tijd en zat haar servetje in elkaar te frommelen. Toen knikte ze bij zichzelf.

'Goed dan, ik zal het u vertellen.' Ze nam een slokje thee en liet bijna het schoteltje vallen. 'Het gerucht gaat dat Sally een affaire met Alan Wainwright begon, ongeveer drie maanden voor zijn dood. Alan mocht haar man, Alexander, niet, en maakte hem tot het mikpunt van grappen bij Wainwright Enterprises. Hij gaf hem de akeligste baantjes en hoe ijveriger hij was, hoe meer Alan hem belachelijk maakte.

Alexander had Sally kort na de dood van zijn ouders eerder dit jaar leren kennen, en zij begon er onmiddellijk aan te werken om Alans haat jegens Alexander te verminderen. Daardoor kwam ze in contact met Jeremy, die ze vroeg haar te helpen Alans houding te veranderen.

Dat was hard werken, maar Jeremy was zo stapelgek op Sally, dat hij zich aan haar zaak wijdde. Zelfs toen de geruchten de ronde begonnen te doen dat zij en Alan iets met elkaar hadden, weigerde hij dat te geloven en hij bleef haar helpen.'

'Dacht Sally echt dat Alan Wainwright door een affaire met haar zijn testament zou wijzigen?'

'Daar was ze van overtuigd, dat weet ik zeker. Jeremy vertelde me altijd dat ze er steeds meer van uitgingen dat Alan milder zou worden jegens Alexander, hoewel het zelfs hem schokte dat hij hun de helft van zijn fortuin naliet.'

'Het zou voor Sally toch veel gemakkelijker zijn geweest om Alan gewoon te verleiden en met hem te trouwen en Alexander links te laten liggen?'

Muriel Kemp keek Nightingale taxerend aan.

'Alan kon geen kinderen meer krijgen. Vijf jaar geleden had hij een virusinfectie gehad, maar hij wilde dolgraag een Wainwright als erfgenaam. Graham had jaren geleden tegen hem gezegd dat hij nooit kinderen van zichzelf wilde; dat was een van zijn wrede trekjes.

Hij zei dat hij er niet aan moest denken kinderen op deze wereld te zetten.'

'En zijn vader geloofde dat?'

'Waarom niet? Graham was al een eindje in de veertig, en niet een van zijn honderden vriendinnen is ooit bij de Hall kommen aankloppen om hem het vaderschap van hun kind te laten erkennen. Julia, Alans zuster, had alleen maar meisjes voortgebracht en Alan piekerde er niet over om zijn bezittingen na te laten aan een aangetrouwde neef. Hij wilde familiebloed in de aderen van zijn erfgenaam, mannelijk bloed, en daarmee bleef alleen Alexander over.'

'Dus Sally was een broedkip! Dus u zegt dat Alan, ondanks hun affaire, dolgelukkig zou zijn geweest als zij een kind van Alexander ter wereld zou brengen!'

'Meer dan dat, extatisch! Dat zei hij tegen Jeremy toen hij zijn testament wijzigde ten faveure van hen beiden. Hij zei dat Sally had beloofd hem een achterneef te schenken.'

'Dus met die erfenis kocht hij haar om, om een kind van Alexander te krijgen?'

'Ik weet het zeker, en Jeremy ook.'

'Maar waarom dacht uw man dat hij een kans bij Sally maakte?'

'Ook een goede vraag, agent. Voor u en mij lijkt het ongelooflijk, maar wij zijn *vrouwen*. Voor een man, zeker zo'n warmbloedige als Jeremy, ligt het heel anders. Sally kan hem van alles laten geloven.'

'Ik moet dit allemaal laten bevestigen, mevrouw Kemp. Kunt u mij zeggen bij wie ik daarvoor terechtkan?'

Muriel Kemp trok een dermate kwaadaardige grijns dat Nightingale ervan rilde.

'Dan moet u met mevrouw Willett gaan praten, Alans oude huishoudster. Als u denkt dat ik verbitterd ben, wacht dan maar tot u haar te spreken krijgt.'

'Heb je wat?'

'Meer dan genoeg.'

'Nou, brand los,' zei Cooper en hij sloeg het portier aan zijn kant dicht. Hij keek Nightingale verwachtingsvol aan.

'Ik vertel het onderweg wel; ze staat te kijken.' En inderdaad, mevrouw Kemp had de tere, kanten vitrage opzijgeschoven die voor het raam op de overloop hing en staarde naar buiten. Nightingale begon te praten toen de auto knarsend over het grind wegreed. Ze was nog bezig met haar verhaal toen ze al door de hekken reden.

'Ik denk dat we op bezoek moeten gaan bij Alan Wainwrights huishoudster.'

'Stond zij niet op inspecteur Blites gesprekslijst, brigadier? Zijn team handelt alles af wat met de Hall te maken heeft.'

'Ja, dat klopt, maar hij heeft zijn handen vol aan de ondervraging van Kemp over Sally's ontdekking van het lijk, en daarna moet hij direct naar de Hall. Een handje helpen is altijd welkom. Geloof mij maar, dat is het bij hem altijd!' Cooper keek op zijn horloge: het was bijna elf uur. 'Oké, laten we hem even bellen, kijken of hij er bezwaar tegen heeft.'

Blite was maar al te blij met dat aanbod. Zijn mensen werkten zich uit de naad om hun huiszoeking in de Hall, de bijgebouwen en het terrein te voltooien. Ze zouden er op zijn vroegst morgen pas aan toe komen om met meneer en mevrouw Willett te gaan praten.

Cooper en Nightingale troffen de Willetts thuis, op de vierde etage van een flat met sociale huurwoningen in een naburig dorp. De lift deed het niet en het betonnen trappenhuis was vochtig en het rook er muf. Op hun etage waren pogingen gedaan om de boel er een beetje frisser uit te laten zien en de graffiti was, misschien wel in reactie daarop, bijna decoratief te noemen. De voordeur van de Willetts was vrolijk blauw geschilderd; de hartvormige koperen klopper glansde zachtjes in de gedempt verlichte gang.

Joe en Millie Willett lieten de twee politiemensen meteen in de woonkamer en zetten de televisie af. Millie ging theezetten en liet de drie anderen achter met genoeg luchtige gespreksonderwerpen over de verschillende spulletjes die in de hoeken waren neergezet.

'Dit is mooi houtsnijwerk, meneer Willett.' Nightingale had onwillekeurig haar blik laten vallen op het duurste voorwerp in de kamer.

'Dat hebben we van meneer Wainwright gekregen toen we dertig jaar bij hem in dienst waren. Aardig, hè?'

'Heel aardig. Dertig jaar is een hele tijd. Heeft u al die tijd op het terrein van Wainwright Hall gewoond?'

'Jazeker. In Bluebell Cottage. Een aardig huisje. Goede grond.'

Het gesprek stokte en ze wachtten in een ongemakkelijke stilte tot mevrouw Willett terugkwam. De thee was lekker sterk, maar Nightingale moest alle zeilen bijzetten om geen suiker te nemen: mevrouw Willett vond echt dat ze een beetje moest aankomen.

'Maar dan neemt u toch wel een stukje van mijn vruchtencake, hè?'

Millie Willett was een kleine, pittige vrouw met eenvoudig, kortgeknipt haar en ernstige ogen. Haar handen, waarmee ze de cakeschaal aan Nightingale presenteerde, vertoonden tekenen van artritis in de knokkels en in de gewrichten van haar duimen.

Nightingale nam het allerkleinste plakje en beet er een hoekje van af. Het was heerlijke cake en de rest ging veel sneller naar binnen dan ze wilde, tot verrukking van mevrouw Willett. Na al deze plichtplegingen ging Cooper over tot de orde van de dag. Zijn nuchtere stijl paste uitstekend bij hardwerkende mensen als de Willetts en al snel zaten ze te kletsen als goede bekenden. Nightingale maakte aantekeningen. Het echtpaar had hun werkgever erg gemogen, zo bleek, en ze hadden gehouden van hun werkzaamheden op het landgoed. Uit zichzelf vertelden ze niet veel en Cooper was dan ook gedwongen zelf het testament ter sprake te brengen. De stemming sloeg onmiddellijk om.

'Waarom denkt u dat meneer Wainwright zijn testament heeft veranderd?'

'Ik zou het niet weten.' Joe Willett perste zijn lippen op elkaar. Toen mevrouw Willett haar mond open wilde doen, keek hij zijn vrouw kwaad aan. 'Millie!' zei hij, streng met zijn ogen knipperend achter zijn bril met zwart plastic montuur; dus nam ze maar een slokje thee.

'Ik begrijp best dat u loyaal wilt blijven jegens uw werkgever, en geen van ons wil kwaadspreken over de doden, maar wij hebben de geruchten al gehoord en we proberen te achterhalen wat ervan waar is.'

'U moet niet naar geroddel luisteren, brigadier, dat moet iemand in uw positie toch weten.'

'Maar áls het waar is, en als die waarheid erop wijst dat er in Wainwright Hall een aantal dingen niet deugde voordat meneer Wainwright overleed, dan moeten we er wel naar luisteren, meneer Willett.'

'Joe...' Millie was zenuwachtig naar het puntje van haar stoel geschoven, 'Joe, ik...'

'Nee, Millie! Zo is het genoeg.'

Cooper probeerde een andere tactiek.

'Ik weet dat meneer Wainwright een goede werkgever was, iemand voor wie iedereen graag zou willen werken, maar u doet hem en zijn nagedachtenis geen goed door te blijven zwijgen, begrijpt u dat?'

'Een goed mens met een goede naam verdient discretie, brigadier Cooper. En hij wás een goed mens, wat er ook allemaal over hem gezegd wordt.'

'Dat is waar, maar...' – Cooper kwam in zijn leunstoel naar voren op een manier alsof hij een onderonsje wilde hebben en de anderen deden automatisch hetzelfde – 'ik denk dat ik het u dan maar moet zeggen, en het moet ook absoluut onder ons blijven...' Meneer en mevrouw Willett knikten heftig. 'Het zou kunnen, laten we zeggen dat we het vermoeden hebben, hoewel we nog niets kunnen bewijzen, dat de dood van meneer Wainwright... verdacht is.'

'Bedoelt u dat...'

'Ja. Het was mogelijk geen zelfmoord.'

'Zie je nou! Ik zei het toch, Joe, ik zei het! Ik zei tegen je dat het wel heel goed uitkwam, zo snel nadat ze...'

'Millie! Nou is het klaar!' Joe Willett wendde zich argwanend tot Cooper. 'Zegt u dit maar zo, of heeft u gegronde redenen?'

'O jazeker, we hebben redenen te over, we hebben alleen geen en-

kel bewijs. Alleen geruchten en roddels, en we moeten meer hebben.'

'Dus u bent hier in de veronderstelling dat wij hem wel zouden
verklikken.'

'Nee! Met de gedachte dat u ons kunt helpen een moordenaar in
de kraag te vatten voordat hij weer toeslaat. Voor Graham Wainwright is het al te laat.'

Dat deed de deur dicht. Zelfs Millie viel stil. Maar Cooper wachtte
geduldig. Hij voelde dat de stemming in de kamer zojuist zijn kant
op verschoven was. Nu zouden ze gaan praten.

Joe Willett stond op en pakte een haveloos tabakszakje uit een la.
Toen reikte hij naar het tafeltje naast zijn leunstoel, haalde een versleten pijp tevoorschijn en zei: 'Ik denk dat je nog een keer thee moet
gaan zetten, Millie.'

Nightingales mond viel open van verbazing toen ze zag dat mevrouw Willett automatisch opstond en de kopjes begon te verzamelen.

'Het duurt heel even.' Toen bleef ze staan en keek haar man kwaad
aan. 'En denk erom, niet zonder mij beginnen.'

Daar hoefde ze niet bang voor te zijn. Het trage vullen en stoppen
van de pijp was een geestdodend ritueel, vond Nightingale, maar
Cooper keek tevreden toe.

'Dat is mooi oud bruyère, zeg.'

'Ja ja, fantastisch.'

De twee mannen zaten eendrachtig te knikken en Nightingale
probeerde iets te vinden om zich mee bezig te houden, zodat ze haar
ongeduld en ergernis over de hele situatie in toom kon houden. Ze
zag een fotoalbum in de wandkast staan.

'Mag ik?' vroeg ze. Joe Willett haalde zijn schouders op.

Het waren oude foto's, voornamelijk in zwart-wit en genomen met
een camera met een vaste focus. Alleen de laatste paar pagina's waren
in kleur. Terwijl Joe Willett en Cooper praatten over de voordelen
van bepaalde pijpen, begon zij te bladeren en de teksten te lezen, die
heel zorgvuldig onder de plaatjes waren geschreven: 'Joe en de kleine

Joey in Yarmouth', 'miss Selina Wainwright met Joey in zijn kinder-
wagen'. Een paar pagina's verder: 'Selina's verloving (Joe in rokkos-
tuum als ober)'. Er waren een heleboel foto's van Selina, een brunette
met een open gezicht en een vastberaden kaaklijn, maar toen hielden
plotseling de foto's van haar op.

Het ging verder met oogstfeesten, zomerfeesten, verscheidene
nachtelijke vreugdevuren, eentje compleet met blaaskapel. Nightingale besefte dat het hele leven van de Willetts had gedraaid om het
landgoed Wainwright, en Bluebell Cottage zag er idyllisch uit. Hoe
moesten ze zich wel voelen, nu ze er na vijfendertig jaar uit verban-
nen waren en hier moesten gaan wonen, halfhoog in zo'n betonnen
kist van een flatgebouw vol ongemakken?

'Hier is de thee!'

Meer thee, meer cake. Meneer Willett legde zijn zorgvuldig ge-
stopte pijp terzijde. In al die tijd had hij er nog steeds de brand niet
in gestoken, en toch leek hij tevreden te zijn.

Nightingale legde het album weg. Ze dronken allemaal van hun
thee. Zonder omwegen begon Millie te praten, terwijl haar man naar
haar keek.

'Ja, waar zal ik beginnen? Bij het begin, denk ik. Meneer Wainwright had één zoon, Graham, die de komende maand september
vijfenveertig jaar geleden geboren is. Ik herinner het me, omdat mijn
moeder toen in dienst was van mevrouw Wainwright en ze had een
verschrikkelijke bevalling, mevrouw Wainwright, bedoel ik, niet
mijn moeder, want die had ons toen allemaal al, we waren met ons
zevenen, wil je dat geloven?'

Meneer Willett rolde veelbetekenend met zijn ogen, wat zijn
vrouw gelukkig zag. Weer op het goede pad gebracht ging ze verder.

'Meneer Wainwright had graag een groot gezin gehad, maar dat
mocht niet zo zijn; daarna kon mevrouw geen kinderen meer krijgen. Arme vrouw, maar het was toch tenminste een jongen.'

Nightingale kookte vanbinnen, maar ze liet het niet blijken.

'De jonge meneer Graham werd schromelijk verwend; hij kreeg

alles wat hij wilde. En dus werd hij niet zoals zijn ouders hadden ge-hoopt. Hij versleet de ene school na de andere. Maar ja, hij was de zoon en erfgenaam, zo werd hij behandeld, en zo gedroeg hij zich dan ook.

Een paar jaar daarna overleed de arme mevrouw Wainwright, veel te vroeg, zo jammer, en toen ging mijn moeder weg. Dus vroeg meneer Wainwright aan haar: "Wie kun je me als huishoudster aan-bevelen?" En ze zei: "Nou, mijn Millie", en hup, daar waren we dan. Natuurlijk moest Joe ook mee, iets anders zou niet netjes zijn ge-weest, maar er waren meer handen nodig op het landgoed en het was beter dan het boerenbedrijf. We hebben een paar fantastische jaren gehad, nietwaar Joe? Dat was ongeveer in de tijd dat de jonge Selina verloofd raakte, maar dat duurde niet lang. Hemeltje, wat een schandaal was dat. Zij was meneer Wainwrights jongste zuster...'

Nightingale dacht aan de foto's met de vastberaden brunette.

'... en zij was lief voor ons. Ze woonde bij haar broer en hij was zo trots toen ze zich verloofde met Julian Sands – dat was zijn beste vriend, weet je.'

'Millie, schiet eens een beetje op.'

'Maar dit is van belang. Maar ze was nog niet verloofd of ze nam de benen, en niet met Sands, maar met zo'n handelsreiziger, Henry Smith.'

Het werd minder schimmig voor Nightingale: 'De vader van Alex-ander?'

Mevrouw Willett knikte instemmend.

'Zo is het. Hij was haar grote liefde en het was geen vergissing. Ik kan me nog herinneren dat ze in tranen in de keuken van Bluebell Cottage zat, we waren bijna van dezelfde leeftijd, snap je, en met wie kon ze anders praten? En o, wat was ze een eigenzinnige meid. Ze had die typische koppigheid van de Wainwrights in zich, genadeloos, zou je zeggen als het een man was. Maar om eerlijk te zijn, Smith was de ware liefde, en als haar broer erachter gekomen was, zou hij hen liever hebben vermoord dan haar te verliezen. Maar goed, "Mil-lie," zegt ze tegen me, "ik moet mijn hart volgen, ook al weet ik dat ik het zijne breek." Ze bedoelde haar broer, niet Sands, ze gaf niks om hem. En natuurlijk brak het, het hart van meneer Wainwright, bedoel ik. Hij heeft het haar nooit vergeven. Hij is er jaren mee bezig geweest om haar te onterven, haar niet alleen elk recht op zijn landgoed te ontzeggen, maar ook op de opbrengst uit het trustvermogen van haar moeder. Ik heb nog nooit zoveel haat gezien als waarmee hij Henry Smith haatte. Een Wainwright moet je nooit kwaad maken. Ze zijn standvastig en eerlijk als je aan hun kant staat, maar zo niet... Hemel, ik heb wel mensen zien lijden nadat ze hen kwaad hadden gemaakt.'

'Kom ter zake, Millie.'

'Ik ben er bijna.' Mevrouw Willett was vrij immuun voor het ongeduld van haar man. Nu pas drong het tot Nightingale door dat de vrouw de broek aanhad in dit huwelijk, hoezeer dat oppervlakkige gedoe met de thee ook op het tegendeel leek te wijzen.

'Goed dan, het punt is dat meneer Wainwright een fortuin uitgaf aan juridische procedures om ervoor te zorgen dat zijn zuster geen enkele claim kon laten gelden op het geld van de familie, maar gelukkig trok ze zich daar niets van aan. Ze was hopeloos verliefd en voor zover ik kan zeggen, bleef dat zo, tot de dag dat ze stierf.'

'Maar waarom veranderde meneer Wainwright dan zijn testament ten faveure van haar zoon Alexander? Dat slaat nergens op,' zei Cooper stomverbaasd.

'Ja, precies! Het slaat ook nergens op. Maar ik denk dat hij het niet uit eigen vrije wil heeft gedaan.'

'Pardon?'

'Wat ik bedoel is, dat hij in de war was.'

'Wees nou eens duidelijk, Millie, als je zo nodig wilt praten. Ze hebben niet de hele dag de tijd.'

Millie ging verzitten en schonk nog wat thee in. Nu eindelijk puntje bij paaltje kwam werd ze terughoudend.

'Nou, allereerst schreef Selina een brief aan haar broer waarin ze hem smeekte zijn neef niet te verstoten. Voor haarzelf maakte het niet uit en ze wist dat er voor haar man geen hoop was, maar de kleine Alexander was iets anders. Ze wilde dolgraag dat hij zijn familie zou leren kennen, en dus kwam dat arme kind in de schoolvakanties naar Wainwright Hall. Hij had het er ellendig. Graham was tien jaar ouder dan hij, en zo vals als tieners dat kunnen zijn. Zijn oom duldde hem nauwelijks; het arme joch was ook nog gezegend met de ogen van zijn moeder, dus deed hij meneer Wainwright voortdurend denken aan de zuster die hij had verloren.

En zijn nichten, de dochters van zijn tante Julia, liepen er altijd tiptop bij. Die droegen geen broeken met zomen van vijf centimeter, zodat ze twee winters mee konden, en geen zelfgebreide truien. Arm kind. Het peperde hem alleen maar in dat hij er niet bij hoorde. Maar hij wist hoe belangrijk die bezoekjes voor zijn moeder waren, dus deed hij het voorkomen alsof hij het heel fijn had gehad. Om je de waarheid te zeggen, ik dacht op een gegeven moment dat hij eraan kapot zou gaan, maar het leek alsof hij een dikke huid begon te krijgen en hij overleefde het.'

'Heeft Alan Wainwright hem nooit erkend?' vroeg Nightingale, die wel enige sympathie voor Alexander Wainwright-Smith kreeg.

'"Erkennen" is een moeilijk woord. Ik denk dat hij aan hem gewend raakte. Hij was best een aardig joch, hulpvaardig, vraag maar aan Joe. Hij hielp ons altijd in de keuken of in de tuin. Maar hij was verlegen en zo'n vreemde eend in de bijt; daar ergerde zijn oom zich aan, het was hem een doorn in het oog. Meneer Wainwright had altijd de neiging om de vader van Alexander de schuld te geven van Alexanders zwakheden, en dat bleef tussen hen in staan.'

'En toch heeft hij hem de helft van zijn bezittingen nagelaten?' Cooper begon ongeduldig te worden.

'Eh, nou ja, aan hém zegt u...'

'Millie, ik zei schiet nou op...'

'Ach, hou je mond, Joe. Het komt zo. Maar ze horen het in ieder geval van mensen die er niet omheen draaien.' Ze fixeerde Cooper en Nightingale met ogen als van een vogel, en ze haalde diep adem om op volle kracht door te gaan. Joe trok aan zijn pijp en stopte hem nog eens.

'Goed, waar begin ik? Maakt u zich geen zorgen, brigadier, ik zal het kort houden. Alexander verliet de school met hoge cijfers en hij zou naar de universiteit gaan, toen zijn oom opeens kwam aanzetten met een baan in de fabriek.'

'In de fabriek?'

'De oude baksteenfabriek. Die had jaren geleden al verkocht moeten worden, maar meneer Wainwright kon er geen afscheid van nemen. Maar goed, zoals ik zei, het was een aanbod van graag of niet, en hij nam het aan.'

'Wat was het voor baan?'

'O, dat weet ik niet, maar het was onderop, helemaal onderop, in het stof en het vuil. Toch was zijn moeder er blij mee en natuurlijk liet Alexander nooit merken wat hij in werkelijkheid deed. En god, wat werkte hij hard. Algauw werkte hij niet meer buiten, maar in de fabriek zelf, en daarna kreeg hij een baan op kantoor. Toen de baksteenfabriek dichtging, werd hij overgeplaatst naar Wainwright Enterprises. Ik weet niet wat hij daar deed, maar hij liep toen wel in een pak rond.

Ja, de jonge Alexander was een harde werker. Maar ik denk dat zijn oom daar nog meer de pest over in had, omdat Graham zo anders was dan zijn neef. Maar goed, in een paar jaar tijd had hij een eigen kantoor en leek zijn carrière gemaakt. Maar toen maakte hij meneer Wainwright opnieuw heel erg kwaad. Hij begon avondlessen te volgen, een soort Open Universiteit, geloof ik. Ik weet nog dat hij het een keer aan Joe probeerde uit te leggen, en hij ging bij de muziekvereniging. Daar heeft hij dat zogenaamd onschuldige juffie leren kennen.'

'Waar? Bij de vereniging of tijdens de avondlessen?'

'Hm, dat weet ik niet precies.'

'Waarom was zijn oom daar zo kwaad over?'

'Omdat het een daad van onafhankelijkheid was. Meneer Alan was een fatsoenlijke kerel, maar binnen de familie was hij een tiran. Hij regeerde met ijzeren hand. Dat was ook de reden dat Alexanders moeder is weggelopen. Hij zou haar nooit uit liefde hebben laten trouwen. Dat Alexander naar de avondschool ging was volkomen buiten de orde, maar hij zette evengoed door. Dat is die koppigheid van de Wainwrights; hij heeft er ook zijn deel van meegekregen. Met als gevolg dat hij in die hele periode dat hij de avondschool volgde hetzelfde werk moest blijven doen, wel drie of vier jaar lang, schat ik.

En toen trouwde hij met die lieve Sally. Binnen een paar maanden steeg hij weer op de ladder en waren hij en het nieuwe vrouwtje de favoriete gasten van zijn oom.'

'En was dat de reden dat hij die erfenis kreeg?'

Mevrouw Willett trok een sluw gezicht. 'Misschien, misschien ook niet.'

'Millie! Ik wil dat soort geroddel niet in mijn huis. Helemaal niet als je de doden belastert!'

'Dat is geen geroddel, Joe Willett, dat weet je heel goed. Waar rook is, is vuur, en er was een heleboel rook, geloof me maar.'

Joe Willett kwam uit zijn stoel overeind en pakte zijn pijp en zijn jasje.

'Waar ga jij naartoe?'

'Ach mens.'

Millie haalde haar schouders op en grijnsde hem na. 'De lift doet het niet!' riep ze nog, toen hij de deur achter zich dichtsloeg.

Cooper en Nightingale keken haar even voorzichtig aan, maar ze ging even vrolijk weer verder. 'Het is niet het roddelen, hoor, maar omdat het' – ze liet haar stem zakken tot ze fluisterde – 'over seks gaat. Daar wordt hij verlegen van. Vind je het niet enig?'

Geen van beide politiemensen kon een gepast antwoord bedenken, dus knikten ze maar en ze wachtten op het laatste hoofdstuk van Millies verhaal zonder einde.

'Het is waar dat meneer Wainwright tevreden was over het werk van zijn neef, maar Alexander was te zelfstandig naar de wensen van zijn oom. De oude man riep hem wel eens bij zich in de werkkamer van de Hall en dan had je het geschreeuw moeten horen. Van de oude man, hè? Alexander gaf altijd rustig antwoord, maar je kon de opstandigheid in zijn ogen zien.

Toen begon miss Sally zich ermee te bemoeien. Altijd de vrede-stichtster, zó poeslief en aardig, en als Alexander dan de werkkamer uit kwam, schoot zij naar binnen als een fret achter de konijnen aan. En dan bleef zij daar ook, een hele tijd.'

'Hoe lang bijvoorbeeld?' Eindelijk had Cooper ook zijn notitie-boekje opengeslagen en schreef hij een paar dingen op.

'Een halfuur, één keer bijna een uur. En toen ze naar buiten kwam was ze net een poes die de roompot had gevonden. Uitdagend en vol eigendunk.'

'Dat is allemaal vrij onschuldig, mevrouw Willett. Het komt op mij over alsof ze werkelijk de vrede wilde bewaren.'

'U heeft haar zeker ontmoet, hè, brigadier? Die uitwerking heeft ze op de meeste mannen, behalve op die arme Joe. Nou, zo onschul-dig was het allemaal niet. Ga maar met de moeder van Irene praten, zij was een keer per ongeluk naar binnen gelopen toen ze daar waren. Ik begon al te vermoeden dat er iets niet helemaal klopte, toen ik haar oorbel onder zijn bureau had gevonden. Hoe kwam hij daar? Toen was er nog die keer dat ik zijn dienblad met het avondeten wil-de wegruimen, zonder me te realiseren dat hij daar nog was. Ik liep er nietsvermoedend naar binnen, en daar zat hij achter zijn bureau met een rood hoofd naar adem te happen.'

'En Sally?'

'O, die was nergens te bekennen, miss, *nergens.*'

'Maar waar zat ze dan?' zei Cooper verward.

'Op haar knieën onder zijn bureau, als u mijn mening wilt weten. Ze kon nergens anders zijn, ga zelf maar kijken. Zo groot is die kamer niet.'

'Maar dat is louter speculatie!' Coopers wangen waren rood ge-worden en hij kon Nightingale niet aankijken. Deze stelde mevrouw Willett de voor de hand liggende vraag:'Dus u gelooft dat Alan Wain-wright en Sally een affaire hadden?'

'Natuurlijk! Nog geen drie maanden daarna verandert hij zijn tes-tament en pleegt vervolgens zelfmoord, en raad eens wie er de vrouw des huizes op Wainwright Hall wordt? Zelfs als hij van plan was geweest om Alexander íéts na te laten, kan er wat mij betreft geen andere verklaring voor zijn dat hij zijn eigen zoon uit het huis van de familie heeft gezet.'

Ze had verder niets meer te melden. Cooper en Nightingale zeiden gedag en lieten Millie Willett achter met haar koude thee en haar zoete wraak.

30

Toen hij zijn auto op de oprit van Arthur Fish' huis met de enorme aanbouw parkeerde, bedacht Fenwick dat mevrouw Fish misschien niet eens meer thuis zou zijn. Maar hij trof het: ze woonde er nog, onder de hoede van een fulltimeverpleegkundige, die verklaarde dat de overleden meneer Fish in zijn testament expliciet regelingen had getroffen voor de verzorging van zijn vrouw en dat er geld was gereserveerd om ervoor te zorgen dat zijn vrouw rustig thuis kon sterven. De verpleegkundige fluisterde hem in de gang toe: 'Mevrouw is er zeer slecht aan toe, hoofdinspecteur. En ze communiceert alleen door met haar ogen te knipperen. Wilt u dat ik blijf om te tolken?'

Fenwick bedankte haar, maar vroeg wel hoe hij de zwakke oogbewegingen van de invalide vrouw ook alweer moest interpreteren. Het was één keer knipperen voor goed of ja, en drie keer voor nee of slecht.

Ze lag er net zo bij als toen Fenwick haar voor het eerst had gezien, met haar hoofd omhoog tegen een kussen geleund en opzij gedraaid in de richting van de deur. Haar ogen waren open, maar niet gefocust. Hij ging naast haar zitten en pakte in een opwelling haar hand vast. Er kwam wat leven in haar waterige blauwe ogen en ze gingen een fractie in zijn richting.

'Mevrouw Fish, ik ben het, hoofdinspecteur Fenwick van de recherche van Harlden. Herinnert u zich nog dat we elkaar een paar dagen geleden hebben gezien?' Er kwam geen reactie.

'Ik ben gekomen om u te vertellen dat wij er alles aan doen om het onderzoek naar de moord op uw man af te ronden, maar de voortgang wordt gehinderd door een aantal belangrijke, nog openstaande vragen.'

Het knipperen van haar blonde wimpers was zo zwak, dat Fenwick het bijna miste. Hij besloot het te interpreteren als een teken en vervolgde: 'Een deel van de problemen is dat we bij Wainwright Enterprises niet verder komen, en ik denk dat er een connectie zou kunnen bestaan tussen zijn werk en zijn dood.'

Nu knipperde ze wel degelijk en het betekende 'ja'. Was ze het met hem eens?

'Denkt u dat ik gelijk heb?'

Ze knipperde één keer.

'Het probleem is dat zijn werkgevers niets loslaten.'

Haar uitdrukking veranderde niet, hoe kon het ook, haar spieren waren al heel lang verlamd, maar Fenwick voelde wel een intense kwaadheid van haar uitgaan, boven op het verdriet om de dood van haar man. Toen ebde het weg en hij begon al te denken dat ze was weggedommeld, toen haar ogen plotseling opengingen en ze hem aanstaarde.

'Weet u iets, mevrouw Fish? Iets wat ons kan helpen?'

Ze knipperde weer één keer.

Ze was bereid hem te helpen. In de daaropvolgende vijf pijnlijke minuten zat Fenwick vragen te stellen in een poging de dingen die mevrouw Fish wist, naar boven te krijgen. Hij kon haar frustratie mee voelen groeien met die van hemzelf en haar wanhopige gevecht tegen de uitputting was vreselijk om aan te zien. Zelfs met haar ogen knipperen werd op het laatst een te grote inspanning voor haar en vertwijfeld moest ze ze weer sluiten.

Fenwick keek naar dat geteisterde gelaat en hij vroeg zich af wat de levensvonk in haar brandende hield. Met bittere ironie dacht hij aan zijn eigen vrouw en hoe haar jonge, gezonde lichaam alleen nog een voertuig was voor een geest die de dokters inmiddels vegetatief noemden; en hier voor hem lag een vrouw met een actieve, intelligente geest en een warm karakter, maar praktisch zonder middelen om zich uit te drukken, omdat haar lichaam haar in de steek liet.

Hij wilde al opstaan en haar hand loslaten, maar haar vingers verkrampten en haar ogen gingen geschrokken open. De uitdrukking erin was er bijna een van paniek.

'Ik moet weer gaan; ik word op het bureau terug verwacht.'

Ze smeekte hem werkelijk om niet weg te gaan. Wist hij nu maar welke vragen hij moest stellen!

'U zegt dat ik hier meer te weten kan komen, maar mijn mannen hebben het huis grondig doorzocht.'

Toen knipperde ze duidelijk drie keer; ze sprak het tegen.

Fenwick dacht diep na. Ze hadden overal gezocht. Waarom was ze er zo zeker van dat hier een aanwijzing zou liggen naar de dood van haar man? Toen daagde het hem.

'Hebben ze in deze kamer gezocht, mevrouw Fish?'

Drie keer knipperen, toen één keer. Nee. Ja. Hier kon hij niets mee. Hij probeerde het nog één keer.

'Moeten ze opnieuw in deze kamer zoeken?'

Eén keer knipperen.

Eindelijk! Dankbaar deed ze haar ogen dicht en kon hij haar met rust laten.

De zaak Fish vorderde best goed, zeker omdat hij de kans had om het onderzoek gaande te houden, maar dat was niet Fenwicks belangrijkste zorg. Hij was ontevreden over het tempo van het onderzoek van de moord op Graham Wainwright. Blite had het moeilijk met het onderzoek in de Hall. Hij vermoedde dat het kwam doordat Sally's aanwezigheid hem hinderde; Blite deed er alles aan om te voorkomen dat ze van streek raakte en haar man de korpsleider ging bellen. Hij had Blite opgebeld zodra hij bij Pendlebury weg was, omdat ze nu alle twijfel over de doodsoorzaak uit hun hoofd konden zetten, maar de reactie van de man was weinig hoopgevend.

Het was zondag en Fenwick wilde dolgraag zijn kinderen zien, maar toch kon hij zichzelf er niet toe brengen de auto om te keren en naar huis te rijden. In plaats daarvan reed hij de stad uit naar Wainwright Hall. Hij wilde de boel een beetje opschudden en Blite ertoe bewegen om vóór maandag zo veel mogelijk losse eindjes af te werken, want dan moest hij weer verslag uitbrengen aan de korpsleider. Hij belde Cooper thuis op en vroeg hem ook naar de Hall te komen om hem daar te treffen. Hij keek er niet van op toen hij zag dat de brigadier Nightingale bij zich had.

Blite was er niet blij mee dat hij en zijn team naar de bibliotheek moesten komen om Fenwick op de hoogte te stellen van hun vorderingen. Hij baalde ervan dat de hoofdinspecteur was gekomen, want hij vermoedde, terecht, dat het duidde op ontevredenheid over zijn gebrek aan progressie. Zijn team van meer dan vijftien mensen had niets gevonden, en een van hen, agent Shah, was tijdens haar werk ook nog haar legitimatiepasje kwijtgeraakt. Toen Fenwick meedeelde dat ze nu definitief het bewijs hadden dat het moord was, merkte hij dat er een golf van opwinding door hen heen ging. De adrenaline stroomde weer: vanaf nu waren ze op jacht.

'En, hoe zit het met het medicijnkastje?'

Sommigen keken bevreemd toen Fenwick die vraag stelde, maar Blite begreep het. De hoofdinspecteur had hem gevraagd om, zonder dat Sally het merkte, te achterhalen wat voor medicijnen zij op doktersvoorschrift innam.

'Nou, het is moeilijk zoeken, omdat ze ons voortdurend met argusogen op de vingers kijkt. Op het laatst heb ik maar gezegd dat ik naar de wc moest, zodat ze geen andere keus had dan me alleen te laten!'

Er werd hard gelachen bij zijn opmerking. Blite was niet zo populair onder de collega's, en het verhaal dat hij in het boudoir van de vrouw des huizes rondneusde onder het voorwendsel dat hij moest plassen, zou meteen na de briefing de ronde doen op het bureau.

Blite negeerde dat; hij genoot van zijn moment in de schijnwerpers. 'Ik heb wat reguliere slaapmiddelen gevonden en, let op, barbituraten! Die zijn tegenwoordig heel moeilijk te krijgen.'

'Hoofdinspecteur!'

'Ja, Nightingale?'

'De drug die Alan Wainwright had ingenomen toen hij zelfmoord
pleegde was een barbituraat. Als we de monsters die van zijn lichaam
zijn genomen kunnen vergelijken met het recept van mevrouw
Wainwright-Smith én met de monsters van het lichaam van Graham
Wainwright...'

'... Dat zou wel een interessant toeval zijn. Goed denkwerk, agent.
Inspecteur, wil je daarvoor zorgen, en let er vooral heel goed op dat
onze rechten om het huis te doorzoeken en dingen mee te nemen
waterdicht zijn. Zijn er nog meer dingen van belang te melden?' Blite
schudde zijn hoofd.

Fenwick observeerde de stemming in het team. Het was pas dag
twee na de moord en ze zouden fris moeten zijn, klaar om de jacht
te openen, maar ze zagen er berustend uit, niet gretig. Blite was in
zijn ogen nooit een leiderstype geweest, maar het had geen zin om
een groot team te hebben als ze niet gemotiveerd waren.

'Het is best mogelijk dat we hier niets vinden, maar het is wel heel
belangrijk om dat zeker te weten,' zei hij tegen hen. 'We hebben te
maken met een heel slimme, manipulerende moordenaar, iemand
die ons bijna kon laten geloven dat dit sterfgeval een ongeluk of zelfmoord was. Maar dat is het niet. Het is een koelbloedige moord met
voorbedachten rade. En het zou wel eens niet de eerste kunnen zijn.
Denk eens aan Arthur Fish. Toen ik onderweg was hiernaartoe heeft
brigadier Gould me gebeld dat de tests van het forensisch lab aantonen dat Fish voordat hij stierf bij Amanda Bennett is geweest. De
houtvezels op zijn lichaam komen overeen met die van een roede in
haar kast, en op zijn schoenen, jas en broek zaten duidelijk sporen
van een tapijt in haar huis.

We weten nu waar Arthur Fish naartoe ging op de avond dat hij
is vermoord. Het feit dat de vrouw die hij heeft bezocht onmiddellijk

daarna is vermoord, maakt onze verdenking nog sterker dat hij niet is gestorven ten gevolge van een willekeurige beroving. Dus, waarom is hij vermoord? En waarom werd Graham Wainwright nog geen week later vermoord? En beide moorden zijn op een dusdanige manier gepleegd dat wij van het spoor moesten worden afgeleid. We weten niet of dit de laatste moord is en als we het motief niet achterhalen, weten we niet zeker of er geen anderen zijn die risico lopen. Het motief is cruciaal. Houd je hoofd erbij. De aanwijzingen liggen misschien niet voor de hand. Let op alles wat ongewoon lijkt, zelfs toevalligheden kunnen iets opleveren. Ik reken op jullie, en de commissaris ook. Het is het beste als jullie meteen weer aan het werk gaan; jullie hebben intussen voldoende pauze gehad!'

De mensen van het team verlieten de kamer met opgeheven hoofd en Fenwick keek hen opgelucht na. Het zou niet gemakkelijk worden, maar hij was ervan overtuigd dat er ergens bewijzen lagen, misschien wel vlak voor hun neus, als ze maar schrander genoeg waren ze te zien.

'Cooper, Nightingale, kom op, wij gaan lunchen. Verderop zit een pub waar je goed kunt eten.'

Cooper schepte een flinke portie mierikswortel op zijn bord en pakte met een zucht van voorpret zijn mes en vork. Het was alweer een tijd geleden dat hij voor het laatst Yorkshire pudding had gegeten, en het water liep hem in de mond. Ze hadden een tafeltje voor twee in een hoek gevonden, maar het was groot genoeg voor hun drieën, want Nightingale nam toch alleen maar een sandwich. Een druk gezin naast hen maakte zoveel lawaai, dat Fenwick er rustig van uit kon gaan dat ze vrij kon praten zonder gehoord te worden.

'Meende u wat u zei, dat er misschien anderen zijn die een risico lopen, hoofdinspecteur?' Het gezicht van Cooper was een en al bezorgdheid.

'Ja. Als er verbanden zijn, is er iemand die er alles aan wil doen om ervoor te zorgen dat we ze niet vinden. Graham had tegen Jenny gezegd dat hij na een of andere bespreking met ons zou komen praten, maar hij is vermoord voordat hij dat kon doen. Wat wist hij en waarom was dat voldoende reden om hem te vermoorden?'

'En we weten nog steeds niet waar die vermiste tape is, hoofdinspecteur. Tape nummer tien, die Fish zou hebben gedicteerd op de dag dat hij werd vermoord,' voegde Nightingale eraan toe. 'Misschien heeft hij die wel bij Amanda achtergelaten.'

'Goed punt. Ga jij morgen maar met brigadier Gould naar Brighton. Jij was immers meteen al op de plaats delict. Ga eens kijken wat je daar kunt vinden. Cooper kan met mij meegaan naar het huis van Fish. Het kan zijn dat daar iets ligt. Wat weten we nog meer niet?'

'U koesterde in het begin verdenkingen jegens Sally, hoofdinspecteur. Is dat nog steeds zo?'

'Zonder meer. We moeten veel meer over haar te weten komen. Ze is plotseling in Harlden opgedoken en de privédetective die Graham in dienst had genomen heeft niets over haar verleden kunnen ontdekken.'

Cooper maakte een aantekening in zijn notitieboekje. Daar kon Nightingale mee verdergaan zodra ze terug was uit Brighton.

'Wie hebben er financieel voordeel van Grahams dood? Dat kan een motief zijn,' zei Cooper die zijn overgebleven aardappelen prakte in de jus op zijn bord. Nightingale wendde haar ogen af.

'Alexander Wainwright-Smith. Blite heeft vanmorgen als eerste Kemp bij de golfclub opgezocht, en hij bevestigde het. De rest van de bezittingen gaat naar de laatst levende, mochten Graham of zijn neef binnen twaalf maanden na de dood van Alan Wainwright komen te overlijden. Sally Wainwright-Smith heeft overigens geen recht op deze helft van de eigendommen. Alles gaat naar Alexander.'

'Ik vraag me af wie er erft als hij doodgaat?'

'Goede vraag. Toen Blite het aan Kemp vroeg deed hij alsof hij het niet wist; hij zei dat hij nooit een testament voor hem had opgesteld. Ook dat is iets wat onderzocht moet worden. En wie doet er onderzoek naar FitzGerald? Ik weet dat het geen prioriteit heeft, maar hij was beslist verontrust door ons bezoek, dus we moeten hem niet uit het oog verliezen.'

Cooper maakte nog een aantekening.

De familie aan het tafeltje naast hen vertrok met veel kabaal en liet een enorme stilte achter.

'Dat is ons teken om ook te vertrekken, vind ik. Tot morgen, brigadier. Om halfnegen bij het huis van mevrouw Fish.'

31

Een stuk of zes mensen van het onderzoeksteam gingen de kamer van de zieke vrouw binnen en Fenwick ging beschermend bij haar bed staan. Hij keek in haar ontzettend vermoeide ogen. Zijn eerste vraag klonk meer als een conclusie: 'We hebben iets over het hoofd gezien. Hier in de kamer.'

Ze knipperde met haar ogen.

Nu volgde er een abstracte versie van 'Zoek de vingerhoed'. Fenwick en zijn mensen staarden verward naar een lege muur, rechts van het bed van mevrouw Fish. Hij tikte er flink met zijn knokkels tegenaan: massief. Iemand anders begon drie meter verderop, aan de andere kant. Toen ze ongeveer een meter bij elkaar vandaan waren, klonk het anders.

'Hierachter is het hol, hoofdinspecteur.' Ze zochten tevergeefs naar de verborgen opening in die onschuldige wand met magnoliabehang. Met toestemming van mevrouw Fish liet Fenwick een zaag aanrukken. Nadat mevrouw Fish vanwege het lawaai en het stof naar de verste hoek was gereden, werd de cirkelzaag in het gips van de muur gezet. Vijf minuten later was de agent die de zaag hanteerde klaar en hij drukte met zijn schouder tegen het rechthoekige stuk muur dat hij losgezaagd had. Het kraakte en één hoek viel naar binnen. Na de derde poging zagen ze een stoffig zwart gat, groot genoeg voor een man om rechtop in te staan.

Fenwick pakte een zware looplamp en scheen ermee door het rond wervelende stof. De lichtstraal viel op stalen planken met brandbestendige kisten. Voordat er iemand naar binnen mocht riep hij de fotograaf erbij om overal foto's van te maken. Toen stapten hij en Cooper in het gat. Het was een ruimte ter grootte van een flinke bezemkast. Op de planken stonden tien metalen kisten en aan één kant stond een kluis, waar een kleine bank zijn neus niet voor zou ophalen.

Fenwick scheen naar boven en zag een ingang: recht boven zijn hoofd was een vlieringladder die aan een luik bevestigd was. Met zijn gehandschoende vingers trok hij hem naar beneden en klom naar boven, waarbij hij probeerde de vingerafdrukken niet weg te vegen. Het luik ging gemakkelijk open, maar werd tegenhouden door het tapijt waaronder het verborgen lag. Hij schoof het opzij, klom verder en kwam uit in de inloopkast van de slaapkamer van Fish.

De agenten nummerden alle voorwerpen in de geheime ruimte, maakten er foto's van en verzegelden de kisten met politietape als bewijsstukken. Daarna werden ze in plastic verpakt.

'Ze worden opengemaakt in het bijzijn van de commissaris, niet eerder,' zei Fenwick tegen Cooper, die daar bevreemd van opkeek. 'Het is maar een gok hoor, maar ik denk dat we in die kisten de boekhoudingen van Wainwright Enterprises zullen aantreffen en ik wil *absoluut niet* dat er ook maar iets gebeurt wat de reeks van bewijzen verbreekt die naar dít huis leidt, in plaats van naar het bedrijf Wainwright Enterprises. Het is veel te belangrijk in de regio en we mogen hun geen enkel excuus geven om zich te bemoeien met dit onderzoek of met datgene wat we hier vinden.'

Voordat hij wegging liet Fenwick de verpleegkundige getuigen dat mevrouw Fish deze huiszoeking had geaccepteerd en goedgekeurd. De kluis, die op passende wijze was verzegeld, werd naar buiten getild en onderwijl nam Fenwick voor de laatste keer afscheid van haar. Er was een beetje stof van het gips op haar haren terechtgekomen en haar gezicht was asgrauw. Het zag eruit als een dodenmasker. Haar ogen bewogen nauwelijks toen hij haar bedankte en haar hand in de zijne woog niet meer dan een veertje. Het drong tot hem door dat hij haar nooit meer zou zien.

Fenwicks vermoeden omtrent de kisten bleek te kloppen. Toen ze op het bureau werden geopend vond hij fotokopieën van de boekhoudadministratie van Wainwright vanaf het jaar 1983. In 1992 waren het geen boeken meer maar spreadsheets in Excel en daarna, in de afgelopen maand januari, veranderde het in een nieuw format op computerprint-outs. De duizenden kolommen met getallen zeiden Fenwick niets en hij werd al moedeloos toen hij ernaar keek.

'Hier hebben we een gespecialiseerd iemand voor nodig,' zei hij tegen de commissaris die erbij was om getuige te zijn van het openmaken van de kisten.

'Bedoel je een forensische accountant? Ik zal het er met de korpsleider over hebben. Hij kan wel iemand aanbevelen.'

'Vast wel, commissaris, maar de man met wie we het beste contact kunnen opnemen is iemand die een lezing op die conferentie hield waar ik eerder dit jaar naartoe ben geweest, onder voorzitterschap van commissaris Cator. Kunt u een manier bedenken om hém door de korpsleider te laten aanbevelen?'

De commissaris keek hem met grote ogen aan. 'Nu vraag je wel heel veel van me, hoofdinspecteur. Maar laat het aan mij over, ik zal kijken wat ik kan doen.'

Tien minuten later werd Fenwick weer naar de kamer met bewijsstukken geroepen, want een slotenmaker was erin geslaagd de kluis te openen. Toen hij binnenkwam bleek het halve bureau in de kamer te staan en zich achter de kleine man in overall te verdringen om mee te kijken toen hij de kluisdeur opentrok.

'Hartelijk bedankt, meneer. Laat u alles er maar in liggen, alstublieft. U mag weg. En jullie,' zei Cooper kwaad dat Fenwick hen hier aantrof, 'allemaal weer aan het werk.' Hij pakte zijn latex handschoenen en boog zijn forse bovenlijf om de inhoud van de kluis eruit te halen.

'Wachten,' zei Fenwick, die wegliep om een fotograaf te halen. Cooper fronste, maar zei niets.

De inhoud van de kluis werd gefotografeerd en vervolgens uitgespreid op een lange tafel op schragen: een sterke kist zonder sleutel, twee dikke manilla-enveloppen, een in leer gebonden boekje met bladzijden vol keurige kolommen met getallen. Fenwick herkende het handschrift van Fish en voelde de adrenaline door zich heen gaan toen hij het boekje doorbladerde. Intuïtief voelde hij dat hij iets in handen had. Hij pakte het zilverkleurige sleuteltje dat hij in de portemonnee van Fish had gevonden uit de plastic zak voor bewijsstukken waar het in gezeten had en stak het in het slot van de zware kist. Met een zachte klik ging het deksel open. Er zat een diamanten verlovingsring in en een lok bruin haar, bijeengehouden door een groen lint. Geen tape nummer tien.

In één manilla-envelop vond hij kopieën van Fish' testament en andere persoonlijke documenten; niets ongewoons of verdachts. In de tweede envelop zat een paspoort op naam van William Herring, maar met een foto van Arthur Fish erop, een rijbewijs op dezelfde naam, een ongedateerd ticket voor een eersteklasvlucht naar Sydney en obligaties ter waarde van een miljoen pond.

'Zijn ontsnappingspapieren.'

Hij pakte het vliegticket. Het was aangemaakt op 21 februari dit jaar; direct nadat het lijk van Alan Wainwright was gevonden.

Fenwick keek naar Fish' foto op het vervalste paspoort en tikte er zachtjes op: 'Waardoor ben jij zo bang geworden, dat je je genoodzaakt voelde valse documenten aan te schaffen en er zelfs over dacht de vrouw van wie je zoveel hield te verlaten? Sydney is wel heel ver weg. Dacht je dat je daar veilig zou zijn?'

Cooper ging weer door de knieën en stak zijn hand in de kluis. 'Hier achterin ligt nog iets. Hebbes!'

Hij kwam moeizaam en met een rood hoofd van inspanning overeind en gaf Fenwick een in zwart fluweel gewikkeld voorwerp.

'Ik kan wel raden wat dat is,' zei Fenwick, toen hij het voorzichtig loswikkelde. Glanzend in het licht lag een 9 mm-pistool en er viel een doosje munitie op de tafel. Fenwick schudde zijn hoofd tegen de pasfoto.

'Je had dus zelfs een vuurwapen gekocht. Nou, daar heb je veel aan gehad. Wat heeft het nou voor zin om zoiets achter slot en grendel te bewaren. Hier, Cooper, het is niet geladen. We moeten dit inschrijven en het grondig laten nakijken.'

De telefoon in de kamer met bewijsstukken ging over.

'Het is voor u, hoofdinspecteur. De korpsleider is rond zes uur hier in Harlden bij de commissaris. Als hij er is, wil hij dat u erbij komt zitten.'

Na het verscheiden van Arthur Fish hadden ze een nieuw regime ingevoerd op de boekhoudafdeling van Wainwright Enterprises. Neil Yarrell had snel de opengevallen plek van procuratiehouder opgevuld en een ambitieuze jongeman aangesteld, die pas vader was geworden van een tweeling, en een gigantische hypotheek had. Alles was weer normaal, althans, aan de oppervlakte.

Toen de telefoon in Neil Yarrells kantoor ging, keek hij geërgerd op omdat hij gestoord werd.

'Ja?'

'Meneer Yarrell, u spreekt met hoofdinspecteur Fenwick van de recherche in Harlden.'

'Wat kan ik voor u doen, hoofdinspecteur?'

'Ik vroeg me af of u me kunt vertellen hoe het komt dat uw overleden procuratiehouder een miljoen pond aan obligaties in een geheime kluis bij hem thuis had liggen?'

Yarrell staarde naar zijn telefoon en kon zijn oren niet geloven. Hij kreeg een akelig gevoel in zijn maag en zijn keel was opeens kurkdroog.

'Kunt u daar iets over zeggen, meneer Yarrell?'

De financieel directeur slikte en probeerde zijn stem terug te krijgen.

'Ik heb...' Het kwam eruit als een hoog gepiep en hij hoestte en slikte nog een keer. 'Ik heb geen idee. Verspilt u alstublieft niet mijn tijd, hoofdinspecteur. Hoe moet ik weten wat Fish in zijn vrije tijd uitvoerde. Die had hij te over.'

'Ach, en laat ik nu van uw algemeen directeur hebben gehoord dat hij overwerkt was. Geeft niet. Ik weet zeker dat we uit de boekhoudadministratie die we samen met de obligaties gevonden hebben wel zullen kunnen opmaken hoe hij miljonair is geworden. Die zijn inmiddels onderweg naar onze forensische experts.'

Meteen nadat hij had opgehangen rende Yarrell naar de marmeren directie-wc's en begon ontzettend over te geven. Terwijl hij over de toiletpot hing, bonkte het bloed in zijn oren. Eén ding baarde hem meer zorgen dan het nieuws dat hij zojuist van Fenwick had gekregen, en dat was het onmiddellijke vooruitzicht van het telefoontje dat hij zou moeten plegen met James FitzGerald. Hij begon onmiddellijk weer te kotsen.

Het nieuws over de vondst in het huis van Fish verspreidde zich door de hele divisie in Harlden, terwijl Fenwick wachtte tot hij werd ontboden. Rond het avondeten was het hét onderwerp van gesprek in de kantine.

Inspecteur Blite was zoals altijd de deskundoloog en had het hoogste woord. 'Let maar op, dit wordt een nachtmerrie. Dit soort boekhoudschandalen zijn een verschrikking als het op een proces aankomt, duur, langdurig en zelden succesvol.' Hij grinnikte vol leedvermaak. 'Die ouwe Fenwick heeft het weer voor elkaar, hoor. Hij heeft een belangrijke onopgeloste moord bij de hand en vervolgens haalt hij dit boven water. Daar maakt hij zich niet populair mee.'

En Blite had gelijk. Op dat moment bevond Fenwick zich in het kantoor van commissaris Quinlan om zich te verantwoorden tegenover de korpsleider. Deze was in avondkleding; hij moest kennelijk naar een of andere gelegenheid, vandaar zijn zeldzame bezoek aan de divisie.

'Waar ben je in godsnaam mee bezig, Fenwick? Er wordt je gevraagd een beroving met dodelijke afloop van een gerespecteerd zakenman te onderzoeken, maar jij breekt zijn huis voor de helft af, je komt met een sterk verhaal aanzetten en je vraagt om een onderzoek door een forensisch accountant naar zogenaamde financiële onregelmatigheden bij Wainwright. Ben je helemaal van de pot gerukt?'

Die vraag was niet geheel retorisch. Als Harper-Brown erover zou hebben nagedacht wat zijn grootste nachtmerrie zou zijn, kwam de situatie waarmee hij nu te maken kreeg er heel dicht bij. Wainwright Enterprises was de economische long van de halve regio. Het zorgde niet alleen direct of indirect voor werkgelegenheid voor duizenden mensen, het doneerde bovendien kleine fortuinen aan de plaatselijke goede doelen. De familie Wainwright, die nu alleen nog bestond uit Julia, Colin, Alexander en Sally, was nog altijd nauw verbonden met de macht van het familiebedrijf. Ze hadden belangrijke posities in de regionale liefdadigheidsinstellingen, de gemeenteraden en, bedacht Harper-Brown met een koude rilling, binnen zijn eigen loge. Zijn woede groeide alleen maar. Waarom creëerde die verdomde kerel altijd overal ellende waar in feite geen ellende hoefde te bestaan?

'Er komt geen forensisch accountant bij. Je verdenkingen zijn ongegrond.' Hij hield zijn hand al op toen Fenwick ademhaalde om iets te zeggen. 'Arthur Fish is het slachtoffer van een fataal afgelopen beroving, dat is...'

'Zijn portemonnee was niet gestolen, meneer; hij was al weken voordat hij werd vermoord doodsbang; op de avond dat hij werd vermoord is hij gevolgd; de prostituee die hij bezocht is binnen een paar uur na zijn bezoek vermoord.'

'Laat mij uitspreken! Zijn gemoedstoestand is maar speculatie en de secretaresse die je ervan vertelde was incompetent en is daarna ontslagen!'

Fenwick slikte. De korpsleider was griezelig goed ingelicht, en niet door hem.

'Maar de politie in Brighton heeft tweeduizend pond aan gebruikte bankbiljetten gevonden, die verborgen lagen in een kast in Francis Fieldings flat. Het is zeer waarschijnlijk dat hij is betaald om Fish te vermoorden.'

'Ik ben niet overtuigd.'

'Arthur Fish bezat obligaties ter waarde van een miljoen in zijn kluis, meneer, samen met vervalste identiteitsbewijzen en een vuurwapen. Dat lijken me geen spulletjes van een onschuldig mens!'

Harper-Brown hield voor één keer geschokt zijn mond na dit nieuws over de inhoud van Fish' kluis. Fenwick kon niet uitmaken of het kwam door de vervalste documenten of door het miljoen pond aan obligaties dat daar zomaar lag. Toen hij eindelijk zijn mond opendeed verstrakte Fenwicks gezicht. Zijn woorden hadden hun gebruikelijke teleurstellende uitwerking en hij moest zijn best doen om het niet te laten merken.

'Ik hoef je niet te vertellen, hoofdinspecteur, dat dit een heel delicate kwestie is. Ik heb Neil Yarrell van Wainwright al aan de telefoon gehad en je moet je erop voorbereiden dat hij zal pogen al het materiaal dat betrekking heeft op het bedrijf terug te laten sturen.'

'Ik denk dat deze papieren technisch gesproken het eigendom van Arthur Fish waren, meneer. Hij was de procuratiehouder.'

'Dat is een heikel punt, dat weet jij ook wel. Gestolen eigendommen van het bedrijf, en dat zijn die documenten waarschijnlijk, moeten na het vinden ervan aan de eigenaar worden teruggegeven.'

'Tenzij ze belangrijk bewijsmateriaal vertegenwoordigen in een aantoonbaar misdrijf, meneer.'

'Vertel me niet hoe de wet luidt, hoofdinspecteur!'

'Nee, meneer. Maar er gaan geruchten, en ook niet alleen over Wainwright Enterprises. Kemp en Doggett staan niet in hoog aanzien in Harlden.'

Hier keek de korpsleider van op.

'Echt waar? Hoezo?'

'Er wordt gezegd dat hun zaakjes niet helemaal koosjer zijn. U weet wel, gewoon geruchten bij de golfclub, hoor, maar wel hardnekkig.'

De korpsleider bromde binnensmonds en tikte met een scherp geslepen potlood tegen de zijkant van zijn kin. Fenwick kon bijna letterlijk zien hoe de puzzeldeeltjes in zijn hoofd op hun plaats vielen. Als er geruchten wáren en hij deed er niets aan, dan zouden er praatjes komen dat de politie bevooroordeeld was. En dat kon absoluut niet.

'Goed dan. Je hebt één week... Ik weet dat het niet voldoende is voor een algeheel onderzoek, maar het moet genoeg zijn om te kunnen vaststellen of er een gedetailleerd, specialistisch onderzoek noodzakelijk is. En ik wil dat het rapport direct naar mij wordt gestuurd, Fenwick. Heb je dat begrepen?'

Toen Fenwick belde om te vragen naar de naam van de accountant die een lezing had gegeven tijdens het seminar, lachte commissaris Cator hem vierkant uit. Aan een week had hij niets, legde hij ongeduldig uit.

'Dat realiseer ik me heel goed, commissaris, maar geef me ten minste één uurtje van uw tijd om de kwestie aan u voor te leggen.'

Meer kreeg Fenwick niet voor elkaar, maar hij had wel een afspraak voor de volgende ochtend in Londen.

Daarna belde hij Cooper en vroeg hem direct naar zijn kantoor te komen. Anne, zijn secretaresse, kwam twee mokken verse koffie brengen en had onthouden dat Cooper melk en extra suiker wilde. Fenwick gaf te kennen dat hij geen telefoon aannam.

'Hoe sta je ervoor met het onderzoek naar Sally's verleden?'

'Dat doet agent Nightingale, hoofdinspecteur, zodra ze terug is uit Brighton.'

'Alexanders testament?'

'Nog niets. We zullen hem erom moeten vragen, wilt u dat ik dat doe?'

'Nu nog niet. Ik wil niet dat hij denkt dat het belangrijk is. Er zal de komende dagen wel een kans zijn om hem te spreken; dan vragen we het hem wel.'

'Waar plaatst u Alexander in al deze dingen, hoofdinspecteur: als iemand die heeft geboft met al die incidenten, of als medeplichtige?'

'Beide zijn mogelijk. Hij is lastig te doorgronden. Hij kan net zo goed het volgende slachtoffer zijn.'

Cooper kon er niet achter komen of de hoofdinspecteur een grapje maakte of niet.

'Misschien houdt ze echt van hem.'

Fenwick rolde met zijn ogen, maar snoerde Cooper daarmee wel de mond. Hij liet duidelijk blijken dat hij Sally niet tot affectie in staat achtte en Cooper had geen zin om erover in discussie te gaan. Met de hoofdinspecteur over gevoelsonderwerpen praten was op goede momenten al vrij verkillend, maar als hij in een stemming was als deze had het geen enkele zin.

'Ik wil dat Nightingale met hoge prioriteit in het verleden van Sally duikt.'

'Ik zet haar direct aan het werk zodra ze terug is.'

Cooper hees zichzelf overeind uit de stoel en nam zijn lege koffiemok mee. Fenwick keek hem met een gefronst gezicht na. Morgen had hij die afspraak met Cator in Londen. Hij wist dat het het juiste was om dat te doen, maar hij vond het heel vervelend dat hij in die tijd niet in Harlden kon zijn. Cooper en Gould waren uitstekende rechercheurs en hij vertrouwde hen volledig. Blite was een heel ander chapiter, maar die was tenminste net zo gebrand op een resultaat als Fenwick. Toch bezat geen van hen het fanatisme en de hartstocht om resultaten te bereiken die hij zelf zo essentieel vond. Hij bezat een vurige gedrevenheid, die hij voor zichzelf verklaarde als verlangen naar gerechtigheid, hoewel hij diep vanbinnen ook verlangde naar succes. Hij moest en zou winnen, ten koste van alles, en die honger zag hij gewoon niet terug in de ogen van zijn drie belangrijkste rechercheurs. Met een lichte schok van verrassing besefte hij dat de enige bij wie hij dezelfde vonk van vastberadenheid had gezien, agent Nightingale was. Die gedachte vervulde hem met nieuwe hoop toen hij met zijn aandacht terugkeerde naar zijn volle bureaublad en zijn uitpuilende postvakje.

Anne kwam binnen, net toen Fenwick eindelijk het hout van zijn tafelblad weer kon zien.

'Er is bezoek voor u, hoofdinspecteur. Ze heeft geen afspraak gemaakt en ze hebben haar gevraagd in gesprekskamer twee te wachten. Het is mevrouw Wainwright-Smith.'

'Hoe lang wacht ze al?'

'Vijf minuten maar. Ik heb haar gezegd dat ik niet wist wanneer u tijd voor haar had, maar ze vond het niet erg om te wachten, zei ze.'

Fenwick nam de achtertrap en liep afwezig en diep in gedachten de twee trappen af naar de begane grond. Na de dood van Graham had Sally er steeds voor gezorgd dat ze bij hem in de buurt was bij elk bezoek dat hij aan Wainwright Hall bracht om met inspecteur Blite te praten. Ze was een vervelende schaduw die hij maar niet kwijtraakte en haar nieuwsgierigheid was hinderlijk en verdacht. Nu had ze dus besloten hem in zijn eigen territorium op te zoeken, niet in Wainwright Hall, de zetel van macht, en om een reden die hij niet kon peilen.

'Hoofdinspecteur! O, dank u wel. Het spijt me dat ik u lastigval, maar ik moet u spreken.'

'Geen probleem, mevrouw Wainwright-Smith. Gaat u rustig zitten.'

Hij vond haar een steeds storender factor worden. Ze was tenger, lenig, tamelijk lang, maar niet zo lang dat het afbreuk deed aan de indruk van breekbaarheid die ze creëerde. Ondanks zichzelf en de opzettelijk gereserveerde houding die hij tegenover haar aannam, kon hij wel begrijpen waarom ze zo aantrekkelijk werd gevonden. Ze had een gezicht als van volmaakt porselein, dat erom leek te schreeuwen in bescherming te worden genomen, maar toch was ze ook sexy. In de manier waarop ze bewoog en in zich gebaren was iets waardoor het leek alsof ze de lucht om zich heen streelde, iets wat een beroep deed op zijn mannelijkheid. Haar aanwezigheid op zich herinnerde hem er weer aan dat hij zonder vrouw leefde. Zij op haar beurt straalde ook een behoefte uit, maar hij negeerde haar openlijke poging om te flirten. 'Mevrouw Wainwright-Smith, waarover moet u mij spreken?'

'Ik kan merken dat u het druk hebt, dus zal ik meteen ter zake komen. Het gaat om Jenny, hoofdinspecteur. Ik maak me zorgen om haar.'

'In welke zin?'

'Dat weet ik niet precies. Het is net alsof ze niets om Graham geeft. Ik zal haar moeten vragen de Hall te verlaten en in een hotel te wachten tot het gerechtelijk onderzoek wordt afgebroken, omdat ze overal rondhangt alsof het huis van haar is. En ze gaat alsmaar naar die boom toe alsof ze erdoor gefascineerd is. Maar ze lijkt helemaal niet overstuur te zijn van zijn dood, moet je haar kleren zien! Ze zegt dat ze niet gelooft in het dragen van zwarte rouwkleding, maar mijn hemel!'

Fenwick keek eens naar de grijsblauwe kasjmieren twinset die Sally droeg, naar de enkele rij met zware parels, de zwarte broek en chique, en duidelijk dure, zwarte suède schoenen. Ditmaal liet hij aan zijn gezicht merken hoe hij er werkelijk over dacht, en daar reageerde ze onmiddellijk op.

'Ik kan zien dat u vindt dat ik overdrijf, maar ze gedraagt zich werkelijk heel vreemd.'

Hoor wie het zegt, dacht hij, maar hij zei niets.

'En?' Sally had blijkbaar verwacht dat hij haar bezorgdheid serieus zou nemen. Misschien dacht ze dat Jenny geen alibi had voor het tijdstip van Grahams dood. Maar Fenwick wist hoe het zat. Zij had die nacht bij vrienden in Schotland gelogeerd en was vervolgens naar Harlden gereisd voor het diner van die avond en de treintijden waren bevestigd. Plotseling irriteerde het hem dat Sally zijn tijd zat te verspillen en hij stond op, waarmee hij te kennen gaf dat het gesprek afgelopen was.

'Zij is jong en onconventioneel, maar dat maakt haar nog niet tot verdachte. Uiteraard zal ik een aantekening maken van dit gesprek en het in mijn achterhoofd houden.' En dat was volkomen waar; het enige wat Sally met haar komst had bereikt was zijn verdenkingen jegens haar nog vergroten.

'Natuurlijk, dat begrijp ik, maar ik vond toch dat u moest weten dat ik me er zorgen over maak.'

'Zeker, ik stel het op prijs dat u mij er deelgenoot van hebt gemaakt, mevrouw Wainwright-Smith, maar als dit alles is, zal de agent u uitlaten.'

Sally scheurde terug naar de Hall. Ze sneed bochten af, negeerde stoplichten, week zonder te remmen op het laatste moment uit voor fietsers. Inwendig groeide de frustratie; ze had het gevoel dat ze de controle steeds meer kwijtraakte en dat gevoel vond ze verschrikkelijk. Sinds haar kindertijd was ze altijd de baas over haar omgeving geweest. Zij had bepaald wie haar domein mochten betreden en waarom, maar nu die onbehouwen polderkerels van de politie door háár huis, háár tuin, háár léven banjerden, voelde ze hoe die kostbare controle haar ontglipte, en dat maakte haar woedend.

Sally's woede was een vreemd verschijnsel; het vertoonde geen zichtbare symptomen en verdween vaak net zo plotseling als een lamp die aan en uit werd gedaan. Maar als het nu terugkwam was het sterker geworden, minder voorspelbaar en gevaarlijker. Ze voelde het zitten in haar binnenste en ze merkte het aan de manier waarop haar voet steeds naar het gaspedaal ging in plaats van naar de rem, en hoe ze totaal onverschillig bleef voor de verwensingen en opgeheven vuisten die haar rit naar huis vergezelden. Het kon haar niet schelen, andere mensen maakten helemaal niets meer uit. Wat wel uitmaakte was dat ze zo snel mogelijk de controle terug moest zien te krijgen.

Met piepende banden scheurde ze de oprit voor de Hall op en verwoestte het keurig aangeharkte grind waar haar parttimehovenier op had staan zwoegen. Irene ging net weg.

'Hoe haal je het in je hoofd om via de voordeur te gaan? Hoe vaak moet ik het je nog zeggen?'

Irene had het zo langzamerhand gehad met de maniertjes van dat hooghartige kruidje-roer-mij-niet en stond op het punt haar dat ook te zeggen, toen ze de blik in Sally's ogen zag. Ze kreeg er kippenvel van en toen ze thuiskwam zei ze tegen haar man: 'Ze heeft moord in haar ogen, Stan, ik zeg het je, pure moord.' Diezelfde avond belde ze op om haar ontslag in te dienen.

Sally wachtte geduldig tot Alex de thee had ingeschonken.
'Een koekje?'
'Nee, dank je, Sal, ik heb geen trek.'
'Alex, we moeten praten.'
Hij keek haar aan met een blik die vrees nabijkwam, maar zei vrij kalm: 'Toe maar.'
'Ik maak me zorgen om Jenny. Ik misgun haar de logeerkamer niet, maar het is niet goed voor haar om hier door het huis te lopen kniezen. Op die manier komt ze nooit over Graham heen. Ik wil dat ze naar een hotel gaat.'
'Sally! Hij is nog niet eens begraven en die arme meid heeft geen familie om mee te praten. Haar moeder en stiefvader zitten in Zuid-Afrika, en ze is enig kind.'
'Ze heeft vrienden. Ze zou hun gezelschap moeten zoeken, niet elke avond als een geest hier aan tafel zitten.'
'Dat doet ze niet. Meestal eet ze op haar kamer.'
Sally glimlachte lief naar hem, maar haar ogen stonden hard.
'Jij bent te soft, Alex. Ik wil dat jij met haar gaat praten om te horen wat haar plannen zijn. Ga vanavond ergens iets met haar drinken, dat zal haar goeddoen.'
'Ik zie wel.' Zwijgend dronk hij zijn thee op en Sally ontspande zich. Ze had haar zegje gezegd en hij was er niet echt tegen ingegaan, wat inhield dat hij waarschijnlijk zou doen wat ze gezegd had. Misschien zag hij Jenny wel net zo graag verdwijnen als zij.
Toen de voordeurbel ging keken ze allebei geschrokken op. Ze verwachtten niemand.
'Ik ga wel.' Sally stond al voordat Alexander haar kon tegenhouden.
Het was James FitzGerald; hij stond diep in zijn kraag gedoken vanwege een kort regenbuitje in het stenen portiek, met aan weerskanten van hem twee massieve gargouilles.

'Kom erin. In de zitkamer is het warm.' Toen zei ze met een zachtere stem: 'Alex is er.'

Alexander ging bij zijn vrouw en hun onverwachte bezoeker voor het laag brandende vuur staan, dat hij had aangestoken om het wat gezelliger te maken in huis, ondanks Sally's bezwaren vanwege de verspilling.

De twee mannen gaven elkaar behoedzaam een hand. Ze hadden elkaar niet meer gesproken sinds FitzGerald Wainwright-Smith het familiegeheimpje had verteld, nog vóór de dood van Graham. James stond Alexander openlijk te taxeren en dat stond de jongere man helemaal niet aan.

'Je komt erg onverwacht.' Ooit zou hij beleefd zijn gebleven, maar gedurende de maanden dat hij algemeen directeur was, was hij veranderd. Afgezien van zijn vrouw kon niemand zich meer aan hem opdringen. Hij kon merken dat FitzGerald verrast was door de manier waarop hij zijn blik weerstond; datzelfde had hij ook bij Jeremy Kemp en later bij Neil Yarrell gezien.

'Onverwacht! Dat kun je toch niet zeggen na alles wat er de afgelopen week is gebeurd. Nog een Wainwright die het loodje legt. En het wemelt van de politie in het bedrijf. Dat noem ik geen ideale manier van een bedrijf leiden, Alexander. Je oom heeft de zaak bijna dertig jaar geleid, zonder één centje pijn. Jij staat net een paar maanden aan het hoofd en bang! het hele zootje dondert in elkaar.'

Sally en Alexander keken in overeenstemming op van verbazing. Het was duidelijk dat zij nog niet op de hoogte waren van de documenten van Fish en FitzGerald was niet van plan het hun te vertellen.

'We zijn natuurlijk allemaal ondersteboven van de dood van mijn neef,' zei Alexander op een effen, ontoegeeflijke toon. 'Maar tot nog toe heeft de politie niets gevonden waardoor er een verband kan worden gelegd met de familie of met de zaak. En dat gebeurt ook niet. Er is geen verband; het was een ongeluk.'

FitzGerald keek hem met onverholen ongeloof aan.

'Het kan me geen barst schelen wát het was, maar het was stom en heel erg slecht getimed. Misschien heeft je oom het je niet verteld, maar ik vertegenwoordig al een aantal jaren inofficieel de aandeelhouders. Achter de trusts staat een groep zeer machtige privépersonen. Zij hebben een heleboel geld in het bedrijf geïnvesteerd en zij stellen al die belangstelling van de politie niet op prijs, dat kan ik je verzekeren. Als het zo doorgaat, zullen ze naar mij kijken om de boel, eh, te regelen.'

'Bedankt dat je het ons laat weten, James. Ik zal eraan denken als de nood zich aandient.' Alexander begon naar de deur te lopen, erop gebrand zijn ongewenste gast eruit te werken, voordat zijn ongenoegen al te groot werd.

'Je begrijpt het nog steeds niet, hè? De nood hééft zich aangediend. Ze hebben mij verzocht om hierheen te gaan en te kijken wat er gedaan moet worden. En wat ik zeg, gebeurt, dat kan ik je verzekeren.'

'Ik snap het. Goed, zeg hun maar dat alles onder controle is. Er zullen geen doden meer vallen. En de politie rent door het huis als kippen zonder kop; het is daar een totale chaos. Geef het een maandje of zo de tijd tot de storm weer gaat liggen.'

FitzGerald keek taxerend rond in de comfortabele, pas opgeknapte zitkamer met het oorspronkelijke antiek. Hij bleef naar het portret van Alexanders betovergrootmoeder boven de haard staan kijken en maakte een gebaar met zijn hand. 'Honderd jaar geleden hadden de Wainwrights dit huis, het bedrijf en de levens van alle mensen mijlenver in de omtrek in eigendom. Zij waren praktisch de enige werkgever van formaat in de regio en hun woord was wet. Je grootvader zette die traditie voort, maar in de periode tussen de twee wereldoorlogen in had hij geen geluk en verdiende hij niet het fortuin dat sommige van zijn tijdgenoten wel verdienden. En toen kwam je oom, die goeie ouwe Alan. Tjongejonge' – hij trok opzettelijk een nare glimlach – 'wat een ongelooflijke klojo was dat.'

Sally haalde hoorbaar adem en Alexander wilde protesteren, maar FitzGerald snoerde hem met een verveeld gebaar de mond.

'Ik weet wel dat ik dergelijke taal niet hoor te bezigen waar dames bij zijn, maar' – hij wees op het schilderij – 'zij kan ons niet horen en verder is hier geen enkele dame aanwezig.'

'Nou moet je eens goed naar me luisteren...' begon Alexander, die groot en goed gebouwd was, iets wat mensen nogal eens over het hoofd zagen als ze met hem te maken hadden, maar Sally legde haar hand op zijn arm.

'Niet doen,' zei ze, met ogen die even kil en berekenend stonden als die van FitzGerald. 'Hij wil je provoceren, maar je hoeft er niet op te reageren. Ik voel me niet aangesproken. Ik moet eerst respect voor mensen hebben wil ik me iets aantrekken van wat ze zeggen.'

FitzGerald grinnikte. 'Je bent een koele kikker. Dat zei Kemp ook al, en hij heeft gelijk.' Hij zag de verbazing op Sally's gezicht en vervolgde: 'Ja, ik wéét dat je erop vertrouwde dat hij zijn mond zou houden, maar je had beter moeten weten. Overigens, ik ben klaar met wat ik te zeggen had. Onthoud het goed, nog meer ellende en je kunt erop rekenen dat ik me ermee kom bemoeien.' Toen ging hij zonder nog iets te zeggen weg.

Sally en Alexander keken elkaar even bezorgd aan. 'Dat was een dreigement,' zei Sally nadenkend.

'Ja, ik weet het. Denk jij dat hij betrokken is bij al die...'

'Sterfgevallen? Wie weet,' zei ze onverschillig. Ze wilde Alex de deur uit hebben, zodat ze goed kon nadenken. Het veinzen dat James FitzGerald haar niet kon raken, had meer van haar gekost dan ze wilde toegeven en ze moest knokken tegen het verstikkende gevoel dat de gebeurtenissen uit de hand liepen en alles haar boven het hoofd groeide. Ze had behoefte aan tijd en ruimte om na te denken en plannen te maken, en alsof al het andere er niet toe deed, zei ze met een emotieloze stem: 'Ga Jenny halen; die zal wel weer in haar kamer hangen. Ga wat met haar drinken.'

Jenny accepteerde zijn uitnodiging om iets te gaan drinken met meer plezier dan hij had verwacht. Ze waren al binnen een paar minuten weg.

Het was rokerig en gedempt verlicht in de pub. Alexander had een rustig hoektafeltje gevonden, vrij achteraf, zodat ze een zekere mate van privacy hadden. Desondanks had hij zijn glas al bijna leeg voordat ze iets zei.

'Waarom? Ik begrijp gewoon niet waarom. Ik denk er steeds weer over na, en toch...' De tranen verstikten haar stem en ze moest stoppen.

'Wil je nog wat drinken?'

Ze knikte en sloeg in één keer het laatste beetje naar binnen.

In de tijd dat ze zwijgend achter hun eerste glas zaten was het druk geworden in de pub en Alexander moest lang wachten aan de bar. Toen hij terugkeerde aan hun tafeltje zat ze door het raam vol regenspetters naar de slecht verlichte parkeerplaats te staren.

'Er staat buiten een man die ons in de gaten houdt, ik weet het zeker.'

Hij keek haar geschrokken aan.

'Ik weet dat je denkt dat ik last heb van achtervolgingswaan, maar ik ben ervan overtuigd dat we in de gaten gehouden worden. Toen we bij de Hall wegreden trok achter ons nog een auto op, een Saab, en ik weet zeker dat hij daar in het donker geparkeerd staat. Kijk maar.'

Alexander wilde haar vrees afdoen als nonsens, maar die kwam te veel overeen met zijn eigen ongerustheid. Plotseling merkte hij dat hij begon te praten alsof hij niet meer te stoppen was: over Sally's oorspronkelijke vermoedens over de financiën van het bedrijf, over het verdriet om Grahams dood, en ten slotte over zijn aanhoudende vrees dat de dood van zijn oom ook verdacht kon zijn.

Jenny luisterde met intense belangstelling; ze onderbrak hem alleen af en toe als hij iets nader moest verklaren. Aan het eind van zijn lange monoloog stond ze op en liep naar de bar. Of de rij was korter geworden, of ze kreeg voorrang, want ze was binnen een paar tellen terug. Ze zette een whisky voor Alexander neer en nam een flinke, weloverwogen slok van haar eigen gin-tonic.

'Dus jij gelooft dat Graham is vermoord?' vroeg Alexander, die spijt had van zijn eigen lange verhaal en er niet over ondervraagd wilde worden.

'Ja... nee... Ik weet het niet meer, Alex. Ik weet niet wat ik ervan moet denken. Maar zelfmoord? Dat klopt niet, hoe bang hij ook was. Hij had een privédetective in dienst genomen, wist je dat?'

'Ja. Denk je dat hij van die detective iets te horen heeft gekregen?'

'Ja, dat weet ik wel zeker.'

'Wat was het dat hij moest onderzoeken?'

Jenny staarde hem met zoveel medelijden aan dat zelfs hij het merkte.

'Wat is er, waarom kijk je me op die manier aan?'

Jenny schudde bedroefd het hoofd en kneep hem meelevend in zijn arm.

'Hij wantrouwde Sally.'

'Waarom dan? Toe maar, zeg het maar.'

Maar Jenny klapte dicht en wilde geen antwoord geven. Ze begon weer uit het raam te staren. Na een hele tijd, waarin ze allebei hun glas niet aanroerden, deed ze haar mond weer open.

'Ik denk dat Graham vermoord is, en zijn vader ook. De vraag is door wie. Jij bent de voor de hand liggende verdachte, jij trekt voordeel uit beide sterfgevallen. Maar om de een of andere reden denk ik niet dat jij het bent.' Ze lachte. Het klonk akelig, hopeloos en alsof het haar niet meer kon schelen. 'En dat zou wel eens de grootste beoordelingsfout kunnen zijn die ik kan maken.'

'Ik heb ze niet vermoord, Jenny.'

'Ik geloof je.' Het kwam eruit als gefluister, maar de woorden die volgden waren nog zachter: 'Maar hoe zit het met Sally? Kun je net zo zeker zijn over je vrouw?'

Alexanders mond viel open van de schrik.

'Dat is wel heel verschrikkelijk, wat je daar zegt, Jenny. Zo'n beschuldiging...'

'Allemachtig, je zit me net te vertellen dat ze je ervan weerhield naar de politie te stappen in verband met je oom en de financiën van het bedrijf.' Ze verhief haar stem en een paar mensen om hen heen draaiden zich om.

Hij begreep dat ze allebei genoeg ophadden.

316

'Kom, laten we naar huis gaan.'

Hij moest haar ondersteunen toen ze in de stromende regen het hobbelige asfalt van de parkeerplaats overstaken. Tegen de tijd dat ze bij zijn auto aankwamen waren ze allebei doorweekt. De ruiten besloegen onmiddellijk. Zwijgend legden ze de weg over de bochtige landwegen af en het enige geluid was het ploffen van de snel heen en weer gaande ruitenwissers en het gesuis van water als er een tegenligger aankwam. Af en toe zag hij het heldere licht van koplampen in zijn achteruitkijkspiegel, dat alleen verdween wanneer er een daling of een bocht in de weg zat.

'Het is de Saab,' zei Jenny toen ze de donkere omtrek van de Hall zagen liggen. 'Ze weten waar we naartoe gaan, dus hoeven ze niet dicht achter ons te zitten.'

Sally lag al in bed toen Alexander en Jenny terugkwamen, hoewel het nog geen elf uur was. Alexander zette het haardscherm voor het vuur en ging thee zetten. Jenny kwam bij hem in de keuken zitten.

'Het spijt me.'

'Dat hoeft niet. Je was van streek. Thee?'

'Ja.' Haar stem was hees van ingehouden tranen.

'Hè, toe nou. Het is in orde.'

Toen begon ze te huilen, lange, vreselijke snikken, en het hield maar niet op. Hij nam haar in zijn armen en voelde haar kleine, tengere lichaam schokken en beven. De tranen doorweekten zijn overhemd en toen zijn huid. Hij legde zijn hoofd boven op het hare en wiegde haar langzaam heen en weer. Ze huilde zichzelf schor en bleef evengoed doorhuilen, tot ze er misselijk van was. Hij hield haar vast toen ze zich over de gootsteen boog en kokhalsde. Het was een akelig, droog geluid en voor het eerst drong de diepte van haar verdriet echt tot hem door.

'Je hield echt van hem, hè?'

'O god, Alex, hij was alles voor me. Hij was alles wat ik wilde. Ik gaf niet om zijn geld, alleen maar om hem.'

Ze begon intussen te rillen en hij liet haar bij het warme fornuis zitten. Hij pakte een oude deken uit de droogkast, maakte nieuwe thee voor hen en er kwam een ontzettend treurig gevoel bij hem opzetten, maar hij weigerde er dieper over na te denken. Toen hij haar eenmaal zover had dat ze van de thee dronk, sloeg hij de deken om haar schouders en bracht hij haar naar boven, naar haar kamer.

Het tweepersoonsbed in zijn eigen kamer was onberispelijk opgemaakt en aan zijn kant opengeslagen – niet dat er nog een háár kant en zíjn kant bestonden, want Sally kwam nooit bij hem liggen. Er stond een briefje tegen het voetje van de lamp: het was van zijn vrouw.

Ik ben vroeg naar bed gegaan. Ik ben erg moe, stoor me dus niet. Als ik je bij het ontbijt niet zie, zorg dan dat je het oude brood gebruikt om toast te maken.

Dat was alles. Niet welterusten, zelfs geen 'x'. Hij liet zich tussen de frisgewassen katoenen lakens glijden, in de grootste slaapkamer van zijn landhuis. Met een diepe, berustende zucht zette hij de wekker op zes uur en deed het licht uit. Het duurde lang voordat hij in slaap viel.

32

Miles Cator, die verbonden was aan de Nationale Eenheid Fraudebestrijding, hield zich bezig met witwaspraktijken. Zijn positie had vele voordelen, onder meer een groot, modern kantoor, twee toegewijde secretaresses en een volledige computerondersteuning. Cator zag Fenwick afgunstig kijken en ging erop in: 'Geloof me, je zou de politieke kanten hiervan verafschuwen.'

Fenwick nam dat meteen van hem aan en hij keerde met zijn aandacht terug naar de zaak Wainwright. Hij had de medewerking van de commissaris hard nodig en begon hem in te lichten over alles wat hij wist. Na een halfuur was hij klaar. De kopieën van de eigendoms- en bedrijfsstructuur van Wainwright, rapporten en de boekhouding lagen over de koffietafel verspreid, met daartussendoor vreemd afstekende kleurenfoto's van de verschillende plaatsen delict van de moorden en sterfgevallen, en de persoonlijke boekhouding die hij in de kluis van Fish had gevonden. Cator zei niets, maar bleef met dichtgeknepen ogen zitten en trommelde met zijn vingers tegen zijn slapen. Toen pakte hij zonder iets te zeggen de telefoon en riep zijn assistent.

'Verbind me met Weatherspoon in Jersey.' Hij keek op zijn horloge en zei toen tegen Fenwick: 'Laat dit allemaal hier bij mij liggen. Kun je over twee uur terugkomen? Tegen die tijd kan ik wel een idee hebben of het de moeite waard is dat we ons erin verdiepen.'

Met nog maar zes dagen om de korpsleider aan te tonen dat Wainwright Enterprises zich zou moeten verantwoorden, had Fenwick geen andere keus. Het was een schitterende dag in Londen en hij begaf zich naar de parken die uitkeken op de Theems. Onder het genot van een beker uitstekende meeneemkoffie belde hij de ene na de andere hoofdrechercheur in het onderzoeksteam op.

Toen hij het laatste gesprek had verbroken ging hij in hemdsmouwen achteroverzitten om de wereld aan zich voorbij te laten trekken. Hij liet zijn geest leeg worden van alle bewuste gedachten. De losse draadjes die hij vol vertrouwen had gevolgd, vormden een kluwen die hij niet kon ontwarren. Hij droomde zelfs van wild door elkaar groeiende klimop en werd daarna iedere morgen om drie uur wakker. Er waren verbanden, hij wist het, maar hij werd gekweld door het idee dat hij de verkeerde verbanden legde, terwijl hij de meest voor de hand liggende niet herkende.

Fenwick dacht lang en diep na en zat zo intens voor zich uit te staren in het park, dat de voorbijgangers het verontrustend vonden en een dame op een bank tegenover hem ergens anders ging zitten. Hij dwong zichzelf zijn theorie op een logische manier op te zetten. Allereerst geloofde hij dat de drie sterfgevallen verband met elkaar konden houden. In de gevallen van zowel Alan als Graham Wainwright waren Alexander en Sally de belangrijkste begunstigden. Van die twee beschouwde hij Sally als de meest waarschijnlijke dader; het was een intuïtief gevoel dat niet door enige logica werd ondersteund. Maar haar gedrag na de dood van Graham was grillig en verdacht. Als zij de moordenares was en als de moorden allemaal verband met elkaar hielden, moest ze een motief hebben gehad om Arthur Fish te vermoorden. Dit was het grote struikelblok in zijn redenatie. Er was niets wat Sally aan Fish koppelde, terwijl Alexander jarenlang met de accountant had samengewerkt.

Hij krabde afwezig en met een gefronst gezicht op zijn hoofd. Had het zin om Gould te vragen of hij wilde proberen een connectie te vinden tussen Sally en Fish? Misschien, maar hij besloot te wachten tot Nightingale klaar was met haar onderzoek naar Sally's verleden, voor het geval zij daarin een schakel ontdekte. Dan had hij nog het feit dat Fish Amanda Bennett had gekend. Als de moord op haar aan de zijne kon worden gekoppeld, strekte het web van moorden zich nóg verder uit. Hij hield zichzelf voor dat het logischer was om niet langer vast te houden aan die connectie, maar terwijl zijn verstand hem daarvan overtuigde, riep zijn intuïtie luidkeels dat hij het nog een laatste kans moest geven. Hij zou heel gauw een beslissing moeten nemen, omdat hij nu al onder druk stond om brigadier Gould en zijn team op de zaak Wainwright te zetten. Hij besloot de parallelle onderzoeken nog achtenveertig uur door te laten gaan en ging toen de methoden van de moorden zitten overdenken.

De moorden waren zo gepleegd dat ze eruitzagen alsof ze niet met elkaar in verband stonden. Twee ervan waren opgezet als zelfmoord, wat inhield dat ze beraamd en goed gepland waren. Er zaten maar acht dagen tussen de moord op Arthur en die op Graham, wat kon wijzen op paniek of op een dringende noodzaak die hij niet kon doorgronden. De 'zelfmoord' van Graham was onhandig geweest en als het postmortaal onderzoek niet zo knullig was geweest, zou hij meteen als een geval van moord zijn behandeld. Het leek gehaast te zijn gedaan. Waarom? Als hij maar een schakel kon vinden tussen

Sally en Arthur en een reden voor de snelle moord op Graham, dan kon hij het gecombineerde onderzoek voortzetten.

'Ze is zo schuldig als de pest, aan alle drie. Ik voel het gewoon,' zei hij bij zichzelf, zich er niet van bewust dat hij hardop zat te praten. 'Ik mis maar één ding. Bij de dood van Fish had ze financieel niets te winnen, in welke zin vormde hij dan een bedreiging voor haar? Als ik dat weet heb ik een motief.'

Hij werd vervuld van een vastberadenheid, zó heftig, dat hij zijn vuisten balde. Zijn gezicht verhardde zo dat een verliefd stelletje dat langskwam ervan schrok en het oude dametje er ten slotte toe werd gebracht op te staan en het park maar helemaal te verlaten. Er luidde ergens een klok, die hem eraan herinnerde dat hij terug moest voor de bespreking met Cator.

De commissaris was bereid hem te helpen, maar hij waarschuwde Fenwick dat hij geduld moest hebben.

'Zes dagen is niet lang genoeg om iets tot stand te brengen, hoofdinspecteur. Op Jersey, waar de eigenaars van Wainwright hun aandelen hebben laten registreren, zijn de autoriteiten altijd heel behulpzaam. De eilanden zijn legale financiële centra en zo willen ze ook gezien worden, dus zullen ze er alles aan doen om hun medewerking te verlenen. En bovendien blijken de betrokken trusts allemaal legaal te zijn; ze bestaan al heel lang en de beheerders staan te goeder naam en faam bekend. Wat de ontwikkeling van Wainwright in de Cariben betreft' – hij zweeg even om zijn afgekoelde thee op te drinken – 'die wordt ondersteund door een bank van de oude stempel, waar nooit enig probleem mee is geweest.

We moeten ons op Wainwright hier in het Verenigd Koninkrijk concentreren. Ik heb iemand laten kijken naar de boekhoudingen die je uit de kluis van Fish hebt gehaald; hij omschreef die als "bizar". Het intrigeerde hem in ieder geval wel en hij is de beste forensische accountant die ik ken. Het persoonlijke grootboek dat je hebt gevonden wond hem wel heel erg op. Hij denkt dat het een soort lijst is van mogelijk afwijkende betalingen die door Wainwright heen gesluisd zijn. Hij gaat zijn best doen tot het eind van maandag. Dan loopt je tijd af, hè?' Fenwick knikte. 'Wat wij hoogstens in staat zijn om te doen is bevestigen dat er een grondig onderzoek moet worden ingesteld en het moet voldoende zijn om je korpsleider ervan te overtuigen zich hard op te stellen tegenover Neil Yarrell. Maar reken er niet op dat er een snelle veroordeling in zit. Dit kan jaren in beslag nemen.'

Fenwick had dat altijd wel geweten, en hij was al heel gelukkig dat Cator bereid was er tijd in te steken. 'Als jullie iets vinden waarmee ik de korpsleider zo ver kan krijgen dat hij Wainwright Enterprises op afstand houdt, zou ik dat heel erg waarderen.'

Cator glimlachte en Fenwick merkte tot zijn verrassing dat er tussen die twee mannen geen sympathie heerste.

'Als datgene wat jij vermoedt waar is, valt het toch binnenkort buiten zijn bevoegdheid. Je krijgt wel te maken met de gevolgen als het tot hem doordringt dat je de documenten aan mij hebt gegeven. Maar nu ik ze eenmaal heb zal het hem moeilijk vallen ze weer terug te krijgen; daarvoor moet hij bij mijn hoogste superieuren zijn en ik betwijfel of hij daar aan wil beginnen. Je beseft het nog niet, maar je hebt je bij je baas in een buitengewoon hachelijke positie gemanoeuvreerd.'

Fenwick dacht eraan terug dat hij de korpsleider had beloofd de documenten van Fish niet af te geven. Als hij beschuldigd werd van insubordinatie, had hij geen enkel verweer.

Toen hij buitenkwam was het weer omgeslagen. Er woei een stevige zuidwestenwind en in de windstoten was de regen die laat in de middag zou gaan vallen al te ruiken. Er was voor het eind van de week een storm voorspeld en als voorbode daarvan begon het nu al flink te waaien.

Fenwick hield een taxi aan om hem naar Victoria Station terug te brengen en hij keek op zijn voicemail. Er zat een boodschap van Harper-Brown bij, met het verzoek om hem vanavond om zeven uur op de golfclub te ontmoeten. Na even rekenen besefte Fenwick dat hij dat waarschijnlijk niet zou halen, zelfs niet als hij de trein van 17.03 uur van Victoria Station nog te pakken kreeg. Hij boog zich naar voren en tikte op de glazen scheidingswand tussen hem en de chauffeur.

'Kunt u hem een beetje op zijn staart trappen, alstublieft. Het is heel belangrijk dat ik om vijf uur de trein heb.'

De taxichauffeur keek hem aan alsof hij wilde zeggen, *Als ik voor elke keer dat het me gevraagd wordt een briefje van vijf zou krijgen, was ik nu miljonair.*

Fenwick interpreteerde zijn blik correct en deed er onmiddellijk zijn voordeel mee. 'Als we het halen krijg je een tientje fooi.'

En ja, verbazend genoeg haalde hij het.

De golfclub van Harlden waar de korpsleider lid van was, was de beste in het graafschap. Toen Fenwick de betegelde entreehal betrad werd hij omgeven door een zeldzaam geworden sfeer van bedaardheid.

'Kan ik u helpen, meneer?' De man die voor Fenwick was komen staan had een air alsof alles hier van hem was.

'Ik heb een afspraak met een van uw leden, de heer Harper-Brown.'

'Ah, jawel, de korpsleider. Hij zit aan de bezoekerskant van de bar, rechts van u.'

Fenwick kreeg de korpsleider meteen in het oog. Hij stond met twee andere mannen bij het raam in een erker. Toen Harper-Brown Fenwick zag liep hij bij hen vandaan naar twee lege stoelen in de rustigste hoek. Reproducties van sportfoto's en foto's van verschillende trofeeën en bekers die werden uitgereikt aan stralende, zelfvoldane mensen, vulden de wanden. De superieure zelfverzekerdheid die hier hing was bijna tastbaar. Fenwick begreep meteen waarom dit lidmaatschap Harper-Brown zo dierbaar was.

'Hoofdinspecteur.' De korpsleider gebaarde dat Fenwick moest gaan zitten. 'Wat kan ik voor je te drinken halen?'

'Whisky en water, alstublieft, meneer. Zonder ijs.'

De korpsleider keerde terug met een glas whisky en water in een kruikje. Er zat ijs in het glas.

'Proost.'

'Proost.'

Er viel een ongemakkelijke stilte, waarin beide mannen van hun glas nipten en Fenwick probeerde geen vies gezicht te trekken. Harper-Brown begon het eerst.

'Ik heb je gevraagd hiernaartoe te komen, omdat ik er zeker van wilde zijn dat we een gunstige gelegenheid zouden hebben om de vorderingen in de zaak zonder onnodige onderbrekingen te kunnen bespreken.'

'Nou, het begint op zijn plaats te vallen, meneer. De omstandigheden rond de moord op Fish wijzen op een motief dat verder gaat dan een mislukte beroving. Het lijkt er steeds meer op dat het een moord in opdracht is geweest, en de connectie met Amanda Bennetts dood wordt nu actief onderzocht.'

Dat vond de korpsleider niet leuk.

'Beide Wainwright-Smiths worden vierentwintig uur lang gevolgd en toen meneer Yarrell, de financieel directeur, verontrust raakte doordat wij documenten in het huis van Fish hadden gevonden, hebben wij hem politiebescherming aangeboden.'

'Je hoeft me er niet aan te herinneren wie Neil Yarrell is, Fenwick, wij slaan regelmatig een balletje samen. En je had mij eerst moeten benaderen toen je hem bescherming aanbood. Het is toch wat!'

'Ja, meneer.' Dit had Fenwick opzettelijk ingecalculeerd; hij had het helemaal niet eerst met de korpsleider willen afstemmen, want hij kende het antwoord. Hij had Yarrell politiebescherming aangeboden om te zien wat diens reactie zou zijn, en hij had ervan genoten hoe de schok van dat aanbod de goed ingestudeerde kalmte van de man voor één keer verstoorde.

'En wat was dat nou allemaal met dat uitstel van het rapport over het postmortale onderzoek van Graham Wainwright?'

Fenwick bleef zich erover verbazen hoe goed ingelicht de korpsleider was. Hij verklaarde dat Pendlebury ziek was geworden en dat hij geen formele klacht zou indienen, ook al had het de zaak flink opgehouden. Harper-Brown snoof afkeurend om te kennen te geven dat hij het niet eens was met Fenwicks oordeel, maar dat het hem te min was om er woorden aan vuil te maken. Hij nam een slok en veranderde van onderwerp.

'Desondanks ben ik zeer tevreden over de vorderingen van Blite. Hij heeft de zaak werkelijk een eind in de goede richting geduwd.'

Fenwick nam ook een slok om zijn woede te maskeren. Blite had hem sinds vanmorgen vroeg niet meer gebeld, hoewel hij twee boodschappen had ingesproken om dat wel te doen. Kennelijk had hij wel tijd gehad om de korpsleider in te lichten.

'Het moet wel pure inspiratie zijn geweest dat hij de aandeelhouders van Wainwright Enterprises op die manier onder de loep heeft genomen, echt recherchewerk.'

'Zeker.' Fenwick wilde Harper-Brown absoluut niet laten merken dat hij compleet in het duister tastte.

'Hij heeft in die structuren op Jersey moeten zoeken, fantastisch werk, en dat hij een connectie heeft gelegd met James FitzGerald is werkelijk briljant.' De korpsleider dempte zijn stem en zei op vertrouwelijke toon: 'Ik heb die man nooit vertrouwd. Tussen ons gezegd en gezwegen, ik was tegen zijn lidmaatschap hier, maar Neil Yarrell heeft me omgepraat. Ik wist dat ik gelijk had.'

'Hoe groot is het aandelenbezit ook alweer, meneer? Ik ben het vergeten.'

'Nee, dat ben je niet. Ze weten het nog niet. De truststructuur is erg ingewikkeld en het zal wel even duren voordat hij ontrafeld is. Ze hebben alleen FitzGerald gevonden, omdat zijn naam in een aantal documenten opduikt, hij is de enige. Toch ben ik er zeker van dat er meer uit zal rollen. Hoe was je trip naar Londen?'

Fenwick vertelde de korpsleider over zijn dag. Zijn kwaadheid jegens Blite maakte dat hij zijn woorden niet erg subtiel koos. Toen hij ademhaalde en Harper-Brown aankeek, was hij blij dat ze in zo'n openbare gelegenheid zaten. Hij zag hem eerst dieprood en toen bleek worden van onderdrukte woede. Hij ging snel verder.

'Toen commissaris Cator me vertelde dat de documenten verdacht waren, begreep ik onmiddellijk dat u beslist zou willen dat ik mijn volledige medewerking zou geven, en dat heb ik dan ook gedaan. Ik ga er helemaal van uit dat u een groot respect hebt voor Cator, u hebt mij immers naar zijn seminar gestuurd, en dat u het dan ook geen probleem zou vinden als ik hem erbij betrok. Ik hoop werkelijk dat ik daar goed aan heb gedaan.'

Er zat iets zeldzaam smekends in Fenwicks zachte stem, wat de korpsleider op het verkeerde been zette. Hij stond voor een duidelijke keus: hij kon Fenwick eruit gooien, wat hem wel een lekker gevoel zou geven, maar hij zou er gezichtsverlies door lijden, omdat de documenten tegen zijn uitdrukkelijke instructies in al waren overgedragen. Óf hij kon net doen alsof hij het ermee eens was, waarmee hij Fenwicks initiatief om Cator bij een zaak te betrekken die buiten zijn bevoegdheid viel, impliciet had aangemoedigd. Hij zette zijn lijkbleke lippen aan zijn glas en nam een flinke slok.

'Ik zie dat jij vindt dat je een begrijpelijke beslissing hebt genomen in de gegeven omstandigheden, hoofdinspecteur, maar de volgende keer bel je me eerst op. Er loopt een dunne scheidslijn tussen het nemen van initiatieven en insubordinatie, en je kunt er zeker van zijn dat ik exact weet waar die loopt. Zeker waar het jou betreft.' Hij keek Fenwick recht aan en in hun blikwisseling lag een volkomen en wederzijds begrip van datgene wat er zojuist had plaatsgevonden.

Fenwick dronk de whisky op, die zo verdund was door verschaald smeltwater dat hij niet te drinken was, maar het zou als een extra belediging kunnen overkomen als hij het glas liet staan en dat was wel het laatste wat hij kon gebruiken. Hij wilde opstaan, maar de korpsleider stak zijn hand uit om hem tegen te houden.

'Als er bewijzen voor zijn dat er in Harlden een witwasoperatie gaande is, Fenwick, moet je me volledig op de hoogte houden. We bevinden ons op gevaarlijk terrein. De mannen die erbij betrokken kunnen zijn, zijn allemaal zeer gerespecteerde burgers, van wie sommige zelfs zeer invloedrijk zijn in de regio. Ik weet niet hoe het allemaal is opgezet, maar als je gelijk hebt, hebben wij absoluut geen idee hoe ver die corruptie reikt. Zakenmensen kunnen er volkomen te goeder trouw bij betrokken zijn geraakt, zonder te weten wat er werkelijk speelde. Er dienen zich voortdurend mogelijkheden aan om te investeren in een plaatselijk bedrijf, tienduizend pond hier, vijftigduizend daar.'

De korpsleider keek om zich heen en mompelde, bijna in zichzelf: 'Het is zó gemakkelijk. Alan Wainwright, zijn zoon, zijn neef, Jeremy Kemp, Neil Yarrell, Frederick Doggett, zelfs James FitzGerald, ze zijn of ze waren hier allemaal lid. Zo eenvoudig om elkaar tussen neus en lippen door even bij te praten tijdens een slagbeurt, of zelfs aan de bar. Geen mens die er iets over zou zeggen.' Er kwam een nieuwe gedachte bij hem op. 'Hoe zit het met de alibi's van Neil Yarrell en James FitzGerald voor de moorden op Fish en Graham Wainwright?'

'Niet waterdicht, meneer.'

'Ik wil graag dagelijks en zonder mankeren de rapporten krijgen. En als je nieuwe bewijzen vindt die naar deze mensen leiden, moet je me bellen, op welk uur van de dag ook. Ik moet het onmiddellijk weten.' Hij keek Fenwick recht in de ogen. 'Vergis je niet, hoofdinspecteur, je balanceert nu al op het slappe koord boven een heel troebel moeras, en als je valt, dan val je alleen. Dit regionale politiekorps zal niet betrokken raken bij een doofpotaffaire, maar het zal ook niet de levens van onschuldige mensen verwoesten. Die verantwoordelijkheid ligt in jouw handen, Fenwick. Als het je te veel is, zeg het dan nu, dan zal ik het onderzoek overdragen aan andere rechercheurs. Als je ervoor kiest de hoofdrechercheur te blijven en de leiding te behouden, zorg er dan heel goed voor dat je weet wat je doet.'

Fenwick schudde zijn hoofd van verbazing. Harper-Brown wist dat Fenwick deze zaak niet kon overdragen zonder zijn carrière onherstelbaar te beschadigen, maar op deze manier kon de korpsleider altijd beweren dat hij Fenwick het advies had gegeven de verantwoordelijkheid af te staan aan een hoger geplaatste rechercheur en dat hij er zélf op aangedrongen had de leiding te behouden. Als er iets misging betekende dat de val van Fenwick, maar de korpsleider had zich ingedekt en zou niet meer krijgen dan een reprimande.

'Ik blijf aan de zaak werken.' Fenwick kon het woordje 'meneer' niet uit zijn strot krijgen, maar daar zat Harper-Brown blijkbaar niet mee. Hij had het antwoord gekregen dat hij verwachtte.

Op de terugweg naar Harlden belde Fenwick naar de coördinator van de TGO-ruimte, die hem enthousiast vertelde dat een van de rechercheurs een verband had ontdekt tussen James FitzGerald en de firma Wainwright. FitzGerald was elf jaar geleden veroordeeld op grond van belastingontduiking, niet iets wat je in de politiecomputers kon terugvinden, maar het had destijds nogal veel publiciteit in de plaatselijke media gekregen. In een loos uurtje was de rechercheur het internet op gegaan om te speuren naar connecties met de namen die Fenwick op een lijst had gezet en hij had het artikel gevonden. De niet-aangegeven inkomsten waren gekoppeld aan een trust die Wainwright-aandelen beheerde. Fenwick vroeg hem doorverbonden te worden met de betreffende rechercheur en feliciteerde hem met zijn uitstekende initiatief.

Toen hij de verbinding verbrak ging zijn mobiele telefoon opnieuw. Het was inspecteur Blite. Voordat Fenwick iets kon zeggen viel hij met de deur in huis.

'Eindelijk! Ik probeer u al de hele dag te bereiken, hoofdinspecteur. U zat zeker in een gebied met een slechte ontvangst.'

Fenwick zei niets. Hij had de hele dag in Londen telefoontjes gekregen en er waren geen boodschappen ingesproken. Toen Blite hem over 'zijn' grote doorbraak begon te vertellen, kapte Fenwick hem af.

'Ja, ik weet ervan, inspecteur. De korpsleider vertelde het me en ik heb de betrokken rechercheur al gefeliciteerd. Wat is er vandaag verder nog gebeurd?'

Er was verder geen belangrijk nieuws en Fenwick verbrak snel de verbinding.

Nightingale reed samen met brigadier Gould in buitengewone staat van opwinding terug naar Harlden. Zelfs de wetenschap dat ze straks na haar terugkomst nog een hele stapel met rapporten over Sally moest doorwerken kon de pret niet drukken. Nadat ze twee dagen lang het huis van Amanda Bennett had uitgekamd, had ze tape nummer 10 gevonden, en die zat nu verzegeld en gedateerd in een opberghoes voor bewijsstukken in de zak van Goulds colbertje. Nightingale kon voelen hoe enthousiast en opgelucht hij was toen hij roekeloos door de spits reed.

Toen ze bij het bureau aankwamen stapte Gould uit om de tape meteen te laten inschrijven als bewijsstuk, voordat ze hem met getuigen erbij zouden afspelen. Nightingale parkeerde intussen de auto en draafde daarna meteen door naar de TGO-ruimte. De commissaris was erbij, evenals Cooper en de coördinator van de TGO-ruimte. Omdat Fenwick vanuit Londen blijkbaar rechtstreeks door was gegaan naar een afspraak met de korpsleider, werd besloten het bandje zonder hem te beluisteren. Gould had handschoenen aangetrokken, stopte het voorzichtig in het apparaat en drukte op 'play'. De stem van de dode man vulde de ruimte.

Zijn laatste woorden zouden, zoals meestal het geval was, niet memorabel zijn geweest als je afzag van de manier waarop hij was gestorven, maar ze ontroerden Nightingale evengoed. Ze wist dat het lijk van Fish in een koelcel lag om niet te ontbinden, dat de ingewanden eruit waren gehaald en dat hij weer ruwweg dichtgenaaid was, maar nu ze zijn stem hoorde, moest ze eraan denken dat zijn lippen toen nog warm waren, dat de adem nog door zijn longen stroomde en dat hij zijn keel nog kon schrapen.

'Mijn naam is Arthur Fish. Het is vandaag 20 april; het is vier uur. Ik ben de procuratiehouder van de firma Wainwright Enterprises.'

Er volgde een krakende stilte, alsof die paar woorden hem weer doordrongen van de realiteit van zijn positie. Toen sprak hij verder.

'In mijn huis, Greenside 1 in Harlden, is een verborgen ruimte. De toegang is in de inloopkast in mijn slaapkamer. In die ruimte liggen documenten, de complete boekhouding van jaren, die aantonen dat Wainwright Enterprises al zo lang ik daar werkzaam ben, en dat is langer dan vijfentwintig jaar, betrokken is bij onreglementaire financiële transacties. Ik weet niet waarom ik dit doe...'

Hij begon klaarblijkelijk in zichzelf te praten, misschien was hij vergeten dat hij een bandje mee liet lopen.

'Als iemand dit ooit te horen krijgt... Maar dan ben ik toch al dood!'

Een ander geluid, misschien snoot hij zijn neus.

'Ik wil absoluut duidelijk maken dat mijn vrouw en mijn familie geen kennis hebben van mijn betrokkenheid bij de corruptie bij Wainwright. De polis die garant staat voor de verzorging van mijn vrouw is legaal en het huis staat op haar naam. Er is geen cent aan vuil geld in gestoken, het is allemaal van mijn spaargeld betaald. Het is dus eigendom van haar en gaat daarna naar onze kinderen. Het zijn goede kinderen, zij verdienen het.'

De opname stopte abrupt en toen hij na een paar seconden opnieuw begon, had de stem van Arthur een andere klank gekregen: niet langer angstig of vijandig, alleen maar hopeloos verdrietig.

'Ik laat deze tape achter bij een oude, vertrouwde vriendin, voor het geval mij iets mocht overkomen. Zij zal ervoor zorgen dat hij in de juiste handen terechtkomt. Ik ben niet goed in afscheid nemen en op dit ogenblik voel ik me zelfs dom dat ik dit doe, maar' – hij haalde diep adem – 'alleen voor het geval dat, wil ik dat jullie weten, wie jullie ook zijn, dat ik nooit iemand pijn heb gedaan, nooit, en dat ik ervoor heb gekozen dingen te negeren omwille van mijn vrouw. Vertel haar niet over mij, maar zeg haar alsjeblieft dat ik van haar houd en dat ik dat altijd gedaan heb.'

Het bandje stopte en er viel een stilte. Het waren geen welbespraakte woorden, maar wel diepmenselijk en gemeend. Niemand wist wat hij zeggen moest en er was geschuifel te horen. Toen nam brigadier Gould het woord.

'Ik zal ervoor zorgen dat er een gekuiste versie naar zijn vrouw wordt gestuurd zodra we het bandje kunnen vrijgeven.'

Een uur later zat Nightingale knipperend met haar ogen van vermoeidheid in de TGO-ruimte naar de kopieën van Sally Wainwright-Smiths huwelijksakte en geboorteakte te turen. Het was bijna tien uur en de avondploeg kwam binnen. De opwinding over de onthullingen op het bandje van Arthur Fish was weggezakt, maar er werd druk gekletst toen ze zich installeerden voor de lange avond. Zij was aan het onderzoek naar de jeugd van Sally begonnen met het idee dat het een paar uurtjes in beslag zou nemen, maar ze had al meer dan een etmaal verspild. Alles wat ze had waren twee papiertjes voor de moeite, terwijl Cooper tactloos de hele tijd liep te roepen hoe belangrijk het was. En er zat ook nog geen enkele logica in. Volgens de trouwakte was Sally een ongehuwde vrouw van zevenentwintig, meisjesnaam Price, geboren in een gehucht buiten Harlden, genaamd Potter's Field. Maar op de geboorteakte die Nightingale in handen kreeg nadat ze honderden Sally's geboren in dezelfde maand van hetzelfde jaar had zien langskomen, stond de naam Sally Bates, met precies dezelfde datum en plaats van geboorte. Er klopte iets niet.

Ze liep naar de koffieautomaat op de begane grond en bleef geduldig op George Wicklow staan wachten. Hij was de brigadier van dienst, en Nightingale wist dat niet, maar hij had een zwak voor haar. Hij kon door haar geaffecteerde accent en houding, waarvan zij niet eens wist dat ze die had, heen kijken, en zag een jonge politievrouw met uitzonderlijke capaciteiten. En ze was op een heel aparte manier nog mooi ook. Ze zou eigenlijk op stap moeten zijn met een leuke vriend – die jonge Nick paste wel bij haar, maar een relatie tussen politiemensen hield meestal niet stand – en niet dodelijk vermoeid zitten ploeteren en zich overeind houden met cafeïne en melkpoeder.

'Wat doe je hier nog zo laat?'

'Een heleboel werk, brigadier.' Ze trok een wrange grijns en drukte op de knop 'extra sterk'. Daarna moest ze veertien irritante tellen wachten op haar (volgens de sticker) 'verse' bakje. Zo smaakte het niet.

'Lastig?'

Was het zo duidelijk te zien? dacht Nightingale verbaasd. 'Ik probeer wat meer achtergrondgegevens te vinden over een verdachte, brigadier, en het loopt overal dood.'

'Hier in de omgeving of verder weg?'

'O, hier in de omgeving. Maar dat helpt niet.'

'Wat is de naam? Misschien weet ik het.' George zat per slot van rekening al meer dan vijfentwintig jaar bij het korps en was nooit naar een andere divisie verhuisd. Nightingale erkende dat zijn kennis niet door de computer te verslaan was, maar ze was evengoed sceptisch. Toen haalde ze haar schouders op, wat had ze te verliezen?

'Oké, het gaat over Sally Wainwright-Smith, de vrouw van de enige erfgenaam van Alan Wainwrights fortuin. Volgens haar trouwakte is ze zevenentwintig jaar geleden geboren in Potter's Field. En ik kan kiezen uit twee meisjesnamen' – George Wicklow verstrakte bij het horen van de naam van het plaatsje, maar dat merkte Nightingale niet – 'Sally Price of Sally...'

'Bates,' zei hij met een vlakke stem.

'Ja! Hoe weet u dat? Fantastisch, brigadier!'

Maar dat compliment hoorde George Wicklow niet. Hij gooide zijn zoete thee weg alsof het hem opeens niet meer smaakte.

'Loop even met me mee naar de balie.'

Nadat hij de nieuwe agent aan wie hij de baliedienst overdroeg had geïnstrueerd hoe hij de reguliere avonddrukte moest afhandelen, gebaarde hij haar te gaan zitten op een van de harde stoelen buiten gehoorsafstand van de balie.

'Dus je bent op Sally Bates gestuit. Mijn god. Ze zal inmiddels wel een eind in de twintig zijn? Toen ik haar voor het laatst zag was ze een kind van acht. Ik kijk er niet van op dat ze haar naam heeft veranderd. En ze is dus terug; ze heeft wel lef.'

'Waarom? Wat heeft ze gedaan?'

'Zij niet, haar vader en moeder. Je kent toch zeker wel die zaak met de kinderen Bates? Dat was landelijk nieuws. Het was verschrikkelijk.'

'Nee, maar als zij acht was... Dat is negentien jaar geleden. Toen las ik echt nog geen kranten.'

'Eileen en Frank Bates hadden drie kinderen: Billy van nog geen twee, Sarah was ongeveer zes maanden, denk ik, en Sally was acht. De mensen wisten alleen niet dat ze drie kinderen hadden; de buren dachten dat het er maar één was, Sally. Zij ging naar school en naar de kerk als ieder ander kind. De ouders gingen ook allebei naar de kerk; volgens de verklaringen waren ze daar streng in en zaten ze op de centen. Maar er was verder niets ongewoons aan de hand, volgens de buren.

Op de centen! Laat me niet lachen. Mijn god, ze moesten eens weten!' George wiste met een vermoeid gebaar zijn klamme gezicht af en Nightingale probeerde hem niet bezorgd aan te kijken. 'Maar goed, ze woonden in zo'n groot, oud huis aan de rand van het dorp, helemaal aan het eind van een modderige weg en het grensde aan het boerenland. De buren zagen Eileen soms een maand niet. Frank deed alle boodschappen en Sally liep door weer en wind drie kilometer naar school.

Het was eigenlijk iets heel onbeduidends dat ons op het spoor zette van wat er werkelijk aan de hand was bij de familie Bates thuis. Sally was ervan beschuldigd dat ze op school had gestolen en vervolgens kwam uit dat er al maandenlang kinderen waren die dingen misten: zakgeld, handschoenen, een sjaal, maar voornamelijk eten. Het hoofd van de school vroeg Frank Bates langs te komen voor een gesprek. Zij maakte zich zorgen om Sally, ze vond dat ze hulp nodig had, maar daar wilde Bates niet van horen. Hij zei dat hij Sally wel onder handen zou nemen. Het schoolhoofd nam contact op met maatschappelijk werk en die kwamen op bezoek. Ze kozen een tijdstip uit waarop Frank aan het werk was, hij was monteur en knapte karweitjes op bij de boerderijen in de omgeving. Eileen Bates wilde hen niet binnenlaten. Toen ze weggingen meenden ze een kat of een ander diertje te horen miauwen, maar daar dachten ze op dat ogenblik niet verder bij na. Ze probeerden nog een paar keer langs te gaan en lieten het er toen bij zitten; dat kwam ze later in het onderzoek op grote kritiek te staan.

Sally's gedrag verbeterde niet. Ze was altijd een intelligent kind geweest, maar ze begon achter te raken op school. En ze werd erg dun. Ik herinner me dat ze vel over been was toen wij haar eindelijk verhoorden. Ze had grote, starende ogen en zweren om haar mond, maar ze was een wilde kat...'

Nightingale luisterde vol afschuw en fascinatie. Ze probeerde de scherpzinnige, chique echtgenote van een multimiljonair in te passen in het beeld van een broodmager achtjarig kind, dat eten en zakgeld stal.

'Op school verslechterde de situatie. Het hoofd belde opnieuw maatschappelijk werk op en die belegden een casusbespreking. Nadat hun opnieuw de toegang was geweigerd werden wij erbij gehaald. Het schoolhoofd bracht de ouders van een van de kinderen van wie Sally iets had gestolen zover om aangifte te doen in Sally's eigen belang.

Die eerste keer ging ik op huisbezoek. Het was halverwege februari, maar de kachel brandde niet en er lag geen vloerbedekking. Het meubilair zag eruit om zó bij het grofvuil te zetten. Frank en Eileen waren thuis, Sally ook. Zij zei geen woord, haar moeder ook niet. Frank praatte. We keken er wat rond, maar we zagen niets verdachts. De volgende dag kwam Sally op school met een heleboel kneuzingen en bloeduitstortingen op haar armen en benen; ze zei dat ze van de trap was gevallen. De dag daarna had ze een blauw oog. We gingen terug met iemand van maatschappelijk werk. Ik weet eigenlijk niet waarom, maar ik vond dat ik een paar boterhammen en een reep chocola moest meenemen. Ze zaten in vetvrij papier in mijn jaszak en meteen toen ik in de keuken kwam waar Sally en haar ouders zaten, kon ik zien dat ze het rook.

Ze keek mij aan en dan aldoor weer naar mijn jas. Ik heb nog nooit zulke echte honger gezien. Ik kreeg het er koud van, maar het bracht me ook op een idee. Terwijl mijn collega met de ouders praatte, pakte ik mijn jas en liep naar buiten. De tuin was één modderboel en er hing een waslijn. En ja hoor, de kleine Sally liep achter me aan naar buiten als een hyena die bloed rook. Ik pakte een boterham en ik zweer je, het kind stond te kwijlen.

"Wat is er, Sally?" vroeg ik en ik brak er een stuk van af alsof ik het wilde opeten. God vergeef me; ik wilde haar dolgraag iets te eten geven want ze was uitgehongerd, maar ik wilde ook dat ze zou praten. Maar dat deed ze niet en uiteindelijk gaf ik haar die boterham maar. Ze schrokte de eerste happen naar binnen, maar toen zag ik dat ze ook een deel ervan in de zak van haar rok stopte. Ik gaf haar de reep chocola, maar daar nam ze maar twee blokjes van.

Ik probeerde haar opnieuw aan het praten te krijgen, maar ze keek alleen maar zenuwachtig achterom naar het huis en omhoog, naar het dak. Ik volgde haar blik, maar ik kon niets zien: alleen een rij lege ramen, waarvan er eentje dichtgetimmerd was omdat het glas gebroken was.'

Nightingale hield het niet langer uit: 'Maar die andere kinderen dan, dat broertje en dat zusje?' Ze kon zien dat George zich vermande en een pijnlijk levendige herinnering van zich afschudde.

'Ja. Ik was weer binnen en we stonden op het punt om weg te gaan, toen we boven geluiden hoorden. Ik vloog meteen die trap op, kan ik je zeggen. Frank zat vlak achter me en trok me terug aan mijn been, maar Joe, mijn partner, hield hem tegen. Eileen stond te krijsen en sloeg Joe. Op de overloop gooide ik alle deuren open, de ene na de andere, tot ik bij de laatste kwam, achter in het huis. Die zat op slot, dus ramde ik hem in met mijn schouder. Toen vloog Bates me aan en schreeuwde: 'Dat kunnen jullie niet doen! Dat kunnen jullie niet doen! Het is mijn huis!' en hij probeerde me te slaan, maar toen kreeg Joe hem weer te pakken en ik bleef door rammen tot het slot brak.'

George zweeg een ogenblik en ademde zwaar. Hij sloot zijn ogen alsof het hem vreselijk veel pijn deed.

'Sommige herinneringen blijven je altijd bij, hoe dan ook. Die stank toen ik naar binnen ging! God wat verschrikkelijk. Ik kan geen babyluiers meer ruiken zonder letterlijk beroerd te worden. Het was zo donker in die kamer dat ik eerst helemaal niets kon zien. Daarna zag ik iets wat alleen maar op een hoopje oude kleren leek. Ik had niet in de gaten dat het een kind was, tot Sally binnenkwam en naar Billy toe liep met het stuk chocola dat ze had bewaard. Hij lag op een smerige babymatras op de vloer. Ze liep heel bedaard langs ons heen en ging op haar knieën bij hem zitten.' George' stem was verstikt door tranen. '"Kijk eens, Billy," zei ze vrolijk en ze hield dat stuk chocola bij zijn mond. Maar dat kind was zo zwak dat hij het niet kon eten. Toen keek ze naar mij op, ze glimlachte en ze zei: "Billy heeft geen honger," en ze stopte de chocola zo in haar eigen mond.'

Hij kon niet verder praten. Nightingale staarde hem vol afgrijzen aan. 'Was hij dood?'

George Wicklow fluisterde nauwelijks hoorbaar: 'Nee, nog niet. Hij stierf een paar dagen later. Sarah, de baby, vonden we in een reiswieg. Zij was wel dood, dat was duidelijk te zien.

Sally ging naar een tehuis, daarna naar pleegouders. Ik geloof dat het huis is gesloopt. Frank en Eileen Bates werden veroordeeld wegens moord en wreedheid. Hij werd veroordeeld op beide gronden, zij kreeg twee jaar, maar ze stierf in de gevangenis. Bates zit nog. Hij heeft levenslang, maar dan ook echt levenslang. Hij zal daar wegrotten.' De pure haat in de stem van de brigadier bezorgde Nightingale kippenvel.

'Maar waarom deden ze zoiets?'

George schudde zijn hoofd. 'Wie weet. Toen Sarah geboren werd besloot Frank gewoon dat ze zich die kinderen niet konden veroorloven. Hij hield er simpelweg mee op hun eten te geven. Een tijdje lang bleef Eileen de baby nog borstvoeding geven en zij of Sally, misschien allebei, smokkelden eten naar Billy toe. Maar na het eerste bezoek van de maatschappelijk werkers sloot Frank de twee jongste kinderen op en hield hij de sleutel bij zich.'

George wilde zich goed houden en probeerde wat opgewekter te kijken. 'Maar het is goed dat die kleine Sally het heeft overleefd en het nog best ver heeft geschopt, na zo'n verschrikkelijke start in het leven. Maar jij zegt dat ze een verdachte is; is het ernstig?'

Nightingale keek de brigadier strak aan en was zich ervan bewust dat ze hem nog een klap ging bezorgen.

'Moord,' zei ze, en ze kneep hem eventjes meelevend in zijn arm.

Cooper en Nightingale zaten vol onbehagen voor het bureau van Fenwick. Nightingale had Cooper onmiddellijk opgebeld. Deze had op zijn beurt Fenwick gesproken, ondanks het tijdstip, en de hoofdinspecteur was al binnen een halfuur gearriveerd. Cooper sloeg zijn benen over elkaar en weer van elkaar, in een vergeefse poging te vermijden dat het harde stalen frame van de stoel in de achterkant van zijn benen drukte. Hij was te breed voor die stoel en moest er half op gaan zitten. Nightingale zat stijfjes op de rand van de hare en scheen er nauwelijks enig gewicht op te laten rusten. Ze was klaar met het uitbrengen van haar verslag en er viel een sombere stilte in de kamer.

'Het mag een wonder heten dat ze nog zo normaal is geworden.' Cooper schudde verbaasd zijn hoofd.

'Maar is ze dat ook? Hoe kunnen we dat weten?' zei Nightingale sceptisch. 'Als u meer details wilt horen, hoofdinspecteur, dan kan brigadier Wicklow ze u vertellen; hij was de agent die haar broertje en zusje heeft gevonden.'

Fenwick schudde zijn hoofd bij die vreselijke gedachte. 'Een andere keer misschien. Maar ik wil wel onmiddellijk mevrouw Wainwright-Smith spreken.'

'Wilt u dat ik meega, hoofdinspecteur?'

'Nee, hoor, Cooper, dank je. Ik ga alleen. En jij moet naar huis en naar bed, Nightingale. Je ziet er doodmoe uit.'

'Ik ben oké, hoofdinspecteur.' Maar haar stem sprak andere taal en toen Fenwick aandrong, liet ze de twee mannen achter.

'Ze is helemaal kapot, lijkt het wel. Waar is ze mee bezig geweest?' vroeg Fenwick toen ze eenmaal weg was.

'Nou, voor zover ik weet heeft ze een heel etmaal aan één stuk door gewerkt.'

'Nou, het is wel de moeite waard geweest, brigadier. Ik wist wel dat zij iets zou ontdekken. Maar hoe zit het met die privédetective? Houdt hij dingen voor ons achter? Hij heeft wekenlang voor Graham Wainwright gewerkt. En de dingen die hij wist en aan ons verteld heeft, had hij binnen een paar dagen kunnen ontdekken.'

Cooper krabbelde wat in zijn boekje.

'Het staat op de lijst voor morgen, baas. Wat gaat u met die informatie doen? Het is nauwelijks relevant, nietwaar?'

'Dacht je dat? Nou, dat ben ik niet met je eens. Sally heeft een dusdanig verstoorde jeugd gehad dat het tot allerlei gedragsstoornissen kan leiden, misschien zelfs tot gewelddadigheid, hoewel ik accepteer dat dit maar een veronderstelling is. Zou jij met Claire Keating willen praten? Ik wil een beoordeling van haar hebben over de eventuele gedragingen van iemand die aan het soort trauma lijdt dat Sally heeft.'

Cooper knikte en schreef het op in zijn boekje.

'En die beoordeling wil ik graag morgenochtend hebben, brigadier.'

33

Wainwright Hall zag er eenzaam en verlaten uit in de stromende voorjaarsregen die vanuit het westen over de gazons joeg. Het gras was te lang geworden en de rozen waren aangetast door sterroetdauw. In de natte windvlagen schommelde een koetslamp heen en weer tussen de overhangende klimop en gaf een grillig licht. Verder scheen er in het hele huis geen enkele andere lamp naar buiten in de sombere avond.

Fenwick parkeerde zijn auto voor de hoofdingang. Hij had verwacht dat Sally het gesprek tot morgen zou uitstellen, maar toen hij even voor tien uur opbelde, leek ze juist graag te willen dat hij nu kwam. Hij bleef een momentje in zijn warme auto naar de gotische gevel zitten kijken die voor hem opdoemde. Toen zijn ogen wenden aan de omtrekken van de Hall, zag hij de details van de versieringen: de kantelen, de gargouilles, steunberen, torentjes en een zogenaamde echte toren streden om de aandacht. Het leek wel een decor voor een griezelfilm.

Het was bitterkoud in het huis, maar daar was Sally op gekleed. Ze droeg een angoratrui en zwarte jeans. Het was voor het eerst dat hij haar niet in een kuitlange rok zag en het viel hem op dat ze erg lange benen had.

'Na Pasen zet ik de centrale verwarming niet meer aan, tot november. In de keuken is het warm, als u het niet erg vindt om daar te praten.'

Terwijl ze door het kille mausoleum van de grote hal liepen, beukte een plotselinge windvlaag tegen de westelijke kant van het huis, waardoor de ramen begonnen te rammelen en er een kreunend geluid door de schoorstenen ging. Het was geen geruststellend geluid en toen Fenwick naar boven keek in het grote trappenhuis en de donkere galerij op de overloop zag, kwam hij opnieuw tot het oordeel dat de vrouw voor hem vrij koelbloedig was. Ze vond het kennelijk niet erg om hier alleen te zijn gedurende de lange dagen dat haar man weg was; dat zouden veel vrouwen vast niet prettig vinden.

In de keuken was het warmer en het was er netjes opgeruimd. Er lag een stapel naaigoed op de geschrobde grenenhouten tafel en er stond een grote juspan op het fornuis te pruttelen. Hij zag ook een fles gin staan, discreet verstopt achter een stuk oud brood.

'Ik ben lamsbouillon aan het trekken van het braadstuk van het weekend,' verklaarde ze onnodig. 'Alex is dol op mijn soep.'

'Was hij op de hoogte van uw affaire met zijn oom?'

Hij had verwacht dat ze even naar adem zou happen of op een ander manier geschokt zou reageren, maar ze bleef zo koel als een kikker.

'Wat denkt u zelf? Thee, hoofdinspecteur?' Ze bleef hem kalm en zonder met haar groene ogen te knipperen aankijken. Haar pupillen waren groot in het gedempte licht. 'U hebt dus naar Millie Willett geluisterd. Nou, dat moet u niet doen.' Ze liet er op een scherpe toon op volgen: 'Zij is een bemoeizuchtig, afgunstig oud mens en ze heeft te veel tijd om te fantaseren.'

Eventjes zag Fenwick een glimp van wraakzucht en bazigheid bij

Sally, die er geen moeite mee had gehad bejaarde oudgedienden uit hun dienstwoning te gooien en naar een hoge flat te laten verhuizen. Toen was het weg. Met afgemeten, efficiënte handelingen zette ze thee. Hij merkte dat ze de keuken als háár domein beschouwde, niet dat van haar hulp. Ze scheen het aan zijn gezicht te kunnen zien, want opeens zei ze: 'Vindt u het gek dat ik me thuis voel in mijn eigen keuken?'

'Nee, hoor. Het valt me gewoon op.'

'Er gaat heel veel geld doorheen in een keuken, hoofdinspecteur. En er wordt veel verspild,' zei ze op een toon alsof het een zonde was. Ze telde kalm vier koekjes af op een gebloemd theeschoteltje.

Er volgde een onnatuurlijke stilte op deze opmerking en Fenwick bezag haar ritueel met een nieuw inzicht: haar dwangmatige controle over het eten en nooit één hap verspillen kreeg een nieuwe betekenis, en hij werd tegen zijn zin overvallen door medelijden. Zij merkte zijn stemmingsverandering op en keek hem verward aan.

'U wilde me spreken. Waarover?'

Ze liep naar het fornuis en begon zich druk bezig te houden met de juspan. Fenwick wachtte geduldig tot ze zich naar hem omdraaide en hem aankeek. Hij wilde zien hoe ze op zijn nieuwe informatie zou reageren.

'Mevrouw Wainwright-Smith, waarom hebt u ons niet verteld dat uw echte meisjesnaam Bates is?' zei hij zachtjes. Het klonk niet dreigend, maar toch sloegen zijn woorden in als een bom.

Ze zei niets en keek hem alleen maar geschokt en met open mond aan. Toen liet ze zich op een stoel zakken.

'Het is niets om u voor te schamen en het zou ons erg hebben geholpen als we het meteen hadden geweten. Nu hebben we het zelf moeten ontdekken.'

'Hoe bent u erachter gekomen?' Het klonk alsof ze het ongelooflijk vond en dat uit zijn antwoord zou blijken dat hij het alleen maar goed had gegokt.

'Routineonderzoek. Het was onvermijdelijk dat we uw verleden

naar boven zouden halen. Is uw man op de hoogte van uw kindertijd?'

'Nee, natuurlijk niet. En ik wil ook niet dat hij het weet, hoort u
me!' Ze klonk boos en Fenwick wachtte zwijgend tot ze gekalmeerd
was. Toen vroeg hij:

'Waarom hebt u uw naam veranderd?'

'Zou u dat niet doen, met zulke ouders?'

'Wat deed u nadat ze gearresteerd waren?'

'Ik kwam bij jeugdzorg terecht. Wat heeft u daarmee te maken?'

Hij negeerde die vraag en ging door. Op het fornuis achter haar
kookte de bouillon over. Het geluid drong door in haar afwezige gedachten en ze stond op om de pan op een lager pitje te zetten. Toen
ze zich omdraaide had ze een calculerende blik in haar ogen.

'Wat is eigenlijk de reden dat u in mijn verleden bent gaan graven,
hoofdinspecteur?'

'Omdat de mensen om u heen de gewoonte hebben dood te gaan,
mevrouw Wainwright-Smith; daar worden wij nieuwsgierig van.'

Ze zei niets en begon weer met een geconcentreerd gezicht in de
pan te roeren. Fenwick keek naar haar rug en naar de bewegingen
van de spieren in haar smalle schouders. Ze had de houding en de
verholen kracht van een ballerina, en even twijfelde hij aan zijn oordeel over haar. Maar toen draaide ze zich om en keek hem aan, en
alle twijfels verdwenen. De haartjes in zijn nek en op zijn armen gingen overeind staan. Er viel niet te twijfelen aan het schaamteloze besef dat schuilging achter de uitdrukking in haar ogen.

'U zult merken, hoofdinspecteur, dat die paar mensen die ik heb
gekend en die recentelijk dood zijn gegaan, het slachtoffer waren
van een reeks ongelukkige tragedies. Ik ben op geen enkele manier
bij die sterfgevallen betrokken.'

'Zelfs niet bij die van Arthur Fish en Amanda Bennett?'

Toen hij de naam van de prostituee noemde, werd haar gezicht
hard en wist Fenwick zeker dat hij iets van ongerustheid in haar ogen
zag. Toch antwoordde ze vrij kalm: 'U grijpt naar elke strohalm. Is
dit het beste wat u kunt?' Ze glimlachte provocerend en vol zelfver-

trouwen, wetend dat hij geen harde bewijzen tegen haar had.

'Speelt u geen spelletjes met me, mevrouw Wainwright-Smith. Dat heeft geen effect. Ik heb de bewijzen die nodig zijn nu weliswaar nog niet rond, maar ze beginnen zich op te stapelen. Het is nog maar een kwestie van tijd tot ik voldoende heb om u in staat van beschuldiging te stellen. Doet u geen moeite, ik laat me zelf wel uit.'

Toen ze weer alleen was in de keuken, draaide Sally het gas laag onder de bouillon en stopte met bestudeerd weloverwogen handelingen de vier onaangeroerde biscuitjes terug in een luchtdichte doos. Toen schonk ze voor zichzelf een grote gin met een kleine tonic in. Langzaam liep ze naar haar kleine werkkamer aan de zijkant van de hal. Ze logde in op haar computer en riep de gezamenlijke bankrekening van haar en Alexander op, en ook haar eigen spaarrekening, die ze nog altijd had en waar hij niets van afwist.

Ze staarde naar de bedragen op het scherm tot ze wazig werden. Normaal gesproken gaf het haar een gevoel van veiligheid als ze ernaar keek, maar vandaag werkte het niet. Ze haalde een bruin potje met pillen uit haar tas en nam er twee in met een slok gintonic. Toen sloot ze de computer weer af. Samen met de alcohol begon het middel bijna direct te werken en ze voelde een intense kalmte, het ironische geschenk van de medicatie. Soms kon ze dat wattenachtige gevoel om zich heen niet verdragen en verjoeg ze de werking van de pillen met amfetaminen, zodat ze gedrogeerd in een achtbaan van emoties terechtkwam, tot ze leeg weer op aarde landde en niets haar meer kon schelen. Ze kon zich nooit precies herinneren wat ze had gedaan op het moment dat de drugs hun hoogtepunt bereikten, maar dat beschouwde ze alleen maar als een voordeel.

Ze liep de werkkamer uit, slofte de trap op en via de overloop naar de wenteltrap van de toren, die de noordkant van het huis domineerde. Daar helemaal bovenin, in een laag kamertje onder het overhangende dak, had ze een hol voor zichzelf ingericht. Er lag een matras op de vloer, met een oude deken voor als het erg koud weer was.

De ramen waren dichtgetimmerd en het weinige licht kwam van een peertje van veertig watt. Ze liet zich op de matras vallen en trok de deken tegen haar borst. Het was verschrikkelijk toen ondanks de antidepressiva ten slotte toch de controle wegviel. Ze huilde en schreeuwde en krijste naar de plafondbalken, en ze haalde met haar nagels haar armen open tot ze rood waren en er druppeltjes bloed uit de lange schrammen naar buiten kwamen. Haar geschreeuw ging over in gillen en vervolgens in een akelig gejammer, dat doorging tot ze op het laatst niets meer te huilen had.

Zo bleef ze roerloos op haar rug liggen, met haar armen opzij. Toen ze eindelijk weer bij zinnen kwam, kwam ze wankelend overeind, zocht steun bij de muur en wachtte tot haar hoofd niet meer zo tolde. Toen begon ze, zich vastklampend aan de gammele houten trapleuning, langzaam af te dalen naar de overloop. Ze ging haar slaapkamer binnen en deed de deur achter zich op slot.

Haar slaaptabletten stonden in een bruin potje op haar nachtkastje. Ze nam een half pilletje in met een slok water en liet zich toen geheel gekleed op bed vallen. Ze kwam in een halfbewuste staat, die soms uren kon duren voordat ze echt in slaap viel en het plafond bewoog in en uit haar blikveld. Haar geest was helemaal leeg, met alleen wat opflikkerende vonkjes van emotie, die vervolgens wegstierven. Toen ze eindelijk wegzakte, zag ze heel kort de oplossing voor zich; dat die zich zou aandienen had ze wel geweten. De duisternis daalde om haar heen neer en ze sloot haar ogen. Ze sloeg haar armen strak voor haar borst in een zielige poging de nachtmerries af te weren.

34

Fenwick zette de auto geroutineerd zuinig op de bezoekersparkeerplaats bij de gevangenis. Hij was bijna leeg, het bezoekuur was voorbij. Hij zag de beveiligingscamera's hangen en was er blij mee. Dit soort plekken nodigde uit tot geweld en vandalisme, ondanks de hekken.

Hij had Nightingale gevraagd met hem mee te gaan. Cooper was achtergebleven op het bureau om mensen op te sporen die Sally hadden gekend. Nu ze wisten wie ze was, hoopte hij eindelijk de hiaten in het verhaal op te kunnen vullen. Het was dan ook een van de redenen waarom hij hier was.

'Hoofdinspecteur?'

'Hm? Wat?'

'Zullen we naar binnen gaan, hoofdinspecteur?'

'Ja, we gaan.'

Diep weggedoken in hun waterdichte jassen liepen ze haastig over het asfalt vol plassen. Mei liet zich van een ongewoon koude, stormachtige kant zien. De jonge blaadjes aan de onvolgroeide bomen op het parkeerterrein waren afgerukt en het leek die avond wel alsof er vorst in de lucht zat.

Hun legitimaties waren al nauwkeurig gecontroleerd, maar voordat ze door de elektronisch beveiligde ijzeren poort mochten, werden ze nog gefouilleerd. De eerste poort ging met een metalige klap achter hen dicht voordat de volgende, die vijf meter verder stond, openging. De bewaker die erachter stond wees hun de weg naar een aparte gespreksruimte aan het eind van een stille, witte gang. Als Nightingale het nu al claustrofobisch vond, hoe moest het dan zijn als je hier je hele leven opgesloten zat? Er hing zo'n typische muffe lucht met een chemische ondertoon die je altijd in zulke instellingen rook, maar die evengoed de zweem van honderden lichamen in nauwe ruimten niet kon maskeren. Ze kreeg er hoofdpijn van en ze zag uit naar het moment dat het gesprek voorbij zou zijn.

Frank Bates werd in de gespreksruimte gelaten en er bleef een bewaker bij. De gevangene staarde aandachtig en zonder met zijn ogen te knipperen naar Nightingale. Fenwick zei tegen de bewaker: 'Het is in orde. U kunt gaan.'

'Ik heb instructies gekregen om te blijven, hoofdinspecteur. Het is voor uw eigen veiligheid. Zo luiden de reglementen.' Hij wees naar een bordje op de muur. 'Tenzij u zelf uw handtekening zet dat u de verantwoordelijkheid op u neemt, hoofdinspecteur.' Hij gaf hem een voorgedrukt formulier, dat Fenwick zonder aarzelen ondertekende. Nightingale deed haar best om niet te laten merken dat ze er nerveus van werd.

'Belachelijk, wat die private beveiligingsbedrijven van tegenwoordig van je eisen,' mopperde Fenwick en hij gaf het formulier terug.

Toen de bewaker weg was, begon Fenwick Bates op te nemen, die op zijn beurt naar de vrouwelijke agent bleef staren. Fenwick sloeg hem een tijdlang gade, waarna hij met een rustige, autoritaire stem begon te spreken. De gevangene knipperde voor het eerst met zijn ogen.

'Agent, ga bij de deur staan, alsjeblieft. Je kunt daar aantekeningen maken. Meneer Bates, uw ogen voor u houden, alstublieft. We zijn hier om over uw dochter Sally te praten. Wanneer heeft u haar voor het laatst gezien?'

'Heb je sigaretten?'

Fenwick haalde twee ongeopende pakjes uit de zak van zijn colbertje en legde die resoluut neer aan zijn kant van de tafel die tussen hem en de gevangene in stond. Bates was een grote kerel. Zijn spieren waren inmiddels verslapt door gebrek aan oefening en hij had een lubberende onderkin, die er achttien jaar geleden vast niet was geweest, maar toch ging er een zekere kracht van hem uit en er zat een latente dreiging in zijn bleekblauwe ogen. Hij bekeek Fenwick met weerzin in zijn blik aan; het zinde hem kennelijk niet dat de politieman macht over hem had, gezien diens controle over de sigaretten.

Fenwick kon zien dat hij overwoog of hij een pakje zou grijpen of niet. Als hij zijn hand uitstak en Fenwick zou ze weghalen, leed hij gezichtsverlies. Als hij een pakje mocht houden, zou de macht van Fenwick slinken. Fenwick was benieuwd wat de gevangene zou doen, maar na een tijdje begon het spelletje hem te vervelen en hij stak de sigaretten weer in zijn zak. Bates werd gespannen.

'Je mag ze hebben als je gepraat hebt, eerder niet. En als je ons alles vertelt wat we weten moeten, heb ik ook nog een paar telefoonkaarten voor je.'

Bates knikte onmerkbaar. 'Ik heb haar niet meer gezien sinds ik hier kwam, achttien jaar geleden.' Hij had een zware stem die paste bij zijn grote postuur.

'Weet je wat er in die tijd met haar is gebeurd?'

Zijn bleke ogen gingen opzij naar Nightingale, die bij de deur stond, en weer terug naar Fenwick. Hij wist iets, en hij probeerde in te schatten wat het waard was.

'Wat heeft dat kleine secreet nou weer uitgevreten, hè?'

'Had ze al eerder wat uitgevreten dan?'

'Heel wat. Een lastig portret, die meid.'

Fenwick wachtte tot Bates doorpraatte en maakte duidelijk dat hij van zijn kant niets meer zou zeggen.

'Ik heb wel het een en ander gehoord van de bezoekers van de kerk. Ze zeggen dat ze een rijke vent heeft getrouwd. Verbaast me niks; moet wel haast, geslepen als ze is.'

'Wie van de kerk komt er dan op bezoek?'

'Mevrouw O'Brien, van de protestantse kerk op Charlotte Road; die komt al twaalf jaar. Ze brengt dingen voor me mee en ze vertelt me de nieuwtjes. Zij heeft me het meest over Sally verteld. Niemand anders doet dat meer.'

Fenwick gooide hem een van de pakjes sigaretten toe en een doosje lucifers erachteraan. Bates stak er meteen een op en inhaleerde de rook tot diep in zijn longen, waarbij hij zijn ogen half dichtkneep. Toen hij ze weer opendeed glimlachte hij.

'Ze is een handig ding, Sally. Toen ze bij de jeugdzorg terechtkwam danste iedereen naar haar pijpen, de dokters, de psychologen, de hulpverleners en de maatschappelijk werksters. Ze wilden zo graag de "littekens" genezen, zo noemden ze dat, geloof ik. Miss Llewelyn, mijn advocaat, vertelde me dat. Ze dacht zeker dat ik me zorgen om haar maakte.' Hij lachte even en begon te hoesten. Toen schudde hij zijn hoofd om het stomme gedoe van sommige mensen. 'Over haar hoefden ze zich niet druk te maken, hoor. Nee, nee. Zij was een overlever, onze kleine Sally. Dáár hebben ze nooit naar gevraagd, hè, hoe zij overleefde, terwijl die andere... Nou ja, daar vroegen ze niet naar.'

'Maar nu vraag ik het. Hoe overleefde ze dan?'

Bates keek Fenwick aan en toen weer berekenend naar het geopende pakje sigaretten.

'Ze maakte zich nuttig. Ze had iets. Zij kon jatten zonder dat iemand het merkte. En ze lette goed op in de kerk, zodat ik wist wanneer de mensen een weekendje weg gingen, op vakantie zeg maar. Ik wist wanneer ik op pad moest gaan. Ze was een pienter ding.'

'Hielp zij je stelen?'

'Dat niet alleen. Ze was ook nog mooi, onze Sally. Acht jaar, en een beeldschoon kind. Er waren een paar ouwe knarren in de kerk die haar wel zagen zitten. Heel onschuldig allemaal, natuurlijk, tot ze hen beter leerde kennen. Ik moest haar wel eerst een beetje sturen, haar thuis een paar dingen leren, maar ze had het algauw door en ze vond het nog best leuk ook. En die heren ook, tot ik kwam opdagen...'

'Dus je deed ook nog aan chantage, afgezien van stelen en moorden?'

Bates schoof zijn stoel met een ruk naar achteren zodat de poten over de betonnen vloer schraapten en hij kwam overeind alsof hij Fenwick wilde aanvliegen. Deze bleef rustig op een meter afstand zitten.

'Ga zitten. Laten we maar niet gaan dreigen met klappen uitdelen. Je hebt dan wel levenslang, maar er bestaat altijd een kans op voorwaardelijke vrijlating en je hebt hier je privileges; zonde om ze kwijt te raken. Je weet het, één woord van mij en je kan ernaar fluiten.'

Nightingale keek hevig geschrokken maar ook gefascineerd naar de kloppende ader op het enorme voorhoofd van Bates. Zijn ogen puilden uit zijn hoofd en ze zag dat hij zich schrap zette voor een sprong. Hij had zijn vuisten al gebald. Maar Fenwick bleef hem gewoon strak en ogenschijnlijk onaangedaan aankijken.

Uiteindelijk ging Bates weer zitten zonder terug te kijken.

'Dus het verbaasde je niet dat Sally overleefde toen ze bij jeugdzorg terechtkwam. Hoe lang zat ze in een tehuis?'

'Dat moet u aan mevrouw O'Brien vragen. Eén of twee jaar, misschien. Daarna ging ze algauw naar een pleeggezin.'

'Weet u iets van het pleeggezin?'

'*Gezinnen*. Voordat ze zestien was had ze er al vier of vijf versleten. Ik weet niet wat er daarna met haar gebeurde, maar ik hoorde dat ze een beurs had gekregen om naar college te gaan, of zoiets. Toen niks meer, tot vorig jaar. Toen vertelde mevrouw O'Brien dat ze weer teruggekomen was.'

'En in al die tijd heb je haar niet gezien?' Fenwick bedacht dat het niet voor de hand lag dat Sally haar vader had willen bezoeken, maar hij moest het zeker weten.

Bates keek hem spottend aan en zonder een spoortje verdriet of zelfs spijt. 'Nee, dat wil ik ook helemaal niet. Ze staat nu op eigen benen.'

Dat kwam er heel definitief uit. Fenwick liet het tweede pakje sigaretten naar hem toe glijden en gaf Nightingale een seintje dat ze de bewaker moest roepen.

'Waar blijven de telefoonkaarten?'

'Niet voor dat kleine beetje, Bates. Ik ga eerst horen wat mevrouw O'Brien te melden heeft. Als dat interessant genoeg is geef ik ze aan haar, dan kan zij ze voor je meenemen.'

De gevangene werd teruggeleid naar zijn cel. Nightingale hoorde een zware deur open- en dichtslaan en ze zuchtte diep. Ze had niet eens gemerkt dat ze haar adem had ingehouden. Fenwick kwam langzaam overeind en staarde naar de stoel waar Bates had gezeten.

'Ik heb nooit kunnen bevatten wat het is in een mens, waardoor hij van gewoon wreed verandert in puur slecht. Hij misbruikte en prostitueerde zijn dochter, liet haar broertje en zusje de hongerdood sterven, maar hij zat daar gewoon, net zoals jij en ik. Hij staat iedere morgen op, wast en scheert zich en hij kleedt zich aan. Waar denkt hij aan als hij zichzelf in de spiegel ziet? Heeft hij enig besef hoe gruwelijk het is wat hij heeft gedaan, of van wat hij is? Doet het hem eigenlijk iets? Hoe komt het dat een mens zo wordt?'

'U zegt het zelf, hoofdinspecteur; hij is een slecht mens.'

'Maar *waarom*?'

'Waarom niet, hoofdinspecteur? Het kwaad is net zo reëel als het goede, misschien wel reëler, want daar heb je geen zelfbeheersing voor nodig. Het gedijt door bandeloosheid en het loont onmiddellijk. Waarom zouden we ons erover verbazen; we komen het zo vaak tegen als achtergrond voor de misdrijven waarmee we geconfronteerd worden?'

De verbitterde woede waarmee ze het zei schokte Fenwick. Hij keek haar verbaasd aan en de felle manier waarop ze naar die stoel keek, verontrustte hem wel. Wat was er gebeurd, dat zij zo overtuigd was van de realiteit van het kwaad? En wat deed zo'n overtuiging met haar als ze ouder werd? Eén ding wist hij zeker: het was een gevaarlijke opvatting voor iemand die bij de politie zat. Het kon je ertoe aanzetten te denken dat gerechtigheid als doel de middelen heiligde en het kon als excuus dienen voor vergelding tot iedere prijs. Hij zou haar goed in de gaten moeten houden. Samen liepen ze naar buiten, de sombere parkeerplaats op.

35

'Hoeveel krijg je van me?'

'Vijfentwintig pond voor de onderdelen, pap.'

'Maar je arbeidsloon dan?' Cooper was zo dankbaar dat zijn zoon op zijn vrije zaterdagmiddag de oude Rover had gerepareerd, dat hij niet nog meer van de jongen wilde vragen.

'Nee hoor, laat maar zitten. Ik had toch niks omhanden en het heeft wel zin om aan een ouder type motor te werken zoals deze. Die zien we niet meer zo vaak in de werkplaats. Je moet echt een...'

'... een nieuwe voor mama kopen. Weet ik, maar ze is zo aan deze gewend. Je weet hoe ze is. Hier heb je veertig pond. Nee, neem dat nou aan; hiermee heb je me een groot plezier gedaan.'

Het deed hem goed Lee zo bezig te zien. Hij had echt een werkplek voor zichzelf veroverd bij de plaatselijke garage en de eigenaar was vol lof over hem, wat Coopers hart verwarmde.

'Ik heb een vraag aan jou. Wat weet jij van Donald Glass, van D & G Motors bij de A24?' Cooper had de naam van Glass vermeld zien staan in het dossier van Sally Bates dat hij bij maatschappelijk werk had opgevraagd, en hem herkend.

Lee trok een grijns. 'Niet veel. We krijgen wel eens exen van hem bij ons in de garage, ex-klanten en ex-vriendinnen. Ze klagen allemaal over Don. Hij is nogal een vrek en zijn werk laat te wensen over. Hoezo?'

'Zijn naam is gevallen. Hij heeft niets geflikt hoor, niet dat we weten, maar hij kent iemand die misschien niet helemaal zuiver op de graat is.'

Cooper dacht aan Nightingales uitvoerige onderzoek naar Sally's verleden, naar aanleiding van haar gesprekken met mevrouw O'-Brien over het kindertehuis, haar maatschappelijk werkers, haar vele pleeggezinnen en op haar zestiende het besluit om bij Donald Glass te gaan wonen. Daarna was ze weer ergens anders naartoe gegaan, waarheen of naar wie, dat wisten ze nog niet. De pleeggezinnen herinnerden zich Sally allemaal als een moeilijk kind, dat de neiging had mensen te beschuldigen van seksueel misbruik als ze haar zin niet kreeg. Kort nadat ze bij Donald Glass was ingetrokken, was maatschappelijk werk uiteindelijk gestopt met het bijhouden van haar dossier. Fenwick verwachtte van Cooper dat hij die ontbrekende schakel zo snel mogelijk zou vinden. Tot nog toe was er in Sally's verleden niets wat duidde op geweldsmisdrijven, maar Fenwick had om een diepgaand onderzoek van de regionale politiedossiers gevraagd, voor het geval dat. Hij was er nog steeds van overtuigd dat zij tot moord in staat was. Cooper begon zich ongerust te maken over die preoccupatie en hij wilde het dossier van Sally zo snel mogelijk sluiten. Een gesprek met Glass zou hem daarbij helpen. Hij kwam uit zijn overpeinzingen toen hij zijn zoon nog steeds tegen hem hoorde praten.

'Zeg, als je hem moet spreken, ga dan vanavond mee naar de Bird in Hand. Daar is hij op zaterdag altijd.'

'Ga jij dan? Misschien ga ik wel mee, ja.'

'Ja! Ik kan nu tenminste een rondje geven, nietwaar?'

Donald Glass stond met zijn rug naar de zitplaats bij de grote open haard en hield zijn bierpul gevaarlijk scheef bij zijn bovenbeen. Hij had een bierbuik en een lelijk litteken, dat vanaf zijn wijkende haarinplant helemaal over zijn wang liep tot aan de dubbele onderkin die hij begon te krijgen. Hij zag er een stuk ouder uit dan de zevenendertig jaar die hij telde. Hij was hier baas over zijn domein, Cooper kon het niet anders omschrijven. Samen met een stel onderdanen hield hij de warmte van het grote vuur tegen, zodat de andere gasten stonden te koukleumen in de tochtige hoeken.

Nadat hij Glass eens goed had opgenomen besloot Cooper een ander moment uit te kiezen om hem over Sally aan te spreken. Hij zou even een glas drinken met zijn zoon en diens vrienden, gewoon voor de gezelligheid, en dan weer weggaan. Maar daar dacht Lee anders over.

'Don!' riep hij vrolijk en hij liep naar het kletsende groepje bij het vuur toe, zonder zich bewust te zijn van hun boze blikken. 'Heb je een momentje? Mijn pa wil je even spreken.'

'Problemen met de motor die jij niet kunt verhelpen? Ik sta altijd klaar om deskundig advies te geven, maar niet in mijn eigen tijd.'

Lee grijnsde. Hij had niets met Don Glass en zijn mening kon hem niet schelen.

'Nee, hij zit bij de recherche en wil iets van je weten.'

Lekker is dat, dacht Cooper, die zijn schouders rechtte, zijn bierglas pakte en zich een weg baande naar de inmiddels vijandige groep om Don heen.

'Goeienavond,' zei hij op een rustige toon. Op het eerste gezicht zag hij er niet uit als een politieman. Welgedaan, transpirerend in zijn gebruikelijke tweedjasje, kon je hem ook voor een veehouder verslijten die zijn hart wilde luchten over de prijzen op de veiling.

Maar hij had iets in zijn ogen, iets van een gezagsdrager, waardoor de mensen wat beter gingen opletten als hij naderbij kwam. En dat was exact wat Don Glass nu deed. De gevatte opmerking op zijn lippen stierf weg, hoewel hij evengoed weinig geduld had met een vent die zijn pub kwam binnenvallen en zijn privéleven verstoorde.

'Is het dringend? Of kan het ook tot morgen wachten?'

'Ik ben er toevallig en jij ook en ik ben er erg mee geholpen als we even kunnen praten.'

'Waar gaat het over?' Glass zag er nu gespannen uit, waaruit Cooper, een doorgewinterde kenner van de menselijke aard, vooral van de criminele aard, opmaakte dat hij schijnbaar reden had om zich ongerust te maken.

'Ik wil graag even onder vier ogen...'

Glass schudde zijn hoofd en Cooper verwachtte een bijdehante opmerking, dus was hij hem voor. 'Het gaat over Sally Bates.'

Glass verbleekte en streek automatisch over het lange litteken op zijn gezicht. Toen trok hij een kwaadaardige grijns.

'Kijk eens aan. Een naam uit het verleden. Gaan jullie nou pas achter dat secreet aan. Maar als ik kan helpen om haar vast te zetten... Kom mee, die lui gaan weg, dan pakken we hun tafeltje.'

Cooper en Glass gingen tegenover elkaar bij het versleten biervat staan dat dienstdeed als tafel en namen elkaar een tijdje lang op. Cooper pakte zijn notitieboekje, het werd een officiële ondervraging. Na een kort knikje begon Glass zonder omwegen te praten.

'Dat heeft zij gedaan' – hij wees naar het lange, vurige litteken op zijn gezicht – 'en ik mag van geluk spreken dat ik snel was, anders was het mijn hals geweest. Ik heb haar eruit gegooid en ik heb haar nooit meer teruggezien.'

'Wanneer was dat?'

'Meer dan tien jaar geleden. Wat heeft ze uitgevreten, dat moordlustige kreng? Dit keer echt iemand om zeep geholpen?'

Cooper ging op die vraag niet in, maar zijn maag kneep samen toen hij besefte dat Glass' woorden wel eens waar konden zijn.

'Hoe lang heeft ze bij je gewoond?'

'Negen maanden. In die periode heeft ze alles bij elkaar bijna tienduizend pond van me gestolen; er ligt altijd redelijk veel contant geld in mijn zaak. Daar ging de ruzie over. Op een dag betrapte ik haar op heterdaad.'

'Waarom heb je geen aangifte bij de politie gedaan?'

Glass keek uit het raam naar een auto die achteruit inparkeerde in een klein gaatje tussen een Mercedes en een Ford in. Cooper wachtte geduldig op het antwoord op zijn vraag, hoewel hij vermoedde dat het een leugen zou zijn.

'Ze had de benen genomen. Het geld was al weg en ze zou me alleen maar van nog veel ergere dingen hebben beschuldigd. Het had geen zin om jullie erbij te halen; trouwens, ik dacht dat ze toch niet terug zou durven komen. Dan heb ik haar blijkbaar verkeerd ingeschat. Het moet dan wel een flinke buit zijn, die haar hiernaartoe heeft getrokken. Zelfs een kat heeft maar negen levens en ik neem aan dat zij die van haar allemaal al heeft versleten.'

'Waarom?'

'Nou, om te beginnen had haar vader haar al bijna vermoord, nietwaar?'

'Heeft ze je over haar jeugd verteld?' Dat verbaasde Cooper.

'Dat ze misbruikt en mishandeld was? Dat was juist het opwindende aan Sally: dat arme onschuldige kind, ze leek jong voor haar zestien jaar. Ze had schandalige seksuele driften die ze niet kon beheersen en behoefte aan een soort vaderfiguur. En ik wil best toegeven dat ik daarop viel, als een baksteen.'

'Dat is dus één leven. Waar zijn die andere acht gebleven?'

'In de kindertehuizen en de pleeggezinnen. Ze heeft er heel wat afgewerkt. Om te huilen was het, zoals ze daar was behandeld; ze speelde haar rol briljant. Maar bij god,' hij streek weer afwezig over zijn litteken, 'ze was het heetste mokkel dat ik ooit heb gehad.'

Cooper was net thuis van zijn korte uitstapje naar de pub toen brigadier Gould hem vanaf het bureau opbelde.

'Bob, sorry dat ik je thuis bel, maar ik dacht dat je wel zou willen weten dat Blitey een doorbraak heeft. Hij heeft iemand gevonden die denkt dat hij Graham Wainwright samen met een vrouw heeft gezien op de ochtend dat hij stierf. Ik heb de hoofdinspecteur al gebeld en hij is onderweg hiernaartoe. Of je ook komt.'

Cooper was binnen een halfuur bij Gould, Blite en Nightingale in de TGO-ruimte; Fenwick had gebeld dat hij ook zou komen zodra hij een oppas had. Hij arriveerde tien minuten later met een opkomend slecht humeur en verontschuldigde zich: 'Neem me maar niet kwalijk, het vaste kindermeisje heeft haar vrije dag en is vanochtend weggegaan. Ze komt morgen pas weer, dus moest ik snel een oppas regelen.' Hij wendde zich tot Blite. 'Vertel wat je hebt, inspecteur.'

'Ik ben met Shirley Kennedy gaan praten. Zij is een van de parttimehulpen bij Wainwright Hall. Om de een of andere reden hadden wij haar nog niet eerder ondervraagd; ik denk dat het er tijdens de huiszoeking van de Hall tussendoor geglipt is.'

Fenwick knikte naar Blite dat hij door kon gaan en liet niet merken dat hij het zorgelijk vond. Het was slordig. Graham was bijna een week geleden vermoord. Zoiets kwam wel eens vaker voor, maar niet in zijn onderzoeken.

'Zij heeft een broer, Nigel. Hij is zeventien en een beetje simpel. Ze wonen met hun ouders in een cottage aan de rand van het landgoed. Nigel zit het grootste deel van de tijd in het bos en de struiken bij de rivier. Hij schijnt iets met watervogels te hebben.'

Inmiddels had hij Fenwicks volledige aandacht.

'Op de ochtend dat Graham Wainwright stierf, was Nigel zoals gewoonlijk bij de rivier en zag hij twee mensen onder de beukenboom. Het was moeilijk om hem aan het praten te krijgen. Geestelijk heeft hij een leeftijd van ongeveer negen of tien jaar, en wat hij zag verwarde hem en joeg hem angst aan.'

Blite pakte zijn notitieboekje. Hij zegt: *'Ik zag een man en een vrouw. Ze waren... ruzie aan het maken, of zoiets. Ze maakten heel veel lawaai. Ik heb niks gedaan, eerlijk niet. Ik wilde niet kijken, maar ze schreeuwden zo. Ik zat in een boom. Ze zagen mij niet, maar ik zag hen wel. Ze hielden op met schreeuwen en de man stond op, maar de vrouw sleepte hem terug. Ik was bang. Ik rende weg, maar ik viel in de rivier.'*

'Kan hij hen identificeren?'

'Ik heb hem foto's laten zien van iedereen, van alle gasten bij het diner en van Graham Wainwright. Hij pikte Sally Wainwright-Smith er zonder aarzelen uit, noemde haar zijn "prinses" en zei dat hij haar eerder had gezien, maar over de man was hij verward. Hij schijnt niet goed naar zijn gezicht te hebben gekeken. Hij denkt dat het Graham was, maar hij was er niet zeker van.'

'Het is waarschijnlijk niet goed genoeg voor in de rechtszaal, maar meer dan genoeg om te bevestigen wat we aldoor al vermoedden. Sally heeft gelogen over de ochtend waarop Graham stierf.'

'En er is nog iets. Shirley was op die donderdag in de Hall. Normaal gesproken mag ze niet aan de restjes komen. Maar die avond was Alexander zo moe, zegt ze, dat hij aan de eettafel al in slaap begon te vallen. Hij at niet eens zijn hoofdgerecht op en hij liet meer dan de helft van een goede fles wijn staan. Anders ging altijd de kurk er weer op voor de volgende dag, maar "mevrouw", zoals ze Sally noemt, stond erop dat ze de wijn mee naar huis zou nemen, anders zou hij bederven, zei ze.

Shirley stond er echt van te kijken, want Sally is altijd zo gierig, zegt ze, maar dat weerhield haar er niet van de fles mee te nemen. Toen ze thuiskwam dronk haar vader er twee glazen van terwijl hij naar snooker zat te kijken. Ze zegt dat hij binnen twintig minuten sliep. Ze konden hem nauwelijks naar bed krijgen en hij werd pas de volgende dag om twaalf uur wakker met een vreselijke hoofdpijn.'

'Dus Wainwright-Smith was misschien gedrogeerd?'

'Dat zullen we gauw genoeg weten, hoofdinspecteur. Shirleys vader maakt zelf wijn en hij had de fles bewaard om hem later te kunnen gebruiken. Hij had hem niet eens omgespoeld. Het forensisch lab heeft hem al naar de afdeling toxicologie gestuurd.'

'Heel goed, inspecteur.' Hiermee stond Sally's schuld nog altijd niet onomstotelijk vast en alles wat ze tot nog toe hadden was slechts indirect bewijs. Maar het was wel genoeg om haar een schok te bezorgen en zo te proberen haar tot een bekentenis te bewegen. En ditmaal zou hij haar door Blite naar het bureau laten slepen. Maar vanavond nog niet. Ze moesten een medewerker van de identificatieafdeling laten komen om een confrontatie te arrangeren en dat nam tijd in beslag. Er was geen risico dat ze de benen zou nemen, dus kon het tot morgen wachten.

Hij keek naar de verwachtingsvolle gezichten van de vier rechercheurs die de kern van zijn team vormden. Ze begonnen in zijn theorie te geloven en hij kon zien dat ze gretig waren om bewijzen voor Sally's schuld te zoeken die verder gingen dan de indirecte informatie die ze tot nog toe hadden.

'Morgenochtend halen jullie Sally lekker vroeg hiernaartoe om verhoord te worden. Neem een paar agenten in uniform mee en confronteer haar met deze getuigenverklaring.'

Blite knikte enthousiast. Hij wist dat ze niet gemakkelijk zou breken, zelfs niet met dit laatste nieuws, maar hij was buitengewoon goed in harde ondervragingen en hij genoot nu al van het vooruitzicht.

'Ik wil dat jullie er intussen heel goed over nadenken hoe ze met de dood van Fish en Amanda Bennett in verband gebracht kan worden. We hebben nog steeds geen idee. Werk elke mogelijke connectie die je kunt bedenken af.'

'Misschien is er geen connectie tussen de zaak Fish en de zaak Bennett, hoofdinspecteur,' opperde Cooper voorzichtig; hij was zich er zeer bewust van dat Fenwick het daar niet mee eens was, en Blite hing aan zijn lippen. Maar zijn baas moedigde hem aan door te gaan.

'We vermoeden dat Wainwright een dekmantel is voor witwasoperaties. Als hun algemeen directeur sterft, neemt Alexander het over. Stel dat Fish hem heeft gedreigd naar de politie te stappen? Hij had een fortuin in zijn kluis liggen en wie weet, misschien heeft hij Alexanders oom voor die tijd ook al gechanteerd.'

Fenwick ging er niet tegenin, maar hij was ook niet overtuigd. 'Dat is een mogelijkheid, brigadier, dat geef ik toe.'

'Maar u bent het er niet mee eens.'

'Nee, eigenlijk niet. Ik betwijfel het sterk dat iemand die betrokken is bij de Wainwright-operaties het risico zou nemen om zo snel na de dood van Alan een moord te plegen die in verband staat met het bedrijf, hoe lastig Arthur Fish ook was geworden.'

Hij klopte Cooper op zijn rug en besloot het team naar huis te sturen. Morgen was een cruciale dag om de zaak open te breken en hij wilde dat ze zo fris mogelijk waren. Vanavond en vannacht zou hij zelf intensief gaan nadenken of hij voldoende bewijzen had om een arrestatiebevel voor Sally te krijgen. Met iedere andere verdachte zou hij op de steun van de commissaris kunnen rekenen, maar in dit geval moest hij met meer komen. Als ze de identificatie eenmaal voor elkaar hadden zou zelfs de korpsleider geen bezwaar meer durven maken. Hij had niet in de gaten dat Nightingale niet verder liep dan de koffieautomaat; toen zij terugkeerde naar de TGO-ruimte en ingelogd had in hun hoofddatabase, was hij al een heel eind op weg naar huis om de oppas af te lossen.

DEEL VIER

Deze avond laat na
De uitgestrekte hal des doods
Matthew Arnold

36

De donderdagochtend brak zonnig en helder aan. Deze plotselinge weersomslag bracht een belofte van warmte met zich mee, maar de stemming van inspecteur Blite werd er evengoed niet vriendelijker op toen hij zich voorbereidde op het verhoor van Sally Wainwright-Smith. Fenwick had die morgen een gesprek met Quinlan en Harper-Brown aangevraagd, in de hoop hen zover te krijgen toestemming te geven om Sally te arresteren. Hij kreeg het niet voor elkaar. Tegen de adviezen van Fenwick en Blite in werd besloten dat er te weinig gronden waren voor een arrestatie, hoewel Fenwick zo zat te drammen dat het bijna op ruzie met de korpsleider uitliep. Dit had Blite zelden meegemaakt en hij voelde zich er heel ongemakkelijk onder. Hij wilde dat Sally in staat van beschuldiging werd gesteld en hij was het intussen volkomen met Fenwick eens dat zij de hoofdverdachte was, maar toen ze de korpsleider en de commissaris op de hoogte stelden, stuitten ze bij de eerste onvermijdelijk op hevige weerstand.

Fenwick en Blite hadden met elkaar afgesproken dat ze het niet zouden hebben over hun beider verdenkingen in het geval van de zelfmoord van Alan Wainwright, en ook over Arthur Fish hielden ze hun mond. Ze concentreerden zich volledig op de dood van Graham en legden de bewijslast met groeiend zelfvertrouwen aan hen voor. Fenwick had alle punten in de zaak tegen Sally op een rij gezet: een motief van vijftien miljoen pond; geen alibi voor het tijdstip van de moord; haar vingerafdrukken op de groentekist die ze uit de keuken van de Hall hadden meegenomen; wat ze met het lijk had gedaan nadat Jeremy Kemp haar alleen had achtergelaten; haar onverklaarbare aanval van hysterie; het feit dat ze Fenwick en Blite tijdens het onderzoek constant aan het hoofd had gezeurd met twijfels en bedenkingen jegens Jenny. Kortom, het klassieke gedrag van een 'schuldig' mens.

Blite bewaarde de ontdekking van de ooggetuige die Graham en Sally op de ochtend van zijn dood samen bij de beuk zou hebben gezien, voor het laatst en hij speelde het uit als zijn grote troef. Helaas was de korpsleider diep op de details ingegaan en Blite had moeten toegeven dat de jongen geestelijk niet helemaal volwaardig was, en ja, hij was er inderdaad niet zeker van of het Graham was geweest, hoewel hij volhield dat hij wel heel erg op hem leek.

'Dit is niet voldoende, inspecteur, en het stelt me zwaar teleur dat je een hele stroom aan toevalligheden en gissingen opvoert alsof het krachtige bewijzen zijn. Nee, ik geef jullie geen toestemming om haar te arresteren en ik ben er zeker van dat commissaris Quinlan het daarmee eens is.'

De commissaris had geen andere keus dan zich hierbij aan te sluiten, hoewel hij sterk op de hand van zijn rechercheurs was en hij hun conclusies steunde. Sally Wainwright-Smith wás de voor de hand liggende verdachte, niet in de laatste plaats omdat ze zowel een motief als de gelegenheid had om de misdaad te plegen. Maar een arrestatie zou veel stof doen opwaaien en als ze tijdens het verhoor niet onderuitging, zouden ze haar weer moeten laten gaan omdat ze niet voldoende gronden hadden om haar te kunnen vasthouden.

'Ik ben het ermee eens, meneer. Maar haar gedrag is dermate labiel dat, als ze op de juiste manier wordt ondervraagd, er een kans bestaat dat ze bekent, of in elk geval meer informatie loslaat waar we mee verder kunnen. Mijn advies is dat ze naar het bureau wordt gebracht om verhoord te worden, maar niet wordt gearresteerd.'

De korpsleider had Quinlan met openlijke verbazing aan zitten kijken. 'Goed dan. Dus jij gelooft ook dat ze schuldig is?'

'Jazeker, meneer.'

'Het hele team gelooft dat, meneer. Geen andere verdachte, eventueel met uitzondering van haar man, heeft dezelfde combinatie van motief en gelegenheid.'

Het gezicht van de korpsleider verstrakte meteen toen Alexander ter sprake kwam en hij keek Fenwick met een kwade frons aan omdat hij met die suggestie was gekomen.

'Ik snap het. Desalniettemin volgen jullie de procedures naar de letter. De Wainwrights hebben geld en invloed, en ik wil absoluut niet dat ze er zelfs maar over kunnen piekeren om een klacht bij ons in te dienen. Begrepen?' Hij keek Fenwick woedend aan, hoewel het Blite was die het verhoor zou gaan leiden.

'Begrepen, meneer.'

In de gang buiten het kantoor van Harper-Brown beleefden Blite en Fenwick een zeldzaam moment van gedeelde frustratie over de overdreven voorzichtigheid waarmee de korpsleider de zaak benaderde. 'Kontlikker,' mompelde Blite binnensmonds, wat de commissaris, die plotseling achter hen opdook, weliswaar verstond, maar verkoos te negeren.

In de kleine lift naar de parterre merkte Quinlan plotseling op: 'Hij wil net zo graag als jullie dat ze in staat van beschuldiging kan worden gesteld, maar hij moet met zoveel dingen tegelijk jongleren. Niemand van ons kan zijn werk behoorlijk doen als we geen mankracht hebben of als de politieke omstandigheden tegenzitten. De korpsleider regelt dat voor ons, en of je het leuk vindt of niet, de Wainwrights zijn al jarenlang de meest invloedrijke familie in dit graafschap. Hij heeft groot gelijk dat hij zich aan alle kanten indekt.'

Fenwick was het rationeel met de logica van commissaris Quinlan eens, maar gevoelsmatig vond hij het gedrag van de korpsleider kruiperig en bedoeld om zijn carrière te beschermen. Hij hoorde zichzelf zeggen, 'Dus er is een wet voor rijke mensen en een wet voor niet rijke mensen!' en hij had er onmiddellijk spijt van.

Commissaris Quinlan keek hem zwaar geïrriteerd aan. 'Ik heb veel respect voor je werk als politieman, Fenwick, dus ga ik aan die opmerking voorbij. Maar een carrière wordt niet alleen op uitstekend politiewerk gebouwd, onthoud dat goed.'

Fenwick stemde met Blite de tactiek af voor het verhoor van Sally: terwijl Blite haar samen met agent Nightingale van de Hall ging ophalen, zou de hoofdinspecteur naar het kantoor van haar man gaan om hem alles te vertellen wat ze over haar achtergrond wisten, voor het geval Sally een beroep op hem wilde doen. Claire Keating zou naar het bureau komen om bij het verhoor aanwezig te zijn.

Blite keek op zijn horloge, het was ruim over het hele uur dus Fenwick moest inmiddels bij Alexander zijn. Terwijl hij stond te wachten tot er werd opengedaan keek hij naar de stenen gargouilles die de strenge eikenhouten deur bewaakten en trok net zo'n lelijke kop terug. Wat een vreselijk oord. Zelfs op een mooie morgen als deze leek het granieten bouwwerk het zonlicht op te slokken en het huis in somberheid te dompelen. De tuin begon tekenen van verwaarlozing te vertonen en op de ramen zaten langgerekte vuile strepen van roet uit de schoorstenen.

Sally deed zelf open. Ze droeg een zwart poloshirt en merkjeans, en als je niet beter keek zou ze voor een tiener kunnen doorgaan. Maar op haar gezicht waren tekenen van spanning zichtbaar. Ze had donkere kringen onder haar ogen en haar huid glansde niet meer. Haar shirt rook naar sigaretten en Blite meende door het frisse menthol van mondwater heen alcohol te ruiken.

'Uw mensen zijn nog op het terrein aan het zoeken, inspecteur. Ik denk dat ze in de bossen zijn. Als u erheen moet kan ik u een lift geven met een auto met vierwielaandrijving.'

'Ik kom niet om met mijn mensen te praten, mevrouw Wainwright-Smith. Wij moeten u opnieuw verhoren en dat willen we graag op het bureau doen. Wilt u met ons meegaan, alstublieft...'

'Waarom?'

'Wij moeten u ondervragen in verband met de dood van Graham Wainwright.'

'Dat hebben jullie al gedaan.'

'Er zijn intussen nieuwe dingen aan het licht gekomen en daar moeten we met u over praten.'

'Wat dan?'

'Daar zullen we het op het bureau over hebben.'

'Mag Alex bij me zijn?'

'Ik denk het niet, maar u hebt recht op de aanwezigheid van een advocaat als u dat wenst.'

Ze trok bleek weg door de ernst waarmee hij sprak maar ze zei niets. Ze draaide zich om naar de hal en liet Blite en Nightingale op de stoep staan. Zij konden horen hoe ze met een commanderende stem naar Jeremy Kemp vroeg. Ze legde uit wat er aan de hand was en riep toen: 'Inspecteur, meneer Kemp wil u spreken.'

Blite ging naar binnen en nam de telefoon van haar over.

'Dag, meneer Kemp. Met inspecteur Blite.'

'Is dit echt nodig?'

'In dit stadium is het een verzoek aan mevrouw Wainwright-Smith om naar het bureau te komen. Als ze weigert moeten we andere maatregelen overwegen, maar dat probeer ik te vermijden.'

'Ik begrijp het. Kan ik haar weer aan de lijn krijgen?'

Enkele minuten later stapte Sally bij Blite in de patrouillewagen. Hij had ervoor gekozen haar op die manier van de Hall op te halen. Jeremy Kemp zat al op het bureau te wachten, samen met Claire Keating, de psychiater van de politie. Zodra ze in de verhoorkamer zaten, het bandje liep en zij op haar rechten was gewezen en alle verdere noodzakelijke plichtplegingen waren afgehandeld, confronteerde Blite Sally met het nieuws dat ze op de ochtend van Grahams dood samen met hem was gezien op de plek waar zijn lijk was gevonden. Dat ontkende ze en Blite vroeg haar of ze het dan misschien prettig zou vinden om deel te nemen aan een identificatie line-up. Jeremy Kemp kwam ertussen.

'Weet u zeker dat zoiets nodig is, inspecteur?'

'Uw cliënte mag weigeren daaraan deel te nemen, maar nadat ze ons ervan heeft verzekerd dat ze Graham op de dag van zijn dood niet heeft ontmoet, zal een jury het wel vreemd vinden dat ze onze verdenkingen niet uit de weg heeft willen ruimen toen ze er de kans voor kreeg.'

Toen hij zo terloops het woord 'jury' had laten vallen, werden ze allebei stil. Sally trok wit weg, Jeremy Kemp werd rood. Zij vroeg om een sigaret, toen om koffie, maar toen ze een pilletje uit een bruin potje wilde pakken, verzocht Blite haar het aan hem te geven.

'Wat zijn dat?'

'Mijn medicijnen,' zei ze op een harde toon, maar een lichte trilling in haar stem verried haar.

'Ik heb liever dat u nu geen medicijnen inneemt.'

'Mijn cliënte heeft recht op haar voorgeschreven medicatie, inspecteur.'

'Niet als het haar vermogen beïnvloedt om helder antwoord op mijn vragen te geven. Het zijn per slot van rekening alleen maar antidepressiva.'

'Ik heb ze nodig!' gilde Sally vol verontwaardiging, terwijl ze probeerde Blite het potje te ontfutselen.

'Rustig maar, Sally, het is oké. Laat je niet zenuwachtig maken,' zei Kemp sussend, alsof hij een schichtig paard tot bedaren wilde brengen.

Claire Keating zag allerlei tegenstrijdige gevoelens op het gezicht van Sally voorbijkomen: verrassing, angst, woede, doortraptheid, waarna ze verdwenen achter een brutale manier van kijken die ze vaak op de gezichten van jeugddelinquenten zag. Sally haalde diep adem, toen nog een keer, en streek haar haren weer op hun plaats.

'U hebt gelijk, natuurlijk. Maar het is ook allemaal zo belachelijk.'

'Dus u ontkent dat u Graham Wainwright op de ochtend van zijn dood heeft ontmoet?'

'Ja.'

'Ondanks het feit dat u samen met hem bent gezien op de ochtend van zijn dood? En dat zijn vingerafdrukken zijn aangetroffen op een kist met groente en fruit, die op de ochtend dat hij stierf bij de Hall is afgeleverd?'

Kemp en Sally keken hem zwijgend aan. Sally's gezicht verried niets, maar haar ogen schoten een andere kant op. Ze keek aandachtig naar de vloer van de verhoorkamer en het was duidelijk dat ze haar emoties onder controle probeerde te krijgen. Kemp was inmiddels knalrood geworden. Hij sprak haar intens bezorgd toe.

'Je hoeft niets te zeggen, Sally, denk daaraan.'

'Meneer Kemp heeft gelijk, mevrouw Wainwright-Smith, maar u moet wel bedenken dat de jury iemands stilzwijgen op zijn eigen manier interpreteert.'

Ze schudde minachtend haar hoofd tegen Kemp en keek Blite tartend aan. 'Dit wijst op helemaal niets, inspecteur. Degene die beweert dat hij me met Graham heeft gezien, liegt. En ik weet niet hoe zijn vingerafdrukken op die kist zijn gekomen. Ik neem aan dat u dat ook niet weet.'

Blite negeerde haar antwoord, maar vroeg: 'Vertelt u eens iets over Donald Glass.'

Deze overgang naar een ander onderwerp bracht haar van haar stuk en verbijsterde Jeremy Kemp. Blite liet de stilte groeien en zei toen: 'Wij hebben hem deze week gesproken en gehoord hoe u hem heeft aangevallen. U bent vrij gewelddadig. Hij zegt dat u hem bijna had vermoord en hij heeft een litteken dat dat bewijst.'

'Ik heb niets meer te zeggen.'

'Het ziet er niet zo best uit, mevrouw Wainwright-Smith. Zou het niet beter zijn als u ons alles openlijk vertelt?'

'U hebt mijn cliënte gehoord; ze heeft niets meer te zeggen.' Kemp probeerde kalm te blijven, maar ze hoefden hem maar aan te kijken om te zien dat hij er moeite mee had.

'Ik wil naar huis,' zei Sally, die zonder op antwoord te wachten opstond met een air van een vrouw des huizes die haar chauffeur instrueert.

'Ik heb nog meer vragen, Sally. Ga zitten, alsjeblieft.' Het informele gebruik van haar voornaam prikte haar hautaine houding door.

Na een tijdje gehoorzaamde ze. Het bandje liep nog.

'Ik heb niets meer te zeggen,' herhaalde ze.

'Het zij zo. Maar ik nog wel.'

Eerst probeerde Blite haar te choqueren door aan te kondigen dat er een confrontatie zou plaatsvinden. Toen dat niet hielp bleef hij haar met vragen bestoken, variërend van wie er baat had bij Grahams dood, tot de leugens die Sally tegen Shirley en Irene had opgehangen over de dag waarop Graham was gestorven. Hij bleef voortdurend op een neutrale toon praten, zodat hij nooit van intimidatie beschuldigd kon worden. Ze zei niets, maar hij wist dat haar zwijgen tijdens zijn uiteenzetting van alle bewijzen die ze tegen haar hadden verzameld, veroordelend zou overkomen in de rechtszaal. Claire observeerde Sally aandachtig, maar ofschoon Blites monotone opsomming van de zaak die ze tegen haar hadden opgebouwd zijn doel misschien diende, verschafte het haar geen mogelijkheid om onder het oppervlak van Sally's ontkenning te kijken.

Nadat er drie uur was verlopen liet Blite hen gaan. Het was te merken dat hij gefrustreerd was omdat hij niet door Sally's verdediging heen had kunnen breken, hoe nerveus ze ook was geweest. Hij deelde haar mee dat ze zich beschikbaar moest houden voor de confrontatie, die later die dag of de volgende ochtend zou plaatsvinden, en dat ze hen diende te informeren waar ze te bereiken was als ze de Hall verliet. Meteen toen ze weg waren, keek hij Claire en Nightingale aan en hij vloekte. 'Wat een tijdverspilling, verdomme. Heb je er nog iets uit gehaald?'

Hij geloofde niet in het inzetten van politiepsychiaters en bekeek Claire met nauwelijks verholen minachting. Maar zij was erger gewend, en ze gaf hem een neutraal antwoord.

'Niet veel, ze heeft weinig gezegd. Ze is erg defensief en nerveus. Er zitten sterke emoties onder de oppervlakte, die ze aan het begin van het verhoor met veel moeite wist te beheersen, maar toen sloot ze zich op de een of andere manier af. Ik weet niet of ze dat lang kan volhouden. Het is duidelijk dat ze de baas over de situatie moet zijn en dat ze heel kwetsbaar en onvoorspelbaar wordt als ze dat niet is.

Mijn aanbeveling is om haar nog minstens drie keer onaangekondigd hierheen te halen om verhoord te worden. Laat me weten wanneer. Ik heb afspraken voor vanmiddag, maar om vier uur en om zes uur kan ik me vrijmaken. Morgenochtend vroeg is ook goed.'

'Ik zal erover denken.' Blites botte afwijzing gleed van Claire af als water van de veren van een eend, wat hem nog meer irriteerde. Toen ze weg was, begon hij direct kritiek te spuien over haar bijdrage en te klagen dat de zaak begon af te brokkelen. Nightingale ergerde zich aan deze impliciete kritiek op Fenwick, maar ze was schrander genoeg om het langs zich heen te laten gaan.

'De confrontatie zal wel iets opleveren, inspecteur.'

'Verwacht er niet te veel van, agent. Ik heb vaker met debielen als getuigen te maken gehad.' Hij merkte niet dat Nightingale in elkaar kromp bij zijn woordkeus. 'Die lui zijn een cadeautje voor de verdediging, geloof mij maar. Maar meer hebben we op het moment niet.'

Wainwright-Smith leek ouder geworden en afgevallen te zijn sinds Fenwick hem op de ochtend na de moord op Graham voor het laatst had gezien, en de onverzettelijkheid die hij achter dat bedrieglijk minzame uiterlijk vermoedde was nu minder goed verborgen. Hij besloot meteen ter zake te komen.

'Er is geen gemakkelijke manier om dit gesprek te beginnen, meneer Wainwright-Smith.'

Zijn woordkeus bracht een schok bij Alexander teweeg en het bloed trok weg uit zijn gezicht. Fenwick vroeg zich af of ook hij zijn vrouw verdacht van de misdaden tegen zijn familie.

'Ik ga u een verhaal vertellen. Een verhaal over een meisje van acht, waar ze in haar leven mee te maken heeft gekregen, en wat er van haar is geworden. Het zou goed zijn als u luistert.'

'Als het over Sally gaat, hoofdinspecteur, het meeste weet ik al. Ze heeft het me verteld voordat we gingen trouwen.'

Fenwick herinnerde zich het gesprek met Sally in de keuken van Wainwright Hall. Dan had ze dus weer tegen hem gelogen, maar toch moest hij zeker weten of Alexander de volledige waarheid kende.

Hij vertelde hem over Sally's kindertijd: de slaag die ze had overleefd vanaf de dag dat ze geboren was; het seksueel misbruik en de vanzelfsprekende manier waarop haar vader het achtjarige meisje met zijn vrienden had gedeeld. Hij vertelde het op een nuchtere toon en noemde alleen de feiten, zonder uit te weiden.

Fenwick vertelde ook over een broertje en een zusje die werden geboren en hoe ze steeds meer werden mishandeld en verwaarloosd. Wainwright-Smith luisterde, aanvankelijk onverschillig, maar toen vol afschuw.

'Ze heeft me niet verteld dat ze een broertje en een zusje had. Ik dacht dat ze enig kind was, zoals ik.'

'Dat is ze nu ook. Laat ik u vertellen wat er gebeurd is. Ondanks deze ontstellende omstandigheden wist Sally te overleven. Ze was pienter en wereldwijs. Ze stal om te overleven en om haar vader te behagen; ze dweilde het bloed op en maakte de keuken schoon als haar vader in een woedende bui terugkwam uit de kroeg; ze vermaakte zijn vrienden. Maar op haar achtste veranderde haar leven voorgoed.'

'Waarom vertelt u mij dit nu?'

'Omdat u het moet weten. Luistert u, alstublieft.'

Fenwick herinnerde zich de rapporten van de politie en van maatschappelijk werk die hij pas een paar dagen geleden had gelezen tot in de details. Hij beschreef hoe de drie kinderen stelselmatig werden uitgehongerd; hoe Frank Bates steeds gewelddadiger werd naarmate ze zwakker werden, tot hij zo onvoorzichtig was blauwe plekken bij het meisje te veroorzaken, zodat de onderwijzers op school het zagen. En hij sprak over het bezoek van de maatschappelijk werkers, waarna er geen actie werd ondernomen.

'Het meisje leefde van het eten dat ze stal. Bij elke gelegenheid pakte ze snoepjes, fruit, wat dan ook, uit de tassen van haar klasgenoten. Ze stal uit winkels, ze at twee schoolmaaltijden en probeerde eten mee naar huis te nemen voor haar broertje, voor als ze de kans kreeg hem stiekem iets te geven.' Toen hij over het eten begon, sloeg Alexander zijn hand voor zijn mond, maar onderbrak hem niet. 'Haar vader ontdekte haar pogingen om de andere kinderen te voeden, dus sloot hij hen op in een kamer boven, waar hij hun geroep niet kon horen. Hij sloeg zijn dochter zo erg dat ze thuis moest blijven en hij bond haar vast aan een radiator in de keuken, waar ze op de grond sliep, naast de hondenmand. Maar op school maakten ze zich zorgen en ze belden voortdurend de moeder op.

Die moeder was niet bij machte tegen de wil van haar man in te gaan, maar ze vertelde hem dat de maatschappelijk werkster weer had geprobeerd op bezoek te komen, en ze besloten hun dochter weer naar school te laten gaan. Zij had een hele week geen eten gehad en ze had chronisch diarree omdat ze het water van de hond opdronk. Het was al binnen een paar uur duidelijk dat er iets helemaal mis was en het hoofd van de school haalde de politie erbij.'

Fenwick vertelde over het bezoek van de politie, hoe Wicklow het kind had omgekocht met eten en hoe ze, net op het moment dat ze weer weggingen, geluiden van boven hadden gehoord.

'Het jongetje en de baby gingen dood. Het meisje, dat tegen die tijd acht was, kwam onder de hoede van jeugdzorg. Haar vader werd in staat van beschuldiging gesteld en veroordeeld voor moord. Haar moeder werd schuldig bevonden aan medeplichtigheid.'

'Lieve god, arme Sally. Dit heeft ze me nooit verteld, maar het verklaart heel veel: het dwangmatige hamsteren van eten; het beknibbelen en sparen, zelfs nu we rijk zijn; haar stemmingswisselingen; haar aanvallen van razernij. Arm kind. Ik hoop dat die schoft in de gevangenis is doodgegaan.'

Hij zei dat met zo'n intense haat dat het Fenwick verraste. Deze man had verborgen emoties en een diepte in zijn gedachtegang en inschattingsvermogen die je gemakkelijk over het hoofd kon zien. Hij zag dat er een nieuwe gedachte bij Alexander bovenkwam, en dat hij die weerzinwekkend vond. 'Hij is toch niet uit de gevangenis, hè?'

'Nee, hij zit op een zwaarbewaakte afdeling en hij zal daar wel voor de rest van zijn leven blijven.'

'Hoe kan iemand zoiets doen? Hebt u hem gezien? Wat zei hij; kon hij het verklaren?'

'Nee, dit soort psychopaten kan dat zelden. Maar ik ben nog niet klaar met mijn verhaal. Er is nog meer.'

Hij beschreef de pleeggezinnen, nog meer mishandeling, Sally's eigen verloederde gedrag, wat ertoe leidde dat ze weer bij jeugdzorg terechtkwam. Uit Alexanders opmerkingen maakte hij op dat hij wel iets van het verhaal had gehoord, maar niet alles.

'Ze verliet het tehuis toen ze zestien was, trok bij een minnaar in, stal van hem en probeerde hem te vermoorden.'

Alexander begon te protesteren, maar Fenwick onderbrak hem.

'Het is waar, meneer Wainwright-Smith. Brigadier Cooper heeft met hem gepraat en zijn litteken gezien. Al snel daarna liet ze deze omgeving achter zich. Wij weten niet waar ze naartoe ging, maar wij vermoeden dat ze op straat leefde of in de prostitutie werkte.'

'Prostitutie! Dat is nieuw, maar als het zo is kan ik het nog begrijpen ook. Ze moest op de een of andere manier overleven. Ik wou dat ze het me had verteld! Maar ze kon er waarschijnlijk mee omgaan door het allemaal achter zich te laten en zich op de toekomst te richten, *onze* toekomst.'

'Meneer Wainwright-Smith! In hemelsnaam, ziet u het nu nog niet? Ik heb het voor u zitten spellen: de vrouw die u denkt te kennen en lief te hebben is een verdichtsel. Vanaf het moment dat ze kon lopen is ze geconditioneerd om mannen te behagen en te manipuleren! Uw vrouw is geen normale vrouw; zij is een product van een slecht mens met een zieke geest en een moeder die zo zwak was dat ze in het verhaal niet voorkwam. Ik heb de politiepsychiater gesproken en zij heeft voor mij een profiel opgesteld van iemand met zo'n achtergrond als die van haar. Hier, ik zal u er iets uit voorlezen.'

Fenwick haalde voorzichtig een getypt rapport uit een bruine envelop en ging naar de tweede pagina. 'Dit is het gedeelte dat in het soort Engels is geschreven dat wij kunnen begrijpen. Luister: *Een slachtoffer van kindermishandeling van een dergelijk extreme aard kan opgroeien met ernstig verwrongen normen en waarden en een gebrek aan zelfrespect. Dit zal zich uiten in compenserende gedragingen en er zal onvermijdelijk een of andere persoonlijkheidsstoornis optreden. Zij zal zichzelf verachten omdat ze een vrouw is, net als haar moeder, maar ze kan optreden met een zelfvertrouwen en een overtuiging die zelfs degenen die haar na staan misleiden. Ze zal zich onwillekeurig aanpassen aan de persoon in haar omgeving die de meeste* autoriteit of de meeste macht heeft (meestal een mannelijk persoon), die zij zal proberen zowel te behagen, als te beheersen. Gezien de seksuele aard van de mishandeling zal zij waarschijnlijk seks gebruiken als het belangrijkste machtsmiddel. Fysiek heeft het niets voor haar te betekenen, maar ze zal zeer geoefend zijn in het aannemen van een rol – hetzij genot, hetzij pijn – al naargelang er van haar wordt verlangd door de minnaar, precies zoals ze dat voor haar vader, haar ooms en hun vrienden deed. Haar gevoelens jegens de autoritaire mannen in haar leven zijn een gecompliceerde mengeling van haat en het verlangen "bemind" te worden. Ze kan zich ook onderdanig gedragen en ze is gemakkelijk te sturen door iemand die op zeker moment een machtspositie jegens haar inneemt.

Ook het concept "liefde" is ingewikkeld voor haar, omdat ze het in haar jeugd niet gekend heeft. Ze zal het compenseren door zichzelf te voorzien van de dingen waar ze als kind het meest behoefte aan had; meestal aandacht, maar in dit geval voedsel en andere fysieke verwennerijen. Om een gevoel van evenwicht te bewaren is het van cruciaal belang te kunnen handelen vanuit een kader van macht, en ze zal er een aanzienlijke hoeveelheid energie in steken om alle aspecten van haar omgeving in de hand te houden. Als die controle ontbreekt zal dat haar meer dan gebruikelijk destabiliseren, wat tot extreme reacties kan leiden.

Ze zal een aantal dwangmatige gedragingen vertonen, reageren op een manier die anderen vreemd of zelfs harteloos vinden en ze zal afwijkend reageren op stress. U vroeg ons commentaar te geven op de mogelijkheid tot gewelddadigheid en naar mijn mening is die mogelijkheid zeer sterk aanwezig, in het bijzonder wanneer seksuele relaties niet dat brengen waar zij behoefte aan heeft. Zij is als kind misbruikt, geslagen en uitgehongerd, en ze kan in staat worden geacht om zelf extreme wreedheden te begaan.'

Terwijl Fenwick voorlas had Alexander zich voorover laten zakken met zijn gezicht in zijn handen. Toen de politieman zweeg viel er een lange stilte voordat hij zichzelf ertoe kon brengen iets te zeggen.

'Ik moet accepteren wat u over haar verleden hebt gezegd.' Alexanders stem was zacht maar beheerst. 'Maar ik ben het er niet mee eens dat zij zo'n persoon is die uw psycholoog heeft omschreven.'

'Heeft ú Graham Wainwright dan vermoord?'

'Nee! Natuurlijk niet. Gaat het daar allemaal om, mij een shock bezorgen zodat ik een bekentenis afleg? Fenwick, echt, je bent te...'

'Ik beschuldig u niet. Maar iemand heeft uw neef zo uitgekiend en weldoordacht vermoord dat het moord met voorbedachten rade moet zijn. U vrouw heeft geen alibi voor de ochtend waarop hij stierf; ze zorgde ervoor dat ze alleen achterbleef met het lichaam toen het werd ontdekt. Ze heeft de plaats delict helemaal overhoopgehaald en ze heeft feitelijk gelogen over waar ze zich bevond op de ochtend toen hij werd vermoord. En wat het motief betreft, alleen u en zij blijken er een te hebben.'

'Ach, kom op! Mensenkinderen, ze is mijn vrouw!'

'Wie erft alles als u komt te overlijden? Heb ik gelijk?'

'Wilt u suggereren dat ik de volgende ben? Dat is absurd!'

'Dat heb ik niet gezegd, dat leidt u eruit af. Wat ik u wel zeg is dat uw vrouw onze hoofdverdachte is voor de moord op Graham Wainwright en dat zij op dit moment wordt verhoord.'

Alexander schoot overeind en pakte de telefoon.

'Ze moet een advocaat hebben.'

'Ik weet zeker dat ze de mogelijkheid heeft gekregen om Jeremy Kemp te bellen.'

'Nee, ik bedoel een echte strafrechtspecialist. Geef me één momentje. Er zit iemand bij de club die wel weet waar ik de juiste man vind.'

Fenwick liet hem zijn telefoontje plegen, wel wetend dat elke klacht tijdverspilling was, wat hij zich niet kon permitteren. Toen Alexander had opgehangen, vervolgde hij met het tweede doel van zijn komst: Alexanders reactie testen op de vermoedelijke affaire van zijn vrouw met zijn oom.

'Er is nog iets wat wij moeten bespreken. Het is belangrijk. Het betreft uw vrouw en Alan Wainwright.'

Alexander keek hem verward aan, maar door die bizarre zin was hij meteen weer bij de les.

'Ons is verteld dat uw vrouw een affaire had met uw oom, voordat hij stierf. Is dat waar?'

Hij had schrik, boosheid of ontkenning verwacht, maar Alexander liep langzaam weg en begon uit een van de enorme panoramavensters te kijken.

'Ik heb de geruchten gehoord, maar er is niets waarmee dat hard gemaakt kan worden. Hebt u daar bewijzen van?'

'Nee.'

'Mijn oom is dood en begraven, hoofdinspecteur. Dat is een oude geschiedenis, zelfs als je aanneemt dat het waar is. En het maakt haar nog niet tot een moordenares.'

'Nee, maar ze is wel samen met Graham gezien op de ochtend dat hij stierf. Wij hebben een ooggetuige.'

Fenwick staarde naar de brede rug van Alexander en wachtte op de een of andere reactie, maar die kwam niet.

'U neemt het nieuws over uw vrouw opmerkelijk bedaard op, meneer Wainwright-Smith.'

'Heb ik dan een keus?'

Deze reactie van Wainwright-Smith klopte niet, vond Fenwick. Hij was te beheerst. Hij vroeg zich af hoeveel die man werkelijk had geweten over Sally's verleden. Sally had hem voorgelogen, ze had gezegd dat ze haar man niets had verteld, maar misschien loog Alexander ook wel over de mate waarin hij op de hoogte was geweest. Stel dat hij alles van haar verleden had geweten, zelfs van haar affaire met zijn oom? Stel dat hij die stilzwijgend had aangemoedigd? Alexander was een belangrijke begunstigde geweest in zijn ooms testament en blijkbaar ook zijn erfgenaam binnen het bedrijf. Misschien was hij wel bereid geweest om zo'n hoge prijs te betalen om zijn erfenis zeker te stellen.

Zonder een spier van zijn gezicht te vertrekken bekeek Fenwick de man voor zich met nieuwe achterdocht.

'Wij moeten uw vrouw de komende dagen intensief verhoren, en hoewel ik begrijp dat u voor haar de beste juridische bijstand wilt regelen, verzoek ik u wel ons de ruimte te geven om ons werk te doen.'

'Dat is een overbodige opmerking, hoofdinspecteur. Natuurlijk moet u uw plicht doen, zoals ik die moet doen tegenover mijn vrouw. Maar als u op wat voor manier dan ook hardhandig te werk gaat, kunt u er zeker van zijn dat ik me ermee bemoei.'

Fenwick knikte dat hij het begrepen had en stond op om te vertrekken. Nog voor hij bij de deur was riep Wainwright-Smith: 'Trouwens, wij laten een dwangbevel opstellen om de documenten die u uit het huis van Arthur Fish hebt meegenomen terug te geven, en ik verwacht dat wij daarin zullen slagen.'

Fenwick draaide zich om met een glimlach, in het volste vertrouwen dat Miles Cator intussen voldoende bewijzen in handen zou hebben om die teruggave te voorkomen. Hij wist wel wie dat ging winnen.

37

Het was donker in de Hall toen Alexander eindelijk thuiskwam. Hij had geen haast gemaakt, hoewel het hem, na het gesprek met Fenwick, onmogelijk was geworden om te werken. In plaats daarvan had hij de hele tijd zitten nadenken hoe hij moest omgaan met de zeer reële politiedreiging en in het bijzonder wat hij met Sally aan moest. Als zij niet goed had gereageerd op deze dag, kon ze in wat voor stemming dan ook zijn, van bijna katatonisch tot gewelddadig. Maar in wat voor toestand ze zich ook bevond, hij moest met haar praten en haar uitleggen waarom hij weg moest.

Hij vond haar in de keuken, waar ze voor het fornuis zat te dommelen, met een half leeggedronken fles gin op de keukentafel naast twee lege chipszakjes. Dat was kennelijk haar avondmaal geweest.

'Sally!' riep hij toen hij een paar meter bij haar vandaan was.

'Hè? Wat?'

'Ik ben het, Sal. Ik ben er weer.' Hij zette zijn vriendelijke vaderlijke toon op, wat in de meeste omstandigheden werkte.

'Wat ben je laat. Er is geen eten. Ik heb het in de vriezer gezet.'

Hij voelde zich erg opgelucht: ze was nog niet dronken. Sinds ze meer was gaan drinken kon ze ook steeds meer drank aan, en zolang ze er maar geen kalmerende middelen bij had ingenomen, zou hij een behoorlijk gesprek met haar kunnen voeren.

'Dat geeft niet, ik heb op kantoor al gegeten. We moeten praten, over de politie.'

'Ik heb het ze niet verteld, Alex. Ik zweer het je, echt niet.'

'Wat heb je ze niet verteld?'

'Over Graham. Ze stelden zoveel vragen en ik raakte in de war; soms hadden ze het over Graham en dan gooiden ze er een vraag tussendoor over het testament. Ze hadden het over van alles, maar ik heb geen woord gezegd.'

'Goed gedaan, kindje. Je hoeft je geen zorgen te maken, want ik bezorg je de beste strafpleiter van het land. Hij komt morgenochtend met je praten. Zijn naam is Michael Ebutt en hij gaat het voor je opnemen. Hij heeft al met de politie gebeld om een afspraak te maken voor het verhoor van morgen rond lunchtijd en hij zal erbij zijn.'

'Ik wil dat jij voor me zorgt. Ik wil dat we weggaan. Ik ben eigenlijk al een beetje aan het inpakken geweest.' Er zaten tranen in haar stem en hij liep naar haar toe om zijn armen om haar heen te slaan. Dit was beter dan die heftigheid; met deze stemming kon hij omgaan. En zolang ze aanhield moest hij eruit halen wat erin zat.

'Dat kan niet, dat weet je wel. Je moet onthouden dat het heel belangrijk is dat we ons normaal blijven gedragen; dit hebben we al een keer meegemaakt. Jij doet wat je doen moet en ik doe wat ik doen moet. Straks, als Grahams erfenis geregeld is, zijn we heel rijk en kunnen we weggaan en samen op ons eiland gaan leven; precies zoals we dat altijd wilden.'

'Ik wil niet meer naar een eiland.'

'Je zei altijd dat je je op een eiland veilig zou voelen.'

'Niet meer. Je kunt vast komen te zitten op een eiland. Ik wil een groot motorjacht. Ik kan zeilen en we kunnen de Boston Whaler inruilen voor een echte boot. Op zee kan niemand je vinden. We kunnen ons voor altijd schuilhouden en alle eilanden bezoeken die we leuk vinden.'

Alexander onderdrukte een zucht en zei opgewekt: 'Dan wordt het een grote boot, Sally. Laten we het nu gaan hebben over wat je moet doen, want de politie komt terug, weet je wel.'

'Oké.' Ze klonk te gedwee en hij draaide haar gezicht naar zich toe zodat hij haar in de ogen kon zien en zeker wist dat ze oplette. Zijn maag kwam in opstand toen hij zag hoe vreselijk vermoeid en verward ze was. Ze was uitgeput, alles liep door elkaar, en dat betekende dat ze op het randje zat van haar zelfbeheersing, die zo kostbaar was. Op dat moment deed ze hem zó aan zijn moeder denken dat hij haar wel kon slaan. Ze moest een sterke wil hebben, capabel en vastberaden zijn. Ze mocht niet instorten, niet nu ze er zo dichtbij waren. Hij tastte in zijn diepste reserves, die hij had opgespaard gedurende een heel leven van subtiele manipulatie en huichelarij.

'Wij moeten over de komende dagen praten. Nou, wat ga je niet doen?'

'Praten.'

'Goed zo, dat is het juiste antwoord. Je was altijd goed in het bewaren van geheimen, dus dat blijf je doen.' Hij boog zich voorover en kuste haar op haar gladde voorhoofd, maar hij trok zijn neus op vanwege de sigarettenlucht die in haar haren hing. 'En als de politie je vertelt wat ze hebben ontdekt, ontken je het of je zegt niets, goed?'

'Ja,' zei ze als een klein kind. 'Maar ik geloof dat ze toch al heel veel weten.'

'Zoals?'

'Over Graham, over papa en over wat hij deed, zelfs over Donald, ik heb je toch over hem verteld, hoe hij me aanviel. Hoe weten ze dat allemaal?'

'Daar zijn het rechercheurs voor. Het is hun taak om achter dingen te komen. Maar het zijn ook mensen, net als wij, dus je moet niet denken dat ze onoverwinnelijk zijn.'

'Maar ze hebben me niets gevraagd over oom Alan.'

'Dat is goed, maar je moet niet vreemd opkijken als ze er wel over beginnen.' Hij dacht aan het gesprek met Fenwick en besloot dat hij het haar beter kon vertellen. 'Ze weten van je relatie met hem; dat hebben ze me verteld.'

Er kwamen twee felrode vlekken op haar wangen. Gevaar.

'Ik haat die klootzakken; allemaal, stuk voor stuk.' Ze sloeg haar nagels in zijn pols, zodat hij haar vingers los moest maken voordat het ging bloeden. 'Hebben ze nog iets gezegd over dat andere?'

Hij had haar al eens eerder uit zo'n toestand weten weg te lokken en moedeloos besefte hij dat hij dat opnieuw moest doen.

'Er is niets anders.'

'Jawel, dat zei ik je toch. Die avond dat hij stierf, heb ik...'

'Sally,' zei hij met een waarschuwende klank in zijn stem, 'stop hiermee. Denk aan de uitspraak in het gerechtelijk vooronderzoek. Alan heeft zelfmoord gepleegd. Hij is dood en er is niets meer van hem over dan as. Je zegt helemaal niets, dan gaat het vanzelf over. Zijn leven en zijn dood zijn allemaal geschiedenis; ga daar niet aan zitten tornen.'

'Maar ik droom 's nachts soms van hem, dat hij in de auto zit. Dan kijkt hij me aan en leeft hij nog.'

'Genoeg nu!' Hij gaf haar een felle tik op haar hand en ze hield onmiddellijk haar mond. 'Vergeet die dromen, vergeet die oude man. Hij is voorgoed verdwenen.' Hij zei het op zo'n boze toon, dat ze meteen stilviel.

'Ja, Alex.'

'Ik moet een paar dagen weg – nee, niet zo kijken – om me op het bedrijf te kunnen concentreren, terwijl jij je uiterste best doet om je mond te houden. We zijn er al eerder doorheen gekomen, Sally, dat kunnen we nog een keer. Het is niet meer zo ver weg. Raak alleen niet in paniek.'

Ze knikte en probeerde een vastberaden mond te trekken. Er kwam iets van de oude Sally boven en hij slaakte een zucht van ver-

lichting. Ze was een kameleon. Ze had zo'n verwrongen persoonlijkheid, haar gedragingen waren zo extreem dat hij nooit wist welke
Sally hij voorgeschoteld kreeg als hij thuiskwam. Maar zolang ze
zichzelf onder controle kon houden tijdens de politieverhoren, was
er niets aan de hand. Ebutt scheen een geweldige advocaat te zijn en
het enige wat Sally moest doen was haar mond houden.

'Natuurlijk kunnen we dat. Maar als jij er niet bent is het allemaal
zo moeilijk, Alex, en dan denk ik dingen... nou ja, je weet wel waar
ik over nadenk. Je bent zo goed voor me. Jij begrijpt me en je vergeeft
me als ik gemeen ben.'

'Je weet dat ik je altijd vergeef. Kom, laten we naar bed gaan, samen, in mijn kamer, zoals vroeger.'

Nog voor dag en dauw maakte Alex het ontbijt voor zichzelf klaar
en borg hij de ginfles weg, voor het geval de politie vroeg zou arriveren. Sinds Irene en Shirley weg waren, was de Hall steeds verder
verwaarloosd en verslonsd, maar Sally – die ooit zo trots was op het
huis – scheen het niet te merken. Toen hij aan Irene dacht liep hij
naar het telefoonboek en schreef haar nummer zorgvuldig op een
stukje papier voordat hij wegging.

Alex zou niet ver weg gaan en hij zou zich zeker niet schuilhouden,
maar het was beter om nu wat afstand te scheppen tussen Sally en
hemzelf. Dat was het beste voor hen allebei. Nadat hij weg was gegaan reed Sally zelf naar het stadspark van Harlden, waar ze het
grootste deel van de ochtend naar de kinderen op de schommels zat
te kijken, en ze probeerde niet aan het politieverhoor te denken.
Toen de ochtend bijna voorbij was had ze vijfentwintig sigaretten
opgerookt en snakte ze naar een borrel. Als ze snel was had ze nog
wel even tijd om naar het centrum te lopen en ergens een glas of
twee te drinken voordat het één uur was. Terwijl ze langzaam in westelijke richting tegen de heuvel op begon te lopen, kwamen de gedachten die ze de hele ochtend van zich af had weten te houden in
volle hevigheid opzetten.

Ze had het gevoel alsof ze op een slap koord balanceerde, met ver onder zich een moeras vol zuigende, vleesetende beesten. Haar steuntje in de rug was de herinnering aan haar vader, een rigide, kaarsrechte figuur die haar kindertijd had gedomineerd en wiens stem ze in haar dromen nog altijd hoorde. Vóór haar stond Alex: flink, onbuigzaam, veilig. Hij had haar bij zich genomen, van haar gehouden, haar gesteund en haar vergeven op momenten waarop anderen haar zo gemakkelijk zouden hebben veroordeeld. Haar levenstraject vanuit het verleden naar de toekomst strekte zich tussen hen uit, zilverig dun en teer, strak aangetrokken door de spanning in haar bestaan.

Alex had haar gezegd sterk te zijn en te zwijgen, en dat zou ze ook, niet in de laatste plaats omdat het gemakkelijker was om te zwijgen. Als ze eenmaal begon te praten, wie weet waar ze dan op uitkwam? Zij had een heel leven vol onuitgesproken woorden in zich opgeslagen, waarin herinnering en fantasie zo sterk door elkaar liepen, dat ze er soms moeite mee had te onderscheiden wat er nu werkelijk was gebeurd. Woorden waren slechts een onderdeel van de bagage die ze meedroeg op die hachelijke reis tussen de enige twee echte mannen in haar leven.

Om in evenwicht te blijven moest ze zichzelf onder controle houden, dat verwachtte Alex van haar, maar toch bleef dat haar moeilijkste opgave. In het moeras onder haar hapten de monsters naar haar. Het waren de wezens uit haar nachtmerries: kleverige tongen in hijgende gezichten, allemaal met dezelfde beestachtige begeerte in hun ogen, dezelfde wellust die ze op de gezichten had gezien van de mannen om haar heen, elke dag weer. Roofdieren waren het, allemaal. Plotseling doemde het beeld van FitzGerald voor haar op. Een harde, gevaarlijke man, een roofdier van nature, een jager, die ze bezag met een mengeling van angst en voorzichtig respect. Zij had een sterk ontwikkeld zesde zintuig dat macht en gevaar bij anderen signaleerde, en bij hem voelde ze dat heel sterk. Hij was een onbekend en onvoorspelbaar element in haar wereld, eentje dat ze het liefst vermeed.

Alsof ze hem met die gedachte op de een of andere manier had opgeroepen, hoorde ze zware, haastige voetstappen achter zich en toen ze zich omdraaide stond FitzGerald voor haar.

'Ik dacht al dat ik je langs zag komen. Een gelukstreffer, dat bespaart me een ritje.'

'Dag, James. Ik heb het nogal druk, wat wil je?'

'Zo ga je toch niet om met een oude vriend!' zei hij alsof haar toon hem stoorde, en Sally verkrampte vanbinnen.

'Wat is er, Sally? Je trekt helemaal wit weg.'

'Met mij is alles goed. Ik heb alleen haast.' Ze zweeg abrupt en keek hem aan, vastbesloten niet te tonen dat ze bang was. 'Wat wil je?'

FitzGerald keek naar de winkelende mensen die om hen heen krioelden in de voetgangerszone. 'Het is een beetje druk, hè? Laten we Castle Hill oplopen, dat is maar een paar minuutjes.'

Castle Hill was een gebied met gazons en voetpaden dat steil oprees achter High Street. Een gietijzeren vrijersboog overdekte het pad naar de top, waar het liefdevol gerestaureerde kasteel stond dat vroeger het dal rondom Harlden had gedomineerd. Dik, kort gemaaid gras bedekte de hele heuvel, behalve dan de paden, en de tam geworden konijnen zaten in groepjes bij elkaar op de open plekken tussen de kantoormensen die hun vroege lunch zaten te eten.

Het was zo'n typisch Engelse voorjaarsdag: zon, met de dreiging van een plotselinge bui en zoveel wind dat je jas aan moest houden. Maar het was druk op de heuvel, drukker dan FitzGerald lief was blijkbaar, want hij mopperde binnensmonds, terwijl zij zwijgend met hem meeliep. Ze waren al boven voordat ze een plek hadden gevonden waar ze een gesprek onder vier ogen konden voeren. Ze liepen de schaduw van de twaalfde-eeuwse vestingmuren binnen, die zonder dak naar de hemel oprezen. FitzGerald leunde zelfverzekerd achterover tegen de stenen en langzaam begon hij te glimlachen. Zij keek terug en zei niets, maar er kwam een kille angst voor het onvermijdelijke in haar boven. Dit kende ze nog uit haar jeugd, van haar vader, als hij laat in de avond terugkwam uit de pub.

'Je hebt nooit gevraagd hoe ik aan die foto's kwam die ik van jou en Alan had,' zei FitzGerald met een gemaakte onschuld die Sally onmiddellijk alert maakte. Ze zei nog steeds niets.

'Ik heb je van tijd tot tijd laten schaduwen, Sally, vanaf het moment dat je ten tonele verscheen als de verrassende verloofde van Alex. Ik vertrouwde de uitspraak van het gerechtelijk vooronderzoek over de dood van Alan niet. Het was niet door mij gepland, dus keek ik naar de meest voor de hand liggende daders: jij, Alexander en Graham.'

Sally's maag kwam zo in opstand dat ze gal in haar keel proefde. Drie knappe kantoormeisjes liepen druk pratend de holle vesting binnen. Ze hadden het koud in de schaduw van de stenen muren; windvlagen joegen door de gapend lege ramen en de open boogpoort, waar ooit de grote, onneembare deuren hadden gezeten. De meisjes keken om zich heen, rilden eendrachtig en liepen weer weg. FitzGerald wachtte tot hij zeker wist dat ze buiten gehoorsafstand waren. Sally stond een meter of vijf bij hem vandaan op een plekje waar de zon scheen, waardoor haar haren oplichtten als een baken in die sombere vesting.

'Ik dacht dat het niet de moeite waard was om je aldoor te laten volgen, en dat was een beoordelingsfout van mij. Eén man hield jou, Alex en Graham in de gaten, omdat ik niet wilde dat mijn belangstelling alom bekend werd. Als gevolg daarvan weet ik niet waar je was toen Arthur Fish en Amanda Bennett doodgingen, maar ik ben er absoluut zeker van dat Alexander daar niet bij betrokken was. En jij werd ook niet gevolgd op de dag dat Graham stierf.'

Hij zweeg en keek aandachtig of er verandering kwam in de uitdrukking op haar gezicht. Die kwam er niet, dus liet hij zijn nonchalante houding varen en liep naar haar toe. Ze staarde strak over zijn ene schouder, op haar hoge hakken was ze lang genoeg om hem recht in zijn gezicht te kunnen kijken. Hij legde een vinger onder haar kin en draaide haar gezicht zo dat ze zijn blik niet langer kon mijden.

'Zoals ik zei heb ik jóú niet laten volgen op de dag dat Graham stierf,' glimlachte hij, terwijl ze hem met grote ogen aankeek, 'maar ik liet hém volgen.' Zijn glimlach ging over in een honende grijns, waardoor zijn scherpe hoektanden zichtbaar werden. Hij liet zijn hand zakken. Zijn blik was nu onmiskenbaar dreigend. 'Wil je de foto's zien die hij gemaakt heeft? Ik heb een stel reservefoto's bij me. De man die ik het heb laten doen is erg goed, nou ja, dat weet je wel, want je hebt zijn werk al eerder gezien. Ik moet je één ding nageven, Sally, je hebt het ingenieus gedaan. Ik weet niet hoe je hem zover hebt gekregen om met je te gaan picknicken, en ook nog op zo'n afgelegen plek. Ik sta er versteld van.'

Ze bleef zwijgen, indachtig Alex' woorden. Zij zou onder geen enkele omstandigheid aan die kwaadaardige man voor haar onthullen dat het opmerkelijk eenvoudig was geweest om een afspraak met Graham te maken. Ze had gewoon geweigerd naar zijn hotel te komen en hij was zo vastbesloten om haar ter verantwoording te roepen, dat hij had ingestemd met haar voorstel voor een ontmoetingsplaats. Zij had al vroeg in de ochtend de bus naar het dichtstbijzijnde dorp gepakt en hem opgewacht. Het was stom geweest dat ze met die groente- en fruitbestelling bezig was geweest, en nóg stommer om aan hem te vragen de bestelling op te halen, terwijl zij met haar sjaal voor haar gezicht in zijn auto zat te wachten. Maar dat kleine gebaar van huiselijkheid had Graham gerustgesteld, en toen hij terugkwam bij de auto was hij merkbaar minder gespannen geweest en zij had hem geminacht om zijn zwakheid.

'Kijk, die zul je wel leuk vinden.' FitzGerald gaf haar een zwartwit hoogglansafdruk van de beukenboom, met twee mensen eronder. Hij was op flinke afstand genomen met een krachtige telelens, en de gezichten waren kleiner dan haar nagel. Maar ze twijfelde er niet aan dat het met de moderne apparatuur mogelijk was om duidelijk aan te tonen wie erop stonden.

'Waarom ben je er niet mee naar de politie gegaan? Die zouden er veel belangstelling voor hebben gehad.'

'O ja, meer dan dat. Vooral voor deze.' Hij liet haar een andere foto zien. 'Dit is echt geniaal, Sally, maar het zal hard werken zijn geweest. Ik vond dat ze míj beter van pas kwamen dan de politie, want nu moeten jij en die hardwerkende, maar koppige man van je, je gaan gedragen. Wainwright is van groot belang voor mij en mijn zakenpartners en het bedrijf moet soepel geleid worden, precies als onder die goeie ouwe Alan. Als ik hiermee naar de politie ga zullen ze zich rechtstreeks met onze zaken gaan bemoeien, en met dit in mijn achterzak zal je onafhankelijk denkende echtgenoot zich in ieder geval koest moeten houden.

Het kan me eerlijk gezegd geen reet schelen of je hem vertelt wat ik heb, of dat je gewoon je invloed aanwendt; ik wil gewoon dat hij braaf is. Begrijp je dat?'

Hij kneep haar hard in haar pols en ze voelde hoe haar zelfbeheersing wegebde. Ze deed alsof ze weg wilde lopen.

'Niet doen. Dat zou dom zijn, Sally, dat weet je.'

'Ik wil niets meer zien.' Ze fluisterde bijna.

'Goed, dat hoeft ook niet, maar je moet wel weten dat ik ze heb. En over de fotograaf hoef je je geen zorgen te maken; hij werkt al jaren voor me en hij heeft ergere dingen gezien, hoewel niet zo heel veel erger, bij nader inzien.'

'Wat wil je van me?'

'Dat heb ik je al verteld: de totale, verzekerde controle over Wainwright Enterprises en uiteraard een kleine storting in mijn pensioenfonds.'

'Hoeveel?'

'Drie miljoen pond.'

'Wat?' Ze stond versteld van het bedrag.

'Het is maar een fractie van wat jij en Alexander hebben geërfd en het is heel wat beter dan alles kwijtraken.'

'Heb je nog niet genoeg?'

'Nou ja; nee eigenlijk. Je kunt nooit genoeg hebben, dat realiseer jij je ook wel. Ik wil meer.'

'Maar drie miljoen! Hoe krijg ik dat allemaal bij elkaar?'

'Je bedenkt wel wat. Ik hoef het niet allemaal in één keer. Een paar honderdduizend vooruit, als teken dat we elkaar hebben begrepen en dan de rest verspreid over het volgend jaar of zo. Ik weet dat je dat kunt; hoe je het doet moet je zelf weten.'

Een schoolklas en een onderwijzeres bestormden de vesting en bombardeerden de oude stenen met schel gelach en navenante vermaningen om rustiger te zijn. De leerkracht zag Sally en FitzGerald staan en interpreteerde hun samenzijn met een blos van verlegenheid als een rendez-vous van geliefden.

FitzGerald hield Sally's onderarm vast in een niet mis te verstane greep en trok haar buiten gehoorsafstand, waarbij hij welwillend naar de onderwijzeres glimlachte, die prompt opnieuw bloosde en de kinderen de vesting uit joeg.

'Hoe lang heb ik bedenktijd?'

'Geen bedenktijd. Er valt niet over te onderhandelen, Sally. Je hoeft alleen maar te bedenken hoe je me gaat betalen. Ik zei het al, de eerste aanbetaling moet gemakkelijk op te hoesten zijn, en die verwacht ik dan ook binnen een week te zien. Liquideer iets van het trustfonds; dat moet heel simpel zijn.'

'Grahams erfenis is nog niet geregeld.'

'Maar die van Alan wel en ik weet precies hoeveel hij jullie heeft nagelaten. Wat Graham betreft, zodra jullie de volmacht tot beheer van zijn nalatenschap hebben kun je zijn bezittingen liquideren en me de rest betalen.'

Plotseling leek Sally te capituleren. Ze liet haar hoofd en haar schouders hangen. 'Ik heb misschien hulp nodig om het geld vrij te maken.'

Dat betwijfelde hij. Sally kennende moest ergens in de Hall een fortuin aan contant geld verstopt liggen.

'Jeremy Kemp kan je helpen. Ik zal hem laten weten dat hij door jou gebeld kan worden, maar het is heel belangrijk dat hij niet weet dat het geld naar mij gaat. Dat is ons geheimpje.' Hij kneep haar nog eens in haar pols, om haar te herinneren aan het alternatief.

'Ik ga wel met Jeremy praten. Zodra ik eruit ben, bel ik je op en kunnen we afspreken hoe je het geld krijgt.'

'Schitterend!' Het klonk bijna vaderlijk tevreden. 'Ik wist toch dat je een verstandige meid was. Kom, laten we ergens iets gaan drinken.'

'Nee, dank je wel,' zei ze gedeprimeerd en verslagen. 'Ik moet nadenken. Ga jij maar vast. We kunnen trouwens toch beter niet samen gezien worden.'

'Goed dan.' Hij plantte een natte zoen op haar wang en negeerde haar rilling. 'Goed gedaan!' zei hij, alsof ze zojuist een moeilijke test had afgelegd. Toen zwaaide hij en begon het pad af te dalen.

Sally keek hem na en haar ogen waren net zo koud en hol als de ramen van de vesting. Ze vertrok haar mond en beet tot bloedens toe op haar lip. Toen FitzGerald onder aan de heuvel was aangekomen draaide hij zich om en blies een kus naar haar toe vanuit de schaduw van de poort. Een paar tellen later was hij in High Street verdwenen. Zodra ze zeker wist dat hij echt weg was gooide Sally haar hoofd achterover en gaf een vreselijke jammerkreet, die weerkaatste tegen de muren en met elke echo hoger en luider werd. Het leek wel alsof hij eeuwen aanhield.

Onder aan de vesting, op het gras, keken de schoolkinderen met grote, angstige ogen op van hun tekeningen. Toen begonnen ze heel aandachtig de geest erbij te tekenen die ze dachten elk ogenblik vanaf de muren te kunnen zien opstijgen.

38

Terwijl Sally in Harlden Park rondhing, begon haar advocaat Michael Ebutt met het werk waarvoor hij al een voorschot op zijn exorbitante honorarium had ontvangen. Om halftien stipt, het tijdstip waarop zijn werkdag gewoonlijk aanving, sloeg hij het dossier van zijn nieuwe, belangrijke cliënte open. Als iemand zijn gezicht had kunnen observeren om te zien hoe ernstig ze er voorstond in de zaak tegen haar, zou deze een diepe fronslijn tussen zijn perfect bijgewerkte wenkbrauwen zien verschijnen en daarna zijn mondhoeken naar beneden zien trekken tot in de rand van zijn kort getrimde baard. Tegen tienen zou men uit zijn gelaatsuitdrukking opmaken dat het er somber uitzag. Maar om exact veertien over tien klaarde zijn gezicht op en brak plotseling een triomfantelijke glimlach door, die vervolgens overging in een akelige trek van voldoening.

Fenwick zat in zijn kantoor de verslagen van het verhoor met Sally van de dag daarvoor te herlezen en informeerde naar de voorbereidingen voor de confrontatie die rond lunchtijd zou worden gehouden, toen zijn secretaresse hem onderbrak om te zeggen dat de advocaat van mevrouw Wainwright-Smith aan de telefoon was. Hij besloot op te nemen en was even verbaasd toen hij de naam Ebutt hoorde vallen. Deze genoot nationaal bekendheid en werd door de politiekorpsen in het hele land beschouwd als een geducht strafpleiter. Dit was de eerste keer dat Fenwick met hem sprak.

'Hoofdinspecteur, ik ben door de heer Wainwright-Smith in de arm genomen om zijn vrouw te vertegenwoordigen. Toen ik uw rapport over de zogenaamde bewijzen tegen haar doorlas, begreep ik al na een halfuurtje waarom u het niet aandurft haar te arresteren. U hééft helemaal geen zaak!'

Fenwick verbaasde zich erover dat de man hem dit over de telefoon vertelde, als hij zijn opinie ook later op de dag onder vier ogen had kunnen geven. Het leek een vreemde tactiek voor zo'n ervaren advocaat, maar de reden was hem al na een paar tellen duidelijk.

'Ik stel voor dat u de voor vandaag geplande confrontatie afgelast, anders zal ik mijn cliënten adviseren onterechte politievervolging aan te voeren.'

Als Ebutt had beoogd Fenwick te irriteren slaagde hij daar niet in, maar hij had de politieman wel nieuwsgierig gemaakt naar de zwakke schakel in de bewijsvoering waardoor hij zo zelfverzekerd was. Fenwick vroeg hem dan ook om een verklaring.

'Ik heb begrepen dat u beweert dat de manier waarop meneer Graham Wainwright is vermoord wurging was, waarna hij is opgehesen om het op zelfmoord door ophanging te laten lijken.' Fenwick zei niets en na een stilte was Ebutt gedwongen te vervolgen: 'Misschien

kunt u mij vertellen, hoofdinspecteur, hoe een jonge vrouw van vijftig kilo erin kon slagen een zeventig kilo wegende man op te tillen,
in evenwicht te houden terwijl ze een strop om zijn hals legde en
daarna om de boom heen te lopen en het touw vast te maken aan
een tak aan de andere kant van die boom?'

Fenwick voelde het bloed uit zijn gezicht wegtrekken. Hij had Blite
nu juist specifiek gevraagd om te testen of ophanging als moordmethode overeind te houden was, en hem was categorisch meegedeeld
dat dat zo was. En Blite had geweten dat Sally hun hoofdverdachte
was. Hij had op Blites oordeel als onderzoeksleider vertrouwd en
dat vertrouwen was beschaamd. Ebutt was weer aan het praten en
hij dwong zichzelf geconcentreerd te luisteren.

'Zolang u geen antwoord kunt geven op die vraag, verzoek ik u
dringend alle verhoren met mijn cliënte op te schorten. En voordat
u uw fout nog erger maakt door te zeggen dat ze met iemand heeft
samengewerkt, haar man bijvoorbeeld, moet ik u zeggen dat ik vanmorgen een verklaring heb gekregen van een van de huishoudelijke
hulpen van de Hall, die bevestigt dat hij de hele morgen in zijn kamer
lag te slapen. Zij is zo vriendelijk geweest ons exact te vertellen op
welke tijden zij in zijn slaapkamer moest zijn, en ik kan u verzekeren
dat hij een ijzersterk alibi heeft.'

Fenwick herinnerde zich Irenes manier van kijken; hij had haar
direct ingeschat als een potentiële wetsovertreedster. Hij vroeg zich
af hoeveel ze had gekregen om haar verhaal te veranderen. Er was
maar één manier om zo'n man als Ebutt in de hand te houden als
hij de controle over zijn onderzoek wilde behouden: gedecideerd en
met volledig zelfvertrouwen. Hij negeerde de vragen en de twijfels
die intussen door zijn hoofd gingen en zette een beleefde, maar
dwingende stem op die geen tegenspraak duldde.

'Integendeel, wij verwachten haar gewoon om één uur op het bureau voor verhoor en de deelname aan de confrontatie. Ik stel voor
dat wij tegen die tijd verder praten, meneer Ebutt.'

Toen hij had opgehangen riep hij Blite en Cooper bij zich en legde
het probleem uit. Beide mannen waren asgrauw geworden en hij zag

Blite al nadenken hoe hij de eventuele schuld van zijn eigen schouders op die van Fenwick kon afwentelen. Hij voorkwam alle eventuele beschuldigingen over en weer door meteen over te gaan tot het oplossen van het probleem.

'Wij moeten twee dingen in overweging nemen: óf ze werkte met iemand samen, die haar hielp het lichaam van Graham, nadat hij bewusteloos of dood was, op te hijsen, óf ze werkte alleen en was op de een of andere manier in staat het lichaam zelf op te hijsen. Cooper, ik wil een reconstructie. Ga met George Wicklow praten en kijk of je een boom van dezelfde afmetingen als die beuk op het landgoed van Wainwright kunt vinden. Dat moet niet zo moeilijk zijn met alle bossen hier in de regio. En inspecteur, ga gewoon door met je voorbereidingen voor het verhoor. Bespreek de line-up met de collega die de identificatieprocedure leidt. Wat Ebutt ook zegt, waar het Sally betreft gaan we gewoon door alsof er niets is gebeurd. Dit is een probleem van technische aard, snap je?'

Blite keek beteuterd.

'Moeten we het niet tegen de commissaris en de korpsleider zeggen?'

'Zij krijgen zoals altijd vanavond mijn rapport, en voor die tijd hoeft niemand van ons hen hiermee lastig te vallen. Begrepen?'

De twee mannen gingen weg en Fenwick dwong zichzelf verder te gaan met de papieren die hij had zitten lezen voordat hij was opgebeld. Voordat de reconstructie begon kon hij toch niets doen en hij nam zich voor in de tussentijd elke weg te bewandelen om de connectie tussen Sally en Arthur Fish te vinden.

'Weet je zeker dat dit net zo'n boom is als die oude beuk, Cooper?'

'Deze komt er het dichtst bij in de buurt, hoofdinspecteur. Deze tak hier blijft binnen de acht centimeter marge van de hoogte vanaf de grond en daar zitten wortels waar we het touw aan vast kunnen maken.'

Cooper was een uur bezig geweest met het zoeken naar een geschikte boom en vervolgens met het bepraten van een opvliegende boer of ze op zijn land mochten komen. De man hield er blijkbaar niet van om de politie op zijn terrein te hebben en zijn humeur was toch al niet al te best, omdat ze hem hadden gestoord midden in een lastige manoeuvre: hij was bezig het motorblok uit een oude tractor te tillen. Maar hij kwam ten slotte tot het wijze inzicht dat hij iemand als brigadier Cooper beter aan zijn kant kon hebben en hij had toestemming gegeven.

Nu hadden ze nog een uur en tien minuten voordat Sally op het bureau zou komen voor het volgende verhoor en de spanning maakte het hele team prikkelbaar. Nightingale had voor de spullen gezorgd die ze voor de reconstructie nodig hadden: een langwerpige zandzak met hetzelfde gewicht als van Graham Wainwrights lijk, een touw en een krukje. Fenwick had besloten mee te doen, evenals Blite en Cooper. Nightingale was de enige zonder rang. Zij was slechts een fractie langer dan Sally, maar ze had ongeveer hetzelfde gewicht en de lichamelijke inspanning zou dus op haar neerkomen.

'We moeten alles timen. Inspecteur, schrijf het op.'

'Wat wilt u dat ik doe, hoofdinspecteur?'

'Kijken, brigadier. Maak aantekeningen en geef aan het eind je conclusies.'

De eerste hindernis voor Nightingale was het knopen van een lus, wat erg veel tijd in beslag nam. Na vijftien minuten nam Cooper het over en ze waren het er allemaal over eens dat Sally het touw al voorgeknoopt meegenomen kon hebben naar de plaats van het misdrijf, dus begonnen ze weer helemaal opnieuw af te tellen. Het was 12.13 uur.

Om 12.18 uur had Nightingale de lus aan de zandzak vastgemaakt, waarbij ze een rollend 'hoofd' had gecreëerd en was ze erin geslaagd het gewicht drie meter te verslepen tot het onder de tak lag. Ze zweette en hijgde van inspanning en Fenwick en Blite keken allebei bezorgd toe. Zij zagen hoe ze de kruk in positie zette en diep ademhaalde voordat ze het losse eind van het touw over de tak gooide. Dat lukte meteen de eerste keer en om 12.24 uur had ze het uiteinde aan een verre wortel vastgemaakt. Het volgende gedeelte van de reconstructie was het lastigste: ze moest het lichaam rechtop en over de tak hijsen. Tien lange, uitputtende minuten ploeterde ze in haar eentje, maar het gewicht kwam niet van zijn plaats. Ze belden naar het bureau om zowel het verhoor als de confrontatie met een uur uit te stellen. Fenwick wilde hen allemaal overtuigd hebben van Sally's schuld, Blite nog het meest, voordat ze het gingen opnemen tegen Ebutt.

'Brigadier, speel de handlanger en til die zak op, zodat het touw slap komt te hangen.'

Cooper probeerde te doen wat hem gevraagd werd, maar na nog eens een kwartier waren hij en Nightingale er alleen maar in geslaagd het lichaam overeind te hijsen, zodat het gewicht tegen Cooper aan rustte. Het was tien voor een en Fenwick laste een pauze in. Nightingale en Cooper leunden doodmoe achterover tegen de boom. Blite stak een sigaret op en herhaalde continu binnensmonds: 'Shit, shit, shit.'

Fenwick liep bij hen vandaan en probeerde Blites geklaag op de achtergrond te negeren. Er waren zoveel bewijzen die Sally aanwezen als de moordenares, maar nu leek het erop dat het fysiek onmogelijk voor haar moest zijn geweest om het lichaam omhoog te hijsen, zelfs als ze hulp had gehad.

Hij liet de details van de zaak nog eens de revue passeren en liep diep in gedachten een eindje bij zijn team vandaan. Hij droeg weliswaar stevige schoenen, maar het veld en het spoor waren zo modderig dat zijn broek meteen onder de spetters zat.

'Hé! Kijk uit!' Een kwade stem onderbrak zijn concentratie en hij keek op. Hij zag dat hij midden op een van de binnenplaatsen van de boerderij stond. Links van hem was een monteur bezig een controlebeurt uit te voeren aan een maaidorser, terwijl de boer en een van zijn knechten een gerepareerde motor in een oude tractor zetten. Hij was bijna recht onder de takel door gelopen. Toen hij het zware, glanzend metalen ding, dat maar dertig centimeter bij zijn hoofd vandaan heen en weer zwaaide, in de gaten had, deinsde hij snel achteruit.

'Neem me niet kwalijk.'

'Stomme zak.'

Fenwick trok zich niets aan van die terechte opmerking en keerde weer om naar het spoor dat naar het veld en hun mislukte reconstructie leidde. Hij was al bezig het hek open te doen, toen de volle betekenis van wat hij zojuist had gezien tot hem doordrong. Opgewonden en vol frisse energie rende hij, ondanks de glibberige ondergrond, terug naar de binnenplaats.

'Nou, wat een gigantische miskleun!' Uit Blites toon viel op te maken dat het de schuld van iedereen was behalve van hem en Cooper moest zijn tong afbijten om niet te zeggen dat de inspecteur toch echt zélf de onderzoeksleider in de zaak was. 'Hij had zich van begin af aan moeten realiseren dat het voor haar fysiek onmogelijk was om dat dode gewicht op te tillen. Goddank, dat we haar niet hebben gearresteerd. Dat is alles wat ik erover kan zeggen.'

Cooper en Nightingale keken elkaar diep ellendig aan. Zij hadden allebei nog steeds het volste vertrouwen in hoofdinspecteur Fenwick, ondanks de mislukking van het afgelopen uur. Ze hadden allebei geploeterd tot ze niet meer konden om te bewijzen dat hij gelijk had, zo erg zelfs dat een paar haarvaatjes in Coopers wangen waren gesprongen en Nightingale zich echt bezorgd om hem maakte. Ze hadden geen weerwoord tegen Blites kritiek, dus slenterden ze verder het veld op om in stilte de domper met elkaar te delen. Nightingale probeerde te bedenken of ze iets over het hoofd hadden gezien wat het allemaal kon verklaren, toen ze achter hen hoorde roepen.

'Terug aan het werk! Kom op, we moeten om kwart voor twee terug zijn in Harlden. Schiet op!'

Ze draaiden zich eendrachtig om en zagen Fenwick doelbewust naar de boom stappen, op de voet gevolgd door een landarbeider. Nightingale klaarde helemaal op toen ze zijn zelfvertrouwen en vastberadenheid zag. Langzaam kwam er een grijns op het gezicht van Cooper en ze hoorde hem mompelen: 'Die rotzak flikt het 'm weer, hoor! Wedden? Wat zou het nu zijn?'

'Goed. Luister. Deze meneer met de tas met spullen is Pete. Hij is zo vriendelijk om ons te helpen met ons experiment.'

De man keek een beetje beduusd en zenuwachtig, maar hij hield zijn mond en knikte alleen even naar de drie politiemensen die hem met onverholen nieuwsgierigheid aankeken.

'Ga je gang, Pete.'

De man liep naar de tak en ging op de kruk staan. Hij maakte een brede strook canvas met een metalen haak vast om de tak en trok de gesp stevig aan. Toen pakte hij een takel uit de tas die hij bij zich had en maakte die vast aan de haak. Hij was even bezig met het rechtleggen van de schakels in de ketting die erdoorheen liep, trok een touw door de ketting en bond die om de zandzak. Hij stapte van het krukje en trok aan de ketting; de ratel ging met een ruk zo'n vijftien centimeter omhoog. Nog een ruk en hij ging nog dertig centimeter de lucht in, waarbij de blokkering in de katrol voorkwam dat de ketting terugleed tussen het trekken door. De zandzak kwam omhoog en zwaaide al binnen twee minuten los boven de grond. Fenwick liep naar het touw dat aan de wortel was bevestigd en trok het aan tot het strak stond. Pete maakte zijn touw los van de zandzak en ze keken in stilte toe hoe de zak heel langzaam in de lucht begon rond te draaien.

Cooper grijnsde van oor tot oor, maar dat hield meteen op toen Blite zijn mond opentrok.

'De moordenaar is dus een reparateur van landbouwmachines die weet hoe hij met een takel moet omgaan. Dat dunt het aantal gegadigden lekker uit, nietwaar?' zei hij met onverbloemde spot.

Pete verbleekte ervan; hij had er niet op gerekend dat hij onmiddellijk een verdachte zou zijn. Nightingale glimlachte even geruststellend naar de man, waardoor hij vervolgens begon te blozen, en ze zei rustig: 'Sally's vader was reparateur van landbouwmachines, inspecteur. Ze zal hem wel heel vaak aan het werk hebben gezien.'

'En zich zeker hebben herinnerd van toen ze acht was hoe je met een takel moet omgaan!'

'Ja, dat is mogelijk. Trouwens, daar is heel gemakkelijk achter te komen.'

'Hoe dan, agent?'

'Laat mij het proberen. Ik heb het Pete zo-even één keer zien doen. Als ik het kan, zou ik niet weten waarom Sally het niet zou kunnen als ze het haar vader aldoor heeft zien doen.'

Fenwick knikte goedkeurend. Hij maakte het touw los zodat de zak viel en Pete gaf haar de takel. Nightingale herhaalde al zijn handelingen een voor een en zonder haast, maar ook zonder aarzeling. Terwijl ze bezig was leek het een fluitje van een cent. Cooper nam haar tijd op. Het dode gewicht van de zandzak begon ten slotte te bewegen en hoewel het duidelijk was dat zij zich er meer voor moest inspannen dan Pete, slaagde ze er uiteindelijk in de zak van de grond te tillen. Toen ze het touw losmaakte, riep Cooper: 'Exact twaalf minuten!'

Nightingale knikte hevig voldaan en ze keek naar Fenwick op. Toen hij terugkeek, zag ze zijn goedkeuring op zijn gezicht en het verwarmde haar zoals niets anders dat zou kunnen. Inspecteur Blite zweeg. Fenwick bedankte Pete voor zijn hulp en stuurde hem terug naar de binnenplaats.

'Inspecteur, ik wil dat de buitengebouwen en de oude landbouwschuren op het landgoed van Wainwright opnieuw worden doorzocht. En zorg ervoor dat je huiszoekingsbevel waterdicht is. Je weet waar je mensen naar moeten zoeken. Laat de computer de exacte positie van de afdrukken die we in de grond onder de boom hebben gevonden intekenen tegen de sporen van het touw aan, en laat die tak opnieuw nakijken op schaafplekken waar de takel kan hebben gezeten. Ik ga Sally verhoren en neem de leiding bij de confrontatie.'

Hiermee kon Blite inrukken om zijn werk te gaan doen. Fenwick zou nooit vergeten hoe hij zich had gedragen, en dat wisten ze allebei.

Ebutt en Sally zaten in de verhoorkamer op het bureau op hem te wachten. Als ze zijn slordige uiterlijk al opmerkten, dan zeiden ze er niets van. Fenwick wachtte tot Claire Keating binnenkwam, zette de taperecorder aan en begon met de gebruikelijke formaliteiten aan het verhoor. Toen hij ophield met spreken, zei Ebutt meteen: 'Mijn cliënte heeft besloten niets te zeggen, hoofdinspecteur.'

'Ik respecteer uiteraard haar recht om te zwijgen, maar de vragen die ik wil stellen hebben niets te maken met de misdaad waarvan ze wordt beschuldigd.'

'En waarom wilt u die vragen dan stellen?'

'Omdat de kindertijd van mevrouw Wainwright-Smith relevant kan zijn voor de zaak en ik wil graag vaststellen of het beeld dat wij daarvan hebben zo volledig mogelijk is.'

De advocaat en Sally staken de hoofden bij elkaar en begonnen te fluisteren.

'Dat is goed, maar mijn cliënte mag haar mond houden als ze dat wil.'

'Dat is begrepen. Goed, Sally, vertel me eens iets over je vader. Wat voor werk deed hij?'

'Hij was monteur.' Sally's stem klonk dof en monotoon. Fenwick vroeg zich af of ze licht gedrogeerd was en het maakte hem kwaad dat haar advocaat dat goedgevonden had. Anderzijds kon het een hulp zijn.

'Wat voor soort monteur?'

'Hij werkte hoofdzakelijk op boerderijen, waar hij tractoren, oogstmachines, sluitbomen in stallen en dergelijke repareerde.'

'Ging hij altijd zelf naar die boerderijen toe of nam hij ook werk mee naar huis?'

'Beide. Soms, als hij een tijdje bij huis wilde blijven, bracht hij een tractor naar ons toe. Dat was voor het onderhoud of als hij een ingewikkelde reparatie moest doen. Hij had een werkplaats achter het huis, weet u.'

'Ja, dat weet ik. Zeg eens, hielp je hem wel eens bij zijn werk?'

'Ja, altijd. Hij vond dat ik lenige vingers had, dus moest ik al het pietepeuterige werk doen. Daar was ik goed in.'

'Dat geloof ik, ja, maar hoe kan een meisje van acht in hemelsnaam in de motor van een tractor komen om de juiste onderdelen te vinden?'

'O, makkelijk zat. Mijn vader tilde de motor uit de tractor en werkte eraan op zijn werkbank.'

'Dan moet hij wel heel sterk zijn geweest.'

'Ben je gek, daar had hij een takel voor, en ook om hem weer terug te plaatsen.'

Bij die woorden trok het bloed weg uit Ebutts gezicht, maar er was niets aan te doen: het bandje liep mee. Hij herstelde zich onmiddellijk en zei met een onbewogenheid die Fenwick alleen maar kon bewonderen: 'Ik zie niet in hoe dit van enig nut kan zijn, hoofdinspecteur.'

Maar Fenwick had intussen gehoord wat hij nodig had en hij verontschuldigde zich om te informeren of de confrontatie nog doorging of niet. Hij was in tien minuten terug.

'Neem me niet kwalijk dat ik jullie heb laten wachten. De confrontatie is een dag uitgesteld, omdat meer dan de helft van de vrijwilligsters is weggegaan vanwege het oponthoud. De collega die het regelt gaat proberen of het voor morgen gepland kan worden. Als u zich daarvoor beschikbaar wilt houden. Hij wacht buiten om een afspraak te maken.'

Toen ze weg waren zette Cooper de taperecorder af. 'Mooi werk, hoofdinspecteur. Dat was exact wat we nodig hadden.'

'Dank je, brigadier. Maar ik wed dat we nog steeds niet genoeg hebben om de korpsleider ervan te overtuigen dat we haar kunnen arresteren. Jij gaat het handelingsverloop van de reconstructie van vanochtend uitwerken en alles wat inspecteur Blite en zijn mensen op het landgoed ontdekken.'

'Agent Nightingale heeft wat graafwerk gedaan in verband met FitzGerald, zoals u vroeg, hoofdinspecteur.'

'En wat is het resultaat?'

'Het komt erop neer dat hij zeer rijk is en goede connecties heeft. Veel rijker dan verklaarbaar is met zijn financiële bedrijf alleen.'

'En wat heeft het onderzoek in HOLMES of in het datasysteem opgeleverd?'

'Dat gaan ze vanmiddag doen, hoofdinspecteur.'

'Waar is Nightingale nu mee bezig?'

'Ze probeert de privédetective te vinden die voor Graham Wainwright werkte. Hij is verdwenen, dus we weten nog steeds niet of hij iets voor ons achterhoudt. Nightingale heeft wel ontdekt waar hij woont en zijn verhuurster denkt dat hij op vakantie is gegaan, dus is ze nu bezig met de reisbureaus.'

'Goed zo. Nu het hier wat rustiger is ga ik even naar huis om bij de kinderen te zijn. Bel me op als er een doorbraak is.'

Sally was stil tijdens de taxirit terug naar de Hall. De pil die ze vlak voor het verhoor had ingenomen werkte nog na en ze voelde hoe ze weer overweldigd dreigde te worden door een intense woede. Ze miste Alex en ze vroeg zich af of hij boos zou zijn omdat ze met de politie had gepraat. De pil had haar wazig gemaakt en ze kon zich nog steeds niet helemaal herinneren wat ze had gezegd. Iets over haar vader en zijn werk, dacht ze. Als Alex vanavond belde, zoals hij had beloofd, zou ze hem moeten vertellen over FitzGeralds poging haar te chanteren en daar zou hij razend over worden. Inmiddels wisten ze allebei, dankzij de babbelzucht van Jeremy Kemp, dat FitzGerald een heel gevaarlijk iemand was en werd geassocieerd met de georganiseerde misdaad in het hele zuidoosten van Engeland. Hoe precies had Kemp haar niet verteld, zelfs niet toen ze hem beloofde seks met hem te hebben in ruil voor de informatie, dus konden zij en Alex alleen maar speculeren. Zij dacht dat het te maken kon hebben met drugs of prostitutie, misschien allebei, maar dat was gissen. Het leek zo oneerlijk dat FitzGerald haar wilde chanteren, terwijl hij al het geld dat hij nodig had toch al had. Voor een deel kwam ze in de verleiding om gewoon nee te zeggen, om te zien of hij zijn dreigement waar zou maken. Eén ding was zeker: betalen zouden ze hem niet. Een chanteur was nooit tevreden en al dat geklets over een 'regeling' voor de komende jaren vervulde Sally met afschuw. De gedachte dat FitzGerald een niet aflatende macht over haar had was ondraaglijk. Zij zou een andere manier moeten bedenken om van hem af te komen.

Toen ze thuiskwam stonden er politieauto's voor de Hall geparkeerd en ze voelde de moed in haar schoenen zakken. Ze betaalde de taxichauffeur snel, zonder een fooi te geven, en rende naar het geluid van de stemmen toe, dat uit het stallencomplex aan de achterkant kwam. De politie stond net op het punt weg te gaan, die akelige kerel, Blite, voorop. Ze mocht hem niet, maar over hem maakte ze zich niet zoveel zorgen als over die Fenwick. Wat waren dat voor rare vragen, vandaag. Waarom vroeg hij die dingen in godsnaam?

Een van de politiemensen achter Blite droeg een grote plastic zak. 'Wat nemen jullie mee?'

'Mogelijke bewijsstukken, mevrouw. Wij hadden een nieuw huiszoekingsbevel en hier heb ik een papiertje voor ontvangst.'

'Wat is het?' Sally keek angstig naar de zak. Toen de agent die hem meenam langs haar heen liep, struikelde hij over de rand van het pad en de inhoud maakte een metalig geluid. Dat herkende ze en toen ze het gewicht en de omvang ervan zag, besefte ze plotseling wat erin zat. En nu begreep ze ook waarom Fenwick haar die banale vragen had gesteld. Sally keek Blite vol afschuw aan en ze werd misselijk toen hij langzaam naar haar begon te glimlachen.

'Ik denk dat hoofdinspecteur Fenwick erg blij zal zijn met het werk van vandaag. U kunt er zeker van zijn dat we contact zullen opnemen, en snel ook. Goedemiddag.'

Sally rende terug naar het huis en sloot en vergrendelde de deur achter zich. Met trillende handen schonk ze de gin, die ze nu in de keuken bewaarde, in een mok die op het afdruiprek op het aanrecht stond. Ze nam een aantal grote slokken en voelde het gebonk van haar hart langzamer worden. Toen schonk ze nog meer gin in de mok en liet zich zwaar in de stoel naast het fornuis zakken om na te denken. Ze had weer een fout gemaakt en nu moest ze die goedmaken, anders zou Alex heel, heel erg boos worden. Bij de gedachte daaraan deinsde ze naar achteren in haar stoel en dronk langzaam de mok leeg.

39

Toen Fenwick voorzichtig met de auto door het houten hek de oprit opkwam, zag hij twee glunderende gezichtjes tegen het raam van de hal gedrukt staan. Er kwam als vanzelf een glimlach op zijn gezicht toen hij zijn portier dichtdeed en afsloot. Hij hoorde hun voeten met slippers aan over het grind knarsen en even later plofte Bess van achteren tegen zijn knieën en pakte ze hem bij zijn benen vast. Meteen daarop voelde hij een tweede klap: Chris botste tegen allebei op. 'Papa! Wat ben je vroeg thuis!'

Overspoeld door hun kreten van blijdschap gaf hij zich over aan die betoverende kinderliefde. Hij hoorde zichzelf lachen toen ze zich allebei aan één been vastklampten. 'Pas op, hoor, straks val ik om. Hebbes!' Hij pakte hen onder zijn lange armen en tilde hen op, zodat ze aan weerskanten met hun armen en benen in de lucht spartelden. Het geschater werd nog harder toen hij als een krab zijwaarts langs de auto in de richting van de voordeur schuifelde. Ze waren zwaarder geworden; zelfs de tengere Chris begon eindelijk een beetje gewicht te krijgen.

'Ze hebben net gegeten, hoor, straks gaan ze nog overgeven,' lachte Wendy, blij dat hij een keer vroeg thuis was. Hij zag dat ze op haar horloge keek toen hij de hal binnenstommelde en de kinderen in een verwarde hoop op het tapijt liet vallen.

'Wilde je weg?'

'Ja. Er draait deze week een film die Tony graag wil zien en als ik nu ga kan ik vóór tienen thuis zijn. Maar ik heb nog niet afgewassen en het is een troep in de keuken. We zaten te schilderen.' Al pratend trok ze haar jas aan.

Typisch Wendy; vermoedelijk hadden ze te midden van een georganiseerde bende gegeten, want ze probeerde altijd veel te veel tegelijk te doen. En ze had één vervelend trekje: ze kwam altijd en overal te laat. Maar ze ging fantastisch met zijn kinderen om.

'Geen probleem, wij redden ons wel,' smoorde Fenwick haar bezwaren en werkte haar de deur uit. Hij rilde van een koude windvlaag die binnenkwam.

'Papa, heb je het koud? Kom maar bij het vuur zitten, dan krijg je het wel warm.' Het bazige handje van Bess sleepte hem mee naar de zitkamer, waar een vrolijk vuurtje knetterde achter het haardscherm.

'Nieuw hout,' legde Bess eigenwijs uit. 'De volgende keer moet je belegen hout voor ons kopen, pap.'

'Ja, mevroi. En vertellen jullie me nu maar eens hoe het vandaag op school is gegaan.'

Blij dat ze hun vader als toehoorder hadden, begonnen ze te praten. Ook Chris nam levendig deel aan het gesprek. Het verwarmde Fenwicks hart dat zijn zoon van zes zo vrolijk en normaal deed, terwijl ze hem een jaar geleden bijna op een speciale school hadden gedaan, omdat hij zo getraumatiseerd was door de ziekte van Monique.

'Wat is er, papa?' zei Chris, en aan zijn bezorgde toon merkte Fenwick dat het opviel dat hij ergens anders was met zijn gedachten.

'Niets hoor, sorry. Zeg dat laatste nog een keer, dan ga ik even thee voor mezelf zetten.'

Het leek wel een slagveld in de keuken. Er zaten rode, oranje en groene verfspetters op de vloer en de keuken-units, die gelukkig waren afgedekt met een dikke laag oude kranten.

'Wat is dat?' Fenwick hield een vel zwart papier omhoog, waar zichtbaar enthousiast dikke verfstrepen op waren aangebracht.

'Dat is een vreugdevuur,' zei Chris trots, maar ook een beetje verontwaardigd.

'Natuurlijk, ik zie het. En dit dan?' Fenwick wees naar wat losse klodders in de bovenhoeken.

'Vonken, maar ik moet de glitter nog doen. Kijk.'

Inderdaad, er lagen lijm en vijf dunne buisjes met veelkleurige glitter klaar.

'En hoe ga je dat doen?'

Christophers mond viel open en hij keek geschokt. 'Wéét je dat dan niet?'

Fenwick begreep dat weten hoe je klodders verf moest laten glinsteren de volgende test was in een nooit aflatende reeks beproevingen van zijn alwetendheid.

'Ja, ik weet het wel, maar ik vroeg me af of jij het weet.'

Chris schudde zijn hoofd. Bess keek op van haar eigen schilderwerk en schudde ook haar hoofd. 'Ik weet het niet, papa.'

'Ik ga even thee zetten en me omkleden, dan kom ik jullie helpen.'

Toen hij zijn spijkerbroek en een trui aangetrokken had en er een kop sterke Engelse ontbijtthee voor hem stond, was Fenwick gereed om de proef met de glitter het hoofd te bieden. Hij en Chris brachten lijm op de verf aan en strooiden daarna de glittertjes kwistig over het hele papier. Het zag er prachtig uit. Het enige probleem was dat ze Bess' tekening waren vergeten. En ze had het nog wel zó netjes gedaan: de vlammen en het brandhout waren heel precies getekend en ze was met de verf grotendeels keurig binnen de lijntjes gebleven. Het enige wat eraan ontbrak was de schittering die het afmaakte. Maar er was geen glitter meer over. De vijf buisjes waren allemaal leeg en afgezien van de volmaakt glinsterende sterren op Chris' schilderij, lag de inhoud over de vloer en de tafel verspreid. Met pijn in het hart zag hij tranen in de ogen van zijn oudste schieten. Chris en hij hadden zich helemaal laten meeslepen. Toen legde hij het werkstuk van Chris aan één kant van de tafel en pakte dat van Bess. Heel zorgvuldig begon hij lijm op te brengen.

'Wil jij het doen?'

Ze haalde haar schouders op en zei: 'Dat heeft geen zin meer. Alle glitter is op.'

'Jawel, er is nog genoeg. Maak je maar geen zorgen.'

Bess en Chris keken hem verbaasd aan. Laatdunkend smeerde

Bess zelf ook wat lijm op haar tekening. Toen ze daarmee klaar was moest ze hem vasthouden en Fenwick begon alle kwasten, verf en stokjes opzij te schuiven. Voorzichtig pakte hij de krant op die op het tafelblad lag en vouwde hem in een v-vorm, zodat de glitter zich in het midden verzamelde.

'Leg je schilderij maar op de tafel.'

Bess deed wat haar gezegd werd en met zijn armen gestrekt strooide Fenwick royaal de glittertjes erop, tot alle lijm er vol mee zat. Helemaal volmaakt. Hij was de held van de dag en daar genoot hij elke kostbare seconde van, zelfs toen ze later in de gaten kregen dat de glitter overal op en in was gekomen, waardoor badtijd twee keer zo lang duurde en Chris op het laatst glittertjes in zijn oog had. Toen de kinderen ingestopt waren en sliepen ging hij douchen en kleedde zich opnieuw om. Hij zette de oven aan voor een pizza en herinnerde zich zijn plechtige voornemen om meer groente te eten. Er waren tomaten en uien voor een salade en ook nog erwten. Hij zat net de laatste erwten van zijn bord te schrapen toen de telefoon ging.

'Hoofdinspecteur? Met Cooper. Brigadier Gould heeft een resultaat. Een van de tieners in de trein naar Brighton waar Fish in zat herkende de vrouw die Francis Fielding heeft ontmoet toen hij aankwam. Het was Sally Wainwright-Smith.'

'Je maakt een geintje! Weet ze het zeker?'

'Absoluut zeker. Ze herinnert het zich nog heel goed. Ze zegt dat ze tegen Sally opbotste, die haar voor "stomme trut" uitmaakte. Het meisje is vanmiddag aangehouden wegens verstoring van de openbare orde; ze wilde de vrouw wel identificeren, in de hoop dat de politie van Brighton dan mild voor haar zou zijn.'

'Maar is het ook houdbaar in de rechtszaal?'

'Gould denkt van wel. Hij heeft haar persoonlijk gesproken.'

'Wat denkt hij dat de reden is waarom Sally een afspraak had met Fielding?'

'Hij denkt dat zij degene is die Fielding heeft betaald om Fish te vermoorden. Geld speelde geen rol. Maar een motief kan hij niet bedenken.'

'Misschien vormde Fish een directe bedreiging voor haar in verband met de rijkdommen van Wainwright. We denken immers ook dat dat haar motief was om Graham te vermoorden.'

'Het zou kunnen. Ik zal het hem voorleggen. Trouwens, hij heeft op deze manier ook zijn onderzoek nieuw leven ingeblazen. Nu er een connectie is vastgesteld tussen Sally en Fielding werkt de divisie in Brighton ineens heel erg mee. Ze zijn er eindelijk van overtuigd geraakt dat de moord op Fish wellicht verband houdt met die op Amanda Bennett. Gould blijft desnoods vannacht in Brighton om nog meer dingen uit te zoeken.'

'Prima. Als er nog meer bekend wordt kan hij me te allen tijde op mijn mobiel bellen.'

Fenwick baalde er intussen van dat hij niet meteen weer aan de slag kon gaan; hij moest tot tien uur wachten, wanneer Wendy terugkwam. De rest van de avond strekte zich voor hem uit alsof hij in de gevangenis zat. Om kwart over acht ging de telefoon opnieuw. Het was Cooper weer, die vertelde dat ze in HOLMES een verwijzing naar James FitzGerald hadden gevonden. Hij had connecties met een beroepscrimineel, Benjamin Harris, van wie bekend was dat hij aan het hoofd stond van een misdaadsyndicaat dat zijn hoofdkwartier in Brighton had. Toen waagde Fenwick een telefoontje naar het kantoor van Miles Cator. De commissaris was nog druk aan het werk. Fenwick deelde hem mee dat FitzGerald banden had met Harris.

'Dus je wilt zeggen dat Wainwright misschien geld witwast voor Benjamin Harris! Nou, dat kon wel eens heel belangrijk zijn. Je belt precies op tijd, hoofdinspecteur. Morgen staan we voor de rechter in verband met het kort geding dat Wainwright heeft aangespannen om de Fish-documenten terug te krijgen. Hiermee staan we een stuk sterker. Het irriteert me wel dat mijn eigen mensen die connectie nog niet hadden gelegd. Ik zal hun opdragen de namen van alle aandeelhouders en hoofdmedewerkers van het bedrijf te checken in HOLMES, in het landelijke politiedatasysteem en alle andere datasystemen die we tot onze beschikking hebben.'

'Denk je dat er voldoende bewijslast is om een grootschalig onderzoek bij Wainwright in te stellen?'

'We hebben de documenten nog geen week in huis, hoofdinspecteur, dus dat is moeilijk te zeggen, maar op het eerste gezicht, ja. Er zijn heel wat vragen waar ze antwoord op moeten geven. Het begint er vrij opmerkelijk uit te zien.'

De kinderen lagen allang in bed en Fenwick probeerde een gerenommeerd boek over criminele psychologie te lezen, toen zijn mobiele telefoon zachtjes begon te zoemen. Tot zijn verrassing was het Blite.

'Ja, inspecteur?'

'Ik wilde mijn plannen voor morgen aan u voorleggen, hoofdinspecteur.' Tot Fenwicks verrassing sloeg de man een respectvollere toon aan, dat was nieuw, maar hij was wel zo realistisch om te beseffen dat het niet blijvend zou zijn.

'Om negen uur breng ik Sally weer naar het bureau om verhoord te worden en Claire Keating komt erbij zitten. Als Sally's advocaat ermee instemt, wil zij ook een gesprek onder vier ogen met Sally hebben. Wat heeft de korpsleider gezegd toen u vandaag rapport aan hem uitbracht?'

'Niet veel. Hij wil beide confrontaties laten doorgaan, zowel met de broer van Shirley als met het meisje dat zegt dat ze de ontmoeting tussen Sally en Fielding heeft gezien. Dan hebben we dat in ieder geval achter de rug. Met een positieve identificatie zal het voor hem een stuk gemakkelijker zijn om haar te laten arresteren; vooral als haar vingerafdrukken worden aangetroffen op de takel die jij hebt gevonden, en sporen die naar de plaats delict wijzen. Dan hebben we onze eerste sluitende bewijzenreeks rond.'

'Is het niet mogelijk om vanavond al tot aanhouding over te gaan?'

'Nu ze Ebutt erbij gehaald hebben is Harper-Brown nog veel voorzichtiger geworden. Als ik aandring, wijst hij er steeds op dat de plaats delict overhoop was gehaald toen Graham werd gevonden, en op de zwakke plekken in het eerste postmortale onderzoek. Hij zei met zoveel woorden dat de verdediging "al genoeg cadeautjes heeft gekregen" en dat hij de rest waterdicht wil hebben. Als je wilt kun je proberen...'

'Nee, hoofdinspecteur, ik ben het met je eens, dat heeft geen zin. De hoogste prioriteit is dat die identificaties bevestigd worden; in de tussentijd blijven we haar in de gaten houden.'

'Wil jij tegen Cooper zeggen dat ik hier zeker nog tot tien uur vastzit en of hij iemand kan missen om me de laatste rapporten te komen brengen, zodat ik ze kan doorlezen?'

Hij had nog niet opgehangen of de telefoon ging alweer. Een computerstem deelde hem mee dat hij een nieuw bericht had. Het was Cooper, en ondanks het toonloze geluid van de opname hoorde Fenwick dat hij opgewonden klonk.

'Nightingale heeft privédetective Beck getraceerd. Hij ontliep ons al die tijd. Ze heeft zijn volledige dossier over Sally in handen gekregen en daarmee hebben we het definitieve bewijs dat ze in Brighton zat, voordat ze in Harlden opdook. Nightingale is al onderweg om het naar u toe te brengen, ik dacht dat u het wel meteen zou willen inzien.'

Nightingales auto kwam knarsend over Fenwicks oprit aanrijden en hij deed meteen de deur open. Hij had zeker op de uitkijk gestaan; ze voelde het ongeduld van hem afstralen. Zij had de laatste ontbrekende schakel gevonden die Sally aan de moord op Amanda Bennett koppelde.

'Kom binnen, hier is het warm. Ik heb net koffie gezet, wil je ook?'

Achter het haardscherm in de zitkamer gloeide een laag vuur, maar met wat aanmaakhout en een paar kolen kwam het weer tot leven. Nightingale keek rond en dacht terug aan haar eerdere bezoeken. Vorig jaar hadden zij en Cooper in de fleurige tuin gezeten met een glas wijn die de brigadier nadat ze weg waren kattenpis had genoemd, maar die zij herkende als een goede Chablis. Die zomeravond van een jaar geleden stond nog diep in haar geheugen gegrift en ze kreeg een brok in haar keel. Wat deed ze toch mal. Ze keek stiekem rond in de kamer en probeerde niet te laten merken dat ze nieuwsgierig was. Hij was zeker niet chic ingericht en er lagen vandaag allemaal spullen van zijn kinderen: foto's, een kleurboek dat achter een kussen was gestopt en een stapel Disney-films naast de televisie. De kamer werkte op een pijnlijke manier op haar gevoel: er hing een flauwe geur van eigen baksel, op een veilige plek op een plank stond een zware kristallen vaas met verse snijbloemen en op de schoorsteenmantel stonden een paar tekeningen van de kinderen.

Met een schok drong het tot haar door dat het verjaardagskaarten waren. Er stonden er nog twee naast. Onder het voorwendsel dat ze haar handen ging warmen liep ze ernaartoe, zodat ze de felicitaties kon lezen. Een ervan was een traditionele afbeelding met boten erop en aan de binnenkant kon ze nog net zien staan: 'Liefs, moeder.' De andere was een zwart-witfoto van de Keystone Cops; de auto viel uit elkaar en in een tekstballon op de voorkant stond: 'Je bent jarig – schakel de hulptroepen in.' Hij was van iemand die Wendy heette en ze herinnerde zich de jonge vrouw die ze eerder had gezien. Ze vroeg zich af wie zij precies was.

Fenwick kwam terug met een dienblad met koffie. Hij liet haar zelf inschenken, terwijl hij in een kast van walnoothout rommelde en een whiskyfles en glazen pakte.

'Het is koud vanavond. Wil je een glas? Ik weet wel dat je nog moet rijden, maar één slokje kan geen kwaad.'

Ze had al sinds het ontbijt niet meer gegeten, maar het was heel verleidelijk om samen met Fenwick iets te drinken.

'Graag, hoofdinspecteur.' Ze ging op een bank tegenover het vuur zitten en haalde een grote dossiermap uit haar tas. 'U had gelijk, die privédetective had ons niet alles verteld. Ik heb hem opgewacht toen hij vandaag op Gatwick landde en we zijn regelrecht naar zijn flat gegaan. Moet u eens kijken.'

Fenwick ging naast haar op de bank zitten, zodat ze samen de documenten konden doornemen. Nightingale werd zich scherp bewust van zijn lichaamswarmte en van zijn been, dat misschien een centimeter bij haar eigen dijbeen vandaan was. Ze nam een slok van haar whisky en voelde dat ze begon te gloeien.

'Wat is dit?'

'Het is zijn complete dossier over Sally's achtergrond, hoofdinspecteur, alle honderdvijftien pagina's. Dit zijn kopieën, het origineel is al ingevoerd. Dat mevrouw Wainwright-Smith een bewogen verleden heeft wordt nog eens bevestigd. Van vóór haar zeventiende heeft hij niets gevonden, hij wist dus niet veel van haar jeugd. Maar behalve dat heeft hij praktisch alles over haar ontdekt. En hij heeft Graham erover ingelicht.

Er zijn zes weken lang twee man aan het graven geweest. Graham Wainwright spaarde kosten noch moeite, hij kon dus heel grondig te werk gaan. Dit is het politiedossier over haar.' Ze gaf Fenwick een dikke map en hij kon direct zien dat het dossier authentiek was. 'Toen ze zeventien jaar en twee maanden oud was, werd ze gearresteerd wegens tippelen en twee jaar later voor geweldpleging tijdens ongeregeldheden in het centrum van Brighton.'

'Brighton!' kon Fenwick niet nalaten te zeggen.

'Inderdaad. In beide gevallen ontkwam ze aan celstraf. Na de tweede veroordeling kreeg ze honderd uur taakstraf opgelegd. Die verrichtte ze in een verzorgingshuis voor bejaarden van de gemeente, waar ze de tuin bijhield en schoonmaak- en opknapwerk verrichtte. Tegen het eind van haar strafperiode vertrouwde men haar voldoende om haar boodschappen te laten doen en om haar in te zetten als extra begeleidster tijdens uitstapjes. Beck spoorde de directrice van het huis op en die was vol lof over haar. Volgens haar was ze tot inkeer gekomen, maar dat had ze dus mis. Het jaar daarop maakte ze gebruik van haar ervaring om een baan te krijgen in een ander verzorgingshuis, ditmaal particulier. In de loop van de daaropvolgende maanden gingen twee bewoners dood, allebei oude mannen, die haar een erfenisje nalieten. De eerste bedroeg vijfhonderd pond, de tweede vijftienhonderd pond en een kleine boot. Dit viel niet in goede aarde bij de directie van het verzorgingshuis en ze verkaste naar een ander bejaardenoord. Binnen zes maanden was ze verloofd met een oude legermajoor van vijfenzeventig. Vlak voordat ze gingen trouwen kwam hij bij een auto-ongeluk om het leven. Sally reed en hield er een gebroken arm aan over; hij vloog door de voorruit. Hij liet haar tweeëntwintigduizend pond en een huis in Wittering na.'

'Waren er destijds verdenkingen?'

'Geen enkele. Men had er wel vreemd van opgekeken toen de majoor zijn verloving bekendmaakte, maar auto-ongelukken gebeuren nu eenmaal en er waren geen ongewone omstandigheden. En ze was natuurlijk zelf ook gewond geraakt.'

'Wat deed ze daarna?'

'Daar sta je echt versteld van: ze ging een administratieve opleiding volgen en op haar tweeëntwintigste kreeg ze een baan als administratief medewerkster bij een plaatselijke liefdadigheidsorganisatie.'

'Ze was dus écht tot inkeer gekomen.'

'Zo op het eerste gezicht wel, maar Beck is daar niet van overtuigd. Hij is er vrij zeker van dat ze tijdens haar opleiding weer in de prostitutie ging. Hij had de hypotheekbank gevonden waar ze een spaarrekening had. In de tijd dat ze die opleiding deed groeide de rekening van twintigduizend (het geld dat ze van die majoor had gekregen), naar meer dan vijfendertigduizend pond, hoewel ze ogenschijnlijk geen baan had! Later had ze een hele reeks welgestelde vriendjes, allemaal veel ouder dan zij, en op de een of andere manier was ze op haar vijfentwintigste in staat om het huis in Wittering van de hand te doen en te verhuizen naar een vrijstaande huurwoning aan de rand van Midhurst.

Ze werd lid van wat plaatselijke verenigingen – de kookclub, de bloemschikclub, een koor, toneel – en ze bleef werken voor goede doelen. In die tijd vertelde ze over zichzelf dat ze het enige weeskind van rijke ouders was en ten noorden van Londen had gewoond. Een jaar later ontmoette ze de Wainwrights tijdens een muziekuitvoering in Harlden. Binnen twaalf weken was ze met Alexander getrouwd. Drie maanden later stierf de oom van haar man en samen met hem erfde ze een landgoed dat vijftien miljoen waard is.'

'En wie is de erfgenaam in Alexanders testament?'

'Sally Wainwright-Smith, volgens Beck.'

Er viel een stilte in de kamer, die alleen werd onderbroken door het zachte geknetter van het vuur. Fenwick legde de papieren op een stapel en stopte ze terug in hun mappen.

'Waarom heeft Beck dit niet meteen aan ons overgedragen, Nightingale?'

'Hij zegt dat hij na de dood van Graham doodsbang werd. Dat kan best zijn, maar ik vraag me af of die miljoenen hem ertoe hebben verleid over chantage na te denken. Morgenmiddag komt hij een verklaring afleggen.'

'Dit is het laatste stukje bewijs. Ze kende Amanda Bennett vermoedelijk uit haar tijd in Brighton.'

'In de tijd dat ik moest wachten tot ik Beck had gevonden, heb ik de arrestatieverslagen doorgekeken om te zien of ik iets over Amanda kon vinden, hoofdinspecteur. Daar ga ik vanavond mee verder. Met deze gegevens kan ik me concentreren op de periode waarvan we nu weten dat ze daar zat. En Fish?'

'Ik weet het niet. Misschien heeft Amanda Fish over Sally's verleden verteld en heeft hij geprobeerd haar te chanteren, of zelfs te ontmaskeren. Ze waren niet erg dol op elkaar, dat weten we. Je hebt alweer heel goed werk verricht, Nightingale.' Zijn lof bracht een blos op haar wangen en hij glimlachte toen hij het zag. 'Je kunt maar het beste teruggaan. Ik kom vanavond ook zodra het kindermeisje er weer is.'

'Ik zal het tegen brigadier Cooper zeggen, hoofdinspecteur. Dank u voor de koffie en de whisky.'

Ze sloot de voordeur achter zich en liep met trillende benen naar haar auto. Toen ze het sleuteltje in het contact wilde steken beefde haar hand zo erg dat het even duurde. Haar gedachten buitelden over elkaar heen. Nu drong het tot haar door wat er met haar aan de hand was en ze vervloekte zichzelf om haar stupiditeit. Ze had haar verloving verbroken en sinds haar vriend weg was had ze geen enkele belangstelling voor andere mannen gehad. In Brighton was ze weggekwijnd, en ze was zo dom geweest te denken dat het kwam door de miserabele werkomgeving. Dat ze naar zijn aandacht snakte had ze toegeschreven aan haar ambitie. Wat een stomme, idiote troela was ze toch. Hoe had ze zó haar ogen kunnen sluiten voor de steeds sterker wordende gevoelens vanbinnen?

Zodra ze zeker wist dat ze uit het zicht van zijn huis was, zette ze haar auto aan de kant en legde haar voorhoofd op het stuurwiel. Dit was hopeloos. Hij zag haar nauwelijks staan. En hij was haar baas, nota bene. En zó professioneel, dat alleen al het idee van een relatie met een collega ondenkbaar voor hem was.

Terwijl de avondkou de hitte in haar binnenste bekoelde, nam ze zichzelf streng onder handen: ze zou erin moeten berusten dat er onmogelijk iets tussen hen kon opbloeien. Haar gevoelens voor hem, die ze toch echt niet langer kon ontkennen, waren gedoemd onbeantwoord te blijven en ze zou aan dat idee moeten wennen. Ze vermande zichzelf en rechtte haar schouders met een vastberaden trek op haar gezicht.

'Wees een grote meid,' zei ze hardop. 'Dit soort liefdesverdriet is voor tieners, niet voor een volwassen vrouw.' Ter bekrachtiging knikte ze hevig met haar hoofd, er helemaal van overtuigd dat ze haar emoties weer in de hand had. Ze draaide het contactsleuteltje om en barstte pardoes in tranen uit.

Om halfelf kwam Wendy terug. Ze putte zich uit in verontschuldigingen dat ze te laat was. Fenwick legde uit dat de zaak waaraan hij werkte in een stroomversnelling raakte en dat hij misschien wel de hele nacht zou wegblijven. Ze beloofde hem dat ze de kinderen morgenochtend een knuffel van hem zou geven als hij niet bij het ontbijt kon zijn.

40

Het was een ongewoon rustige nacht in Harlden. Geen ongelukken op de weg, geen opstootjes na sluitingstijd van de kroegen en geen enkel geval van huiselijk geweld. Toch was de rust bij de receptie van het politiebureau bedrieglijk, want op twee hoog, in de TGO-ruimte, zat een groep van tien rechercheurs zich uit de naad te werken om elk rapport, dossier en bewijsstuk dat te maken had met de zaken Wainwright en Fish opnieuw door te nemen. Cooper had alle mensen die bij de zaak betrokken waren opgetrommeld en aan het werk gezet. Toen ze kort voor elven hoofdinspecteur Fenwick binnen zagen komen, verhoogde dat de spanning alleen maar. Hij riep Cooper en Blite bij zich in zijn kantoor en gaf hun een mok zelf gebrouwen koffie.

'Wat hebben jullie?'

'Niets, hoofdinspecteur,' antwoordden de twee rechercheurs als uit één mond.

'Er moet een verband zijn. We weten zeker dat Fish bij Amanda Bennett was op de avond dat ze vermoord werden en dat hij haar de tape heeft gegeven om hem te bewaren. Maar waarom moest Fish zo nodig dood dat Sally het risico nam iemand als Fielding te betalen om hem te vermoorden? Hij moet haar in de tang hebben gehad, of hebben gedreigd haar te ontmaskeren. Maar ik kan niet geloven dat hij daar de ballen voor had.'

Cooper verbleekte zichtbaar bij Fenwicks woordkeus.

'Amanda kende haar moordenaar, dat hebben de buren bevestigd.'

'Goed punt, inspecteur. Dus als wij kunnen bewijzen dat Sally Amanda heeft leren kennen toen ze allebei in Brighton in de prostitutie zaten, vergroot dat onze kans om de zaak tegen haar rond te krijgen.'

'Maar op het bandje dat we in Amanda's huis hebben gevonden wordt Sally helemaal niet genoemd, hoofdinspecteur. Dat ging alleen over de criminele activiteiten bij Wainwright. Misschien is Fish vermoord om hem het zwijgen op te leggen over het bedrijf, en had het niets met Sally te maken.'

'Misschien, inspecteur. Maar het staat vast dat iemand haar op de avond van de moorden met Francis Fielding heeft gezien. Stel, dat Fish haar verleden kende en dreigde haar te ontmaskeren of zelfs probeerde haar te chanteren. Hij zal niet op de hoogte zijn geweest van haar labiliteit en haar geschiedenis van geweldpleging. Hij zal ervan uit zijn gegaan dat ze als een rationeel denkend mens zou reageren op de dreiging van een openlijke ontluistering.

Nee, ik zet er nog steeds op in dat Sally achter de moorden op Fish en Bennett zit. Ik kan me niet indenken dat iemand die te maken heeft met de witwaspraktijken die we bij Wainwright vermoeden, Fish in het openbaar en zó snel na de dood van Alan Wainwright zou vermoorden. Dat trekt veel te veel politieaandacht naar het bedrijf.'

Cooper geloofde niet helemaal in Fenwicks theorie, maar hij was bereid om erin mee te gaan, zeker waar Blite bij was: '*Als* Sally Amanda kende, hoofdinspecteur, kan ze hebben aangenomen dat Amanda door Fish was ingelicht, of dat ze na Fish' dood achteraf het verband zou leggen.'

'Goed punt. We moeten vaststellen of er een connectie bestond tussen Amanda en Sally. Dan kunnen we haar met alle moorden in verband brengen. Laat brigadier Gould alle arrestatierapporten van Amanda nog een keer doornemen en nagaan welke rechercheurs haar destijds hebben gearresteerd. We moeten met hen praten.'

Blite liep het kantoor uit en Cooper stond ook op.

'Wacht nog even. Ik wil het over Alexander hebben. Is hij erbij betrokken? Hij was op de hoogte van Sally's verleden, maar hij is toch met haar getrouwd en hij is per slot van rekening de belangrijkste erfgenaam.'

'Denkt u dat die twee samenzweren?' Cooper kon het ongeloof nauwelijks uit zijn stem weren.

'Nee, niet echt. Laten we maar zeggen dat het een gelukkige samenloop van omstandigheden voor hem was. Veronderstel dat hij in de gaten heeft gekregen dat ze tot geweld en seksuele manipulatie in staat is? Probeert hij dat in te dammen of te sturen? Stel dat hij haar heeft aangemoedigd zijn oom te verleiden, omdat hij hogerop wilde komen binnen het familiebedrijf? Dan ziet hij dat er nog meer mogelijk is: een erfenis. Zijn moeder was berooid gestorven en ze had hem niets nagelaten, voor het grootste deel doordat zijn oom jarenlang bezig is geweest haar op alle mogelijke manieren te onterven; ze heeft geen cent gehad uit het familiebezit. Alex heeft het gevoel dat hij verwaarloosd en slecht behandeld is. Dan komt Sally op de proppen, de perfecte oudemannenverleidster, en plotseling opent het leven nieuwe perspectieven voor hem.'

'Dat is allemaal giswerk, en zelfs als het waar zou zijn, hoofdinspecteur, dan komt het nog lang niet in de buurt van moord.'

'Dat is zo, maar stel dat Sally niet terugdeinst voor zoiets? We weten dat ze in het verleden gewelddadig was. Ze is er in Brighton voor opgepakt en ze heeft Donald Glass bijna om zeep geholpen. Zij heeft met de dood te maken gehad, al sinds haar kindertijd; ze heeft gezien hoe haar vader haar broertje en zusje stelselmatig sloeg en uithongerde. Misschien heeft de dood voor haar een heel andere betekenis.'

'Bedoelt u dat ze een psychopaat is?'

'Dat woord wordt vaak in de mond genomen omdat we gewoon niet kunnen geloven dat er kwaad in ons schuilt, brigadier, maar ik denk dat het soms wel van toepassing is. Op iemand met een gebrek aan moreel besef of zelfbeheersing misschien, die nauwelijks begrijpt wat hij doet als hij een moord pleegt. En Sally zou zo iemand kunnen zijn, ja. Het is van essentieel belang dat Claire morgen een formeel beoordelingsgesprek met haar heeft. En wat haar man betreft, van de agenten die hem volgen weten we dat hij al een aantal dagen niet thuis is geweest, en dat is heel vreemd.'

Er werd aarzelend op de deur geklopt en Nightingale kwam binnen. Ook Fenwick had in de gaten dat ze spierwit zag en brigadier Cooper stond erop dat ze ging zitten.

'Wij hebben de arrestatierapporten van Amanda Bennett vergeleken met die van Sally Price,' zei ze. 'Amanda Bennett is drie keer opgepakt. De eerste twee keer wegens openlijke prostitutie, de derde keer wegens criminele verdiensten. Daarvoor heeft ze ook vastgezeten.

Op de avond van haar eerste aanhouding werden er gelijktijdig nog drie prostituees opgepakt, onder wie ene Sally Price. Geen van hen is daarvoor verder vervolgd.' De stilte in het kantoor was zo geladen dat ze brigadier Coopers lege maag konden horen borrelen. 'Op de avond van haar derde arrestatie werden er ook zes klanten in het bordeel van Bennett aangehouden, voor het geval een van de meisjes daar minderjarig was. Een van de klanten was Arthur Lawrence Fish, woonachtig in Harlden.'

'Dus Amanda kende hen allebei en Fish kan Sally hebben gekend; hij kan zelfs een klant van haar zijn geweest. Mijn god!'

'Ja, hoofdinspecteur. En Amanda kende haar moordenaar, de buren waren er zeker van.'

'Wie had er op die avond de leiding bij de arrestaties van Amanda en Arthur Fish?'

'Inspecteur Black, van Jeugd en Zeden in Brighton. Hij is intussen met pensioen. Brigadier Gould heeft hem eerder vanavond al gebeld, maar hij zegt dat hij zich die zaak niet herinnert.'

'Morgen ga ik Black opzoeken, breng brigadier Gould daarvan op de hoogte. En je kunt tegen het team boven zeggen dat ze naar huis mogen om te gaan slapen; we hebben de schakel gevonden die we nodig hadden.'

'Wat gaat u doen, hoofdinspecteur?'

'Werken aan mijn rapport voor de korpsleider en commissaris Quinlan. Zodra Sally morgen officieel is geïdentificeerd wil ik dat ze zonder uitstel wordt gearresteerd, dus ik moet de administratie rond hebben.'

'Ik help u wel, als u wilt,' zei Cooper, die zijn best deed om niet te gapen.

'Nee, dat hoeft niet. Jullie moeten morgen allebei fris zijn, dus pak een paar uurtjes slaap als het kan.'

Fenwick was nog een uur bezig met het voltooien van zijn rapport.

Toen ging hij naar een schone, lege cel in het cellencomplex, waar het de hele avond onnatuurlijk stil was geweest, en hij viel in slaap tot de bewaker hem de volgende ochtend om halfacht wekte met een kop koffie.

41

Wendy knoopte Chris' jas dicht en keek of hij zijn werkstuk voor die dag in zijn tas had zitten, toen de telefoon ging. Fenwick deelde haar mee dat het een drukke dag zou worden en vroeg haar een schoon overhemd bij het bureau langs te brengen als ze de kinderen naar school had gebracht. Ze was al aan de late kant, dus vloekte ze binnensmonds en ging in zijn kledingkast op zoek naar een fris gestoomd wit overhemd. Ze holde ermee naar de auto waar de kinderen al achterin zaten.

Sally was aangekleed en klaarwakker toen Ebutt haar om negen uur kwam afhalen. Ze had de drank en de pillen weerstaan en haar geest was pijnlijk helder. De vorige avond had ze meer dan een uur met Alex aan de telefoon gezeten. Hij verbleef in een hotel naast het kantoor en hield vol dat hij weg moest blijven, ondanks haar smeekbeden. Weer had hij haar gewaarschuwd dat ze moest zwijgen tegenover de politie. Ze had hem niet over de takel verteld die ze van het landgoed hadden meegenomen. Ze wist dat hij erg boos zou worden dat ze een dergelijk belastend bewijsstuk had bewaard in plaats van het naar een puinbak op een afgelegen bouwterrein te brengen. Wel was hij bezorgd over de confrontatie en zij rilde bij de gedachte eraan.

Inspecteur Blite zette de taperecorder aan en begon zijn vragen te herhalen. Dat mens van Keating zat er ook weer bij. Na ongeveer twintig minuten, waarin Sally met succes de verleiding had weerstaan om een paar heel domme conclusies van de inspecteur te corrigeren, stond de vrouw op en zette haar stoel naast die van de rechercheur. Hij knikte naar haar en zij begon voor de eerste keer te praten.

'Sally, mijn naam is Claire Keating en ik ben psychiater. De politie heeft me gevraagd met je te praten. Heb jij of je advocaat daar bezwaar tegen?'

Haar advocaat had geen bezwaar, maar Sally raakte ervan in de war. Mocht ze wel met deze vrouw praten, of niet? Alex had haar niet gezegd hoe ze moest omgaan met vragen die niet van de politie kwamen.

'Ik ga je geen vragen stellen over de verdenkingen die de politie jegens jou koestert. Ik wil je alleen een beetje beter leren kennen.'

'Goed dan.'

De vrouw vroeg een heleboel onbeduidende dingen over haar kindertijd, die Sally met gemak kon beantwoorden. Dit was hetzelfde als jaren terug, toen ze met de maatschappelijk werksters praatte, en ze gleed als vanzelf in haar rol van getraumatiseerd kind. Toen ze over het recentere verleden begon, keek ze ervan op hoeveel Keating van haar verleden wist. Ze werd behoedzamer in haar antwoorden. Terwijl de bandjes werden verwisseld vroeg de vrouw om thee en koekjes voor hen allemaal en dat herinnerde Sally eraan dat ze erge honger had. Toen de koekjes werden gebracht at ze er drie op, het ene na het andere en ze kon zich nergens meer op concentreren tot het bordje leeg was.

'Wil je misschien iets anders eten?'

'Mag dat dan?'

'Ja hoor, wat je maar wilt, binnen bepaalde grenzen, natuurlijk.'

'Een baconsandwich met tomatenketchup?'

'Geen probleem. Dat wil de inspecteur vast wel even voor je gaan halen.'

Sally genoot van de misnoegde trek op het gezicht van de politieman toen hij een laat ontbijt voor haar ging halen en ze glimlachte voor het eerst naar de vrouw tegenover haar. Toen hij terugkwam werd de taperecorder aangezet en gingen ze verder.

Nu wilde Claire het over Alex hebben: hoe ze elkaar hadden leren kennen en over hun 'stormachtige romance', zoals ze het noemde. De vragen leken vrij onschuldig. Ze wilde weten hoe hij eruitzag, of hij knap was?

'Jawel, hoor. Hij is lang en ziet er sterk uit. Hij is altijd schoon en goed gekleed.'

'Is hij intelligent?'

'O, zeker, en hij werkt hard.'

'Dat klinkt alsof hij volmaakt is! Wie werd er het eerst verliefd, denk je?'

'O, Alex op mij; hij was erg volhardend. Hij nam me altijd mee uit eten en hij kocht cadeaus voor me.'

'Wat voor cadeaus?'

'Vooral kleren, zelfs schoenen. Hij heeft een geweldige smaak voor een man, hij wist exact hoe ik eruit moest zien.'

'Gaat hij zelf dan ook modieus gekleed?'

'Alex? Nee hoor, nooit, maar hij zorgde ervoor dat ik er modieus bij liep.'

'Vertel eens hoe jullie relatie nu is.'

'Wat dan?'

'Of jullie erg innig met elkaar zijn, altijd aan de telefoon hangen als je niet bij elkaar bent, dat soort dingen.'

Sally wendde haar blik af van de vriendelijke ogen van de vrouw.

'Soms wel, maar hij heeft het heel druk en ik wil hem niet op zijn werk lastigvallen.'

'Ik moet het je toch vragen, Sally: ben je om zijn geld met hem getrouwd?'

Het onverwachte van deze vraag schokte haar en ze wist niet zo goed wat ze moest antwoorden. Soms vroeg ze zich af, of dat wat ze voor Alex voelde het gevoel van liefde was waar iedereen zo van zwijmelde. Maar wat het ook was, ze had hem nodig en ze vreesde hem, zoals ze ooit haar vader nodig en gevreesd had. Claire Keating wachtte nog altijd op antwoord.

'Dat gaat je niets aan.'

Dat antwoord leek de vrouw niet te ontmoedigen en ze ging door met het stellen van op het oog betekenisloze vragen. Na een uur maakte Sally's advocaat een eind aan het gesprek. Voordat ze vertrokken ging de rechercheur het tijdstip van de confrontatie verifiëren. Sally kon zien dat hij geïrriteerd was door haar aanhoudende zwijgen tijdens zijn verhoor, terwijl ze met de vrouw een goed gesprek had gevoerd.

'Wacht hier!' zei hij botweg. 'Ik ga uitzoeken hoe gauw we die confrontatie kunnen houden, dan kunnen we je arresteren, opsluiten en een eind aan dit fiasco maken. Als je eenmaal vastzit is het gauw afgelopen met dat bijdehante gedoe!'

Het was de eerste keer dat de mogelijkheid van opsluiting bij Sally opkwam en ze verstijfde van afgrijzen.

Claire zag de uitdrukking op Sally's gezicht en hoe ze wild van haar stoel op sprong. 'Sally, is alles goed met je? Sally?'

'Mevrouw Wainwright-Smith? Ga zitten, alstublieft! Hou daarmee op!' Blite keek Claire Keating aan. 'Waarom gilt ze zo?'

'Ze heeft een paniekaanval, denk ik. We moeten haar kalmeren en zorgen dat ze ophoudt met hyperventileren. Leg uw hand over haar neus en haar mond.'

'Ik blijf met mijn handen van haar af!'

Claire pakte de papieren zak waar de baconsandwich in had gezeten en terwijl ze Sally bij de schouders greep drukte ze die over haar mond en neus. Binnen een paar minuten was de hevige geagiteerdheid overgegaan in een inzinking.

'Gaat u met haar naar de dokter voordat ze naar huis gaat,' adviseerde Claire de advocaat, toen deze zijn zombieachtige cliënte de kamer uit leidde.

'Is zij gestoord?' Blite maakte zich zorgen dat zijn vermoedelijke moordenares misschien ontoerekeningsvatbaar kon worden verklaard.

'Dat kan ik niet zeggen op basis van één gesprek, maar dit was alleen maar een klassieke paniekaanval.'

'Is ze om één uur wel weer voldoende opgeknapt voor de confrontatie? De korpsleider houdt voet bij stuk dat we haar zonder die identificatie niet kunnen arresteren.'

'Dat hangt ervan af of de dokter besluit haar een kalmerend middel te geven, maar ik betwijfel het.'

Blite vloekte en Claire liep weg om hem te laten beslissen of hij de confrontatie voor de tweede keer moest uitstellen. Zijzelf moest goed nadenken over haar verslag aan Fenwick; dat zou niet eenvoudig zijn.

Wendy zette de kinderen bij de school af en drukte hun op het hart dat ze net als altijd om drie uur op de speelplaats op haar zouden wachten tot ze hen kwam afhalen. Ze keek hen na tot ze hun lokalen binnengegaan waren en stapte daarna weer in de auto. Ze had een drukke dag: ze moest brieven schrijven, haar eigen was doen en de ontbijtboel opruimen. Met wat geluk kon ze haar spullen bij de stomerij ophalen, de wekelijkse boodschappen doen, met de Renault naar de wasstraat gaan en vanmiddag toch ruim op tijd bij de school zijn.

Hoofdinspecteur Ian Black was met pensioen en woonde nu in een bungalow boven op de rotsen, met uitzicht over het Kanaal. Fenwick trof hem aan terwijl hij druk bezig was met het verzorgen van zijn zestig hectare tuin. Hij bracht mulch aan op een verhoogde border met azalea's, die met een bijna tropisch aandoende weelderigheid bloeiden. Hij zag Fenwicks bewonderende blik en begon enthousiast te vertellen.

'Het is een voortdurend gevecht om kalkschuwe planten zoals ericaceeën op deze rotsbodem te laten groeien. Moet je die wind voelen! Als de kalk niet doorlekt en ze doodt, dan doen die windvlagen het wel. Ik verlies er ieder jaar wel één. Ian Black, trouwens; jij moet Andrew Fenwick zijn.' Hij trok zijn tuinhandschoen uit en gaf hem een hand.

Er kwam een trek op Blacks gezicht die Fenwick lastig te interpreteren vond. Was hij op zijn hoede, was het afgunst, het was moeilijk te zeggen.

'Laten we naar de patio gaan om thee te drinken. Margaret is naar het Women's Institute, dus je zult het met mijn brouwsel moeten doen, vrees ik.'

Ze dronken hun thee in stilte en geen van beide mannen scheen zin te hebben die te verbreken. Ten slotte zette Fenwick zijn kopje neer.

'Je hebt gisteravond met brigadier Gould gesproken, een van mijn rechercheurs. Hij wilde weten of jij je de arrestatie van Amanda Bennett nog herinnerde.'

'Dat is lang geleden, hoofdinspecteur, en zoals ik al tegen je collega zei, herinner ik me dat voorval niet meer. Als je helemaal hiernaartoe bent gekomen om mijn geheugen op te frissen ben ik bang dat je een vergeefse reis hebt gemaakt.'

Opnieuw merkte Fenwick iets eigenaardig defensiefs bij Black op, wat helemaal niet bij hem leek te passen. Black had bekendgestaan als een solide, betrouwbare rechercheur en het verbaasde hem dan ook dat hij iets te verbergen leek te hebben. Fenwick besloot hem via een omweg te benaderen.

'Hoe lang heb je bij Jeugd en Zeden gezeten?'

'Vier jaar.'

'Was je hoofd van de divisie in die tijd?'

'Nee, ik was een gewone inspecteur. Ik werd pas hoofdinspecteur vlak voordat ik met pensioen ging; laat, vergeleken met jullie tegenwoordig, ik weet het.' Hij zei het een tikje verbitterd. 'Hoofdinspecteur Harris was de chef. Hij ging jaren geleden met pensioen en is in de voorlaatste winter overleden.'

'Het moet prettig zijn geweest, indertijd, toen er nog politierechters waren die de intentie hadden mensen achter de tralies te brengen. Ik kan je niet zeggen hoe frustrerend dat tegenwoordig is. Al het werk dat je doet, en waarvoor?' Fenwick schudde met gespeelde walging zijn hoofd, in de hoop dat Black erop in zou gaan. En dat deed hij. Hij praatte honderduit over de goeie ouwe tijd, en hij vond het leuk om herinneringen op te halen met een jongere rechercheur die hem respecteerde.

Fenwick liet hem doorpraten en uitweiden over de vroegere methoden van het politiewerk vergeleken met de nieuwe. Toen hij uiteindelijk even zweeg om adem te halen, pakte Fenwick dat thema op.

'Ik zal je eens wat zeggen, nog zoiets waar ze tegenwoordig nauwelijks meer waarde aan hechten: informanten. Hoe vaak ik niet een zaak heb kunnen afsluiten op grond van het juiste beetje informatie op het juiste moment! Maar daar halen ze nu hun neus voor op.'

Black knikte hevig. 'De beste arrestaties uit mijn carrière waren meestal naar aanleiding van een goede tip.'

Fenwick bracht hem voorzichtig weer terug naar de tijd dat hij bij Jeugd en Zeden werkte, tot hij midden in een verhaal zat over een van de beste informanten die hij ooit had gehad, een jonge meid. Fenwick dacht meteen aan Sally. Met haar dominante overlevingsinstinct en gebrek aan moraal, zou zij een volmaakte verklikster zijn geweest. Hij ging op zijn ingeving af, wat had hij te verliezen?

'Kan dat Sally Bates zijn geweest? Of heette ze toen al Price?'

'Ja, Sally Price. Ze was pas zeventien, maar altijd betrouwbaar.'

Fenwick borduurde verder op het idee dat hij al in zijn hoofd had sinds hij hier was. 'Maar het bordeel van Amanda Bennett aangeven was niet zomaar iets, zelfs niet voor haar. Dat ging veel verder dan het kleine werk.'

'Ja, maar ze moest over de brug komen, anders zouden we de politierechter zover brengen dat hij gevangenisstraf oplegde; ze had geen keus.'

Fenwick liet die woorden in de lucht hangen. Hij dronk het laatste beetje thee op en hoorde in de verte dat de klok twee uur sloeg.

Black keek hem aan en schudde zijn hoofd. 'Je bent een klootzak.'

'Je vroeg erom. Waarom deed je net alsof je je de zaak Bennett niet herinnerde?'

Black zuchtte, lang, diep en verslagen. 'Misplaatste loyaliteit, denk ik. Harris was een goede politieman ook al waren zijn methoden op het randje. Hij had Sally in de hand, maar de kwestie Amanda Bennett was een beetje te veel van het goede, zelfs voor hem. Sally gaf ons Amanda, maar we wilden diegenen hebben die erachter zaten. We wisten dat iemand haar steunde met een heleboel geld en connecties. De manier waarop het bordeel was opgezet, de clientèle, allemaal heel chic. Harris stond vlak voor zijn pensioen en dit was zijn laatste klus.

Op een donderdagavond, bijna exact tien jaar geleden, vielen we daar binnen. Er waren acht klanten aanwezig, en negen meisjes plus Amanda.'

'Was Sally er ook bij?'

'Die avond niet. Ze had griep en had afgebeld. De jongste daar was zestien; ze was met een man die een plaatselijke drukkerijketen runde. Ik weet het nog omdat zijn ex-vrouw nog steeds samen met de mijne naar het WI gaat. Er waren ook twee vaste klanten die in afzonderlijke kamers vastgebonden waren. De ene liet zich op zijn kont slaan toen we binnenkwamen, maar dat was nog mild vergeleken met die andere vent. Ik kan geen wasknijpers meer zien zonder aan hem te denken.'

Er ging bij Fenwick een belletje rinkelen, maar hij liet Black doorpraten.

'De rest was verder eigenlijk normaal. We namen al hun gegevens op en stonden op het punt om ze naar het bureau te brengen toen de telefoon ging. Het was voor Harris. Ik weet niet wie het was of wat er gezegd is, maar toen hij terugkwam zag hij asgrauw. Ik dacht dat hij een beroerte kreeg. Hij zei dat we de meisjes alvast weg moesten brengen en dat hij de mannen samen met een van de andere rechercheurs ter plaatse zou afhandelen.

Op dat moment zette ik daar geen vraagtekens bij, maar later, toen ik de rapporten las die in de dossiers zaten, merkte ik dat er blijkbaar maar zes klanten in het pand waren ten tijde van de inval. Twee waren er verdwenen. Iemand had aan de touwtjes getrokken om hun een schandaal te besparen.

De lui achter de schermen hebben we nooit gepakt. Amanda Bennett praatte niet. Ze zat haar achttien maanden uit, kwam vrij en begon voor zichzelf, zou je kunnen zeggen.'

'Heb je de gezichten van de klanten gezien?'

'O ja. Ik heb er twee losgemaakt! Dat vergeet je niet meer.'

Fenwick pakte een foto uit zijn zak en gaf hem aan Black. 'Ik weet het, het is tien jaar geleden, maar kijk eens goed. Stel je hem tien jaar jonger voor. Kan hij een van hen zijn geweest?'

Met een sceptisch gezicht pakte Black de foto aan, maar dat ging snel over in ongeloof.

'Goeie god! Hoe kun je dat weten! Ja, dat is die gestoorde kerel die zich op zijn kont liet slaan door een meid in leer. Wie is dat?'

'Dit *was* een zekere meneer Arthur Fish. Hij is drie weken geleden vermoord en ik denk dat ik eindelijk weet waarom.'

Black fronste en zuchtte. Hij keek naar zijn prachtige tuin en naar de zee daarachter, met witte koppen op de golven die op paarden leken.

'Het verleden bestaat niet, weet je dat, hoofdinspecteur? De gevolgen van wat je gedaan hebt leven voort in het heden en ze bepalen alles. Ik had het kunnen weten dat ik er niet aan zou ontkomen.'

Hij stond op, schudde Fenwick de hand en liet hem uit.

42

Sally werd door haar advocaat teruggebracht naar de Hall en hij stond erop haar dokter te bellen. Meteen nadat hij vertrokken was belde zij de praktijk op om af te zeggen en schonk zichzelf een borrel in. Ze was nu weer gekalmeerd, maar ze moest nadenken. Inspecteur Blite had de confrontatie opnieuw een etmaal verschoven en ze besloot zich daar in geen geval aan te onderwerpen. Haar zelfvertrouwen was gekelderd door zijn terloopse opmerking dat ze vastgezet zou worden en de herinneringen aan haar broertje en zusje, die in die stinkende kamer opgesloten hadden gezeten, kwamen bij haar boven. Huiverend dacht ze eraan, dat als James FitzGerald er lucht van kreeg dat de politie al bezig was een zaak tegen haar op te bouwen, hij hun de foto's misschien gewoon zou toesturen en zijn chantage zou laten varen omdat het te riskant was. Hoe dan ook, tijdens hun gesprek had Alex absoluut volgehouden dat ze hem geen cent zouden betalen. Hij had Sally niet met zoveel woorden gezegd dat ze met FitzGerald af moest rekenen, maar uit zijn onafgemaakte zinnen had ze opgemaakt dat hij hoopte dat zij een manier zou vinden om het af te handelen, zonder dat hij ooit precies zou hoeven weten hoe, net als haar vader destijds. Deze had haar gecoacht, reprimandes gegeven, haar geprezen, en ze was altijd een snelle leerlinge geweest. Alex was zachtmoediger; hij sloeg haar niet en hij wist dat ze niet zo onbevreesd was als ze deed voorkomen, maar hij had desondanks verwachtingen van haar.

Het was haar wel duidelijk dat James FitzGerald moest verdwijnen; hoe precies, dat wist ze nog niet, maar er zou wel iets in haar opkomen. En ze moest de politie mijden, vooral Fenwick. Inspecteur Blite was dan wel een volhouder, maar hij had alleen maar een grote mond en daar wist ze wel raad mee. Vooropgesteld dat ze de confrontatie kon vermijden vormde hij geen probleem. Fenwick was van een ander kaliber. Hij was intelligent en hij wantrouwde haar. Dat hij vandaag niet bij het verhoor aanwezig was, bracht haar niet van de wijs; hij was bezig iets te beramen.

Sally liet haar voorhoofd in haar handpalm vallen en begon langzaam van voren naar achteren te wiegen. Toen balde ze haar vuist en bonkte er ritmisch mee tegen haar slaap, eerst zachtjes, maar steeds harder. De muren van de keuken kwamen op haar af en haar hoofd tolde. Ze moest nog een borrel hebben. Zowel Irene als Shirley had ontslag ingediend, en afgezien van een korte woede-uitbarsting kon het haar niet schelen. Laat ze toch, die stomme trutten! Er waren er meer van hun soort en ondertussen kon ze wel leven met het stof en een paar spinnenwebben. De eerste gin-tonic ging snel naar binnen, de tweede iets langzamer. Ze probeerde net een besluit te nemen of ze nog een derde zou inschenken toen de telefoon ging. Ze sprong erop af, maar struikelde, morste de drank en liet haar glas vallen. Ze liet het op het tapijt liggen en wendde traag haar blik van de zich verspreidende natte plek naar de telefoon. Ze nam op.

'Alex!' zei ze hijgerig, bijna paniekerig.

'Nee, u spreekt met hoofdinspecteur Fenwick, mevrouw Wainwright-Smith.'

Haar kwelgeest. Wat haatte ze die man. Het leek wel alsof ze hem met haar angst tevoorschijn had getoverd. 'Ja, hoofdinspecteur?'

'Ik wil u laten weten dat als u later vandaag op het bureau komt, ik u zal ondervragen over de dood van Amanda Bennett.'

Sally voelde de gin-tonic naar boven komen. Even kon ze niet meer denken en liet al haar listigheid haar in de steek. Ze voelde zich overwonnen, en dat gevoel was zo sterk dat ze zich uitgeput en verslagen in een stoel liet zakken. Toen moest ze aan de gevangenis denken en ze vermande zich. Hij probeerde haar uit haar tent te lokken, maar dat zou hem niet lukken.

'Ik heb u al gezegd dat ik haar niet ken. Houdt u nou eens op met aan mijn hoofd te zeuren.'

'Natuurlijk, ik zou er niet over piekeren dat te doen, maar aangezien wij een getuige hebben die kan bevestigen dat u haar gekend hebt, vind ik het alleen maar fair om u te waarschuwen.'

Hoe kon hij dat weten? Ze waren allemaal dood, daar had ze wel voor gezorgd. Het was bluf en bluf kon ze pareren.

'Ik heb het erg druk, hoofdinspecteur, en ik ben uw spelletjes ook wel een beetje beu. Ik weet niet waar u het over heeft.'

'Ik heb gepraat met iemand uit het politieteam dat tien jaar geleden de arrestaties heeft verricht, Sally. Hij herinnert zich jou nog goed.'

'Ik was daar niet.'

Er viel een diepe stilte en ze kon de ruis op zijn mobiele telefoon horen. Hij probeerde in te schatten of zij iets had toegegeven of niet. Sally begon weer met haar vuist tegen haar hoofd te slaan. Dit was niet eerlijk, het was niet terecht. Wat had ze gedaan dat die man haar op zo'n manier achtervolgde?

'Ik heb niets te zeggen.' Ze had nu meer dan ooit tijd nodig. Hij was de vijand en ze moest erover nadenken hoe ze hem moest aanpakken. 'Ik moet ophangen,' zei ze abrupt en ze legde de hoorn op de haak voordat hij antwoord kon geven.

Ze keek op haar horloge: het was bijna halfdrie. Ze moest maken dat ze wegkwam en daarvoor had ze geld nodig. De kleine Zwitserse bank waar ze het geld dat zij en Alex hadden geërfd naar had overgeboekt, zou nu gesloten zijn. Ze schonk opnieuw een gin-tonic in en sloeg die in één keer achterover.

Haar gedachten gingen snel en de alcohol die door haar bloedbaan stroomde bezorgde haar eerst een heftig gevoel van euforie en meteen daarop een totale depressie. Ze moest nadenken, maar haar hoofd tolde. Ze moest weg, weg van Fenwick, van FitzGerald, weg uit Engeland! Als ze maar in Brighton kon komen, dan kon ze de boot nemen. Hij was niet groot, maar ongeveer vijfenhalve meter lang, maar ze waren er al eerder het Kanaal mee overgestoken en als het moest kon ze met één hand zeilen.

Sally pakte haar handtas en haar recept voor antidepressiva. Ze mocht er eigenlijk niet meer dan drie per dag slikken en ze had er al twee genomen. Ze schonk nog een glas gin in, met wat minder tonic dit keer en nam nog een pil. Eventjes legde ze haar hoofd met gesloten ogen achterover tegen een zacht kussen en ze werd overvallen door een ongelooflijke vermoeidheid. Maar als ze toegaf aan de slaap was alles verloren.

Ze moest nadenken. Er stond geld op haar oude spaarrekening, waar ze de afgelopen twaalf jaar geld naartoe had gesluisd, te beginnen met de tienduizend pond die ze van Glass had gestolen. Daar waren verscheidene erfenissen van overleden oude mannetjes bij gekomen en elke extra cent die ze als prostituee in Brighton had verdiend. Er stond meer dan vijfenzestigduizend pond op haar rekening, inclusief de opbrengst van de verkoop van het huis in Wittering dat ze had geërfd. Ze kende het nummer van de bank uit haar hoofd. Hij zat in Brighton en ze was er al klant vanaf het moment dat ze daar was gearriveerd. Ze werd doorverbonden met de manager.

'Ik moet een bedrag opnemen, nu direct.'

'Hoe groot?'

'Alles, in cash.'

'Het duurt gewoonlijk drie dagen om dat te regelen.'

'Ik heb geen drie dagen!' Haar gedachten raasden door haar hoofd terwijl ze improviseerde. 'Moet u horen, u begrijpt het niet. Mijn vader is ernstig ziek geworden. Hij is in Afrika en ze behandelen hem niet als ik niet in contanten betaal. Ik vlieg daar morgen heen en ik heb het geld dus nodig!'

'Neemt u me niet kwalijk, even rustig aan, alstublieft. Wij kunnen het geld telegrafisch overboeken; geeft u ons de gegevens van de bank van het ziekenhuis daar, dan regel ik het zodra ik uw schriftelijke instructies heb ontvangen.'

'U begrijpt het niet.' Sally hoefde de tranen in haar stem niet te spelen. 'Ze willen contant geld. Ik moet contant geld meenemen.'

'Blijft u even aan de lijn?'

Sally luisterde naar 'Greensleeves' op het bandje met wachtmuziek en geleidelijk aan werd ze rustiger. Toen de manager terugkwam, zich hevig verontschuldigend voor het wachten terwijl hij contact opnam met het districtskantoor, had ze een alternatief voorstel klaar.

'Ik kan morgen persoonlijk naar het filiaal komen en een machtigingsbrief meebrengen.'

'Wij houden normaal drie dagen aan.'

'Ja, dat weet ik wel, maar dit is een noodsituatie.'

De manager was al met zijn districts-chef overeengekomen dat het geld beschikbaar kon worden gesteld. Sally had tien jaar lang consequent met bescheiden bedragen gespaard en er was niets verdachts op haar klantprofiel aan te merken. Als hij opschoot kon hij nog net op tijd het exceptionele bedrag dat ze nodig had in contanten bestellen.

'Goed dan, miss Price. Weet u wel zeker of het veilig is om met zo'n groot bedrag in contanten rond te lopen?'

'O jawel, dat is wel veilig.'

Sally leunde met een diepe zucht naar achteren in haar stoel. Over vierentwintig uur zou ze genoeg geld hebben om te ontsnappen. Nu moest ze alleen nog goed overwegen hoe ze Fenwick kon mijden en met FitzGerald kon afrekenen, voordat ze vertrok. Ze moest een manier vinden om Fenwick af te leiden, zodat zij FitzGerald te pakken kon nemen en naar Brighton kon vertrekken om haar geld op te halen. Ze hoefde alleen maar te plannen hoe ze dat zou doen.

'Hoofdinspecteur? Met Claire Keating.' Fenwick had de psychiater vanuit zijn auto gebeld. Hij popelde om haar beoordeling van Sally te horen. 'Ik ben nog niet klaar met het schrijven van mijn rapport, maar je boodschap was dringend.'

Fenwick zette de auto aan de kant in een parkeerhaventje zodat hij zich kon concentreren op het telefoongesprek. Hij vertelde haar dat de connectie tussen Sally en Arthur Fish en Amanda Bennett inmiddels vaststond. Hij had Blite al gebeld met de opdracht om Sally te arresteren op grond van dit bewijs, ook al was de confrontatie niet doorgegaan. Als de korpsleider niet zo terughoudend was geweest zou hij dat allang met het volste vertrouwen hebben gedaan, ongeacht wie ze was. Hij hoopte dat de inspecteur al onderweg was naar de Hall.

'Zo'n connectie is geen bewijs van schuld, Claire, maar als we haar in staat van beschuldiging stellen kunnen we doorwerken terwijl ze vastzit. Ik moet enige informatie van jou hebben, zodat ik weet hoe ik het verhoor moet aanpakken.'

'Ze zit heel gecompliceerd in elkaar, Andrew. Ik heb in de loop van twee uur tekenen van een aantal verschillende persoonlijkheidsstoornissen voorbij zien komen en ik heb haar een totale paniekaanval zien krijgen, vlak voordat ze wegging.'

'Toen ik haar daarnet sprak kwam ze volkomen normaal over.'

'Echt? Dat is interessant; ze was dusdanig over haar toeren dat inspecteur Blite opnieuw de confrontatie heeft uitgesteld.'

'Dan heeft ze de boel gemanipuleerd, dat weet ik wel zeker.'

'En dat klopt dan weer met mijn voorlopige diagnose. Ze vertoont duidelijk omschreven symptomen van een aantal persoonlijkheidsstoornissen uit cluster B. Dat zijn typen mensen met een abnormale en overdreven dramatische, emotionele persoonlijkheid, die buitengewoon zelfzuchtig kunnen lijken, een gebrek aan zelfbeheersing hebben en manipulatief zijn.

Sally heeft zeer oppervlakkige en snel wisselende emoties; ze gebruikt seks als machtswapen of als beloning en ze is volslagen op zichzelf gericht. Ze vertoont tegelijkertijd de behoefte om in het middelpunt van de aandacht te staan – dat is de klassieke diagnose van een aanstellerige persoonlijkheid, maar ik denk dat haar stoornis veel verder gaat. Jij en je mensen beschrijven perioden van ernstige psychose, extreme reacties op stress en een neiging tot geweld, die erop wijst dat ze ook de kenmerken van een antisociale persoonlijkheid heeft. Ze is in staat een diepe wrok te blijven koesteren, ze vertrouwt praktisch niemand, ze is amoreel, heeft geen gevoelens van spijt en neemt het niet zo nauw met de waarheid. Haar aanval op Donald Glass toont aan dat ze spontaan agressief kan worden en ik heb de indruk, maar ik weet het niet zeker, dat ze roekeloos en impulsief kan zijn.'

'Als ze zo grillig, oppervlakkig en labiel is, waarom blijft de relatie met haar man dan zo lang intact?'

'Ze zijn nog geen zes maanden bij elkaar, maar zelfs dat is al langer dan de meeste relaties bij iemand met een dergelijke theatrale persoonlijkheid. Het zou typerend voor haar zijn als ze hem zou proberen te manipuleren en te overheersen en tegelijkertijd naar hem opkeek om geruststelling te krijgen en opgehemeld te worden. Als hij zo slim is om haar te laten denken dat zij de macht heeft, kan hun relatie in zekere mate in evenwicht zijn. Maar ik denk dat hij meer macht over haar heeft dan alleen op die manier. Ze is eigenaardig afhankelijk van hem en dat houdt geen verband met de stoornissen van het type cluster B. Ik denk dat het zijn wortels heeft in de mishandeling in haar jeugd. Haar vader domineerde haar totaal en draaide elke kans op een natuurlijke ontwikkeling de nek om. Ze werd al op zo'n jonge leeftijd gedwongen seksueel actief te zijn dat haar kindertijd ophield. Ergens in haar binnenste zit een kind dat nog altijd wanhopig verlangt naar goedkeuring en leiding.'

'Kan zo'n persoonlijkheid naast al die andere stoornissen blijven bestaan?'

'Ik denk het wel.'

'Is ze gevaarlijk?'

'Ja. Ze lapt de normale maatschappelijke normen en waarden aan haar laars. En omdat ze neigt tot agressiviteit en geen gevoelens van berouw kent, kan ze inderdaad heel gevaarlijk worden wanneer ze de indruk heeft dat ze wordt bedreigd. Dat kan een aanleiding zijn voor zeer afwijkend en gewelddadig gedrag jegens de vermeende tegenstander.'

'Voldoende om tot moord over te gaan?'

'Om dat officieel te bevestigen zou ik meer tijd met haar moeten doorbrengen, maar onder ons gezegd, ja, daar is ze zeker toe in staat.'

Sally liep heen en weer door de grote hal terwijl ze haar plan nog eens doornam. Ze hoefde alleen maar vierentwintig uur lang uit handen van de politie te blijven, daarna kon ze haar eigen spaargeld ophalen en met de boot het Kanaal oversteken. Binnen enkele dagen zou ze verdwenen zijn op het uitgestrekte vasteland van Europa, met voldoende geld om zich schuil te houden tot ze voor zichzelf een nieuwe identiteit had gevestigd en aan een nieuw leven kon beginnen.

Ze had al eens eerder een nieuwe ik geschapen, maar die ambitie van destijds werd gehinderd doordat ze nog adolescent was. Nu wist ze hoe je je als een miljonair moest gedragen en daar kon ze zich op richten. Zelfs als Alex nog een tijdje in Engeland zou blijven, moesten er wel geschikte vrijgezelle mannen zijn die ergens hun vakantie doorbrachten en er waren er vast wel een paar bij die ze kon strikken voordat ze in geldnood kwam. Tot haar verbazing liep ze niet meer zo warm voor dat idee als vroeger; met een zeldzaam gevoel van vrees constateerde ze dat ze van Alex afhankelijk was geworden.

Ze wuifde die nare gedachte weg en concentreerde zich op wat haar te doen stond om nog één dag vrij te zijn. Haar onmiddellijke probleem was Fenwick; hij liet haar gewoon niet met rust en daar moest ze iets aan doen. Ze moest een manier bedenken om zijn aandacht af te leiden, net zolang tot ze met FitzGerald had afgerekend en ontsnapt was, maar hij leek onaanraakbaar. Er was geen voor de hand liggende manier om bij hem te komen. Met haar ogen gefixeerd op de tafel voor zich probeerde ze zich te concentreren. De plaatselijke krant van de vorige week lag er nog, een dun vod vol berichten over autowrakken, inbraken en schoolwedstrijden. Opeens herinnerde ze zich iets en ze graaide de krant naar zich toe, terwijl ze de gekreukelde bladzijden gladstreek tot hij er wat ordelijker uitzag. Ze had zijn naam daar ergens zien staan. Waar ook alweer?

Sally keek de pagina's door, tot ze de foto met het onderschrift zag dat op de een of andere manier in haar onderbewuste was blijven hangen: een groepje van vijf kinderen die trots hun blokfluiten vasthielden. In hun midden stond een aardig donkerharig meisje met heel grote ogen dat zelfverzekerd in de lens keek. Uit het onderschrift bleek dat ze Bess Fenwick heette, zeven jaar was en op de basisschool in Harlden zat. Dat moest wel de dochter van de hoofdinspecteur zijn. Iedereen wist dat hij kinderen had en zijn naam viel meteen op.

Haar instinct schreeuwde dat er maar één manier was om de man aan te vallen: via zijn kind. Ze keek op haar horloge: het was tien over halfdrie. Met wat geluk en als het niet druk was op de weg kon ze binnen een kwartier bij de basisschool in Harlden zijn. Ze had geen idee wat ze dan zou doen, maar door tussen Fenwick en zijn dochter te komen kon ze hem ongetwijfeld vertragen. Ze greep haar autosleuteltjes en rende de Hall uit. Ze vergat de deur achter zich op slot te doen. Wat maakte dat uit? Na morgenavond betekende het toch niets meer voor haar. Toch gaf het haar een merkwaardige steek van pijn dat ze dat comfort al na zo'n korte tijd de rug toekeerde. Maar toen vulde de gedachte aan de vrijheid en een nieuw begin haar binnenste. Zonder nog een keer achterom te kijken sprong ze in de auto.

Ze reed als een gek en slingerde over de weg. Drie glazen sterkedrank, vermengd met bijna de maximaal toegestane dagdosis antidepressiva, verstoorden haar coördinatievermogen, maar haar gedachten snelden haar vooruit. Opgejaagd door de intense haat jegens Fenwick en de noodzaak om de gedachten aan gevangenschap verdrijven leek het alsof haar bewustzijn te groot werd voor haar lichaam. Een fazantenhaan stapte de weg op en ze maakte een slinger zodat ze hem vol raakte. Met een enorme vlaag van genot voelde ze hoe de klap een ruk aan het stuur gaf en de bloedspetters zaten over de hele voorkant van de auto. Roodbruine veren vlogen omhoog en bleven onder de ruitenwissers zitten. Gefascineerd staarde ze naar de heldere kleuren tot het getoeter van een tegenligger haar dwong uit te wijken naar haar eigen kant van de weg.

Ze kon de basisschool gemakkelijk vinden, alsof ze werd geleid door een of andere kracht buiten haar. Op de speelplaats aan de voorkant was niemand en even was ze bang dat ze de dagelijkse exodus had gemist. Maar toen zag ze de rij wachtende auto's staan en begreep ze dat ze net op tijd was.

In het schoolgebouw begon een bel te rinkelen en als op commando stapten alle bestuurders uit. Het waren haast allemaal vrouwen en ze gingen keurig op een rijtje bij het hek van de school op hun kroost staan wachten. In het groepje bij het hek heerste een eigenaardig vertrouwelijk sfeertje en ze begreep dat als zij zich uit haar auto waagde, ze onmiddellijk als een indringster zou worden gezien. Dus bleef ze zitten wachten.

De kinderen kwamen bij golven de school uit, de ene klas na de andere. Ze renden allemaal tegelijk naar de smalle poort en wrongen zich erdoorheen. Elk kind of groepje kinderen werd onmiddellijk opgepikt door de wachtende volwassenen en Sally staarde geboeid naar dat schouwspel van zorgzaamheid en bescherming. Ze had dat zelf nooit ervaren en ze kreeg een onbekende, misselijkmakende pijn in haar hart. Ze deed haar handtas open en zocht naar haar potje met pillen. Ze nam er een in en slikte hem droog en met moeite door. Het werkte meteen en ze sloot haar ogen. Ze voelde zich onmiddellijk beter, optimistisch en ze kreeg er nieuwe energie van. Toen ze het potje terugstopte in haar tas zag ze de legitimatiekaart die ze van die politievrouw in de Hall had gestolen. Dat was een natuurlijke handeling van haar geweest, een reactie op een kans die zich ongevraagd aandiende. Ze pakte de kaart en keek ernaar. Ze was vergeten dat ze hem had, maar dat ze hem nu vond was bijna een voorteken.

Sally pakte een pepermuntje uit haar tas en begon er aandachtig op te zuigen. Tot dan toe had ze geen helder idee gehad waarom ze hier was; het leek haar gewoon de plek waar ze moest zijn. Ze kon het meisje misschien naar huis volgen en erachter komen waar ze woonde. Ze konden ook naar het park gaan of naar de winkels. Vage gedachten waren het, maar ze was er zeker van dat de reden voor dit ritje zich weldra zou aandienen en in de tussentijd genoot ze van de roes en de bekende euforie van de pil.

Wendy stond bij de autowasserette vast achter een Mini die, weliswaar schoon, niet wilde starten. De chauffeur zou toch moeten begrijpen dat een oude Mini en vocht geen vrienden van elkaar waren! Achter haar stonden nog twee auto's te wachten, bumper aan bumper. Het was tegen drieën en ze probeerde altijd (maar slaagde daar bijna nooit in) bij de school te staan voordat de kinderen naar buiten kwamen. En dat terwijl Bess en Chris altijd bij de laatste kinderen hoorden die weggingen en altijd gehoorzaam op haar wachtten. De school lag maar een paar minuutjes verderop, dus als die idioot voor haar nou een keer deed wat hij moest doen en zijn auto uit de weg duwde, was er niets aan de hand.

Als het mooi weer was bleef Bess op de speelplaats op Chris wachten en als het regende wachtte ze bij de grote deuren van de school. Vandaag waaide het erg hard, maar het was droog dus ze stond ongeduldig met haar sandaal op de grond te tikken terwijl ze op haar jongere broertje wachtte. Hij was altijd een van de laatsten.

Daar kwam hij dromerig naar buiten drentelen. 'Chris, hier ben ik!' riep ze.

Hij keek op, trok een grijns en kwam aanhollen. De meeste andere kinderen waren al weg, op een paar treuzelaars na.

'Kom, Wendy komt zo.' Ze pakte haar broer bij de hand en begon de speelplaats af te lopen in de richting van het hek. Ze was er bijna toen ze opeens bleef staan.

'Chris, waar is je schoenentas? Je weet dat je niets op school mag achterlaten. Ga hem halen. Vooruit, schiet op.'

Chris rende zonder om te kijken plichtsgetrouw terug naar het schoolgebouw. Met zijn zusje viel niet te discussiëren, hij kon dus maar beter doen wat ze zei. Zijn schoenentas hing aan het haakje en hij hing hem over zijn schouder. Toen zag hij dat iemand een Marsreep op de bank had laten liggen. Hij worstelde even met zijn geweten, maar draaide zich toen om en liep het gebouw weer uit.

De speelplaats was verlaten. Alle grote mensen waren weg en hij was nog maar het enige overgebleven kind. Hij riep zijn zusje, eerst zachtjes, daarna luider. Er kwam geen antwoord. Hij holde naar de klimrekken en de schommels, maar daar was ze niet. Toen rende hij weer naar het hek. Aan het eind van de straat klonk het geluid van een auto die veel te hard de hoek omkwam en hij meende het geluid van de motor te herkennen. Hij wachtte hoopvol. Met piepende remmen kwam de auto tot stilstand, het portier werd dichtgeslagen en Wendy kwam de speelplaats oprennen.

'Chris! Goddank! Het spijt me ontzettend dat ik zo laat ben, maar hier ben ik dan. Waar is je zusje?'

Chris staarde naar Wendy's bezorgde gezicht en begon te huilen.

43

Fenwick keerde terug naar het bureau met alle hoop erop gevestigd dat Sally in hechtenis zou zijn genomen, maar hij kreeg van Blite te horen dat hij het toch beter had gevonden het met de korpsleider af te stemmen voordat hij tot arrestatie overging. En: verrassing! Harper-Brown had eerst een bevel tot aanhouding willen hebben. Bovendien was er in het verzoekschrift dat Fenwick de avond daarvoor had opgesteld uitgegaan van een positieve uitslag van de identificatie.

'Omdat u degene was die Black heeft ondervraagd leek het mij beter het te laten rusten tot u terugkeerde, hoofdinspecteur.'

Fenwick was furieus en bonjourde Blite zijn kamer uit, voordat hij iets zei waar hij spijt van zou krijgen. Hij was net klaar met zijn herziene verzoekschrift toen zijn secretaresse hem doorverbond met Wendy. Aan haar stem kon hij onmiddellijk horen dat er iets heel ergs aan de hand was en zijn hart kneep samen.

Wendy was bijna in tranen. 'Het gaat om Bess. Ze was niet op de speelplaats toen ik hen van school kwam ophalen. Ik ben langzaam met Chris naar huis gereden en ik heb de exacte route genomen die ze zou hebben gelopen, maar ze was nergens te bekennen en ze is ook niet hier.' Er kwam een hoge paniektoon in haar stem en Fenwick deed zijn uiterste best om kalm te blijven.

'Weet je zeker dat ze niet thuis is?'

'Ja, ik heb haar overal gezocht.'

'En ze is niet met vriendinnetjes gaan spelen?'

'Ik heb haar beste vriendinnen allemaal gebeld en ze is bij geen van allen. O, Andrew, wat vind ik dit erg. Ik was maar twee minuutjes te laat, echt hoor!' Ze was wel vaker te laat en twee minuten was niets, een fractie van tijd maar. Het was weerzinwekkend dat het opeens zó erg telde.

'Hoe is het met Chris?'

'Hij is heel erg van streek. Ik krijg hem niet aan het praten, maar hij weet duidelijk niet waar Bess is.'

De gedachten joegen door Fenwicks hoofd. Bess was nog geen halfuur zoek en ze zou waarschijnlijk ergens zijn met vriendinnen, of ze zat in het park te dagdromen, maar dat risico wilde hij niet nemen. Normaal gesproken was ze een kind dat deed wat je zei, er in haar eentje vandoor gaan was niets voor haar. Je had als hoofdinspecteur tegenwoordig nog maar weinig privileges, maar het was een makkelijk te nemen besluit om zijn voordeel te doen met zijn positie. Hij droeg Wendy op samen met Chris thuis te wachten, sprak troostende woorden die hij zelf nauwelijks geloofde, en rende toen de gang door naar de kamer van commissaris Quinlan. Deze was in gesprek met het hoofd van de verkeerspolitie, maar Fenwick liep naar binnen met een gezicht waaraan duidelijk te zien was dat hij een groot probleem had.

'Mijn dochter is vermist. Ze was niet bij de school toen het kindermeisje haar kwam afhalen en geen van haar vriendinnen heeft haar gezien.'

'Hoe lang al?'

'Een halfuurtje, maar dit is niets voor haar. Ze zou nooit haar broertje alleen laten of in haar eentje weggaan.'

Commissaris Quinlan nam nauwelijks de tijd om na te denken. 'Ik ga met de Uitvoerende Dienst praten en laat een team vormen; jij gaat naar huis en maak je niet druk over de zaak Wainwright. Ik zorg er wel voor dat de anderen verdergaan met het arrestatiebevel en de aanhouding.'

De rit naar huis was een nachtmerrie. Met een hoopvol hart kroop hij door de straten met voetgangers op de trottoirs en scheurde ongeduldig veel harder dan hij mocht over de lege stukken. Hij zag nergens een teken van Bess.

Thuis werd hij verwelkomd door Wendy en Chris, allebei in tranen. Hij tilde zijn zoontje op en hield hem stevig in zijn armen en hij gaf Wendy een kus boven op haar hoofd. 'Het is jouw schuld niet,' fluisterde hij.

Hij liep met Chris in zijn armen de tuin in. 'Sst, het is oké. Niet huilen. Het komt allemaal heel gauw weer goed.' Maar het gesnik van Chris werd alleen maar luider, tot hij het bijna uitjammerde. Zijn vader hield hem stevig tegen zich aan, in de hoop dat hij door de veiligheid van zijn armen iets van zijn eigen kracht op het kind kon overbrengen. Wendy bracht hem een kop thee en ging bij hen op de bank zitten. Ze staarde troosteloos naar de grond tussen haar voeten. Ze kon helemaal niets uitbrengen.

Fenwick liet even met één arm zijn zoon los, nam een slok thee, en sloeg hem toen weer om hem heen. Na een tijdje ging het snikken van Chris over in gesnotter en toen werd het stil. Fenwick dacht eraan terug hoe hevig de langdurige ziekte van zijn moeder en haar uiteindelijke opname hem hadden aangegrepen; in zijn simpele kinderbrein had Chris alle schuld en verantwoordelijkheid op zich geladen en dat had diepe littekens achtergelaten, waardoor hij een kwetsbaar kind bleef. Fenwick moest de juiste woorden vinden om te voorkomen dat hij opnieuw schade opliep.

'Jij kunt er niets aan doen, Chris. Je bent een lieve jongen, een heel bijzondere jongen en papa houdt heel veel van je.'

Door die woorden kwamen er weer tranen los, maar minder heftig en het was ook sneller voorbij. Ze bleven alle drie lange tijd in een leeg stilzwijgen zitten, tot de wind maakte dat het te koud werd om buiten te blijven.

Fenwick belde alle vriendinnen van Bess opnieuw op, zonder succes, terwijl Wendy een paar boterhammen maakte. Fenwick zag tot zijn verbazing dat zijn zoon zonder te protesteren zijn hele bord leeg at en een glas sinaasappelsap opdronk. Hij kon zelf bijna geen hap door zijn keel krijgen maar dwong zichzelf ertoe, want hij was zich er maar al te zeer van bewust dat hij misschien wel de hele nacht op zou zijn. Maar tot het moment dat Chris in bed lag en sliep kon hij absoluut niet weggaan om naar Bess te zoeken. In de tussentijd had die kleine jongen zo veel mogelijk normale routine nodig.

Na het eten nam Fenwick Chris mee naar de zitkamer om televisie te kijken en streelde hem over zijn haar terwijl de onbeduidende tekenfilms aan hen voorbijtrokken. Hij was drie keer op de hoogte gebracht van de laatste stand van zaken, twee keer vanuit de meldkamer van de Uitvoerende Dienst en één keer door commissaris Quinlan zelf. Ze hadden al het onderwijzend personeel van de school ondervraagd en de meesten van Bess' klasgenoten. Niemand kon zich iets ongewoons herinneren. Bess was voor het laatst gezien toen ze aan het eind van de schooldag geduldig op de speelplaats op haar broertje wachtte. Het was inmiddels al over zevenen en het daglicht begon af te nemen. Door zich te concentreren op Chris en zijn behoeften probeerde Fenwick niet aan de verschrikkelijke mogelijkheid te denken dat ze was ontvoerd.

Hij kon het dringende verlangen om naar buiten te gaan en naar Bess te zoeken niet van zich afschudden. Hij zag de gezichten van de vaders van andere vermiste kinderen voor zich; hij had gezien hoe zij probeerden het vreselijke wachten te doorstaan tot ze van het lot van hun kind op de hoogte werden gebracht. Hij huiverde, en die beweging stoorde Chris.

'Is Bess naar mama toe gegaan, pap?'

Fenwick hield zijn adem in en ademde langzaam weer uit. Hij wilde de jongen niet bang maken met zijn reactie op die akelige woorden.

'Nee, Chris. Bess komt waarschijnlijk gauw weer thuis.'

Hij had het net zo goed niet kunnen zeggen.

'Want als dat zo is, dan wil ik daar ook naartoe. Ik mis mama, pap. Ik mis haar heel erg.'

'Ik weet het, Chris, ik ook. Maar ik heb jou nodig, hier bij mij.'

Chris draaide zich om en keek zijn vader verbaasd aan met zijn grote grijze ogen.

'Echt waar, papa?'

Dat was schijnbaar een heel bijzondere gedachte, want hij schudde vol verwondering met zijn hoofd. Toen keek hij tevreden verder naar de video voor hem.

'Papa heeft míj nodig,' fluisterde hij bij zichzelf en met een voldaan zuchtje nestelde hij zich nog dichter tegen zijn vader aan.

Fenwick keek omhoog naar het plafond om te voorkomen dat de tranen uit zijn ogen druppelden. Hij snoof en knipperde ze weg. Telkens weer stond hij er versteld van hoe breekbaar zijn zoontje was; hij had zo weinig zelfvertrouwen en sloeg zichzelf zo laag aan, het was om bang van te worden. Hij zou duidelijker moeten laten merken hoeveel hij van Chris hield en dat hij trots was op zijn prestaties. Hij gaf hem een kus boven op zijn kruin.

Intussen voelde Fenwick zich steeds meer verscheurd. Hij wilde weg om Bess te zoeken, maar Chris had hem nodig. Zodra hij hem in bed had gestopt zou hij weggaan en hem aan Wendy's hoede overlaten.

Net toen Fenwick klaar was met Chris in bed te stoppen ging de telefoon. Fenwick zei voor de laatste keer welterusten en kwam overeind. Hij kon nauwelijks rechtop staan door het gewicht van het verdriet en de ondraaglijke angst dat op hem drukte.

Hij en Chris hadden allebei niet naar het bed van Bess aan de andere kant van de kamer gekeken. Er gingen continu herinneringen aan Bess door zijn hoofd, doorspekt met wrede en gruwelijke beelden van gevallen uit het verleden: kinderen die overleden waren na een ongelukkige val in de speeltuin, of verdronken waren in de vijver van de buren waar geen hek omheen stond; het zware auto-ongeluk waar hij naartoe geroepen was toen hij nog in de geüniformeerde dienst zat en waarbij een heel gezin om het leven was gekomen, of het lichaam van het vermoorde kind, dat in een tapijt gerold op een braakliggend terrein lag op nog geen vijftig meter van het ouderlijk huis.

Hij kon Wendy onderdrukt horen huilen. Hij gaf haar niet de schuld, maar zij zichzelf klaarblijkelijk wel. Wat waren twee minuutjes helemaal? Je kon iemand toch niet bekritiseren omdat het niet veilig was om een kind heel eventjes alleen te laten? Hij liep op de tast naar beneden om in de keuken de telefoon aan te nemen.

'De commissaris heeft gevraagd of we u meteen wilden bellen als er ontwikkelingen zijn, hoofdinspecteur.'

Fenwick voelde de bekende kramp op de borst.

'Ja?'

'We hebben een getuige gevonden die in een van de huizen naast de school woont. Ze zag Bess bij een jonge vrouw in de auto stappen.'

Het was nu niet hypothetisch meer; hij kon niet net doen alsof Bess ergens in haar eentje was gaan spelen, uitgegleden was en haar hoofd had gestoten. Hij moest de realiteit van een ontvoering onder ogen zien. Zijn vingers klemden zich om de telefoon.

'Zijn er details?'

'Heel weinig. De auto was lichtblauw of zilverkleurig, "een soort raceauto", in de woorden van de getuige. Maar zij weet weinig van auto's af, dus ze kon niet eens een gooi doen naar het merk. We maken foto's zodat ze die kan bekijken. Het kenteken heeft ze niet gezien.'

'En de vrouw?'

Fenwick haatte die vreemde vrouw nu al met een heftigheid waar hij zelf van schrok.

'Ze kan zich niet veel meer herinneren dan dat ze chic gekleed ging. Iets langer dan gemiddeld. Ze droeg dure, zwarte schoenen. Dat is het. Ze heeft haar gezicht niet gezien.'

'En Bess?' Zijn stem brak bijna toen hij zijn dochters naam uitsprak. 'Hoe kwam zij over?'

'In orde. Ze hield de hand van de vrouw vast en liep gewoon met haar mee. De getuige hield vol dat er niets ongewoons aan de hand leek te zijn.'

Dat doen ze altijd, dacht Fenwick, hoe konden ze zichzelf anders van schuld vrijpleiten dat ze een kind op zo'n manier zien verdwijnen? De agent van de Uitvoerende Dienst praatte nog door en hij probeerde zich te concentreren op wat hij zei, niet op het beeld van Bess die in een vreemde auto stapte. Waarom had ze dat gedaan?

'Bent u daar nog, hoofdinspecteur? Ze komen nu naar u toe om uw telefoon af te tappen voor het geval er losgeld wordt geëist.'

'Ik ga nu weg om mee te helpen zoeken, maar het kindermeisje is hier.' Hij hing op.

De telefoon ging onmiddellijk weer over. Het was zijn baas, die belde om te vragen hoe het met hem ging.

'Met mij gaat het wel, commissaris. Ik wil alleen meer te doen hebben. Waar richten de zoekteams zich op?'

'Er zijn zes externe teams bezig.' De commissaris wilde hem aanvankelijk de locaties niet doorgeven. Hij wist maar al te goed dat de namen van die plaatsen hem meteen zouden doen denken aan eerdere zoekacties in verband met vermiste kinderen, waarvan sommige met een afschuwelijke afloop. 'We moeten in overweging nemen dat jij het opzettelijke doelwit bent van iemand die wraak wil nemen. Brigadier Cooper is met een paar mensen bezig afgesloten gevallen door te nemen om mogelijke verdachten te identificeren...'

'Dat zijn er heel wat.'

'... die nog altijd de mogelijkheid hebben om een ontvoering te organiseren. Daar zijn er minder van. En jij moet je geen zorgen maken over de zaak Wainwright. Blite laat James FitzGerald in de gaten houden en hij zal Sally Wainwright-Smith morgenochtend vroeg arresteren.'

Fenwick had geen moment meer aan de zaak gedacht sinds hij had gehoord dat Bess verdwenen was. Hij was met stomheid geslagen dat de commissaris hem zo verkeerd inschatte. Hij vroeg zich af of hij zich gevleid moest voelen of ontzet moest zijn.

Voordat de commissaris afscheid nam, vroeg Fenwick hem nog contact op te nemen met de politie in Edinburgh, om te horen hoe ver zijn moeder al gevorderd was op weg naar Sussex. Zij werd op zijn verzoek naar Harlden gebracht. Toen hij had opgehangen wreef Fenwick met zijn handen over zijn voorhoofd en merkte dat hij baadde in het zweet.

Plotseling kwam zijn maag in opstand en hij rende naar de wc en gaf over. Met zijn waterige ogen zag hij groenige gal in de wasbak spetteren. Hij plensde water in zijn gezicht en zoog wat water uit zijn hand in zijn dik aanvoelende mond. Hij kokhalsde nog een paar keer en spoelde toen zijn gezicht, zijn mond en zijn handen af onder het ijskoude water. Na verloop van tijd kon hij weer nadenken en dwong hij zichzelf kalm te worden.

Hij voelde zich hol vanbinnen. Sinds de ziekte van zijn vrouw haar langzaam uit het hart van de familie had weggehaald, was hij ondanks al zijn fysieke en mentale inspanningen om het te voorkomen, gevoelens van hoop verdacht gaan vinden. Nu kwam die verschrikkelijke wanhoop weer opzetten en hij besefte dat hij iets moest gaan doen, anders zou hij in de uren die volgden stapelgek worden. Hij ging weg om zich bij de speurders aan te sluiten.

Nightingale zat tegenover brigadier Cooper en opende een nieuw dossier. Commissaris Quinlan had hen van het Wainwright-onderzoek gehaald en het in de capabele handen van inspecteur Blite gelegd. Hij liet hen de oude zaken van Fenwick doorspitten, op zoek naar iemand die niet in de gevangenis zat en wraak zou kunnen nemen. Zij hield zich bezig met de zaken die in de computer waren ingevoerd, Cooper met de zaken die nog op papier stonden. Ze waren er allebei misselijk op de maag van en ze werkten in volkomen stilzwijgen door.

Het was overigens in de hele TGO-ruimte stil, afgezien van het sporadisch getik met sleutels of een zacht geritsel wanneer er een bladzij werd omgeslagen. Achter haar ging de deur open; iemand kwam weer een rapport in de zaak Wainwright afleveren dat in het groeiende databestand moest worden ingevoerd.

'Hier is het verslag van dr. Keating. Ze heeft er spoed achter gezet voor de hoofdinspecteur.'

Nightingales concentratie was verbroken en binnensmonds vervloekte ze volstrekt onterecht degene die binnen was gekomen. Cooper hoorde het en keek op. Hij zag de frustratie op haar gezicht.

'Ja, meid, het is bijna middernacht en ik heb behoefte aan een opkikkertje, en dat wil zeggen dat jij daar ook aan toe moet zijn. Waarom ga jij niet iets te eten voor ons halen?' Hij drukte haar wat geld in de hand. 'En zorg ervoor dat je zelf ook iets behoorlijks neemt, je bent zo mager als een lat.'

Nightingale liep de stille trap af naar de kantine op de begane grond waar de korpsleider op grond van zijn vele bezuinigingsmaatregelen een automaat had laten plaatsen waar je eten uit de muur kon trekken. De kantine was leeg en half schemerig, in afwachting van de ploeg die vroege dienst had en die pas over een uur of zes zou arriveren. Terwijl ze geld in de gleuven wierp en op de kleverige knoppen drukte, dacht ze aan Fenwick en hoe hij moest lijden. Hij moest dit helemaal in zijn eentje verwerken en ze besefte dat ze bij hem wilde zijn, alleen maar om hem de troost van haar aanwezigheid te geven. Ze kon iets van zijn verdriet met hem delen en iets voor hem doen als de angst overging in woede; hem troosten in de duistere uren van wachten die voor hem lagen. In haar verbeelding voelde ze het gewicht van zijn uitgeputte hoofd tegen haar schouder en plotseling had ze tranen in haar ogen. 'Waarom denk ik dit?' zei ze ineens hardop. 'Waarom heb ik deze gevoelens voor hem? Zo ben ik helemaal niet. Ik vertrouw geen oudere mannen!'

Ze zweeg geschokt. Ze probeerde zo weinig mogelijk aan haar vader te denken en trouwens, Fenwick moest jaren jonger zijn dan hij. Maar toch, nu ze het had uitgesproken, wilde het niet meer weggaan en Nightingale besefte dat er iets van waarheid in zat. Hij was echt zo'n vader zoals zij zich altijd had gewenst. Het was niet te bevatten dat Bess uit een dergelijke liefde was weggerukt. Dat meisje moest wel doodsangsten uitstaan en het ging Nightingale ontzettend aan het hart.

Ze zette de koffiebekers en de cake in een kartonnen doos en bracht ze zonder te morsen naar boven. Cooper zat nog steeds op dezelfde plek met zijn hoofd over de dossiers gebogen te lezen; dit was waarschijnlijk al zijn dertigste van die avond.

'De hoofdinspecteur belde net.'

Nightingale moest haar best doen om normaal te blijven ademen.

'Hij is op alle plaatsen geweest waar gezocht wordt, er is trouwens niets gevonden, en gaat nu naar huis. Hij wil dat wij hem het rapport van Claire Keating sturen en de kopieën van alle uitgewerkte verhoren met Sally en Alexander Wainwright-Smith.'

'Dat zal ík wel doen!'

'Dat dacht ik al, maar je kunt wel eerst je koffie opdrinken en je cake opeten terwijl je gaat kopiëren. Kijk me niet zo aan! Eet op, dat is een bevel!'

Toen hij thuiskwam stuurde Fenwick Wendy naar haar eigen appartementje boven. Hij moest er niet aan denken dat zij hem gezelschap zou houden, en hij moest nadenken. Terwijl hij van het ene zoekgebied naar het andere reed, het ene nog hopelozer en onproductiever dan het andere, had hij zichzelf er voor de eerste keer toe kunnen brengen als een politieman te denken in plaats van als vader. Tegen de tijd dat hij bij de speelplaats van de school aankwam, was het hem bijna gelukt, maar toen hij de gesloten hekken zag, afgezet met politielint, kwam de verschrikkelijke realiteit weer bij hem boven. Bess lag niet thuis in haar bed; hij was op zoek naar het vermiste kind van de arme man die hij zelf was. Hij moest het feit onder ogen zien dat zijn dochter het slachtoffer van een misdrijf was geworden en dat het hem ook tot slachtoffer maakte. Hij hoopte vertwijfeld dat het alleen maar om een ontvoering ging.

In de eenzame stilte van zijn huis probeerde hij zichzelf te dwingen terug te keren naar zijn eerdere analyses en de hamvraag: Waaróm was Bess ontvoerd? Er waren twee dingen mogelijk: ze was een willekeurig slachtoffer of iemand had een motief.

Als het willekeurig was kon hij niets doen, dus dwong hij zichzelf logisch na te denken over een motief. Wie had er baat bij haar verdwijning? Hij pakte een stuk papier en een pen uit zijn bureaula en staarde naar het lege vel terwijl hij zijn onderbewuste liet werken. Om middernacht had hij brigadier Cooper gebeld met zijn instructies en nu zat hij te wachten en deed zijn best om het gepieker en de demonen van zich af te houden.

Nightingale deed er een halfuur over om alle documenten waar Fenwick om had gevraagd te vinden en te kopiëren en in nog geen tien minuten was ze bij zijn huis.

Het zou er stil zijn; ze wist dat de muziek waarvan hij hield hem niet zou afleiden van de chaos in zijn hoofd. Werken, misschien het lezen van deze papieren, zou hem helpen. Ze parkeerde achter zijn auto, stapte uit met haar elegante, lange benen en drukte in het onverlichte portiek op de bel.

Toen Fenwick de bel hoorde rende hij onmiddellijk naar de deur en de emoties tolden door hem heen: het was een idioot idee, maar iets in hem zei dat het Bess zou zijn, eindelijk thuisgekomen. Toen kwam er een andere gedachte boven: het kon een politieman zijn, een oude vriend, die hem kwam zeggen dat ze haar gevonden hadden, dood en koud. Hoop en angst streden om de voorrang. Hij zag het lange silhouet van één iemand door het raam in de hal en de angst overwon. Hij deed de deur open.

Nightingale kreeg een schok toen ze zag hoe afgetobd hij was. Zijn haar zat in de war omdat hij er blijkbaar aldoor met zijn handen doorheen had gestreken en ze weerstond de onverklaarbare aandrang om het weer glad te strijken.

Hij staarde haar aan met zulke omfloerste, gekwelde ogen dat de tranen van medelijden in haar ogen sprongen. Eén fractie van een seconde leken hun zielen elkaar te raken: *'Het doet zo verschrikkelijk pijn'*, scheen hij te zeggen, en zij: *'Ik weet het, daarom ben ik hier.'* Toen knipperde ze haar tranen weg en was het ogenblik voorbij.

'Ik kom u de papieren brengen, hoofdinspecteur,' zei ze met een trillende, maar besliste stem.

'Dank je wel,' fluisterde hij nauwelijks hoorbaar. Hij pakte ze aan terwijl zij op de drempel bleef staan en tot haar grote afschuw merkte ze dat ze niet meteen losliet. Hij merkte de weerstand op en keek haar even verward aan. Er kwam een trek van besluiteloosheid op zijn gezicht, wat bij hem maar heel zelden voorkwam, en hij aarzelde.

'Wilt u dat ik hier blijf en u ermee help, hoofdinspecteur? Het is ontzettend veel.' En op dat moment merkte ze dat de balans van de krachtsverhouding die tussen hen bestond naar haar kant doorsloeg.

'Kom binnen.'

Ze kende de entree van haar eerdere bezoeken en ze werd onverwachts overvallen door de herinnering aan Bess in haar nachthemd. Weer dreigden die vervelende tranen op te komen. Waarom kon ze zich nou juist vanavond niet inhouden?

Het was koel in zijn werkkamer en ze rook zijn geur. De scherpe dierlijke lucht van angstzweet, een vage hint van aftershave die hij in gelukkiger tijden had gebruikt en de aardse lucht van oud leer van de boeken langs de wanden.

'Waar moeten we naar zoeken, hoofdinspecteur?'

'Bewijzen.' Hij zei het op een botte toon, maar ze begreep het. 'Ik heb een theorie over de reden waarom Bess is meegenomen. Wie heeft er voordeel van om haar te ontvoeren, Nightingale?'

'Vóórdeel?' Ze was ontsteld door zijn woordkeus.

'Het is een misdrijf; we moeten naar een motief zoeken.'

Plotseling begreep Nightingale waarom hij om de dossiers had gevraagd die ze nog steeds in haar handen had.

'Denkt u dat de verdwijning van Bess te maken kan hebben met de zaak Wainwright? Maar waarom?'

'Ik was van plan Sally Wainwright vandaag te arresteren. En binnen een paar uur is mijn dochter verdwenen.'

'Maar inspecteur Blite gaat haar evengoed arresteren.'

'Dat kan wel zijn, maar hij heeft haar nu voor de tweede keer op het bureau laten komen voor een verhoor en een confrontatie, zonder enig resultaat; ze loopt nog steeds vrij rond.'

'Dat duurt niet lang. Ze moet zich realiseren dat het slechts een kwestie van tijd is.'

'Jij gaat ervan uit dat ze rationeel denkt. Maar ik weet dat dat niet zo is.'

Hij pakte het laatste rapport van Keating dat boven op de stapel lag en keek het snel door. Hij knikte tevreden.

'Denk er maar eens over na. Zij is gewend macht te hebben over elke man in haar leven. Dat is al zo vanaf haar kindertijd; zelfs over haar vader. Hoewel hij haar uitbuitte leerde ze ook hoe ze hem in de hand kon houden om zijn gewelddadigheid tegenover haar in te perken. En sindsdien is ze in elke situatie in haar leven, tot en met de pleeggezinnen en de kindertehuizen, de bovenliggende partij geweest. Het gaat om de manier waarop en waarom ze overleefde.'

'Maar ze heeft nooit geprobeerd u in haar macht te krijgen.'

'Dat heeft ze wel, maar het werkte niet. Zodra ik op het toneel verscheen werd ik de meest dominante man in haar leven. Ik heb haar lot in handen; de macht om alles te doorzoeken, zelfs om haar te arresteren. Ze moet vertwijfeld hebben gezocht naar een manier om macht over mij te verkrijgen.'

Nightingale werd er beroerd van. 'Maar als u dat denkt, waarom bent u dan niet naar de Hall gegaan?'

Ze bedoelde het niet beschuldigend, maar ze zei het op een nogal harde, vlakke toon doordat ze haar best moest doen om haar emoties onder controle te houden. Tot haar afschuw zag ze hem ineenkrimpen.

'Denk je dat ik dat niet zou willen? Tot nog toe is het alleen maar een veronderstelling. Ik heb er geen bewijs voor dat Sally Bess kan hebben meegenomen. Als het niet zo is en ik storm daar naar binnen, dan is dat een volmaakt geschenk voor haar verdediger, maar áls het zo is en ik ga zonder ondersteuning te werk, kan ik het leven van Bess in gevaar brengen.'

Nightingale had ontzag voor zijn professionalisme en wilskracht.

'Ik moet de commissaris zover zien te krijgen dat hij me hierin steunt. We hebben deskundigen nodig, een overvalteam, en de korpsleider zal er verschrikkelijk van balen dat het de Wainwrights betreft. Ik mag dit niet verkeerd aanpakken, Nightingale. Dat kan ik me niet permitteren.'

'Maar een kind ontvoeren...'

'Dat lijkt extreem, ik ben het met je eens, maar wat heeft ze voor keus? Moet je nagaan. Ze heeft al moorden gepleegd, de politie zit haar op de hielen en heeft verbanden ontdekt waarvan zij dacht dat ze nooit ontdekt zouden worden. En het werkt als afleidingsmanoeuvre, kijk maar wat er nu al gebeurt met het onderzoek. Als je erover nadenkt is Sally de voor de hand liggende verdachte. En nu haar man er niet is, kan ze doen en laten wat ze wil.'

Nightingale zei niets. Hij had het allemaal al op een rijtje staan. Hij pakte een pen en markeerde belangrijke passages in het rapport van Claire Keating. Daarna deed hij hetzelfde met de transcripties van de verhoren met Sally en haar man.

'Ik denk dat we hier genoeg aan hebben. Kom op, Nightingale, rijd jij me maar naar het bureau. Geef me vijf minuutjes om tegen Wendy te zeggen dat ik wegga.'

Nightingale sloeg even haar handen voor haar gezicht terwijl ze wachtte. Nu ze hem zo zag worstelen met zichzelf en vol pijn, kon ze haar gevoelens voor hem niet meer ontkennen. Dit was niet zomaar een verliefdheid of een fixatie op een figuur met autoriteit. Dit was pijnlijk reëel. Ze hoorde hem zachtjes op de trap praten en aan Wendy uitleggen dat zijn moeder onderweg was vanuit Schotland en dat ze over een paar uur zou aankomen. Toen haalde ze haar handen weg. Nightingale herstelde zich en slikte het brok in haar keel weg. De klok sloeg één uur en met een schok drong het tot haar door dat ze maar tien minuten binnen was geweest.

'Goed, we gaan. We nemen jouw auto.'

Tijdens de kille rit terug naar het bureau waagde Nightingale het erop iets van haar twijfel te verwoorden.

'Hoe heeft Sally een ontvoering gepland? Ze zal zich toch wel gerealiseerd hebben dat de kinderen een kindermeisje hebben?'

'Ze heeft waarschijnlijk geen acht op haar geslagen. Je moet bedenken dat haar eigen moeder machteloos was om háár kinderen te beschermen. Vrouwen tellen niet mee in Sally's wereld.'

'Waar zou ze haar vasthouden?'

Fenwick schudde zijn hoofd. 'Ik weet het niet, maar het landgoed is enorm groot... Je hebt de toren van de Hall; die staat op zichzelf. Sally's broertje en zusje waren ook helemaal boven opgesloten, weet je nog, en ze werden pas ontdekt toen het al te laat was.'

'Waarom gaan we er niet gewoon naartoe om haar een aantal vragen te stellen?'

'Het is nu één uur in de nacht en denk eraan hoe Sally zich kan gedragen als je haar op de verkeerde manier benadert. Ze ís per slot van rekening een moordenares, weet je.'

Tegen de tijd dat ze Harlden binnenreden was Nightingale er net zo van overtuigd als Fenwick dat Sally zowel een motief als de mogelijkheid had om Bess te ontvoeren. Fenwick belde Quinlan vanuit de auto en deze zou onmiddellijk contact opnemen met de korpsleider om zijn fiat te vragen en ervoor te zorgen dat ze het team kregen dat ze nodig hadden.

44

Sally liep geagiteerd heen en weer over de overloop en bleef elke keer staan bij de eikenhouten deur naar de wenteltrap die naar de toren leidde. Het gebonk en het geschreeuw was net te horen en ze stond versteld van de vastberadenheid en het uithoudingsvermogen van het kleine meisje. Ze had er niet op gerekend dat ze zo sterk zou zijn.

Een zeldzaam, maar eigenaardig bekend gevoel roerde zich in haar. Zomaar opeens herinnerde ze zich dat haar broertje was geboren en hoe mooi het leven een paar dagen lang was geweest. Zij en haar moeder, samen in het ziekenhuis, kijkend naar een mooi, popperig kindje dat huilde en met zijn volmaakte vingertjes door de lucht zwaaide. Daarna waren ze naar huis gegaan en... Haar keel werd dichtgesnoerd door tranen en ze kon haast geen lucht krijgen. Het verleden was een dood gebied, niet de moeite waard om over na te denken. Sally verhardde zich en liep naar beneden. Over een paar uur zou het allemaal voorbij zijn; ze had het allemaal gepland en het was eigenlijk heel simpel. Door het kind te ontvoeren was ze er zeker van dat ze de aandacht van de politie een tijdlang had afgeleid, lang genoeg om voor eens en voor altijd af te rekenen met FitzGerald en vervolgens een heel eind weg te zijn voordat ze weer achter haar aan kwamen.

FitzGerald zou weldra hier zijn. Ze zou hem vermoorden, dan de Hall in brand steken en naar Brighton vertrekken. Simpel. Ze had ervoor gezorgd dat er overal voldoende brandbaar materiaal lag, voor het merendeel resten van de opknapbeurt en het behangen. Het lag verspreid over alle slaapkamers boven, en in de keuken en de bibliotheek had ze al kerosinekachels aangestoken die ze om kon gooien wanneer ze wegging. Alle tussendeuren waren open en vastgezet en boven stonden de ramen ver genoeg open om ervoor te zorgen dat het flink doortochtte. Aanvankelijk zou Alex woedend zijn, maar hij zou begrijpen dat ze haar misdaad had moeten verbergen. Bovendien, waarom zou hij de Hall wel hebben als zij hem niet had?

De Hall, en alles waar hij voor stond, interesseerde haar niet langer. Als ze bleef zou ze worden gearresteerd op beschuldiging van moord. De enige bezittingen waarop ze nu nog kon rekenen waren die in het buitenland waar de autoriteiten de macht niet hadden om ze te bevriezen. Ze had genoeg geld op haar spaarrekening om een paar maanden rustig op het continent te leven en daarna zou Alex óf naar haar toe komen, óf zij zou ergens anders weer een nieuw leven beginnen. Ze had het allemaal al uitgedacht.

Ze weigerde aan het kind te denken. Dat was een ongelukkige pion. Ze was zo stom geweest haar verhaal te geloven dat zij van de politie was en dat ze haar kwam ophalen om haar naar haar vader te brengen.

De antieke klok in de entreehal beneden sloeg één uur. FitzGerald was laat. Toen ze aan hem dacht kwam er een frons op haar gezicht. Al sinds ze heel klein was had haar overleving ervan afgehangen of ze in staat was degenen om haar heen te manipuleren. Het waren allemaal mannen geweest, zonder uitzondering, en Sally was ermee opgegroeid andere vrouwen alleen maar als obstakels te beschouwen, die je op de koop toe moest nemen of moest omzeilen. En haar tactiek was erg succesvol gebleken. Ze was getrouwd met een multimiljonair en ze had genoeg geld op haar eigen naam staan om haar vrijheid te garanderen. Ze zou over de wereld kunnen reizen, haar eigen rijkdom kunnen opbouwen, mooi en onaantastbaar als ze was; ze kon minnaars gebruiken en als ze hen beu was laten vallen, misschien wel met Alex hijgend als een hond achter haar aan hollend. Ze was er al eens eerder in geslaagd te verdwijnen en ze twijfelde er niet aan dat ze dat opnieuw kon – vooropgesteld dat ze FitzGerald het zwijgen kon opleggen.

Zo lang hij leefde, met al zijn geheimen, kon zij absoluut niet van haar successen genieten, dus moest hij dood. De klok sloeg kwart over. Hij moest nu wel onderweg zijn. Ze controleerde of haar paspoort, haar creditcards en haar rekeningenboek in haar handtas zaten. Haar koffer stond al in de auto, met haar juwelen, haar kleren en contant geld. Over een paar uur zou ze bij de zuidkust zijn en de politie zou geen idee hebben waar ze haar moesten gaan zoeken.

Sally liep door de hal naar de mooie zitkamer waar een groot vuur brandde. Er lagen kranten van drie dagen en uiterst brandbare kledingstoffen, keurig opgevouwen, op een van de leunstoelen als extra voedsel voor het vuur. Het vuurwapen zat verborgen achter een groot kussen op de bank. Ze hoefde alleen maar onmerkbaar haar hand naar beneden te laten glijden als ze met FitzGerald zat te praten, het tevoorschijn te halen, te richten en de trekker over te halen. Hij zou binnen een paar tellen dood zijn en dan kon ze het vuur ontsteken onder de olie, de kaarsen aansteken, nog meer brandjes stichten en het huis verlaten. Toen ze aan het wapen dacht, pakte ze haar lange avondhandschoenen en trok ze aan. Ze had een avondjapon aangetrokken, haar diamanten en haar duurste horloge omgedaan. Op deze manier, redeneerde ze, zag ze er niet verdacht uit en kon ze FitzGerald misschien zelfs afleiden. Er lagen gemakkelijke kleren achter in de auto om zich om te kleden.

Ze keek uit het raam en zag in de verte de lichtbundel van koplampen aankomen toen een auto van de weg afsloeg en de lange oprijlaan naar de Hall opreed. Mooi zo.

45

FitzGerald hield zich aan de maximumsnelheid toen hij naar Wainwright Hall reed. Het was niet ver en hij moest tijd hebben om na te denken. Hij was aan de late kant, want het had hem meer tijd gekost dan hij had verwacht om de politie die hem schaduwde, af te schudden. Hoewel hij Sally Wainwright-Smith niet vertrouwde – zij was tot moord in staat, daar had hij de bewijzen van – reed hij toch rustig in zijn eentje midden in de nacht naar haar toe. Met zijn linkerhand rommelde hij in het handschoenenvak waar hij altijd zijn vuurwapen had liggen en zijn vingers sloten zich ten slotte om het koele metaal. Mocht ze iets willen flikken, dan was hij er klaar voor.

Zij had nog altijd geen idee dat hij wist wie en wat ze was geweest. Wel ironisch, dat een van Amanda's hoertjes uiteindelijk getrouwd was met de algemeen directeur van een legaal bedrijf, Wainwright Enterprises, waar al meer dan vijfentwintig jaar geld werd witgewassen. Ironisch, maar niet geheel onwaarschijnlijk. Veel directieleden van Wainwright waren ertoe aangemoedigd slippertjes te maken met de vrouwen die Amanda speciaal voor hen klaar had staan. Het was extra bijverdienste en het betekende ook dat hij altijd genoeg informatie over hen bezat om hen in toom te houden, mochten ze ooit last van hun geweten krijgen.

Was dat de manier geweest waarop Sally voor het eerst van het fortuin van de Wainwrights had gehoord en had ze het gevoel gehad dat ze aan dat geld zou kunnen komen, als ze haar rol kon bijschaven en haar verleden anders kon invullen?

Hij schudde zijn hoofd terwijl hij over de donkere landweg reed. Nee, Sally was wel meedogenloos en geslepen, maar hij betwijfelde of het kreng in staat was een dergelijk plan in elkaar te zetten. Natuurlijk had ze ervoor gezorgd dat ze in de legaliteit terechtkwam; een enkele slimme, sterke meid lukte dat ook vaak. Het was voor haar beslist een gelukkige speling van het lot geweest dat ze Alan aan de haak had weten te slaan. Deze had bepaalde seksuele voorkeuren gehad die in een normale relatie moeilijk te bevredigen waren. Wat een enorme opluchting moest het voor hem zijn geweest dat Sally op zijn pad kwam! En toen ze eenmaal zo dicht bij al zijn rijkdommen was gekomen, zou de geur van geld prikkelend genoeg voor haar zijn geweest om haar rol goed te spelen.

Toen hij bij de sierlijke, openstaande smeedijzeren poort aan het begin van de oprijlaan naar Wainwright Hall kwam, zette FitzGerald de auto even stil. Zij had door de telefoon gezegd dat ze de eerste betaling klaar had liggen, wat niet als een verrassing voor hem kwam. Het zou niets voor Sally zijn als ze er, in het bezit van zoveel geld, niet voor had gezorgd dat ten minste een deel ervan direct voor het grijpen lag. Hij kon het voor zich zien hoe ze midden in de nacht met groeiende opwinding haar geld zat te tellen. Hij twijfelde er niet aan dat de zekerheid van geld het enige in het leven was waar Sally werkelijk van hield; dat was ook de reden waarom hij zo zeker wist dat ze in de kluis van de Hall ruim voldoende klaar zou hebben liggen.

Als hij de eerste betaling eenmaal binnen had, kon hij regelingen gaan treffen voor zijn vervroegde pensionering, luxueuzer dan hij zich had voorgesteld. Op een goed moment ergens in de toekomst zou hij wel een manier vinden om ervoor te zorgen dat de politie alle surveillancefoto's die hij in zijn bezit had van Sally en Graham Wainwright op de ochtend van Grahams dood, in handen kreeg. Zij zou naar de gevangenis gaan en Alex kon gewoon het familiebedrijf blijven runnen, dat met zoveel succes de gelden die hij en anderen in het criminele circuit van West Sussex verdienden, in legale investeringen omzette.

De banden knarsten over het grind toen hij het huis naderde. Door het grillige maanlicht in die winderige meinacht leek het net iets uit een griezelfilm. In één kamer op de begane grond, links van de massieve voordeuren, brandde licht. Het was de zitkamer. In de slaapkamers op de bovenverdieping waren de lampen aan; ze schenen fel naar buiten in het donker, omdat de gordijnen niet dichtgetrokken waren. De schaduw van de grijze stenen toren strekte zich naar hem uit en leek nóg langer door de gargouilles op het dak. Het waren net grijpvingers op het beenderwitte grind. Ze zaten overal, die gapende stenen monsters met hun ingevallen karkassen, opgevouwen vleermuisvleugels en lange klauwen, waarmee ze heraldische schilden vasthielden. Hij bracht de auto langzaam tot stilstand en stapte uit in de kille nacht.

Sally deed al open voordat hij kon kloppen en met een stapje naar achteren liet ze hem binnen. Ze was gekleed in een nachtblauwe avondjapon met haltertop, die laag uitgesneden was tussen de borsten en haar rug bloot liet. Ze droeg idioot hoge naaldhakken, waardoor ze net zo lang was als hij en ze had haar lichtblonde haren opgestoken in een gladde vlecht, die haar lange hals vrijliet voor de zware ketting met diamanten die ze omhad. Haar huid glansde als marmer en bij iedere ademhaling schitterden de geslepen stenen als regendruppels in het gedempte licht. Even deed ze hem denken aan zo'n stenen grafengel en hij rilde er onwillekeurig van. Engelachtig kon je de vrouw voor hem bepaald niet noemen, maar ze had deze avond zo'n aura des doods om zich heen dat de hele sfeer, en ook zijn fantasie, erdoor werden bepaald. Het contrast met die straathoer Amanda had niet volmaakter kunnen zijn.

'James, dank je wel, dat je op dit onchristelijke uur kon komen. Loop maar door naar de zitkamer en warm jezelf bij het vuur.'

'Ik heb het niet koud en ik wil ook niet blijven. Geef me gewoon maar het geld, dan ga ik weer weg.'

Hij merkte dat ze haar ogen even samenkneep bij zijn weigering verder te komen. Hij werd een vreemde spanning bij haar gewaar, alsof ze wachtte tot er iets gebeurde. Intuïtief keek hij om zich heen in de entreehal en tuurde in het donker van de twee gangen die naar de grote hal met de trap daarachter leidden. Zonder het te willen deed hij een paar stappen in de richting van de rechtergang, met zijn hand losjes op het wapen in zijn zak.

'Waar is Alex?'

'Die is er niet. Waar ga je naartoe?'

Hij lette niet op wat ze zei en deed nog een paar stappen, nieuwsgierig om erachter te komen hoe ze zou reageren.

'Ik vroeg je waar je naartoe gaat. Er is daar niets en het is beter als we in de zitkamer praten.'

Waarom was ze zo zenuwachtig, terwijl ze zo onverstoorbaar kon zijn als een kat? Geïntrigeerd liep hij door en hij was al bij de gang voordat ze hem had ingehaald en hem bij de arm greep. Hij keek haar verbaasd aan en zag dat ze haar best moest doen om haar gezicht in de plooi te houden en te glimlachen.

'Je bent echt een rare man, weet je dat? Ik doe hier mijn best om je uit te nodigen in een gemakkelijke stoel te gaan zitten, en jij sluipt de duisternis in.'

'Ik ben van nature een nieuwsgierig mens, kindje, dat zou jij toch moeten weten. Maar je hebt gelijk, het is hier donker. Vind je het niet eng, zo helemaal in je eentje?' zei hij met opzet, om haar stemming te peilen.

Ze lachte. Een zilverig klokkend giecheltje, dat hem irriteerde. 'Ach, lieverd. Ja, soms is het hier best wel een beetje eng, maar daar ben ik aan gewend.'

'Maar nu ik hier toch ben zal ik snel even rondkijken om te zien of alles in orde is.'

De klok in de hal sloeg kwart voor twee en hij zag dat Sally haar voorhoofd fronste, misschien omdat het alsmaar later werd.

'Dat hoef je niet te doen. Alles is veilig op slot en met mij is niets aan de hand.'

'Maar ik zou ook niet willen dat je je ongerust voelt,' zei hij met een zeldzaam glimlachje, dat haar kennelijk verwarde. Hij tilde haar hand van zijn arm, vond de lichtknopjes en wachtte even tot de grote hal en de overloop met de galerij daarboven baadden in het licht. Hij twijfelde er niet aan dat het huis veilig afgesloten was en ook maakte hij zich absoluut niet bezorgd om haar veiligheid, maar hij was vastbesloten om haar onzeker te maken.

Hij liep de voorname houten trap op en was zich er volkomen van bewust dat haar ogen op hem gericht waren. Toen hij op de overloop halverwege de trap kwam, waar deze zich naar links en naar rechts splitste, bleef hij even staan om te beslissen welke kant hij op zou gaan. Hij sloeg rechts af en liep verder naar boven tot op de grote galerij. Ze was in een mum van tijd bij hem.

'Ik weet het niet, James, echt niet hoor, maar als je erop staat mijn huis te inspecteren, is met je meelopen wel het minste wat ik kan doen.'

Ze bleef maar kletsen en haar stem klonk veel te luid in de stilte van het huis. Hij liep een voor een alle slaapkamers binnen en controleerde de inloopkasten en aangrenzende badkamers. Hij zag pas dat alle deuren wijd openstonden en vastgezet waren, toen hij de derde slaapkamer uit kwam en de stop moest wegschoppen om hem achter zich te sluiten. Sally zag zijn verbaasde frons.

'Ik heb alle kamers tegen elkaar opengezet. Er hangt nog zo'n sterke lucht van lijm en verf van de opknapbeurt in het huis; ik kan het er bijna niet uit krijgen.'

Hij gaf geen antwoord en ging gestaag verder met het controleren van de vijftien slaapkamers en zeven badkamers. Toen ging hij nog een verdieping hoger en bekeek de zolderkamers, terwijl Sally met groeiend ongeduld op de overloop onder hem bleef staan en maar doorpraatte over niets. Haar doordringende stem begon hem op zijn zenuwen te werken. Alleen boven staarde hij door de ramen naar buiten op het maanverlichte terrein onder hem. De wind joeg in vlagen door de bomen langs de oprijlaan, waardoor ze vreemde, continu veranderende schaduwen wierpen. Op de donkere plek onder een eik meende hij een gestalte te zien bewegen, maar toen hij nog een keer keek was er niets. Even vroeg hij zich bezorgd af of het de politie was, maar dat zette hij uit zijn hoofd.

In de kamer ernaast keek hij nog een keer uit het raam en ditmaal was hij er bijna zeker van dat hij in de schaduw van de rechtervleugel van het huis iets zag bewegen. Hij kreeg een rilling over zijn rug en hij wachtte tot hij het nog een keer zag. Maar dat gebeurde niet en gefrustreerd ging hij weer naar beneden.

Ze had vanavond iets in haar manier van doen wat hem alert maakte en hem het gevoel gaf dat hij extra op zijn hoede moest zijn.

'Ben je tevreden?'

'Ja, je hebt gelijk, het stinkt daarboven naar verf en gips, maar dat is ook geen wonder met al die lappen die je arbeiders hebben achtergelaten. En afgezien van alles, het is nog brandgevaarlijk ook.'

Ze stond te rillen en hij had opeens in de gaten dat ze daar in de kou van een onverwarmd huis stond in een jurk met een blote rug.

Hij wilde de trap aflopen en zei opeens: 'Wat was dat?'

'Wat?'

'Dat gebonk? Ik hoorde iets, dat weet ik zeker. Het komt uit de toren.'

'Doe niet zo raar. Alleen wij zijn hier. Het zal de wind op het dak zijn. Kom.'

Ze stak haar arm door de zijne.

'Weet je wel zeker of ik niet even moet gaan kijken? Luister! Daar is het weer. Geklop. Ik weet het zeker.'

'Ik hoor alleen maar de wind en een glas whisky dat ons roept bij het vuur.'

Ze begon opnieuw theatraal te rillen. Schoorvoetend keerde Fitz-Gerald de toren de rug toe en liep samen met haar de trap af naar de grote hal.

'Laten we het kort houden. Ik wil mijn geld hebben.'

'O ja, dat geld.'

Sally lachte, maar het zilverige toontje was eruit verdwenen; het was eerder een hol, vreugdeloos geluid dat hem nog veel minder beviel.

De maan ging onder aan de westelijke horizon toen Nightingale met bijna honderddertig kilometer per uur over het midden van een verlaten weg scheurde en elke hobbel en bocht nam alsof ze aan een race meedeed. Fenwick zat naast haar in de auto. Het team zou om twee uur in het bos bij elkaar komen, ongeveer zevenhonderd meter ten oosten van de hoofdpoort van de Hall. Er was ook een gewapend arrestatieteam ingezet. De commissaris had Fenwick toestemming gegeven erbij te zijn, omdat hij ook wel wist dat er maar één manier was om hem tegen te houden: hem opsluiten.

Ze waagde het eventjes op het dashboardklokje te kijken: het was tien voor twee. Ze waren er bijna en Nightingale zette bijna zonder gas terug te nemen de koplampen uit, terwijl hun ogen wenden aan het halfduister. Toen het bos voor hen opdoemde ging ze langzamer rijden en sloeg af. Aan één kant van de weg stond dichte begroeiing en daar stopte ze.

Fenwick keek ervan op dat er zoveel politiemensen op de been waren. Er stonden er wel tien om de man heen die het onderzoek naar de ontvoering van Bess leidde. Boyd was zijn naam en hij was verbonden aan een team van de Met, dat gespecialiseerd was in bijzondere of extra gevoelige ontvoeringszaken. Hij maakte een competente, alerte indruk en voor het eerst in tien uur tijd kon Fenwick zich enigszins ontspannen.

'Dag, hoofdinspecteur,' zei Boyd en hij stak zijn hand uit. Hij trok Fenwick mee naar de bespreking. 'Wij moeten zo goed mogelijk weten hoe de Hall er vanbinnen uitziet en waar Sally Wainwright-Smith uw dochter vast zou kunnen houden, als ze daar inderdaad is. Inspecteur Blite heeft ons al uitvoerig op de hoogte gebracht, maar u kunt ons misschien helpen met wat kleinigheden.' Hij had een zachte, zelfverzekerde stem met een licht Yorkshire accent.

Fenwick beschreef het interieur van de Hall: de ligging van de keukens en de werkruimten achter in het huis, de entreehal met links de zitkamer en rechts de kleine werkkamer, de twee gangen die naar de grote hal leidden, met links en rechts de eetzaal en de bibliotheek. Hij kon zich elk detail herinneren van het grote trappenhuis dat naar boven leidde. De trap week uiteen naar links en naar rechts en kwam uit op een overloop met een galerij. In de noordelijke hoek van de eerste overloop zat een stevige eikenhouten deur, met daarachter een wenteltrap die naar de toren leidde. Helemaal boven aan de trap was nog een toegang naar de toren.

Fenwick slaagde erin zijn stem rustig en ongeëmotioneerd te laten klinken, zonder een spoortje angst erin, maar hij moest wel even diep ademhalen om die toon vast te houden, toen hij afsloot met de woorden: 'Als Bess hier is, ga ik ervan uit dat ze haar naar de toren heeft gebracht. Er zijn een heleboel bijgebouwen en er staan wat huisjes op het landgoed, maar daar bestaat altijd het risico dat Bess zou kunnen ontsnappen. De toren is veilig en ver weg van eventuele bezoekers, maar wel vlak onder Sally's neus.'

Er begon een radio te kraken en Boyd werd weggeroepen om een boodschap van commissaris Quinlan aan te nemen, die in het coördinatiecentrum zat. Hij liet Fenwick weer alleen, gevangen in zijn eigen gedachten. Zijn hele lichaam was geladen met een mengeling van adrenaline en overweldigende angst en hij was er misselijk van. Hij had zo'n groot wantrouwen jegens het begrip hoop, dat hij het absoluut niet bij zichzelf wilde toelaten. Hij koesterde dan ook een bijgelovige angst om te hevig naar iets te verlangen, omdat hij dacht dat de kracht van dat verlangen de weegschaal van mogelijkheden de verkeerde kant op kon laten slaan. Desondanks hoorde hij zichzelf de bespottelijkste onderhandelingen met God voeren, goede werken, persoonlijke offers, kerkbezoek, de doop voor al zijn kinderen, als Hij Bess maar ongedeerd bij hem terug zou laten keren. Hij had al zijn geestelijke offergaven afgewerkt tot op het punt dat hij zijn eigen leven aanbood in ruil voor dat van haar, toen Boyd weer bij de groep kwam staan.

'Zegt de naam FitzGerald jullie iets?'

Fenwick knikte en draaide zich om, op zoek naar Nightingale, die volgens hem de expert van het team was wat FitzGerald betrof. Zij stond aan de rand van het groepje politiemensen en hij wenkte haar om te luisteren naar wat Boyd te zeggen had.

'FitzGerald schijnt een uur geleden van huis te zijn gegaan. Hij is een kwartier bezig geweest met het afschudden van de politiebewaking die jullie op hem hadden gezet en hij is ergens naartoe gereden. De melding was al eerder bij het coördinatiecentrum binnengekomen, maar daar denken ze intussen dat het van belang kan zijn. Is dat zo?'

Fenwick gaf antwoord en Nightingale knikte nadenkend.

'Dat zou kunnen. Het staat vast dat FitzGerald iets te maken heeft met Wainwright Enterprises.'

Een van de mannen in de groep deed zijn mond open. 'In wat voor auto rijdt hij, hoofdinspecteur?'

Nightingale gaf antwoord voor hem: 'In een gloednieuwe zilvergrijze Mercedes, het beste van het beste.'

'In de tijd dat wij hier stonden te wachten is er een auto voorbijgekomen die aan die beschrijving beantwoordt. Nog geen tien minuten geleden, schat ik. Wij waren de eerste groep die hier aankwam en ik heb hem zelf gezien.'

Boyd fronste bezorgd zijn voorhoofd.

'Dat verandert de zaak aanmerkelijk. Dan moeten we ervan uitgaan dat ze in de Hall wakker zijn en kunnen we niet vertrouwen op een verrassingselement. Zodra de mannen die ik al naar het huis heb gestuurd zich melden, hebben we meer inzicht in onze keuzes.'

Die mannen meldden zich al na een paar minuten. Zij vertelden dat overal op de bovenverdiepingen van het huis licht brandde en dat zowel de voordeur als de achterdeur stevig op slot zaten. Ze bevestigden ook dat er een zilverkleurige Mercedes voor het huis geparkeerd stond.

'Denkt u dat hij erbij betrokken is?' Boyd keek Fenwick en Nightingale aan, maar op dat punt konden zij hem niet verder helpen. Dat FitzGerald bij Sally in de Hall was, was een complicatie waar niemand op had gerekend.

'We moeten ervan uitgaan dat hij vijandig is,' stelde Boyd vast. 'Ik denk dat we een afleidingsmanoeuvre moeten uitvoeren. Brigadier Amos, omsingel de Hall met je mannen. Op mijn aanwijzing naderen jullie stilletjes vanaf het zuiden, westen en oosten en gaan jullie naar binnen. Zorg ervoor dat je absoluut geruisloos te werk gaat, tot het moment dat jullie binnen zijn. Zodra jullie toegang hebben is het de bedoeling dat je naar de toren, de trappen en de uitgangen gaat en die veiligstelt. Daarna gaan jullie verder met het doorzoeken van alle andere mogelijke schuilplaatsen.

Hoofdinspecteur Fenwick, u en ik gaan via de hoofdingang in het noorden naar binnen. Uw vrouwelijke agent kan met ons meekomen, dat maakt ons minder bedreigend. Ik zal gewapend zijn, maar ik blijf achter jullie, zodat ze geen vreemd gezicht ziet. De rest van jullie' – vier agenten, twee mannen en twee vrouwen keken op – 'wil ik in de schaduw hebben staan aan de noordkant van het huis om ons ondersteuning te geven als wij naar binnen gaan. Zet jullie horloges gelijk. Mijn horloge wijst nu... drie minuten over twee aan. Hoofdinspecteur Fenwick klopt om exact vijftien over twee op die deur, en jullie gaan het huis binnen zodra hij dat doet. Nog vragen?'

Er waren geen vragen. De twee groepen agenten verdwenen in het donker en lieten Fenwick, Boyd en Nightingale achter. Boyd controleerde de klittenbandsluitingen van zijn kogelvrije vest en knoopte zijn jasje eroverheen dicht. Fenwick werd zich bewust van hun

kwetsbaarheid. Zij zouden in het volle zicht regelrecht naar de voordeur lopen, alleen maar beschermd door hun vesten. Hij en Nightingale waren ongewapend; ze zouden zich moeten verlaten op de
reacties van Boyd. Hij dacht aan zijn laatste wanhopige smeekbede
aan de god in wie hij plotseling scheen te geloven en voelde een eigenaardig vredige berusting over zich komen. Als Bess maar veilig
was, dacht hij, dat was het enige dat telde.

'Koffie?' Nightingale gaf hem een mok en Fenwick besefte plotseling dat zij er nog steeds was. Bij een vorig onderzoek had Nightingale haar leven gewaagd en het bijna verloren voor een vrouw die
ze op zijn verzoek had beschermd. Dat wilde hij niet nog een keer
van haar vragen. Hij pakte de mok van haar aan en wilde Boyd aan-
spreken, maar deze stond te luisteren naar zijn mensen die verslag
uitbrachten. Fenwick wendde zich weer tot Nightingale.

'Als we toegang hebben tot de Hall wil ik dat jij je terugtrekt.'

'Maar hoofdinspecteur! Ik wil liever met u meegaan, en ik ben erbij om het er minder bedreigend uit te laten zien, weet u nog?'

'Niet tegenspreken. Jij bent zichtbaar, maar ik wil *niet* dat je de
Hall binnengaat voordat het er veilig is. Begrijp je dat?'

Ze begon opnieuw tegen te sputteren, maar beet toen op haar on-
derlip en knikte zonder hem aan te kijken. Opeens moest Fenwick
aan Bess denken. Die keek precies zo als hij haar iets wilde laten
doen wat zij niet wilde. Die vluchtige gelijkenis maakte hem nog
vastbeslotener om Nightingale buiten schot te houden.

Boyd keek op zijn horloge.

'We moeten gaan. We nemen mijn auto. Agent, jij rijdt. We hebben
zes minuten. Zodra we aan het begin van de oprijlaan zijn ontsteek
je je koplampen, zodat ze ons kunnen zien aankomen. Wij zijn de
afleidingsmanoeuvre.'

Ze stapten in de auto, Fenwick en Boyd achterin, Nightingale
voorin. Ze zeiden geen woord toen ze op weg gingen naar Wainwright Hall.

Sally ging FitzGerald voor in de helder verlichte zitkamer en bracht hem naar een gemakkelijke stoel, links van de haard. FitzGerald negeerde de uitnodiging en bleef staan met zijn rug naar het vuur. Hij keek over de bank heen uit het raam erachter. De gordijnen waren helemaal opengetrokken.

'Nu een glas.'

'Ik hoef niets. Geef me het geld maar.'

Sally schonk desondanks iets voor zichzelf in. FitzGerald zag haar profiel toen ze daarmee bezig was en de glimlach op haar gezicht verontrustte hem. Het was alsof ze een binnenpretje had waar ze heel erg van genoot. Zijn rechterhand gleed in zijn broekzak en vond het handvat van zijn vuurwapen.

'Jij hebt de behoefte om altijd alles in de hand te hebben, hè, James?' Sally had zich omgedraaid naar het vuur en stond met haar rug naar het raam. Ze hield haar glas in haar linkerhand en leunde met haar lichaamsgewicht tegen de achterkant van de bank.

'Het is al erg laat. Laten we er vaart achter zetten.'

Hij had net zo goed zijn mond kunnen houden.

'Alle mannen die ik in mijn leven heb gekend wilden macht over me hebben. Dat hebben jullie allemaal gemeen. Het is een teken van grote onzekerheid, volgens mij.'

'Sally!' FitzGerald klonk getergd.

'Mannen zoals jij hebben me ooit bijna kapotgemaakt en dat laat ik niet weer gebeuren. Ik heb heel wat gewelddadige mannen in mijn leven meegemaakt, maar jij overtreft alles, met je netwerk van schurken en gluurders en je superioriteit. Je bent een heel, heel gevaarlijke man en ik laat niet toe dat jij me ruïneert.'

Haar rechterhand gleed achter de kussens van de bank en ze trok hem met een soepel, geoefend gebaar weer omhoog.

Als in slow motion zag FitzGerald Sally's gehandschoende hand omhoogkomen met een vuurwapen erin. Zijn vingers sloten zich om dat van hemzelf en hij nam een sprong naar links toen ze vuurde. Hij voelde de kogel fluitend vlak langs zijn oor gaan en haalde toen zelf twee keer snel achter elkaar de trekker over voor een lichaamsschot. Maar Sally was achter de bank gedoken en zijn schoten misten. Toen schoot zij opnieuw en had hij het gevoel alsof hij een harde stomp tegen zijn schouder kreeg. Zijn hand werd gevoelloos en hij liet het wapen vallen. Daarna hoorde hij als vanuit de verte nog een schot en de pijn vlamde op in zijn borst, zo heet en beklemmend, dat het hem de adem benam. Hij viel tegen de grond en merkte dat het gevoel uit zijn lichaam verdween.

Sally keek op FitzGerald neer, die roerloos voor haar lag, en wierp toen een vluchtige blik op haar horloge. Het was pas tien over twee, maar ze had nog veel te doen voordat ze vertrok. Hij lag minder dan twee meter bij het vuur vandaan en het maakte niet uit of hij dood was of leefde, als de vlammen maar snel bij hem waren.

Ze gooide haar wapen in het vuur en pakte de kranten en de meterslange lappen die ze klaar had liggen, en legde ze neer vanaf de beklede meubelen naar het vuur. Binnen vijf minuten zouden hier voldoende rook en damp hangen om ervoor te zorgen dat hij doodging. Ze had nog ruimschoots de tijd om de onderste deur van de toren te ontgrendelen en open te zetten, zodat het vuur er gemakkelijker doorheen kon trekken. De deur helemaal boven aan de trap was trouwens toch vergrendeld. Daarna zou ze een lucifer bij de in brandspiritus en verf gedrenkte oude lappen van de arbeiders op de bovenste verdieping houden. Ze legde de lappen in het vuur en verliet de kamer zonder om te kijken.

Langzaam bracht het verstikkende gevoel alsof hij verdronk Fitz-Gerald weer bij bewustzijn. Hij tilde zijn hoofd op en zijn longen zwoegden en deden pijn. Het enige wat hij zag waren vlammen om hem heen, die vanuit de haard oversprongen op de bekleding van de stoelen en via de antieke tapijten naar de gordijnen. Vonken schoten door de lucht en hij zag dat er eentje op zijn broekspijp landde, even opvlamde en toen uitdoofde door een gebrek aan onmiddellijke brandstof.

Hij probeerde te gaan staan, maar zijn hoofd duizelde en de pijn in zijn borst was zo intens dat hij opnieuw voorovergebogen in elkaar zakte. De hitte bij zijn benen deed nu pijn en hij probeerde er vertwijfeld bij vandaan te komen. Hij slaagde erin zich op te richten op zijn goede schouder en zich bij het vuur vandaan te slepen. Het haardkleed brandde intussen al fel.

Hij merkte een veeg helder, slagaderlijk bloed op het tapijt op toen hij nog een stukje verder wist te kruipen. Toen zakte hij weer in elkaar. De rook was nu zo dik geworden, dat hij zou stikken als hij zijn neus en zijn mond niet heel laag bij de vloer hield. Hij kon nog net anderhalve meter bij hem vandaan de omtrek van de openstaande deur naar de betegelde hal zien. Als hij maar vooruit kon komen, dan zou hij het misschien nog halen.

Hij worstelde om zijn gewicht weer omhoog te krijgen, maar zijn arm kon het niet dragen. Een plotselinge vuurtong schoot omhoog vanuit de gordijnen en vol afschuw zag hij hoe het plafond begon te borrelen en te roken en daarna vlam vatte. Het geverfde stucwerk werkte als ontbrandingsmateriaal en toen hij zijn ogen weer opendeed, zag hij dat er gaten ontstonden waar de vlammen doorheen schoten naar de verdieping erboven. Met een laatste vreselijke krachtsinspanning hief FitzGerald zijn borst weer van de grond en begon hij zichzelf naar de deuropening te slepen. Centimeter voor centimeter kroop hij over de vloer. Aan de rand van zijn blikveld zag hij dat er blaren in de lak op de vloerplanken kwamen. Zijn handen werden eerst helderrood en vervolgens zwartgeblakerd toen hij zijn huid schroeide door de hitte.

Toen klonk er een oorverdovende klap en een groot deel van het plafond stortte naar beneden op de stoelen en de bank en barstte onmiddellijk in vlammen uit. Een meubelstuk van de bovenverdieping kwam naar beneden en landde op FitzGeralds benen, waardoor hij tegen de grond werd gedrukt. Dikke, zwarte, verstikkende rook kolkte op hem af en in zijn doodsstrijd staarde hij naar die afschuwelijke laatste decimeters die hem scheidden van de open deur naar de veiligheid. Hij probeerde om hulp te roepen, maar de kokendhete lucht verschroeide zijn longen en ten slotte viel hij bewusteloos neer.

Ze waren net bij de ijzeren poort naar de Hall aangekomen, toen Boyd plotseling zijn hand bij zijn oor hield en hem toen met een klap op de stoel van de bestuurder liet neerkomen.

'Van alle kanten naar binnen gaan. Ik herhaal, onmiddellijk van alle kanten naar binnen gaan. Uiterste waakzaamheid: vermoeden van vuurwapengevaarlijke individuen in het pand.'

Zijn gezicht was vaal geworden in het maanlicht toen hij in Fenwicks van afschuw vertrokken gezicht keek.

'Er zijn binnen schoten gehoord. Rijd zo hard als je kunt, agent. Plankgas!'

Fenwicks hele lijf schreeuwde om in actie te komen, maar hij moest wachten terwijl de krachtige auto met een ruk en veel opspattend grind naar voren schoot. Hij staarde naar het licht dat uit alle ramen van de Hall scheen. Het was duidelijk dat alle deuren goed afgesloten waren, en voor de ramen van het souterrain zaten veiligheidstralies, waardoor je niet naar binnen kon. Fenwick keek hoe een van de mannen tegen het onderste gedeelte van de muur opklom en behendig door een open raam op de begane grond klom. Hij verdween naar binnen, algauw gevolgd door zijn collega's.

Naast hem zat Boyd een gestage stroom van instructies aan zijn team door te geven, maar daar luisterde Fenwick niet naar. Hij was er helemaal op gefocust of hij een klein figuurtje achter de ramen zag dat Bess zou kunnen zijn. Toen was er het geluid van brekend glas en schoot er plotseling een hongerige steekvlam uit een van de benedenramen.

'O, mijn god, de boel staat in brand!' Vol afgrijzen zag Fenwick het vuur om zich heen grijpen. Ergens daarbinnen was zijn dochter, hij moest naar haar toe!

Toen Nightingale het vuur zag, greep ze automatisch naar de radioverbinding die in direct contact stond met het coördinatiecentrum en verzocht met een kalme stem om de brandweer, ambulances en extra manschappen.

Intussen waren ze voor het huis aangekomen. Fenwick was al vóór

Boyd uit de auto gesprongen en rende het bordes naar de begane grond op, toen hij hoorde dat van binnenuit de sloten werden opengemaakt. Een van de mannen die het vuur hadden getrotseerd om de benedenverdieping te doorzoeken, opende de deur.

Links van hem zag Fenwick twee mannen die het lichaam van een man uit de brandhaard trokken en daarna probeerden de deur dicht te doen, maar de vlammen hielden hen tegen.

'Haal hem hier weg!' hoorde Fenwick Boyd schreeuwen en hij ging ervan uit dat hij de gewonde man bedoelde. Hij spurtte langs de politiemannen naar binnen, door de gang naar de grote hal en verder, de trap op. Hij dacht maar aan één ding: Bess vinden voordat het vuur zich door de rest van het huis verspreidde.

Achter hem hoorde hij iemand hijgen en toen hij zich omdraaide zag hij dat Nightingale met hem mee rende. Voordat hij haar kon bevelen naar buiten te gaan greep ze zijn arm vast en wees naar de galerij op de overloop. Daar kringelde rook uit een van de slaapkamers.

'Ze heeft het hele huis in brand gestoken!'

'Ga hulp halen! Zoek Boyd!'

Nightingale holde halsoverkop terug naar de entreehal waar Boyd zelf leiding gaf aan de operatie.

'De hoofdinspecteur is op de eerste verdieping. Hij denkt dat zijn dochter in de toren is.'

'Mijn team komt hem helpen!' Hij keek naar de ongewapende agente voor hem. Het was al erg genoeg dat hij zich zorgen moest maken over Fenwick, en het laatste wat hij kon gebruiken was hulp van een amateur.

'Wij hebben dit onder controle. Jij gaat naar buiten om de bijgebouwen te doorzoeken voor het geval ze daar zit.'

Nightingale wilde protesteren, maar knikte toen met tegenzin. Er was nu geen tijd voor meningsverschillen.

Fenwick sprintte over de overloop naar de wenteltrap die naar de toren leidde. Tot zijn opluchting zag hij dat de eerste deur openstond. Drie van Boyds mannen stonden met een ram tegen de tweede deur te beuken en zetten zoveel kracht dat hij schudde in zijn scharnieren. Een kwellende minuut lang keek hij toe terwijl zij zwoegden en tegen de deur duwden. Het leek niets uit te halen, maar toen brak krakend het slot uit het hout en zwaaide de deur open. Fenwick stormde langs hen heen, de wenteltrap op.

Daar trof hij Bess ineengedoken aan. Hij sloeg zijn armen om haar heen en liet het kusjes boven op haar hoofd regenen, tot een rookwolk van beneden hem weer bij zinnen bracht. Hij tilde haar op en beschermde haar hoofd voor het geval ze zouden vallen.

'Geef het meisje aan mij, hoofdinspecteur. Rustig aan maar.'

Er werden handen uitgestoken om haar van hem over te nemen, maar hij klemde haar tegen zich aan.

'Alles is in orde, laat me erdoor. Nu is het allemaal in orde.'

Toen Fenwick naar buiten liep, hoorde hij in de verte de sirenes van ambulances en de brandweer aankomen. Bess was stil toen hij haar dicht tegen zich aan gedrukt hield, maar hij kon haar adem op zijn wang voelen en de kracht in haar kleine armen die ze stevig om zijn nek geklemd hield. Hij wist dat nu alles weer goed zou komen met haar. Hij ging op het grind zitten uit de buurt van het brandende huis en wachtte geduldig tot de tweede ziekenwagen arriveerde en hij met de ambulancemedewerkers en Bess naar binnen kon.

Ze legden zijn dochter op een brancard, maar ze ging meteen weer overeind zitten en stak haar armen naar haar vader uit. Hij zette haar op zijn knie, terwijl een van de hulpverleners haar polsslag opnam, met een stethoscoop naar haar borst luisterde en met een lampje in haar ogen scheen.

'Het lijkt erop dat haar niets mankeert; haar longen zijn volkomen schoon.'

'Ik heb dorst, papa, en ik heb ook geen avondeten gehad.'

De drie volwassen mannen achter in de ambulance keken verbaasd op en barstten toen in lachen uit. Bess keek hen beduusd aan en ze hielden meteen hun mond. Iemand gaf haar een pakje sinaas-appelsap, dat ze gretig leegdronk, gevolgd door een boterham met ei uit het lunchdoosje van iemand anders. Fenwicks mobiele telefoon ging over en hij nam met één hand op. Het was zijn moeder. Ze belde vanuit de politieauto die haar naar Harlden bracht. Ze reden op de randweg, nog geen vijf minuten bij hen vandaan.

Terwijl hij haar het goede nieuws vertelde dacht Fenwick snel na. Bess was lichamelijk ongedeerd, at en dronk met volle teugen en vertoonde geen tekenen van shock. Ze zou door gespecialiseerde mensen verhoord moeten worden over de ontvoering, maar dat kon tot morgen wachten. Wat ze op dit moment eigenlijk het meest nodig had was haar eigen familie om zich heen en goed slapen.

Hij zei tegen zijn moeder dat ze de politie moest vragen recht-streeks met haar naar Wainwright Hall te rijden. Het feit dat Bess ongedeerd was gebleven had Fenwicks intense woede jegens Sally Wainwright-Smith niet verminderd. Zij was daar ergens en hij werd verteerd door de drang om haar te vinden. Zodra zijn moeder hier was zou hij zich voegen bij degenen die jacht op haar maakten.

46

Sally kreeg de plotselinge komst van de politie in het oog toen ze op de bovenste overloop was, waar ze zojuist het laatste van haar vele brandjes had aangestoken. Beneden zich hoorde ze het geluid van brekend glas en haar hart bonkte in haar keel. Maar de adrenaline-stoot die ze ervan kreeg was welkom als een oude vriend. Op de ver-dieping onder zich hoorde ze stampende voetstappen die in de rich-ting van de toren gingen en via de hoofdtrap naar de begane grond. Het drong tot haar door dat ze nog steeds haar avondjapon en die belachelijke handschoenen en hoge hakken aanhad.

Ze gooide nog een kaars omver en bleef even staan kijken hoe de vlam het behang en de lijm bereikte die ze had neergezet als brandstof. Toen trok ze haar naaldhakken uit en liep op haar blote voeten naar de kant van het huis die op het zuidoosten lag: daar was een metalen brandtrap, die naar het dak van de keuken leidde. Haar auto stond in het stallenblok geparkeerd, tegenover de binnenplaats bij de keuken, nog geen vijftien meter daarvandaan. Als ze ongezien naar beneden kon klimmen was er een kans dat ze hem kon bereiken en ontsnappen via het pad dat door het bos leidde.

Ze opende het kleine raam dat naar de ladder leidde en klom, met de riempjes van haar open schoenen om haar arm geslagen, naar buiten het koude donker in. Haar blote voeten vonden de metalen sporten en ze krulde haar tenen eromheen. Ze stond zeker twaalf meter boven de grond, maar het grootste deel van de Hall beschutte haar tegen de harde westenwind.

Ze gleed soepel, met een paar sporten tegelijk, naar beneden, tot ze vlak boven het dak van de keuken was. Ze maakte net aanstalten om te springen toen ze verstijfde. Eén enkele agent, voorafgegaan door het op- en neergaande licht van een zaklantaren, liep vanaf de keuken in de richting van de stallen. Haar auto stond in de aanbouw in de verste hoek, tegenover de grote boogpoort over het pad dat naar de moestuin leidde en dat daarna verder het bos inliep.

Haar voeten kwamen op het ruwe teer van het keukendak neer en ze liep er geruisloos als een kat overheen. Het was een sprong van drie meter op het grind daaronder, maar ze deed het met het zelfvertrouwen van een kind en kwam in hurkzit neer. Ze herinnerde zich weer hoe ze indertijd al vroeg in de ochtend uit het huis ontsnapte om de melk van de buren te stelen en al het andere dat ze, dom als ze waren, buiten hadden laten staan.

Ze moest een brede binnenplaats tussen de keuken en de stallen overbruggen, en hoewel er niet veel van de maan te zien was, scheen het licht vanuit de Hall in een soort blokkendeken van geel, grijs en zwart op het grind. Ze had geen andere keus dan de oversteek te wagen. Die op en neer dansende vuurvlieg van een zaklantaren in de stallen kwam steeds dichter bij haar auto en ze had dus geen tijd om langzaam een omtrekkende beweging te maken. Ze wachtte tot de agent het ene stalgebouw uit kwam en het volgende binnenging en nam toen een spurt over de open ruimte, terwijl haar blote rug en haar opbollende rok het licht van de vlammen opving als een soort dreigende gargouille die tot leven was gekomen.

Nightingale probeerde de gedachten aan Bess en Fenwick uit haar hoofd te zetten, maar in de verte hoorde ze de sirenes en de stank van rook trok over de binnenplaats. Ze scheen opnieuw met haar zaklantaren in een hoek van een lege stal. Ze had er moeite mee zich te oriënteren in het pikdonker van de afzonderlijke gebouwtjes. De westenwind joeg dikke wolken voor de maan en de sterren langs waardoor ze verduisterd werden. Achter haar was de Hall en ze scheen zich in een soort stallencomplex te bevinden dat al heel lang leegstond. Ze baalde er ontzettend van dat ze zo ver bij de plaats van handeling vandaan was, maar ze begreep ook wel dat ze een sta-in-de-weg was en haar onwrikbare plichtsgevoel zorgde ervoor dat ze gewoon grondig haar werk deed.

Het geluid van een startende auto, die weigerde, maar voor de tweede keer wel aansloeg, verbrak de stilte op de binnenplaats. Nightingale rende naar buiten en stootte hard met haar voet tegen een oude laarzenschraper. Ze negeerde de pijnscheut en draaide zich om naar de bron van het geluid. Twee koplampen met groot licht flitsten op in de nacht en schenen in haar ogen. Bijna verblind rende ze erop af. Ze kon nog net een bleek gezicht achter het stuur zien zitten, maar toen zette de bestuurster de auto in de eerste versnelling en schoot hij naar voren. Nightingale draaide zich met een ruk naar rechts om de auto, die recht op haar afkwam, te ontwijken. Ze haalde het bijna, maar ze gleed uit in de modder op de binnenplaats en viel op haar knieën. De dichtstbijzijnde voorbumper van de auto raakte haar schouder, waardoor ze languit tegen de muur van de stal werd gesmakt. Ze stak haar hand uit om haar val te breken maar voelde haar pols kraken, net voordat ze met haar hoofd hard tegen de bakstenen muur sloeg. Er flitste een akelig schel licht achter haar ogen op en daarna kwam er een zwartheid opzetten, zo totaal, dat ze het gevoel kreeg in die diepte te zullen stikken. Toen ebde het bewustzijn weg.

Er kwam een auto voorrijden voor de Hall en tot zijn opluchting zag Fenwick dat zijn moeder eruit stapte. Ze was helemaal verstijfd, logisch na een rit van zeven uur op volle snelheid. Hij overhandigde haar zijn dochter, die inmiddels in slaap gevallen was, en gaf haar even een kus op haar wang. Hij gaf de chauffeur opdracht hen naar huis te brengen. Daarna ging hij onmiddellijk op zoek naar Boyd. Deze stond met zijn mannen op de binnenplaats achter het huis en keek machteloos toe hoe de vlammen zich over het dak van het gebouw verspreidden, aangewakkerd door de harde wind. Toen Fenwick aan kwam lopen draaide Boyd zich naar hem om.

'Als zij daar nog binnen is, hoofdinspecteur, dan is ze dood.'

Fenwick schudde zijn hoofd. Als Sally dood was, zou hij dat geweten hebben. Ze was op de een of andere manier ontsnapt, daar was hij van overtuigd.

'Weet u zeker dat ze zich niet ergens op het landgoed schuilhoudt?'

'Mijn halve team is weg om de afzonderlijke huizen te doorzoeken en uw agent heeft eerder vanavond de bijgebouwen doorzocht.'

Toen Fenwick hoorde dat hij het over Nightingale had, voelde hij zijn hart krimpen. Hij keek om zich heen. Zij stond niet bij de groep.

'Geef me je zaklantaren.'

'Wat?' Boyd keek hem schaapachtig aan.

'Geef me die zaklantaren!' Fenwick griste de lantaren uit zijn hand en rende naar het stallenblok en er kwam een vreselijk gevoel van angst bij hem opzetten. Hij had zijn eigen leven beloofd in ruil voor dat van Bess, niet dat van iemand anders. Het geloei van de vlammen en de geluiden van de brandweerlieden leken af te nemen toen hij de vierkante binnenplaats van de stallen op liep.

'Nightingale!' schreeuwde hij, terwijl hij het eerste gebouw doorzocht. Hij hoorde voetstappen buiten op de binnenplaats; het waren mannen van Boyd die kwamen helpen zoeken. Hij hoorde iemand roepen: 'Hierheen!'

Twee mannen van Boyds team stonden over een roerloze figuur gebogen die op het modderige stro lag.

'O, Jezus, nee toch,' fluisterde Fenwick bij zichzelf en hij voelde zich vreselijk beroerd.

Hij kwam bij hen staan en hurkte bij de vrouw neer die als een opgerolde bal op haar zij lag. Hij scheen met de zaklantaren in het lijkbleke gezicht, waar op de zijkant al een grote bloeduitstorting te zien was en er liep bloed uit haar neus.

'Laat onmiddellijk een ziekenwagen komen!' schreeuwde hij met een rauwe stem vol woede en haat.

Nightingale leek niet te ademen en hij stak zijn hand uit om onder haar onderkaak te voelen of hij een hartslag waarnam. Het klopte heel zwakjes en hij drukte harder, om het zeker te weten. Hij liet zijn hand op haar zachte huid liggen alsof het troost gaf.

Toen voelde hij gestamp op de grond en twee ambulancemedewerkers kwamen de binnenplaats oprennen met een brancard. Hij deed een stap achteruit om hen bij haar te laten en keek toe hoe ze een steunkraag om haar nek bevestigden en haar toen voorzichtig op de brancard tilden.

'Komt het goed?'

'Geen idee. Ze heeft kennelijk een zware klap tegen haar hele linkerkant gekregen, dus we weten niet wat voor inwendige verwondingen ze heeft opgelopen en met een dergelijk hoofdletsel kunnen we niets zeggen voordat ze volledig is onderzocht.'

Fenwick keek hen na toen ze haar wegreden met de ambulance die zijn dochter niet nodig had gehad. Hij probeerde het schuldgevoel dat hij voelde opkomen te rationaliseren, maar dat lukte niet en het gepieker zou hem nog gek maken.

Hij richtte zijn woede op Sally en begon met andere ogen de binnenplaats rond te kijken. Ze moest hier ergens een auto verscholen hebben. Aan één kant van de houten poort zaten verse krassen en de sporen van zilverkleurige lak glansden in het licht van zijn lantaren. Fenwick voelde meteen aan dat ze hier langs was gekomen.

'Haar ontsnappingsroute,' was alles wat hij zei. Boyd knikte en hij schreeuwde nieuwe instructies naar zijn mensen. Vier van hen sprongen in een robuuste wagen met vierwielaandrijving en scheurden hevig hobbelend weg over het spoor. Iemand anders kwam met een grote stafkaart aanzetten en snel traceerden ze de route die Sally vermoedelijk genomen had.

'Het pad komt vijf kilometer ten zuiden van hier uit op de gewone weg.' Fenwick wees naar een bosrand op de kaart. 'Dat is nog geen twee kilometer bij de A23 vandaan. Als ze daar eenmaal is kan ze naar Londen gaan of naar de zuidkust, en dan zijn we haar kwijt.'

'We weten niet hoe lang ze al weg is, maar het kan niet langer dan twintig minuten zijn en ze moet er zeker tien tot vijftien minuten over gedaan hebben om uit het bos te komen. We zitten misschien vijf tot maximaal tien minuten achter haar.'

'Ik zal wegblokkades laten opstellen op de hoofdwegen en een helikopter laten uitrukken. Het probleem is dat hier zoveel kleine weggetjes zijn dat ze overal kan zitten... Hoofdinspecteur? Waar gaat u naartoe?'

Fenwick rende naar de Hall terug en riep over zijn schouder naar Boyd: 'Regel jij de boel hier; ik ga haar man bellen. Die weet misschien waar ze naartoe gaat. Ik houd contact via het coördinatiecentrum.'

Hij rende verder op zoek naar een auto die hij kon vorderen en belde intussen met Cooper in het coördinatiecentrum.

'Ik moet onmiddellijk Wainwright-Smith spreken. Spoor hem op en zeg dat hij mij direct op mijn mobiele nummer moet bellen.'

Fenwick reed probleemloos weg met die vreemde auto en toen hij gas gaf was hij blij dat er een krachtige tweelitermotor in zat. Bij de poort wachtte hij even: rechtsaf, linksaf, noord, zuid – moest hij wachten of gissen? Hij sloeg af naar het zuiden. Zij had meer dan vijf jaar aan de zuidkust gewoond en hij wilde wedden dat ze op weg was naar bekend terrein.

47

Zijn mobiele telefoon ging en hij nam meteen op. Het was Cooper, die hem vanaf het bureau belde.

'Ik heb Wainwright-Smith gesproken en hij zal u rechtstreeks opbellen. Hij zegt dat zijn vrouw contact met hem heeft opgenomen. Ze is op weg naar een haven vlak buiten Peacehaven, ongeveer veertien kilometer ten oosten van Brighton. Ik heb het doorgegeven aan de Uitvoerende Dienst en de divisie in Brighton is al door de commissaris op de hoogte gebracht.'

'Waar in Peacehaven?'

'Halingford Harbour. Wainwright-Smith zegt dat ze daar een boot hebben liggen. Ze is kennelijk van plan zich vannacht schuil te houden, morgen geld op te nemen van een privérekening en daarna met de boot naar Frankrijk over te steken.'

'Ik rijd er nu heen. Geef het door aan Boyd.'

Hij verbrak de verbinding omdat hij de telefoon graag vrij wilde houden voor Alexander en drukte het gaspedaal helemaal in. De wind beukte tegen de auto en hij besefte dat hij een opstekende storm tegemoet ging. Woedende windvlagen rukten de jonge blaadjes van de bomen, en oude takken die niet konden meebuigen met die plotselinge windkracht, knapten af. Ongeveer acht kilometer voorbij Harlden lag een oude dennentak over de weg en hij moest plotseling remmen. Net toen hij eromheen reed belde eindelijk Wainwright-Smith.

'Hoofdinspecteur, ze heeft me zojuist opnieuw gebeld. Ze heeft haar plan gewijzigd. Ze kwam bijna in een van jullie wegblokkades terecht en daar raakte ze van in paniek. Ze is afgeslagen naar de binnenwegen.'

'Welke route?'

'Richting Lewes, denk ik, maar daar gaat het niet om. Ze wil vanavond al het land uit. Ze vroeg me naar haar toe te komen; ze gaat er eigenlijk van uit dat ik al onderweg ben.'

'Ze haalt het toch niet in haar hoofd om op een avond als deze te gaan zeilen? Het is windkracht zes of meer.'

'Meer, denk ik, maar ze kan goed zeilen. Een van haar suikeroom-pjes had daar ergens een motorboot liggen en betaalde haar om met hem te gaan varen.'

Fenwick, die met een snelheid van honderdtwintig over de lege A23 scheurde, nam met piepende banden de afslag naar de A27, die ten noorden van Brighton liep. Sally zat vermoedelijk maar een paar kilometer voor hem op die lege, oranje verlichte, weg. Het was bijna halfvier in de nacht, maar hij voelde zich zo wakker alsof hij een hele nacht had doorgeslapen.

'Waar hebben jullie afgesproken?'

'In Salingford Harbour. Dat ligt drie kilometer ten westen van Peacehaven. Het is niet veel meer dan een stuk weg met keien en een helling naar het water. Onze boot ligt daar.'

'*Salingford*, zegt u? Mijn brigadier dacht dat u Halingford zei.'

'Lieve help, nee. Dat is kilometers de andere kant op.'

De telefoon van Fenwick begon hoge pieptoontjes te geven. De batterij raakte leeg, niet zo vreemd met dat intensieve gebruik van die avond.

Alexander hoorde het. 'Maak u geen zorgen, ik bel hem meteen terug. Ik heb zijn nummer.'

'Hoe laat verwacht ze u?'

'Tussen vier uur en kwart over vier. Hoofdinspecteur?'

De vragende toon die Wainwright-Smith plotseling aansloeg maakte Fenwick onmiddellijk alert.

'Ja?'

'Ze heeft me verteld wat ze heeft gedaan.'

'En dat is?'

'Dat ze Graham heeft vermoord, dat ze uw dochter heeft ontvoerd en dat ze FitzGerald vanavond heeft neergeschoten.'

'Niet dat ze uw oom heeft vermoord?'

Er viel een stilte, toen zei Wainwright-Smith alleen maar: 'Nee.'

Fenwick vermoedde dat hij loog, maar hij besefte dat dát een mis-drijf was waar ze de bewijzen nooit meer van zouden kunnen ach-terhalen.

'Waarom vertelt u me dit allemaal?'

'Ik vind dat u het moet weten!' Wainwright-Smith klonk verbaasd. 'Het heeft geen invloed op haar verdediging. Met de advocaten die ik in de arm kan nemen zult u haar niet veroordeeld krijgen. Ik heb al te horen gekregen dat er redenen zijn om haar niet schuldig te verklaren op grond van verminderde toerekeningsvatbaarheid.'

Fenwick voelde hoe de woede die hij al voelde vanaf het moment dat hij te horen had gekregen dat zijn dochter was verdwenen, steeds intenser werd. Zijn borst, zijn nek en zijn gezicht verkrampten helemaal en hij greep zijn stuur zo heftig vast dat zijn vingers er pijn van deden.

'Het is mijn taak haar te arresteren, meneer, niet om haar te berechten. Dus waarom begint u daarover?' Hij hoorde hoe afgemeten, hard en bijna onbeleefd hij klonk en hij beet op zijn tong. Hij had zijn telefoon zo vast tussen zijn kaak en zijn schouder geklemd dat zijn nekspieren plotseling in een kramp schoten. Hij verzocht Wainwright-Smith de juiste weg naar de haven te herhalen en hij was blij toen de batterij van zijn telefoon het eindelijk begaf, want hij vertrouwde zijn eigen woorden niet meer.

De volgende tien minuten concentreerde hij zich op niets anders dan de route voor zich. Hij reed op een binnenweg door de South Downs die afdaalde naar het stille dorpje Rottingdean. Bij de kust sloeg hij links af, reed door Saltdean en moest toen vaart minderen, op zoek naar de weg die rechtsaf ging en hem naar de haven zou brengen waar Sally op haar man wachtte. Hij zette de motor en zijn koplampen uit en probeerde het coördinatiecentrum in Harlden op te roepen. Op zijn horloge was het acht minuten over vier; de divisie in Brighton had ruim voldoende tijd gehad om een team te verzamelen en Sally aan te houden. Zijn telefoon was dood, maar niet ver voor hem uit stond een telefooncel, dus liep hij erheen en belde het bureau. Hij vroeg naar Cooper.

'Wat is er aan de hand, brigadier? Ik ben op de afgesproken plaats en er is hier niemand.'

'Jawel, hoofdinspecteur. Brighton heeft een heel team op de been gebracht en inspecteur Boyd heeft zich zojuist bij hen gevoegd. Het probleem is dat Sally Wainwright-Smith nergens te bekennen is.'

Er ging een afschuwelijke gedachte door Fenwicks hoofd.

'Bij welke haven, Cooper?'

'Halingford, ongeveer drie kilometer ten oosten van Peacehaven.'

'Ze zit in *Salingford*, niet in Halingford; dat is elf kilometer verderop. Alexander Wainwright-Smith zou jullie daarover bellen... Laat het hele team direct hiernaartoe komen!'

'Weet u zeker dat ze daar is, hoofdinspecteur?'

'Ik heb geen oogcontact, maar ze is niet waar jullie zijn en ik heb daarnet de exacte routebeschrijving van Wainwright-Smith gevolgd, dus dat weet ik zeker, ja. Laten ze opschieten, anders raakt ze in paniek. Ze verwacht haar man rond kwart over vier.'

'Ik geef u inspecteur Boyd – blijf aan de lijn.'

Even later hoorde hij het vertrouwde Yorkshire accent.

'Wij sturen de helft van het team naar u toe, hoofdinspecteur, en de kustwacht is ook gealarmeerd. Maar kunt u gaan kijken of u visueel contact hebt? Ik wil niet de hele ploeg sturen, voor het geval wij haar missen.'

'Oké, ik zal het proberen en bel jullie binnen vijf minuten terug.'

Het was twaalf over vier toen hij de deur van de telefooncel openduwde, die meteen werd gegrepen door de harde wind. Elke windvlaag rook naar zout en rottend zeewier. Het prikte op zijn huid en zijn ogen begonnen te tranen, terwijl hij over het onverlichte pad naar de zee liep.

Sally wachtte in de luwte van een verlaten verkoopkraam en hield de contactsleuteltjes van de boot stevig in haar hand geklemd. De haven was leeg, afgezien van een stuk of tien boten die op en neer deinden vanwege de golfslag, die ondanks de rondlopende havenmuur naar binnen drong. Er waren witte koppen op de golven vanavond, zelfs binnen die beschuttende armen, en ze hoopte dat ze de start van de overtocht konden uitstellen tot het weer verbeterde.

Sally keek op haar horloge. Ze begon zich ongerust te maken en dacht er toen aan dat Alex had gezegd dat hij misschien later zou zijn. Ze zou tot vijf uur wachten en dan teruggaan naar haar auto. Ze keek naar haar voeten alsof ze wilde controleren of de koffer er nog stond. Daar zaten al haar waardevolle bezittingen in. Er stonden natuurlijk miljoenen op hun gezamenlijke buitenlandse rekening, maar dit was van haar, helemaal, en het stond op haar eigen naam. Er zat tienduizend pond aan contant geld in dat ze die middag uit de kluis van de Hall had gehaald, de familiediamanten en haar Patek Philippe horloge. Bovenop lagen de weinige kleren die erin pasten, toiletspullen en schoenen. Ze had een stevige aluminium koffer uitgekozen om haar aardse bezittingen in mee te nemen. Hij was zwaar, maar waterdicht en de aanblik ervan bezorgde haar een buitengewoon veilig gevoel.

Fenwick struikelde over een steen die op de eenbaansweg was gerold die naar beneden in de richting van de kust slingerde en hij wachtte wel een hele minuut om zijn ogen aan de duisternis te laten wennen. Er stonden een paar huizen, maar daar brandde geen licht, en de dikke voortjagende wolken bedekten de maan. Terwijl hij wachtte dacht hij na over die naamsverwarring: Halingford, in plaats van Salingford. Dat was een idiote vergissing, helemaal omdat ze in een coördinatiecentrum de procedure hadden namen letter voor letter te laten spellen.

Hoe meer hij erover nadacht, hoe meer hij ervan overtuigd raakte dat het geen vergissing was. Wainwright-Smith had het hele team naar de verkeerde plek gestuurd, maar Fenwick met opzet naar de andere plek. Als Sally hier was, was Fenwick erin geluisd om haar in zijn eentje te treffen. Waarom? Hij bukte zich en sloop voorovergebogen verder over de smalle weg. Ongeveer dertig meter vóór het strand hield de afscherming van de heg geleidelijk aan op en kon hij het strand voor zich zien liggen. Zelfs in het pikdonker gaven de golven die op de stenen sloegen licht met een griezelige fosforescerende gloed. Rechts van hem was het haventje. Bij het hek naar de aanlegsteigers voor de botenbezitters stond een paal met een elektrische stormlamp. Aanvankelijk meende hij dat alles verlaten was, maar toen maakte de lantaren een flinke zwaai en in die wijde boog van licht kreeg hij een in elkaar gedoken figuurtje in het oog, dat zich schuilhield in een kleine hut. Het was Sally.

De adrenaline schoot door hem heen. Ze was nog geen honderd-vijftig meter bij hem vandaan; hij kon in een halve minuut bij haar zijn. Het liefst was hij meteen op haar af gestormd om haar in te re-kenen, maar hij bedacht dat ze gewapend kon zijn en dat hij met opzet alleen, zonder back-up, hiernaartoe was gestuurd. Waarom was hem een raadsel.

Voordat hij terugliep naar de telefooncel om Boyd te bellen, nam hij even de tijd om de omgeving in zich op te nemen. Dit stuk van de kust was langgerekt, zonder opvallende punten, alleen maar de flauw zichtbare lijn van de golfslag op de kust. Als hij met zijn gezicht naar de zee stond kon hij een paar kilometer links van hem nog een paar lichtjes van het centrum van Peacehaven zien, verder was alles dikke duisternis. Terwijl hij langzaam naar zijn auto begon terug te lopen, zag hij dat een van de lichtjes in de verte in zijn richting leek te komen, daarna nog een, en nog een. Toen ze dichterbij kwamen begreep hij dat het de koplampen van auto's waren: de mannen van Boyd. Sally kon nu elk moment het plotselinge verkeer in de gaten krijgen en zich gaan afvragen wat dat betekende. Hij aarzelde één tel en nam toen een beslissing.

Sally tuurde wanhopig de westelijke weg af of ze de lampen van Alex' auto zag aankomen. Eerst sloeg ze geen acht op de auto's die uit oos-telijke richting kwamen, maar het was wel gek dat er zo laat nog drie auto's dicht achter elkaar reden. Met groeiende angst zag ze hen na-deren. Door de wind die om de hut gierde kon ze helemaal niets ho-ren en hun gestage nadering kreeg daardoor iets roofdierachtigs. Terwijl ze met haar hand boven haar ogen tegen de regen in de verte tuurde, werd haar aandacht getrokken door bewegingen dichterbij. Ze draaide zich om naar de weg die landinwaarts leidde met de ver-spreid staande huizen erlangs. Een lange gestalte liep de haven binnen en kwam vervolgens haar richting uit. Eerst dacht ze, dat moet Alex zijn, en ze begon bijna te roepen. Maar ze hield zich in: het klopte niet.

Alex had gezegd dat hij een zaklantaren bij zich zou hebben en dat hij het afgesproken signaal zou laten opflitsen: drie keer kort, voor de 'S' van Sally. Zo kon ze weten dat alles in orde was. Deze man liep daar met zijn handen in zijn zakken, met zijn hoofd gebogen en zijn manier van lopen was anders. Deze man was te lang. Dit was Alex niet.

In plotselinge paniek drong het tot haar door dat het een valstrik kon zijn. Alex was opgepakt en deze man was in zijn plaats hierheen gestuurd om haar gevangen te nemen. Ze had haar wapen in het vuur in de Hall gegooid. Ongewapend en helemaal alleen kon ze hem met geen mogelijkheid aan. Hij was nog altijd meer dan honderd meter bij haar vandaan. Hij rende niet, maar hij slenterde ook niet. Als ze snel genoeg was kon ze nog bij haar boot komen. Dat was haar enige kans.

Rechts van haar beukte de kille zwarte zee tegen de havenmuur. Voor haar, in de verte, rukte haar boot aan de touwen, verlangend om te ontsnappen. Ze pakte haar koffer op en rende erheen. De wind was ijzig koud en sterker geworden dan overdag, en ze zag de witte koppen op de golven die voor haar weer in schuim oplosten. Toen ze op de natte stenen van de kade onder aan de muur kwam, sloeg het sproeiwater van de zee meteen in haar gezicht. Ze hoorde dat de man haar naam riep en ze begon nog harder te rennen. Het wás Fenwick! Het gewicht van haar koffer vertraagde haar, maar hij was haar enige redding en ze kon hem niet achterlaten.

Toen ze de boot bereikte hoorde ze hem nog een keer schreeuwen. Zoals ze gewend was draaide ze de benzinekraan open, maar het was nu zo donker dat ze de hendels en knoppen nauwelijks kon zien. Bij het flikkerende licht van haar aansteker stak ze het sleuteltje in het contact en draaide het om. De motor sloeg sputterend aan en begon te lopen.

Fenwick keek langs de havenmuur die in het donker verdween. Hij kon Sally op haar hurken in de stuurhut van de stevige, zeewaardige boot zien zitten. Niet te geloven, ze zou toch niet zo roekeloos zijn om te proberen het haventje te verlaten en de zee op te gaan! De golven sloegen over de solide stenen muur heen en overspoelden de ruwe, met zeewier bedekte betonblokken en rotsen met sproeiwater.

'Stop! Blijf daar! Politie!' riep hij, maar plotseling zag hij kolkend wit schuim ontstaan en gooide ze de touwen los.

'Sally, in godsnaam, doe dat niet! Kom terug! Dat red je nooit!'

Hij zou niet weten of zijn woorden haar bereikten boven de herrie van de wind en de motor uit, maar ze trok zich er niets van aan en stuurde de boot naar de stormachtige wateren bij de havenmonding. De beschuttende muur was een lange, gebogen arm van stenen en betonblokken van ongeveer anderhalve meter breed en drieënhalve meter hoog, met bovenlangs een vlak, ruw afgewerkt looppad. Fenwick begon over de glibberige keien te rennen en was al na een paar tellen doorweekt door het onophoudelijke gebeuk van de golven. Twee keer ging hij onderuit toen het water tegen hem aan sloeg en hij moest zich aan de slijmerige rotsen vasthouden om te voorkomen dat hij het water in gleed. Sally was nu zo dichtbij dat hij haar witte gezicht en haar vastberaden, grote ogen kon zien.

Hij moest machteloos toezien hoe de kleine boot zich door de kolkende watermassa worstelde bij de rotsen die het einde van de havenmuur markeerden. Soms was de kracht van de zee zo groot dat ze achteruit leek te varen, maar uiteindelijk bewoog de boeg van de boot zich toch voorwaarts.

'Sally, doe het niet! Kom terug!'

Ze draaide zich naar hem om alsof ze hem had gehoord, en in het flauwe schijnsel van het havenlicht was hij er zeker van dat hij haar zag glimlachen en haar hoofd schudden. Hij was nu bijna bij het einde van de muur. De golven waren hier hoger en sterker dan dichter bij het land en hij kon zich nauwelijks staande houden, toch bleef hij vertwijfeld pogen Sally ervan te weerhouden haar zo goed als wisse dood tegemoet te varen. Haar boot leek nietig in de golven en zelfs met die krachtige motor leek ze nu al in moeilijkheden te verkeren.

Achter hem zwaaiden opeens koplampen over hem heen. Hij keek om. De rest van het team was gearriveerd. Toen hij zich weer omdraaide was hij zijn nachtzicht kwijt en hij struikelde, toen een muur van water hem bijna halsoverkop van de rotsen in de wervelende maalstroom onder hem sloeg. Hij kwam met zijn hele gewicht op zijn knieën terecht en hij voelde zijn rechterknie knarsen en kraken: zijn oude knieblessure kon de klap niet aan en hij stak zijn handen uit om te voorkomen dat hij viel. Hij haalde ze open aan de scherpe rotsen, maar hij voelde geen pijn toen hij zich vertwijfeld aan de bovenkant van de muur vastklampte.

Aanvankelijk was Sally vol zelfvertrouwen geweest dat ze de boot onder controle kon houden. Ze had er vaak mee gevaren, hij verkeerde in goede staat en er zat een krachtige motor in. Ze had haar koffer op de grond van de stuurhut gegooid en was soepel weggevaren, maar nu ze buiten de beschutting van de havenmuur kwam, vielen haar plannen in duigen. De golven beukten tegen de boot en de wind was zo hard, dat ze door het lawaai bijna niet kon denken. Ze merkte dat het moeilijk was om de koers te corrigeren, om te voorkomen dat de boot volliep; binnen een paar minuten stond er al een laag water van een paar centimeter. Nu ze voorbij de veilige muur was en de open zee opvoer voelde zich nog nietiger en volkomen onbeschut. Maar de gedachte terug te gaan, met Fenwick te worden geconfronteerd en de gevangenis in te draaien, vervulde haar met afgrijzen.

De boot stuiterde en sprong als een kurk op de golven en ze moest gas geven om hem stabiel te houden. Ze voelde het trekken van een sterke onderstroom en ze zag hoe het kolkende zeewater door de havenmonding werd gezogen. De wind en het sproeiwater staken in haar gezicht en verblindden haar bijna. Zelfs zó dicht bij de kust hadden de golven een ontzaglijke kracht en plotseling werd ze bang.

483

In een impuls besloot ze de boot te keren en terug te gaan naar de haven. Alles was beter dan in haar eentje de storm op zee te trotseren.

Terwijl ze met de boot manoeuvreerde werd de boeg opgetild en maakte hij een hele slag in het rond alsof hij van papier was. Een volgende golf sloeg tegen de zijkant en wierp haar uit balans. Eén waanzinnig moment lag ze op de bodem van de boot, in een laag water van zeven centimeter, en keek ze omhoog naar de golven boven zich. Ze leken een heel eind boven de zijkant uit te torenen. Toen ze weer overeind kwam viel die hoogte wel mee, maar ze waren niet minder bedreigend. Ze trok het stuurwiel opnieuw rond, vechtend tegen de kracht van de golven.

Voor haar uit werd de woeste zee, opgezweept door de stormachtige windvlagen, door een tien meter brede opening tussen de armen van de havenmuur gestuwd. Het was nu vechten om te overleven.

Zich vastklampend aan de havenmuur, niet in staat te blijven staan vanwege de kracht van de wind en de brekende golven, zag Fenwick de boot heen en weer schommelen. Sally probeerde hem te keren op de golven. Lange tijd weerstond ze die kracht maar toen sloeg een golf over de achtersteven en de kleine boot draaide rond als een tol. Hij werd door de onderstroom gegrepen en onverbiddelijk naar het ziedende water voorbij de havenmonding gesleurd, in de richting van de open zee. Even kwam hij zo dichtbij dat Fenwick in de doodsbange ogen van Sally kon kijken, terwijl ze knokte om het vaartuig onder controle te krijgen en in balans te houden. Ze trok de gashendel helemaal open, om de boot terug te brengen naar de haven. Even leek het erop dat het haar zou lukken, maar toen sloeg een enorme watermassa over de boot heen. Het stuur werd met zoveel kracht uit haar handen gerukt dat ze omvergeslagen werd. Toen hoorde hij een zwak kreetje van angst, heel hoog en heel kinderlijk, en hij werd overweldigd door medelijden. Alle haat die hij jegens haar voelde vervloog nog voor het geluid was weggestorven en er kwam een instinctieve drang bij hem op om haar te redden.

Aan het uiteinde van de muur stond een paal met twee reddings-
gordels. Diep ineengedoken om te voorkomen dat hij zelf zijn evenwicht verloor en in zee geblazen zou worden, gooide hij er een naar
haar toe, zo ver als hij kon. Hij zag het stevige nylontouw als een
slang door de lucht kronkelen, voordat hij teruggeblazen werd en te
ver bij haar vandaan neerkwam. Zij lag daar in de boot en klampte
zich vast aan haar zilverkleurige koffer alsof hij op de een of andere
manier haar leven zou redden. Fenwick richtte zich in zijn volle lengte op en gooide de gordel opnieuw uit. Hij viel een paar meter bij
hem vandaan op het water. Hij trok hem weer in en stond op het
punt hem opnieuw uit te gooien, toen hij een enorme luchtdruk
voelde en zich omdraaide. Vanaf open zee kwam een zwarte muur
van water op hen af.

Sally kreeg het gevoel dat ze overhelde en dat de boot boven op haar
terecht zou komen. Met de koffer stijf tegen haar borst geklemd keek
ze omhoog naar de zijkant van de boot. Daar boven haar was een
berg van water die langzaam over haar heen kwam vallen. Toen was
de boot niet langer onder haar en voelde ze hoe de zee zich om haar
lichaam sloot. Haar benen begonnen instinctief te trappelen, maar
haar armen zaten nog steeds om die koffer geklemd, alsof hij haar
naar het oppervlak zou tillen en drijvende zou houden. Eerst bleef
de luchtdichte koffer gemakkelijk drijven op de golfslag, maar toen
begon hij langzaam te zinken. De onderstroom trok begerig aan haar
benen, terwijl een volgende golf over haar heen spoelde en opeens
was dat het enige wat er nog overbleef: de nacht, het water en haar
geld. Ze keek omhoog, haar ogen en haar mond opengesperd, terwijl
het water zich boven haar hoofd sloot. Ze meende een hand te zien
die zich naar haar uitstrekte en haar blonde haren raakte, die om-
hoogdreven naar het oppervlak. Maar ze kon er niet bij komen en
ze zonk weg, met haar armen om haar koffer geslagen, tot eindelijk
haar ogen zich sloten.

Fenwick voelde hoe zijn benen door de golf van de rotsen werden getild en dat hij werd meegesleurd over de rand van de havenmuur, naar beneden, onder het oppervlak van de zee bij de havenmonding. De golven kregen hem onmiddellijk te pakken, sterk en gulzig, en ze begonnen hem mee te sleuren, de open zee van het Kanaal in. Eén keer kwam hij boven en kon hij vertwijfeld naar lucht happen, voordat een volgende golf zijn neus en zijn mond met bijtend zout water vulde. Zijn longen brandden en zijn benen deden pijn van het harde trappen tegen de stroming in. Met één bovenmenselijke krachtsinspanning werkte hij zichzelf weer naar de oppervlakte en haalde opnieuw adem. Hij sloeg met zijn armen in het water in een vergeefse poging om boven die dodelijke zuigkracht van de onderstroom te blijven, maar het was hopeloos, ze was te sterk. Het gewicht van de golven spande samen met de trekkracht van de stroming om hem onder water te zuigen. Met zijn ogen opengesperd ging hij voor de laatste keer kopje-onder.

Voor zich zag hij een oranje nylon touw als een baken in het water glanzen. Hij greep ernaar en schroeide zijn vingers aan het ruwe, glibberige oppervlak. Het glipte weg. Hij reikte er opnieuw naar en kreeg het te pakken. Met brandende spieren trok hij zich eraan op tot hij zijn hoofd weer boven water had. Hij legde zijn wang op die belachelijke plastic ring, te uitgeput om nog meer te doen. Zijn armen en benen waren verdoofd door de kou. Hij kon de mannen op de muur naar hem zien zwaaien en roepen dat hij naar hen toe moest komen, maar het was onmogelijk voor hem om zich te bewegen. Hij hing als een gevangen vis aan de lijn tussen de kracht van de stroming en het verankerde touw. Ze waren maar drie meter bij hem vandaan, maar het had net zo goed een kilometer kunnen zijn. Ze konden niet bij hem komen en hij zat vast, terwijl de golven in een constant, dodelijk ritme tegen zijn handen en zijn armen sloegen. Het drong tot hem door dat hij dood zou gaan als zij niet iets deden, vlak bij het droge, met hulp op een steenworp afstand, en de zinloosheid hiervan vervulde hem met zoveel razernij, dat het door zijn onbruikbaar geworden armen stroomde en hem hernieuwde kracht gaf. Hij klampte zich vast en wenste zo vurig dat zij hem aan land zouden trekken, maar hijzelf had geen kracht meer over, alleen maar het wanhopige verlangen om vol te houden, aangevuurd door de gedachten aan zijn gezin en de ironie dat hij hier, op deze manier zou sterven. Toen voelde hij de zuigkracht minder worden en was er rotsgrond onder zijn tenen. Hij slaagde erin zijn voet schrap te zetten in een spleet en zijn lichaam naar voren te bewegen door het water.

Zaklantarens schenen door het nachtelijk duister boven zijn hoofd en er werd een hand naar hem uitgestoken, zo dichtbij, dat hij de nagels kon zien, die bedekt waren met een dikke laag drab van de rotsen. Hij leverde nog een laatste, uiterste krachtsinspanning om de afstand te dichten en voelde uiteindelijk dat sterke armen hem omhoogtrokken en dat er een ruwe deken om hem heen geslagen werd.

48

Voor de tweede keer werd Fenwick wakker in de kleine eenpersoonskamer in een onbekend ziekenhuis. Op een volstrekt abstracte manier wist hij dat hij hier al drie dagen lag sinds de avond waarop Sally Wainwright-Smith was gestorven. Haar lichaam was meegesleurd naar zee en nog altijd niet gevonden. De dokters hadden zijn handen gehecht en zijn knie weer in elkaar gezet, en vandaag mocht hij weer naar huis, wel met strenge instructies dat hij drie weken niet op dat been mocht staan of zijn knie belasten. Hij nam zich nu al voor om deze instructies te negeren, want als hij zijn kinderen weer zag zou hij hen vasthouden tot hij ze moest loslaten van de pijn.

Maar het was niet dit hevige verlangen dat maakte dat hij zijn ogen sloot, het was de aanhoudende verwarring in zijn hoofd als hij dacht aan Alexander Wainwright-Smith. Vanaf het moment dat hij weer bij bewustzijn was gekomen, werd hij geobsedeerd door die man. Hoe had hij ooit kunnen denken dat Alexander onschuldig in deze situatie verzeild was geraakt? Hij had moeten beseffen dat Alexander Sally nooit zou hebben toegestaan iets tegen zijn wens in te ondernemen. Hij had meer dan de miljoenen van de familie Wainwright geërfd: hij bezat ook de brute overheersing van zijn grootvader en de obsessieve behoefte van zijn oom om alles en iedereen om zich heen onder controle te houden.

Na urenlang nadenken was Fenwick ervan overtuigd dat Alexander betrokken was bij de planning van alle sterfgevallen bij de Wainwrights, en dat Sally gewoon het wapen was geweest dat hij had gekozen. Hij besefte ook dat hij dat nooit zou kunnen bewijzen. Sally was dood.

Het was hem nog altijd een raadsel wat er die avond van Sally's dood nu eigenlijk was gebeurd; waarom had Alexander hem in zijn eentje op haar afgestuurd? Fenwick was ervan overtuigd dat hij om de tuin was geleid, al had Boyd de verklaring van Wainwright-Smith geaccepteerd dat het simpel het gevolg was van een vergissing. Wat voor motief kon een man ertoe brengen om zijn vrouw volslagen geïsoleerd naar een hopeloze en gevaarlijke ontmoeting te sturen – Alexander had haar gemakkelijk kunnen overhalen op een andere plaats op hem te wachten. Vervolgens had hij de vader van het kind dat ze had ontvoerd en bijna bij een brand had laten omkomen, helemaal alleen op haar afgestuurd.

Was Wainwright-Smith uitgegaan van de verwachting dat hij zijn vrouw zou doden? Deze gedachte schokte hem en vervulde hem met ontzetting. Die man had toch moeten beseffen dat Fenwick gedwongen was om gerechtigheid vóór wraak te laten gelden? Toen drong het tot hem door dat Alexander misschien had verwacht dat hij zich zou gedragen zoals hij zelf zou hebben gedaan; dat was een algemeen voorkomende vergissing. Fenwick wreef met zijn verbonden hand over zijn voorhoofd in een poging de hoofdpijn te verdrijven die hem nog steeds plaagde sinds die vreselijke avond. Als Wainwright-Smith hem erop uitgestuurd had om Sally te doden, dan had hij hem helemaal verkeerd beoordeeld... Maar zijn vrouw was desondanks omgekomen. Fenwick schoot opeens rechtovereind in zijn bed en liet de zaalhulp schrikken die net binnenkwam om hem zijn ochtendkoffie te brengen. Ze liet hem snel weer alleen, terwijl hij met een blik vol afschuw naar de muur tegenover zich staarde. Wainwright-Smith had op die verschrikkelijke avond niet Fenwick, maar zijn eigen vrouw gemanipuleerd! Hij had Sally ertoe gedreven een vluchtpoging te ondernemen die ze nooit tot een goed einde had kunnen brengen tegenover een getraind team van politieagenten dat erop uit was haar in te rekenen.

Hoe vaak had Alexander iets in scène gezet en vervolgens achterover leunend afgewacht, misschien wel op kilometers afstand, tot zijn vrouw met haar psychotische, maar kneedbare gedrag hem de beloningen bracht die voor die tijd buiten zijn bereik hadden gelegen? Hij had zijn erfenis gekregen, had zichzelf van een gevaarlijke vrouw ontdaan en was eindelijk bevrijd van FitzGerald, die het familiebedrijf van binnenuit controleerde. Hij mocht dan de Hall door de brand zijn kwijtgeraakt, hij hield genoeg over om alle plannen die hij had beraamd de moeite waard te maken. Tenzij Miles Cator en zijn mensen voldoende bewijzen vonden om het bedrijf te sluiten wegens witwaspraktijken zou Alexander letterlijk wegkomen met de moord op zijn oom, op zijn neef en nu uiteindelijk op zijn vrouw.

Het was alsof zijn gedachten aan de commissaris hem tevoorschijn hadden getoverd: Miles Cator kwam onaangekondigd Fenwicks kamer binnenwaaien met een tros druiven in een bruine papieren zak. De man zag er vermoeid uit, maar hij glimlachte toen hij zag dat de patiënt wakker was.

'Ik ben gekomen om je te bedanken, hoofdinspecteur. En ik ben blij te horen dat je weer helemaal aan het herstellen bent.'

'Bedanken?' Fenwick had een droge mond en zijn stem klonk schor.

'Ja, voor de zaak Wainwright. Het is een juweel. Met de papieren die je ons gegeven hebt, vooral dat kleine, bruine boekje van Arthur Fish, hebben we meer dan genoeg informatie om een officieel onderzoek in te stellen. Ik ga vandaag een gerechtelijk bevel halen om de handel in het hele bedrijf stil te leggen, dan kan de afdeling fraudebestrijding naar binnen, samen met de rest van mijn mensen, de douane en de fiscale opsporingsdienst. Daarom ben ik hier in Sussex, om al die dingen rond te krijgen. We zullen hier nog maandenlang zijn, maar ik vertrouw erop dat we, als het allemaal achter de rug is, een van de grootste en meest zorgvuldig geheimgehouden witwas-operaties die het Verenigd Koninkrijk ooit heeft gekend, hebben blootgelegd. Daarvoor verdien jij de meeste credits en ik zal ervoor zorgen dat je die krijgt ook, hoewel ik zeker weet dat er anderen zijn die meer willen dan waar ze recht op hebben!' Hij hoefde niet te zeggen op wie hij doelde en Fenwick genoot van zijn veelbetekenende grijns.

Cator schudde voorzichtig Fenwicks verbonden hand en legde de druiven op zijn nachtkastje. Toen nam hij vrolijk afscheid en ging de kamer uit.

Fenwick liet zijn hoofd in zijn handen zakken, niet van wanhoop, maar met een enorm gevoel van opluchting. God zij gedankt voor Arthur Fish. Wainwright-Smith beschouwde hem waarschijnlijk nog steeds als een bijkomstig ongelukje als gevolg van de paranoïde psychoses van zijn vrouw, maar in werkelijkheid was Fish zijn ondergang. Tegelijk met zijn dood zou hij uiteindelijk het Wainwright-imperium te gronde richten, na meer dan een eeuw van autoritair machtsmisbruik en hebzucht. Hij wist niet of Wainwright-Smith op de hoogte was van de omvang van de corruptie onder de oppervlakte van zijn familiebedrijf, en het kon hem niet schelen ook. De werkelijkheid was dat morgen alles waarvoor die man had gemanipuleerd, getrouwd was en moorden had gepleegd zou verdwijnen, in rook zou opgaan, dankzij Arthur Fish' kleine, bruine boekje. Tot zijn verbazing merkte Fenwick weer dat hij wel degelijk in een god geloofde, in een oudtestamentische, wraakgierige en jaloerse god, die van tijd tot tijd gerechtigheid bracht op een manier die het menselijk verstand te boven ging.

Hij voelde zich leeg maar kalm bij dit inzicht, en geleidelijk riep de pijn in zijn knie hem terug naar de realiteit. Zijn koffie was koud geworden, maar hij dronk hem evengoed op, en ondanks de cafeïne was hij weggedommeld toen zijn volgende bezoeker kwam. Hij was blij dat hij zijn ogen nog dicht had: dat betekende dat hij zijn gevoelens onder controle kon brengen, voordat hij ze opendeed om hem aan te kijken.

'Ik blijf niet lang, maar ik moet even langskomen om u te bedanken. Ondanks alles heeft u gepoogd haar te redden; er was u voldoende aan gelegen om haar in leven te houden en daar ben ik u ongelooflijk dankbaar voor.'

Fenwick schudde zachtjes met zijn hoofd alsof hij de slaap wilde verdrijven, maar Alexander vatte het verkeerd op.

'Nee, ik ben zo blij dat u het geprobeerd hebt, zeker in de wetenschap van wat ze heeft gedaan. Dat betekent dat zelfs u, juist u, vond dat ze het waard was om gered te worden.' Met zijn zintuigen op scherp hoorde Fenwick hoe kunstmatig de stem van Wainwright-Smith klonk, en hij vroeg zich af hoe lang hij op dat dieptreurige en toch dankbare toontje had geoefend.

Hij kon niet bedenken wat hij terug moest zeggen. Hij voelde zich fysiek onpasselijk door de hypocrisie van de man en alleen door de gedachte aan het gerechtelijk bevel was hij in staat een blik vol walging uit zijn ogen te weren.

'Er zat wel degelijk iets goeds in haar, weet u, echt. Als ze niet zo'n verschrikkelijke jeugd had gehad zou ze een schat van een mens zijn geweest, dat weet ik zeker.'

Alexander klonk tot tranen toe geroerd en Fenwick bekeek hem nog eens met een frisse blik. Pure slechtheid was hij maar zelden tegengekomen. Hij had stompzinnigheid gezien, hebzucht, haat, zelfs excessieve liefde met alle verschrikkelijke gevolgen van dien, maar slechtheid was iets zeldzaams. Sally was verdorven geweest, ze was ermee geboren of ze was ermee opgevoed, maar hoe kwam het dat haar man zo was geworden?

'Ik ben erg moe.'

'Natuurlijk, ik ga weer.' Met een oppervlakkig meelevende glimlach vertrok Wainwright-Smith.

Fenwick legde zijn hoofd op zijn kussen en keek zijn onwelkome bezoeker na. Binnen vierentwintig uur zou Alexanders wereld instorten; zijn bankrekeningen zouden bevroren worden, zijn reputatie in duigen liggen en hij zou nul komma nul invloed meer hebben. Het had niemand anders beter kunnen treffen. Hij wilde die man nooit meer zien.

Een halfuur later kwam de hoofdverpleegkundige kordaat en koeltjes binnenlopen. 'De dokter zegt dat u nu elk moment weg mag, hoofdinspecteur. Zal ik uw kleren voor u pakken?'

'Nee, hoor, dat kan ik zelf wel.'

'Goed, dan kom ik over een kwartiertje uw rolstoel brengen.'

'Zuster, voor de laatste keer, ik hoef geen rolstoel.' Hier hadden ze al vanaf vanmorgen vroeg ruzie over.

'U moet uw letsels niet te licht opvatten. Als u niet op een goede manier herstelt heeft dat ernstige gevolgen, zeker voor een man van uw leeftijd.'

Het had geen zin om met haar in discussie te gaan.

'Zeg eens, zuster, is agent Nightingale hier nog?'

'Ja, ze ligt in de kamer aan het eind van de gang en zij mag ook binnenkort weg. Op zijn hoogst nog een dag of twee. Én ze is een beetje aangekomen als ze weggaat!'

Ongetwijfeld, als het aan deze verpleegkundige lag, dacht Fenwick. Meteen toen ze weg was ging hij zich snel wassen, scheren en aankleden, en hij lette niet op de zeurende pijn in zijn spieren en in zijn rechterknie, waardoor hij strompelde op zijn krukken. Hij was vast van plan hier weg te zijn voordat zij terugkwam. Hij pakte de druiven op, stak ze in de zak en liep toen met veel pijn en moeite de gang door.

Nightingale zat rechtop in de kussens een boek te lezen. Ze zag bleek, behalve op de plekken waar het paars en geel zag van de bloeduitstortingen.

'Hallo. Ik kom je een paar druiven brengen.'

Op de klank van zijn stem keek ze geschrokken op en haar hand ging meteen naar haar wang om de kneuzing te bedekken. Toen ze antwoord gaf klonk haar stem hoog en breekbaar.

'Dank je wel, dat is heel attent. Hebben ze je laten gaan?'

'Ja, vanmorgen.'

'En toen had je meteen tijd om druiven te gaan kopen?'

Zij zou een uitstekende politievrouw worden, ze had het helemaal in zich.

'Eh, nee, iemand heeft ze voor mij meegebracht, maar ik vond dat jij ze meer verdiende.'

Ze glimlachte ontspannen en zelfverzekerd. 'Toch is het aardig van je. Kom binnen en ga zitten. Ik moet het ergens met je over hebben.'

'Vermoeit het je niet te veel?'

Ze schudde nog altijd glimlachend haar hoofd. 'Ik voel me prima. Ze zijn veel te bezorgd.'

'Maar je moet wel op krachten komen. Ik wil je helemaal klaar voor de strijd terug hebben.'

Er viel een ongemakkelijke stilte. Hij had hen er allebei weer aan herinnerd wie hij was en daarmee ook aan de aard van de verhoudingen. De glimlach ebde langzaam weg.

'Maakt u zich maar geen zorgen, hoofdinspecteur, ik ben er binnenkort weer.' Ze keek weg en het werd even stil. Toen knipperde ze met haar ogen en keek hem weer frank en vrij aan. 'Ik moet echt met u praten over de zaak Wainwright.'

Fenwick deed zijn best om niet te gaan lachen. Wat een gekke meid was ze toch.

'Hij is gesloten, daar bedoel ik mee dat er geen moordproces komt. Het onderzoek naar het witwassen van geld gaat door, maar dat is ons werk niet, goddank.'

'Nee, ik wil het over de moorden hebben. Ik heb erover nagedacht. Ik weet eigenlijk niet of we die zaak zomaar moeten afsluiten.'

'Niet weer! Dit is geloof ik al de tweede keer dat je me probeert over te halen de zaak Wainwright te heropenen. Sally is dood. James FitzGerald ook. Dat waren de misdadigers; ze probeerden ieder op hun eigen meedogenloze manier de firma Wainwright voor hun eigen doeleinden te manipuleren.'

'Die twee laat ik buiten beschouwing, hoofdinspecteur. Ik heb het over Alexander Wainwright-Smith. Waarom gelooft u dat Sally in haar eentje opereerde? Denkt u echt dat zij in staat was dat allemaal alleen op touw te zetten? Daar was heimelijkheid en planning voor nodig, te beginnen met de dood van Alexanders oom.

Volgens mij is Alexander de grote profiteur van dit alles: hij heeft zijn geld, de macht binnen het familiebedrijf en hij is eindelijk bevrijd van zijn geesteszieke echtgenote. Hij kan nu met zijn leven doen wat hij wil. Veronderstel nou eens dat hij van haar verleden af wist, dat hij met haar trouwde en haar manipuleerde om die misdaden te begaan...'

Fenwick slaagde erin zijn blik van bewondering te maskeren door voorover te buigen en een paar van zijn eigen meegebrachte druiven te pakken. Ze had gelijk, natuurlijk had ze gelijk, en op een dag zou hij haar dat ook zeggen. Maar niet vandaag.

'Nee, Nightingale, het moet ophouden. Het zijn allemaal veronderstellingen omdat je niets anders omhanden hebt.'

'Dus u denkt dat ze alleen handelde?'

Nightingale trok een sip gezicht en Fenwick weet dat aan de teleurstelling over zijn gebrek aan belangstelling voor haar theorie.

'Nightingale,' zei hij en hij gaf even een plaagstootje tegen haar goede schouder – hij had net op tijd in de gaten dat de andere in het verband zat – 'ik vind dat de zaak gesloten is en dat jij je alleen maar moet concentreren op beter worden.'

Nightingale keek hem aan, fronste haar voorhoofd, maar begon toen te grijnzen. 'Ik probeerde je alleen maar uit,' zei ze en ze lachte toen hij een druif naar haar hoofd gooide.